HUGO VON HOFMANNSTHAL

AUSGEWÄHLTE WERKE IN ZWEI BÄNDEN

Erster Band

S. FISCHER VERLAG

HUGO VON HOFMANNSTHAL

GEDICHTE UND DRAMEN

S. FISCHER VERLAG

Herausgegeben von Rudolf Hirsch

GEDICHTE

FÜR MICH...

Das längst Gewohnte, das alltäglich Gleiche,
Mein Auge adelt mirs zum Zauberreiche:
Es singt der Sturm sein grollend Lied für mich,
Für mich erglüht die Rose, rauscht die Eiche.
Die Sonne spielt auf goldnem Frauenhaar
Für mich — und Mondlicht auf dem stillen Teiche.
Die Seele les ich aus dem stummen Blick,
Und zu mir spricht die Stirn, die schweigend bleiche.
Zum Traume sag ich: »Bleib bei mir, sei wahr!«
Und zu der Wirklichkeit: »Sei Traum, entweiche!«
Das Wort, das Andern Scheidemünze ist,
Mir ists der Bilderquell, der flimmernd reiche.
Was ich erkenne, ist mein Eigentum,
Und lieblich locket, was ich *nicht* erreiche.
Der Rausch ist süß, den Geistertrank entflammt,
Und süß ist die Erschlaffung auch, die weiche.
So tiefe Welten tun sich oft mir auf,
Daß ich drein glanzgeblendet, zögernd schleiche,
Und einen goldnen Reigen schlingt um mich
Das längst Gewohnte, das alltäglich Gleiche.

GHASEL

In der ärmsten kleinen Geige liegt die Harmonie des
                    Alls verborgen,
Liegt ekstatisch tiefstes Stöhnen, Jauchzen süßen
                    Schalls verborgen;
In dem Stein am Wege liegt der Funke, der die Welt
                    entzündet,
Liegt die Wucht des fürchterlichen, blitzesgleichen
                    Pralls verborgen.
In dem Wort, dem abgegriffnen, liegt was mancher
                    sinnend suchet:
Eine Wahrheit, mit der Klarheit leuchtenden
                    Kristalls verborgen...
Lockt die Töne, sucht die Wahrheit, werft den Stein
                    mit Riesenkräften!
Unsern Blicken ist Vollkommnes seit dem Tag des Sün-
                    denfalls verborgen.

PROLOG ZU DEM BUCH ›ANATOL‹

Hohe Gitter, Taxushecken,
Wappen nimmermehr vergoldet,
Sphinxe, durch das Dickicht schimmernd...
...Knarrend öffnen sich die Tore. –
Mit verschlafenen Kaskaden
Und verschlafenen Tritonen,
Rokoko, verstaubt und lieblich,
Seht... das Wien des Canaletto,
Wien von siebzehnhundertsechzig...
...Grüne, braune stille Teiche,
Glatt und marmorweiß umrandet,
In dem Spiegelbild der Nixen
Spielen Gold- und Silberfische...
Auf dem glattgeschornen Rasen
Liegen zierlich gleiche Schatten
Schlanker Oleanderstämme;
Zweige wölben sich zur Kuppel,
Zweige neigen sich zur Nische
Für die steifen Liebespaare,
Heroinen und Heroen...
Drei Delphine gießen murmelnd
Fluten in ein Muschelbecken...
Duftige Kastanienblüten
Gleiten, schwirren leuchtend nieder
Und ertrinken in den Becken...
...Hinter einer Taxusmauer
Tönen Geigen, Klarinetten,
Und sie scheinen den graziösen
Amoretten zu entströmen,
Die rings auf der Rampe sitzen,
Fiedelnd oder Blumen windend,
Selbst von Blumen bunt umgeben,
Die aus Marmorvasen strömen:
Goldlack und Jasmin und Flieder...
...Auf der Rampe, zwischen ihnen
Sitzen auch kokette Frauen,
Violette Monsignori...
Und im Gras, zu ihren Füßen
Und auf Polstern, auf den Stufen
Kavaliere und Abbati...

Andre heben andre Frauen
Aus den parfümierten Sänften...
Durch die Zweige brechen Lichter,
Flimmern auf den blonden Köpfchen,
Scheinen auf den bunten Polstern,
Gleiten über Kies und Rasen,
Gleiten über das Gerüste,
Das wir flüchtig aufgeschlagen.
Wein und Winde klettert aufwärts
Und umhüllt die lichten Balken,
Und dazwischen farbenüppig
Flattert Teppich und Tapete,
Schäferszenen, keck gewoben,
Zierlich von Watteau entworfen...

Eine Laube statt der Bühne,
Sommersonne statt der Lampen,
Also spielen wir Theater,
Spielen unsre eignen Stücke,
Frühgereift und zart und traurig,
Die Komödie unsrer Seele,
Unsres Fühlens Heut und Gestern,
Böser Dinge hübsche Formel,
Glatte Worte, bunte Bilder,
Halbes, heimliches Empfinden,
Agonien, Episoden...
Manche hören zu, nicht alle...
Manche träumen, manche lachen,
Manche essen Eis... und manche
Sprechen sehr galante Dinge...
...Nelken wiegen sich im Winde,
Hochgestielte weiße Nelken,
Wie ein Schwarm von weißen Faltern,
Und ein Bologneserhündchen
Bellt verwundert einen Pfau an.

VORFRÜHLING

Es läuft der Frühlingswind
Durch kahle Alleen,
Seltsame Dinge sind
In seinem Wehn.

Er hat sich gewiegt,
Wo Weinen war,
Und hat sich geschmiegt
In zerrüttetes Haar.

Er schüttelte nieder
Akazienblüten
Und kühlte die Glieder,
Die atmend glühten.

Lippen im Lachen
Hat er berührt,
Die weichen und wachen
Fluren durchspürt.

Er glitt durch die Flöte
Als schluchzender Schrei,
An dämmernder Röte
Flog er vorbei.

Er flog mit Schweigen
Durch flüsternde Zimmer
Und löschte im Neigen
Der Ampel Schimmer.

Es läuft der Frühlingswind
Durch kahle Alleen,
Seltsame Dinge sind
In seinem Wehn.

Durch die glatten
Kahlen Alleen
Treibt sein Wehn
Blasse Schatten.

Und den Duft,
Den er gebracht,
Von wo er gekommen
Seit gestern nacht.

ERLEBNIS

Mit silbergrauem Dufte war das Tal
Der Dämmerung erfüllt, wie wenn der Mond
Durch Wolken sickert. Doch es war nicht Nacht.
Mit silbergrauem Duft des dunklen Tales
Verschwammen meine dämmernden Gedanken,
Und still versank ich in dem webenden,
Durchsichtgen Meere und verließ das Leben.
Wie wunderbare Blumen waren da
Mit Kelchen dunkelglühend! Pflanzendickicht,
Durch das ein gelbrot Licht wie von Topasen
In warmen Strömen drang und glomm. Das Ganze
War angefüllt mit einem tiefen Schwellen
Schwermütiger Musik. Und dieses wußt ich,
Obgleich ichs nicht begreife, doch ich wußt es:
Das ist der Tod. Der ist Musik geworden,
Gewaltig sehnend, süß und dunkelglühend,
Verwandt der tiefsten Schwermut.
                                  Aber seltsam
Ein namenloses Heimweh weinte lautlos
In meiner Seele nach dem Leben, weinte,
Wie einer weint, wenn er auf großem Seeschiff
Mit gelben Riesensegeln gegen Abend
Auf dunkelblauem Wasser an der Stadt,
Der Vaterstadt, vorüberfährt. Da sieht er
Die Gassen, hört die Brunnen rauschen, riecht
Den Duft der Fliederbüsche, sieht sich selber,
Ein Kind, am Ufer stehn, mit Kindesaugen,
Die ängstlich sind und weinen wollen, sieht
Durchs offne Fenster Licht in seinem Zimmer –
Das große Seeschiff aber trägt ihn weiter
Auf dunkelblauem Wasser lautlos gleitend
Mit gelben fremdgeformten Riesensegeln.

11

LEBEN

Die Sonne sinkt den lebenleeren Tagen
Und sinkt der Stadt vergoldend und gewaltig,
So wie sie sank der Zeit, die viel zu sagen
Und viel zu schenken hatte, vielgestaltig.
Und Schatten scheint die goldne Luft zu tragen
Versunkener Tage, blaß und zartgestaltig,
Und alle Stunden, die vorübergleiten,
Verhüllt ein Hauch verklärter Möglichkeiten.

Ein Morgen war in blassen weiten Gärten,
Von kühlem Duft und Einsamkeit durchzogen,
Die Sonne steigt, es finden sich Gefährten,
Aus Lauben tretend, aus lebendigen Bogen,
Und die Gedanken, die sich funkelnd mehrten
Und aus der Einsamkeit die Schönheit sogen,
Ergießen sich in losgebundenen Scharen
Mit offenen Lippen, Efeu in den Haaren.

Und alle Dinge werden uns lebendig:
Im Winde weht der Atem der Mänaden,
Aus dunklen Teichen winkt es silberhändig,
Und die verträumten flüstern, die Dryaden,
In leisen Schauern sehnend und beständig
Von nächtigen geheimnisvollen Gnaden
Mit gelbem warmem Mond und stillem Prangen
Und vieler Schönheit, die vorbeigegangen.

Doch aus dem Garten sind wir schon getreten:
Auf goldenen Fluten harren die Galeeren
Mit Flötenklang und Segeln, weißgeblähten...
Und weiter Treppen königliche Ehren
Mit Purpurprunk und silbernen Trompeten...
Und von berühmten griechischen Hetären,
In goldenes Braun und Pfirsichrot gehüllt,
Ist der Balkone Gitterwerk erfüllt.

Es gleitet flink durch dunkelblaue Wogen
Das goldene Schiff der Insel nun entgegen,
Der Flötenschall ist singend vorgeflogen,
Und auf den blumen-überquollnen Wegen

Aus des Theaters schwarzem Marmorbogen
Sieht man den Chor sich feierlich bewegen,
Um Bacchus und die Musen anzurufen,
Die aus dem Rausche die Tragödie schufen.

Im Fackelschein, wo alle Schatten schwanken,
Ist die Tragödie königlich beendet,
Mit schweren reifen purpurnen Gedanken
Sind wir zur Heimfahrt durch die Nacht gewendet.
Und wie die Formen all in Dunkel sanken,
So hat auch alles Irdische geendet,
Und wie der Schlaf im leisen Takt der Wogen –
Willkommen käme jetzt der Tod gezogen.

SPAZIERGANG

Ich ging durch nächtige Gassen
Bis zum verstaubten Rand
Der großen Stadt. Da kam ich
An eine Bretterwand

Auf einem öden Wall von Lehm.
Ich konnt nicht weiter gehen
Noch auch im klaren vollen Licht
Des Monds hinüber spähen.

Dahinter war die ganze Welt
Verschwunden und versunken
Und nur der Himmel aufgerollt
Mit seinen vielen Funken.

Der Himmel war so dunkelblau,
So glanz- und wunderschwer,
Als rollte ruhig unter ihm
Ein leuchtend feuchtes Meer.

Die Sterne glommen, als schauten sie
In einen hohen Hain
Mit rieselnden dunklen Wassern
Und rauschenden Wipfeln hinein.

Ich weiß nicht, was dort drüben war,
Doch wars wohl fort und fort
Nur öde Gruben, Sand und Lehm
Und Disteln halbverdorrt.

Sag, meine Seele, gibt es wo
Ein Glück, so groß und still,
Als liegend hinterm Bretterzaun
Zu träumen wie Gott will,

Wenn über Schutt und Staub und Qualm
Sich solche Pracht enthüllt,
Daß sie das Herz mit Orgelklang
Und großem Schauer füllt?

ICH LÖSCH DAS LICHT...

Ich lösch das Licht
Mit purpurner Hand,
Streif ab die Welt
Wie ein buntes Gewand

Und tauch ins Dunkel
Nackt und allein,
Das tiefe Reich
Wird mein, ich sein.

Groß' Wunder huschen
Durch Dickicht hin,
Quelladern springen
Im tiefsten Sinn,

O spräng noch manche,
Ich käm in' Kern,
Ins Herz der Welt
Allem nah, allem fern.

ICH GING HERNIEDER...

Ich ging hernieder weite Bergesstiegen
Und fühlt im wundervollen Netz mich liegen,
In Gottes Netz, im Lebenstraum gefangen.
Die Winde liefen und die Vögel sangen.

Wie trug, wie trug das Tal den Wasserspiegel!
Wie rauschend stand der Wald, wie schwoll der Hügel!
Hoch flog ein Falk, still leuchtete der Raum:
Im Leben lag mein Herz, in Tod und Traum.

BESITZ

Großer Garten liegt erschlossen,
Weite schweigende Terrassen:
Müßt mich alle Teile kennen,
Jeden Teil genießen lassen!

Schauen auf vom Blumenboden,
Auf zum Himmel durch Gezweige,
Längs dem Bach ins Fremde schreiten!
Niederwandeln sanfte Neige:

Dann, erst dann komm ich zum Weiher,
Der in stiller Mitte spiegelt,
Mir des Gartens ganze Freude
Träumerisch vereint entriegelt.

Aber solchen Vollbesitzes
Tiefe Blicke sind so selten!
Zwischen Finden und Verlieren
Müssen sie als göttlich gelten.

All in einem, Kern und Schale,
Dieses Glück gehört dem Traum...
Tief begreifen und besitzen!
Hat dies wo im Leben Raum?...

WELT UND ICH

Geh hin, mein Lied, zum Riesen Atlas, der
Den Bau der Welt mit Arm und Nacken stützt,
Und sag: »Du magst ins Hesperidenland
Jetzt gehn und Äpfel pflücken, wenn dirs nützt.

Mein Herr will untertreten deiner Last,
Wie einer eine leichte Laute hält,
Die murmelnde, wie eine Schüssel Obst,
So trägt er auf den Armen diese Welt.

Das tiefe Meer mit Ungeheuern drin,
Die alles Lebens dumpfe Larven sind;
Die Bäume, deren Wurzel dunkel saugt
Und deren Krone voller Duft und Wind;

Und Mondlicht, das durch Laub zur Erde trieft,
Und Rasen, drauf der Schlaf die Menschen legt,
Gleich stummen Krügen, jeder angefüllt
Mit einer ganzen Welt:
             ...das alles trägt
Mein Herr auf seinen Armen dir zu Dienst
Und zittert nicht und hält es gerne gut,
So wie ein Silberbecken, angefüllt
Mit leise redender, lebendger Flut.«

Tritt hin, mein Lied, zum Atlas, sag ihm dies,
Und wenn der Riese Atlas dir nicht glaubt,
Sprich: »Wie ertrüg er sie im Arme nicht,
Mein Herr, da er sie lächelnd trägt im Haupt?«

TERZINEN

I

ÜBER VERGÄNGLICHKEIT

Noch spür ich ihren Atem auf den Wangen:
Wie kann das sein, daß diese nahen Tage
Fort sind, für immer fort, und ganz vergangen?

Dies ist ein Ding, das keiner voll aussinnt,
Und viel zu grauenvoll, als daß man klage:
Daß alles gleitet und vorüberrinnt.

Und daß mein eignes Ich, durch nichts gehemmt,
Herüberglitt aus einem kleinen Kind
Mir wie ein Hund unheimlich stumm und fremd.

Dann: daß ich auch vor hundert Jahren war
Und meine Ahnen, die im Totenhemd,
Mit mir verwandt sind wie mein eignes Haar,

So eins mit mir als wie mein eignes Haar.

II

Die Stunden! wo wir auf das helle Blauen
Des Meeres starren und den Tod verstehn,
So leicht und feierlich und ohne Grauen,

Wie kleine Mädchen, die sehr blaß aussehn,
Mit großen Augen, und die immer frieren,
An einem Abend stumm vor sich hinsehn

Und wissen, daß das Leben jetzt aus ihren
Schlaftrunknen Gliedern still hinüberfließt
In Bäum und Gras, und sich matt lächelnd zieren

Wie eine Heilige, die ihr Blut vergießt.

III

Wir sind aus solchem Zeug wie das zu Träumen,
Und Träume schlagen so die Augen auf
Wie kleine Kinder unter Kirschenbäumen,

Aus deren Krone den blaßgoldnen Lauf
Der Vollmond anhebt durch die große Nacht.
...Nicht anders tauchen unsre Träume auf,

Sind da und leben wie ein Kind, das lacht,
Nicht minder groß im Auf- und Niederschweben
Als Vollmond, aus Baumkronen aufgewacht.

Das Innerste ist offen ihrem Weben;
Wie Geisterhände in versperrtem Raum
Sind sie in uns und haben immer Leben.

Und drei sind Eins: ein Mensch, ein Ding, ein T

IV

Zuweilen kommen niegeliebte Frauen
Im Traum als kleine Mädchen uns entgegen
Und sind unsäglich rührend anzuschauen,

Als wären sie mit uns auf fernen Wegen
Einmal an einem Abend lang gegangen,
Indes die Wipfel atmend sich bewegen

Und Duft herunterfällt und Nacht und Bangen,
Und längs des Weges, unsres Wegs, des dunkeln,
Im Abendschein die stummen Weiher prangen

Und, Spiegel unsrer Sehnsucht, traumhaft funkel
Und allen leisen Worten, allem Schweben
Der Abendluft und erstem Sternefunkeln

Die Seelen schwesterlich und tief erbeben
Und traurig sind und voll Triumphgepränge
Vor tiefer Ahnung, die das große Leben

Begreift und seine Herrlichkeit und Strenge.

WO ICH NAHE...

Wo ich nahe, wo ich lande,
Da im Schatten, dort im Sande
Werden sie sich zu mir setzen,
Und ich werde sie ergetzen,
Binden mit dem Schattenbande!

WELTGEHEIMNIS

Der tiefe Brunnen weiß es wohl,
Einst waren alle tief und stumm,
Und alle wußten drum.

Wie Zauberworte, nachgelallt
Und nicht begriffen in den Grund,
So geht es jetzt von Mund zu Mund.

Der tiefe Brunnen weiß es wohl;
In den gebückt, begriffs ein Mann,
Begriff es und verlor es dann.

Und redet' irr und sang ein Lied —
Auf dessen dunklen Spiegel bückt
Sich einst ein Kind und wird entrückt.

Und wächst und weiß nichts von sich selbst
Und wird ein Weib, das einer liebt
Und — wunderbar wie Liebe gibt!

Wie Liebe tiefe Kunde gibt! —
Da wird an Dinge, dumpf geahnt,
In ihren Küssen tief gemahnt...

In unsern Worten liegt es drin,
So tritt des Bettlers Fuß den Kies,
Der eines Edelsteins Verlies.

Der tiefe Brunnen weiß es wohl,
Einst aber wußten alle drum,
Nun zuckt im Kreis ein Traum herum.

BALLADE DES ÄUSSEREN LEBENS

Und Kinder wachsen auf mit tiefen Augen,
Die von nichts wissen, wachsen auf und sterben,
Und alle Menschen gehen ihre Wege.

Und süße Früchte werden aus den herben
Und fallen nachts wie tote Vögel nieder
Und liegen wenig Tage und verderben.

Und immer weht der Wind, und immer wieder
Vernehmen wir und reden viele Worte
Und spüren Lust und Müdigkeit der Glieder.

Und Straßen laufen durch das Gras, und Orte
Sind da und dort, voll Fackeln, Bäumen, Teichen,
Und drohende, und totenhaft verdorrte...

Wozu sind diese aufgebaut? und gleichen
Einander nie? und sind unzählig viele?
Was wechselt Lachen, Weinen und Erbleichen?

Was frommt das alles uns und diese Spiele,
Die wir doch groß und ewig einsam sind
Und wandernd nimmer suchen irgend Ziele?

Was frommts, dergleichen viel gesehen haben?
Und dennoch sagt der viel, der »Abend« sagt,
Ein Wort, daraus Tiefsinn und Trauer rinnt

Wie schwerer Honig aus den hohlen Waben.

EIN TRAUM VON GROSSER MAGIE

Viel königlicher als ein Perlenband
Und kühn wie junges Meer im Morgenduft,
So war ein großer Traum — wie ich ihn fand.

Durch offene Glastüren ging die Luft.
Ich schlief im Pavillon zu ebner Erde,
Und durch vier offne Türen ging die Luft —

Und früher liefen schon geschirrte Pferde
Hindurch und Hunde eine ganze Schar
An meinem Bett vorbei. Doch die Gebärde

Des Magiers – des Ersten, Großen – war
Auf einmal zwischen mir und einer Wand:
Sein stolzes Nicken, königliches Haar.

Und hinter ihm nicht Mauer: es entstand
Ein weiter Prunk von Abgrund, dunklem Meer
Und grünen Matten hinter seiner Hand.

Er bückte sich und zog das Tiefe her.
Er bückte sich, und seine Finger gingen
Im Boden so, als ob es Wasser wär.

Vom dünnen Quellenwasser aber fingen
Sich riesige Opale in den Händen
Und fielen tönend wieder ab in Ringen.

Dann warf er sich mit leichtem Schwung der Lenden –
Wie nur aus Stolz – der nächsten Klippe zu;
An ihm sah ich die Macht der Schwere enden.

In seinen Augen aber war die Ruh
Von schlafend- doch lebendgen Edelsteinen.
Er setzte sich und sprach ein solches Du

Zu Tagen, die uns ganz vergangen scheinen,
Daß sie herkamen trauervoll und groß:
Das freute ihn zu lachen und zu weinen.

Er fühlte traumhaft aller Menschen Los,
So wie er seine eignen Glieder fühlte.
Ihm war nichts nah und fern, nichts klein und groß.

Und wie tief unten sich die Erde kühlte,
Das Dunkel aus den Tiefen aufwärts drang,
Die Nacht das Laue aus den Wipfeln wühlte,

Genoß er allen Lebens großen Gang
So sehr – daß er in großer Trunkenheit
So wie ein Löwe über Klippen sprang.
. . . .

Cherub und hoher Herr ist unser Geist —
Wohnt nicht in uns, und in die obern Sterne
Setzt er den Stuhl und läßt uns viel verwaist:

Doch Er ist Feuer uns im tiefsten Kerne
— So ahnte mir, da ich den Traum da fand —
Und redet mit den Feuern jener Ferne

Und lebt in mir wie ich in meiner Hand.

MANCHE FREILICH...

Manche freilich müssen drunten sterben,
Wo die schweren Ruder der Schiffe streifen,
Andre wohnen bei dem Steuer droben,
Kennen Vogelflug und die Länder der Sterne.

Manche liegen immer mit schweren Gliedern
Bei den Wurzeln des verworrenen Lebens,
Andern sind die Stühle gerichtet
Bei den Sibyllen, den Königinnen,
Und da sitzen sie wie zu Hause,
Leichten Hauptes und leichter Hände.

Doch ein Schatten fällt von jenen Leben
In die anderen Leben hinüber,
Und die leichten sind an die schweren
Wie an Luft und Erde gebunden:

Ganz vergessener Völker Müdigkeiten
Kann ich nicht abtun von meinen Lidern,
Noch weghalten von der erschrockenen Seele
Stummes Niederfallen ferner Sterne.

Viele Geschicke weben neben dem meinen,
Durcheinander spielt sie alle das Dasein,
Und mein Teil ist mehr als dieses Lebens
Schlanke Flamme oder schmale Leier.

GUTE STUNDE

Hier lieg ich, mich dünkt es der Gipfel der Welt,
Hier hab ich kein Haus, und hier hab ich kein Zelt!

Die Wege der Menschen sind um mich her,
Hinauf zu den Bergen und nieder zum Meer:

Sie tragen die Ware, die ihnen gefällt,
Unwissend, daß jede mein Leben enthält.

Sie bringen in Schwingen aus Binsen und Gras
Die Früchte, von denen ich lange nicht aß:

Die Feige erkenn ich, nun spür ich den Ort,
Doch lebte der lange vergessene fort!

Und war mir das Leben, das schöne, entwandt,
Es hielt sich im Meer, und es hielt sich im Land!

DER JÜNGLING IN DER LANDSCHAFT

Die Gärtner legten ihre Beete frei,
Und viele Bettler waren überall
Mit schwarzverbundnen Augen und mit Krücken —
Doch auch mit Harfen und den neuen Blumen,
Dem starken Duft der schwachen Frühlingsblumen.

Die nackten Bäume ließen alles frei:
Man sah den Fluß hinab und sah den Markt,
Und viele Kinder spielen längs den Teichen.
Durch diese Landschaft ging er langsam hin
Und fühlte ihre Macht und wußte — daß
Auf ihn die Weltgeschicke sich bezogen.

Auf jene fremden Kinder ging er zu
Und war bereit, an unbekannter Schwelle
Ein neues Leben dienend hinzubringen.
Ihm fiel nicht ein, den Reichtum seiner Seele,
Die frühern Wege und Erinnerung

Verschlungner Finger und getauschter Seelen
Für mehr als nichtigen Besitz zu achten.

Der Duft der Blumen redet ihm nur
Von fremder Schönheit — und die neue Luft
Nahm er stillatmend ein, doch ohne Sehnsucht:
Nur daß er dienen durfte, freute ihn.

LEBENSLIED

Den Erben laß verschwenden
An Adler, Lamm und Pfau
Das Salböl aus den Händen
Der toten alten Frau!
Die Toten, die entgleiten,
Die Wipfel in dem Weiten —
Ihm sind sie wie das Schreiten
Der Tänzerinnen wert!

Er geht wie den kein Walten
Vom Rücken her bedroht.
Er lächelt, wenn die Falten
Des Lebens flüstern: Tod!
Ihm bietet jede Stelle
Geheimnisvoll die Schwelle;
Es gibt sich jeder Welle
Der Heimatlose hin.

Der Schwarm von wilden Bienen
Nimmt seine Seele mit;
Das Singen von Delphinen
Beflügelt seinen Schritt:
Ihn tragen alle Erden
Mit mächtigen Gebärden.
Der Flüsse Dunkelwerden
Begrenzt den Hirtentag!

Das Salböl aus den Händen
Der toten alten Frau

Laß lächelnd ihn verschwenden
An Adler, Lamm und Pfau:
Er lächelt der Gefährten. —
Die schwebend unbeschwerten
Abgründe und die Gärten
Des Lebens tragen ihn.

DEIN ANTLITZ...

Dein Antlitz war mit Träumen ganz beladen.
Ich schwieg und sah dich an mit stummem Beben.
Wie stieg das auf! Daß ich mich einmal schon
In frühern Nächten völlig hingegeben

Dem Mond und dem zuviel geliebten Tal,
Wo auf den leeren Hängen auseinander
Die magern Bäume standen und dazwischen
Die niedern kleinen Nebelwolken gingen

Und durch die Stille hin die immer frischen
Und immer fremden silberweißen Wasser
Der Fluß hinrauschen ließ — wie stieg das auf!

Wie stieg das auf! Denn allen diesen Dingen
Und ihrer Schönheit — die unfruchtbar war —
Hingab ich mich in großer Sehnsucht ganz,
Wie jetzt für das Anschaun von deinem Haar
Und zwischen deinen Lidern diesen Glanz!

AN EINE FRAU

Die wahre Ernte aller Dinge bleibt
Und blüht in hoher Luft wie lichte Zinken,
Das andere war nur da um wegzusinken.

Und irgendwie geheimnisvoll erträgt
Es unser Geist nur immer auszuruhen
Auf Gleitendem, wie die Meervögel tuen.

Wie führte uns verworrenes Gespräch
Verstellter Augen über öde Klippen!
Und unsere allzusehr beredten Lippen

Begierig, vielen Göttern Dienst zu tun!
Zu viele Schatten schwebten da verschlungen,
Und so sind wir einander zugedrungen

Wie dem Ertrinkenden das schöne Bild
Der weißen Bucht, das er nicht mehr gelassen
Erträgt, vielmehr schon anfängt es zu hassen.

Dies alles war nur da, um wegzusinken.
Es wohnen noch ganz andere Gewalten
In unserer Tänze namenlosen Falten.

Die Lider unserer Augen sind nicht gleich
Dem Fleisch der Früchte, und die jungen Mienen
Nicht einerlei mit Lämmern und Delphinen!

Und nur die Ernte aller Dinge bleibt:
So fand ich dich im Garten ohne Klippen,
Und großes Leben hing um deine Lippen,

Weil du von deiner Freundin losem Haar
Zu reden wußtest königlich wie eine,
Die wissen lernte, was das Leben meine.

Und hinter dir die Ebene niederziehn
Sah ich wie stille Gold- und Silberbäche
Die Wege deiner Niedrigkeit und Schwäche.

EIN KNABE

I

Lang kannte er die Muscheln nicht für schön,
Er war zu sehr aus einer Welt mit ihnen,
Der Duft der Hyazinthen war ihm nichts
Und nichts das Spiegelbild der eignen Mienen.

Doch alle seine Tage waren so
Geöffnet wie ein leierförmig Tal,
Darin er Herr zugleich und Knecht zugleich
Des weißen Lebens war und ohne Wahl.

Wie einer, der noch tut, was ihm nicht ziemt,
Doch nicht für lange, ging er auf den Wegen:
Der Heimkehr und unendlichem Gespräch
Hob seine Seele ruhig sich entgegen.

II

Eh er gebändigt war für sein Geschick,
Trank er viel Flut, die bitter war und schwer.
Dann richtete er sonderbar sich auf
Und stand am Ufer, seltsam leicht und leer.

Zu seinen Füßen rollten Muscheln hin,
Und Hyazinthen hatte er im Haar,
Und ihre Schönheit wußte er, und auch
Daß dies der Trost des schönen Lebens war.

Doch mit unsicherm Lächeln ließ er sie
Bald wieder fallen, denn ein großer Blick
Auf diese schönen Kerker zeigte ihm
Das eigne unbegreifliche Geschick.

INSCHRIFT

Entzieh dich nicht dem einzigen Geschäfte!
Vor dem dich schaudert, dieses ist das deine:
Nicht anders sagt das Leben, was es meine,
Und schnell verwirft das Chaos deine Kräfte.

NOX PORTENTIS GRAVIDA

In hohen Bäumen ist ein Nebelspiel,
Und drei der schönen Sterne funkeln nah:
Die Hyazinthen an der dunkeln Erde

Erinnern sich, daß hier geschehen werde,
Was früher schon und öfter wohl geschah:
Daß Hermes und die beiden Dioskuren,
Funkelnd vor Übermut die luftigen Spuren
Der windgetragenen Grazien umstellen
Und spielend, mit der Grausamkeit der Jagd,
Sie aus den Wipfeln scheuchen, ja die Wellen
Des Flusses nahe treiben, bis es tagt.

Der Dichter hat woanders seinen Weg,
Und mit den Augen der Meduse schauend
Sieht er das umgelegene fahle Feld
Sogleich entrückt und weiß nicht, wie es ist,
Und fügt es andern solchen Orten zu,
Wo seine Seele, wie ein Kind verstellt,
Ein Dasein hat von keiner sichern Frist
In Adlersluft und abgestorbner Ruh.
Dort streut er ihr die Schatten und die Scheine
Der Erdendinge hin und Edelsteine.

Den dritten Teil des Himmels aber nimmt
Die Wolke ein von solcher Todesschwärze,
Wie sie die Seele dessen anfällt, der
Durch Nacht den Weg sich sucht mit einer Kerze:
Die Wolke, die hinzog am nächsten Morgen,
Mit Donnerschlag von tausenden Gewittern
Und blauem Lichte stark wie nahe Sonnen
Und schauerlichem Sturz von heißen Steinen,
Die Insel heimzusuchen, wo das Zittern
Aufblühen ließ die wundervollsten Wonnen,
Vor ungeheurer Angst erstorbenes Weinen
Der Kaufpreis war: daß in verstörten Gärten,
Die nie sich sahen, sich fürs Leben fanden
Und, trunken sterbend, Rettung nicht begehrten:
Daß Gott entsprang den Luft- und Erdenbanden,
Verwaiste Kinder gleich Propheten glühten
Und alle Seelen wie die Sterne blühten.

UNENDLICHE ZEIT

Wirklich, bist du zu schwach, dich der seligen Zeit zu
erinnern?
Über dem dunkelnden Tal zogen die Sterne herauf,
Wir aber standen im Schatten und bebten. Die riesige Ulme
Schüttelte sich wie im Traum, warf einen Schauer herab
Lärmender Tropfen ins Gras: Es war keine Stunde
vergangen
Seit jenem Regen! Und mir schien es unendliche Zeit.
Denn dem Erlebenden dehnt sich das Leben: es tuen sich
lautlos
Klüfte unendlichen Traums zwischen zwei Blicken ihm auf:
In mich hätt ich gesogen dein zwanzigjähriges Dasein
– War mir, indessen der Baum noch seine Tropfen behielt.

DIE BEIDEN

Sie trug den Becher in der Hand
– Ihr Kinn und Mund glich seinem Rand –,
So leicht und sicher war ihr Gang,
Kein Tropfen aus dem Becher sprang.

So leicht und fest war seine Hand:
Er ritt auf einem jungen Pferde,
Und mit nachlässiger Gebärde
Erzwang er, daß es zitternd stand.

Jedoch, wenn er aus ihrer Hand
Den leichten Becher nehmen sollte,
So war es beiden allzu schwer:
Denn beide bebten sie so sehr,
Daß keine Hand die andre fand
Und dunkler Wein am Boden rollte.

DICHTER SPRECHEN:

Nicht zu der Sonnen frühen Reise,
Nicht wenn die Abendwolken landen,
Euch Kindern, weder laut noch leise,
Ja, kaum uns selber seis gestanden,
Auf welch geheimnisvolle Weise
Dem Leben wir den Traum entwanden
Und ihn mit Weingewinden leise
An unsres Gartens Brunnen banden.

VERSE AUF EIN KLEINES KIND

Dir wachsen die rosigen Füße,
Die Sonnenländer zu suchen:
Die Sonnenländer sind offen!
An schweigenden Wipfeln blieb dort
Die Luft der Jahrtausende hangen,
Die unerschöpflichen Meere
Sind immer noch, immer noch da.
Am Rande des ewigen Waldes
Willst du aus der hölzernen Schale
Die Milch mit der Unke dann teilen?
Das wird eine fröhliche Mahlzeit,
Fast fallen die Sterne hinein!
Am Rande des ewigen Meeres
Schnell findest du einen Gespielen:
Den freundlichen guten Delphin.
Er springt dir ans Trockne entgegen,
Und bleibt er auch manchmal aus,
So stillen die ewigen Winde
Dir bald die aufquellenden Tränen.
Es sind in den Sonnenländern
Die alten, erhabenen Zeiten
Für immer noch, immer noch da!
Die Sonne mit heimlicher Kraft,
Sie formt dir die rosigen Füße,
Ihr ewiges Land zu betreten.

ZUM GEDÄCHTNIS
DES SCHAUSPIELERS MITTERWURZER

Er losch auf einmal aus so wie ein Licht.
Wir trugen alle wie von einem Blitz
Den Widerschein als Blässe im Gesicht.

Er fiel: da fielen alle Puppen hin,
In deren Adern er sein Lebensblut
Gegossen hatte; lautlos starben sie,
Und wo er lag, da lag ein Haufen Leichen,
Wüst hingestreckt: das Knie von einem Säufer
In eines Königs Aug gedrückt, Don Philipp
Mit Caliban als Alp um seinen Hals,
Und jeder tot.

Da wußten wir, wer uns gestorben war:
Der Zauberer, der große, große Gaukler!
Und aus den Häusern traten wir heraus
Und fingen an zu reden, wer er war.
Wer aber war er, und wer war er nicht?

Er kroch von einer Larve in die andre,
Sprang aus des Vaters in des Sohnes Leib
Und tauschte wie Gewänder die Gestalten.

Mit Schwertern, die er kreisen ließ so schnell,
Daß niemand ihre Klinge funkeln sah,
Hieb er sich selbst in Stücke: Jago war
Vielleicht das eine, und die andre Hälfte
Gab einen süßen Narren oder Träumer.
Sein ganzer Leib war wie der Zauberschleier,
In dessen Falten alle Dinge wohnen:
Er holte Tiere aus sich selbst hervor:
Das Schaf, den Löwen, einen dummen Teufel
Und einen schrecklichen, und den, und jenen,
Und dich und mich. Sein ganzer Leib war glühend,
Von innerlichem Schicksal durch und durch
Wie Kohle glühend, und er lebte drin
Und sah auf uns, die wir in Häusern wohnen,
Mit jenem undurchdringlich fremden Blick

Des Salamanders, der im Feuer wohnt.
Er war ein wilder König. Um die Hüften
Trug er wie bunte Muscheln aufgereiht
Die Wahrheit und die Lüge von uns allen.
In seinen Augen flogen unsre Träume
Vorüber, wie von Scharen wilder Vögel
Das Spiegelbild in einem tiefen Wasser.

Hier trat er her, auf ebendiesen Fleck,
Wo ich jetzt steh, und wie im Tritonshorn
Der Lärm des Meeres eingefangen ist,
So war in ihm die Stimme alles Lebens:
Er wurde groß. Er war der ganze Wald,
Er war das Land, durch das die Straßen laufen.
Mit Augen wie die Kinder saßen wir
Und sahn an ihm hinauf wie an den Hängen
Von einem großen Berg: in seinem Mund

War eine Bucht, drin brandete das Meer.
Denn in ihm war etwas, das viele Türen
Aufschloß und viele Räume überflog:
Gewalt des Lebens, diese war in ihm.
Und über ihn bekam der Tod Gewalt!
Blies aus die Augen, deren innrer Kern
Bedeckt war mit geheimnisvollen Zeichen,
Erwürgte in der Kehle tausend Stimmen
Und tötete den Leib, der Glied für Glied
Beladen war mit ungebornem Leben.

Hier stand er. Wann kommt einer, der ihm gleicht?
Ein Geist, der uns das Labyrinth der Brust
Bevölkert mit verständlichen Gestalten,
Erschließt aufs neu zu schauerlicher Lust?
Die er uns gab, wir konnten sie nicht halten
Und starren nun bei seines Namens Klang
Hinab den Abgrund, der sie uns verschlang.

BOTSCHAFT

Ich habe mich bedacht, daß schönste Tage
Nur jene heißen dürfen, da wir redend
Die Landschaft uns vor Augen in ein Reich
Der Seele wandelten: da hügelan
Dem Schatten zu wir stiegen in den Hain,
Der uns umfing wie schon einmal Erlebtes,
Da wir auf abgetrennten Wiesen still
Den Traum vom Leben niegeahnter Wesen,
Ja ihres Gehns und Trinkens Spuren fanden
Und überm Teich ein gleitendes Gespräch,
Noch tiefere Wölbung spiegelnd als der Himmel:
Ich habe mich bedacht auf solche Tage,
Und daß nächst diesen drei: gesund zu sein,
Am eignen Leib und Leben sich zu freuen,
Und an Gedanken, Flügeln junger Adler,
Nur eines frommt: gesellig sein mit Freunden.
So will ich, daß du kommst und mit mit trinkst
Aus jenen Krügen, die mein Erbe sind,
Geschmückt mit Laubwerk und beschwingten Kindern,
Und mit mir sitzest in dem Garten-Turm:
Zwei Jünglinge bewachen seine Tür,
In deren Köpfen mit gedämpftem Blick
Halbabgewandt ein ungeheures
Geschick dich steinern anschaut, daß du schweigst
Und meine Landschaft hingebreitet siehst:
Daß dann vielleicht ein Vers von dir sie mir
Veredelt künftig in der Einsamkeit
Und da und dort Erinnerung an dich
Im Schatten nistet und zur Dämmerung
Die Straße zwischen dunklen Wipfeln rollt
Und schattenlose Wege in der Luft
Dahinrolln wie ein feiner goldner Donner.

WIR GINGEN EINEN WEG...

Wir gingen einen Weg mit vielen Brücken,
Und vor uns gingen drei, die ruhig sangen.
Ich sage dies, damit du dich entsinnst.
Da sagtest du und zeigtest nach dem Berg,
Der Schatten trug von Wolken und den Schatten
Der steilen Wände mit unsicheren Pfaden,
Du sagtest: »Wären dort wir zwei allein!«
Und deine Worte hatten einen Ton
So fremd wie Duft von Sandelholz und Myrrhen.
– Auch deine Wangen waren nicht wie sonst. –
Und mir geschah, daß eine trunkene Lust
Mich faßte, so wie wenn die Erde bebt
Und umgestürztes prunkvolles Gerät
Rings rollt und Wasser aus dem Boden quillt
Und einer taumelnd steht und doppelt sieht:
Denn ich war da und zwar zugleich auch dort,
Mit dir im Arm, und alle Lust davon
War irgendwie vermengt mit aller Lust,
Die dieser große Berg mit vielen Klüften
Hingibt, wenn einer ruhig wie der Adler
Mit ausgespannten Flügeln ihn umflöge.
Ich war mit dir im Arm auf jenem Berg,
Ich hatte alles Wissen seiner Höhe,
Der Einsamkeit, des nie betretnen Pfades
Und dich im Arm und alle Lust davon...
Und als ich heut im Lusthaus beim Erwachen
An einer kühlen Wand das Bild der Götter
Und ihrer wunderbaren Freuden sah:
Wie sie mit leichtem Fuße, kaum mehr lastend,
Vom dünnen Dache weinumrankter Lauben
Ins Blaue tretend aufzuschweben schienen,
Wie Flammen ohne Schwere, mit dem Laut
Von Liedern und dem Klang der hellen Leier
Emporgeweht; da wurde es mir so,
Als dürft ich jenen letzten, die noch nah
Der Erde schienen, freundlich ihr Gewand
Anrühren, wie ein Gastfreund tuen darf
Von gleichem Rang und ähnlichem Gechick:
Denn ich gedachte jenes Abenteuers.

DER KAISER VON CHINA SPRICHT:

In der Mitte aller Dinge
Wohne Ich, der Sohn des Himmels.
Meine Frauen, meine Bäume,
Meine Tiere, meine Teiche
Schließt die erste Mauer ein.
Drunten liegen meine Ahnen:
Aufgebahrt mit ihren Waffen,
Ihre Kronen auf den Häuptern,
Wie es einem jeden ziemt,
Wohnen sie in den Gewölben.
Bis ins Herz der Welt hinunter
Dröhnt das Schreiten meiner Hoheit.
Stumm von meinen Rasenbänken,
Grünen Schemeln meiner Füße,
Gehen gleichgeteilte Ströme
Osten-, west- und süd- und nordwärts,
Meinen Garten zu bewässern,
Der die weite Erde ist.
Spiegeln hier die dunkeln Augen,
Bunten Schwingen meiner Tiere,
Spiegeln draußen bunte Städte,
Dunkle Mauern, dichte Wälder
Und Gesichter vieler Völker.
Meine Edlen, wie die Sterne,
Wohnen rings um mich, sie haben
Namen, die ich ihnen gab,
Namen nach der einen Stunde,
Da mir einer näher kam,
Frauen, die ich ihnen schenkte,
Und den Scharen ihrer Kinder;
Allen Edlen dieser Erde
Schuf ich Augen, Wuchs und Lippen,
Wie der Gärtner an den Blumen.
Aber zwischen äußern Mauern
Wohnen Völker meine Krieger,
Völker meine Ackerbauer.
Neue Mauern und dann wieder
Jene unterworfnen Völker,
Völker immer dumpfern Blutes,

Bis ans Meer, die letzte Mauer,
Die mein Reich und mich umgibt.

DER JÜNGLING UND DIE SPINNE

Sie liebt mich! Wie ich nun die Welt besitze
Ist über alle Worte, alle Träume:
Mir gilt es, daß von jeder dunklen Spitze
Die stillen Wolken tieferleucht'te Räume
Hinziehn, von ungeheurem Traum erfaßt:
So trägt es mich – daß ich mich nicht versäume! –
Dem schönen Leben, Meer und Land zu Gast.
Nein! wie ein Morgentraum vom Schläfer fällt
Und in die Wirklichkeit hineinverblaßt,
Ist mir die Wahrheit jetzt erst aufgehellt:
Nicht treib ich als ein Gast umher, mich haben
Dämonisch zum Gebieter hergestellt
Die Fügungen des Schicksals: Junge Knaben
Sind da, die Ernst und Spiele von mir lernten,
Ich seh, wie manche meine Mienen haben,
Geheimnisvoll ergreift es mich, sie ernten
Zu sehn; und an den Ufern, an den Hügeln
Spür ich in einem wundervoll entfernten
Traumbilde sich mein Innerstes entriegeln
Beim Anblick, den mir ihre Taten geben.
Ich schaue an den Himmel auf, da spiegeln
Die Wolkenreiche, spiegeln mir im Schweben
Ersehntes, Hergegebenes, mich, das Ganze!
Ich bin von einem solchen großen Leben
Umrahmt, ich habe mit dem großen Glanze
Der schönen Sterne eine also nah
Verwandte Trunkenheit –
Nach welcher Zukunft greif ich Trunkner da?
Doch schwebt sie her, ich darf sie schon berühren:
Denn zu den Sternen steigt, was längst geschah,
Empor, und andre, andre Ströme führen
Das Ungeschehene herauf, die Erde
Läßt es empor aus unsichtbaren Türen,
Bezwungen von der bittenden Gebärde!

So tritt er ans offene Fenster, das mit hellem Mondlicht angefüllt und
von den Schatten wilder Weinblätter eingerahmt ist. Indem tritt unter
seinen Augen aus dem Dunkel eines Blattes eine große Spinne mit lau-
fenden Schritten hervor und umklammert den Leib eines kleinen Tieres.
Es gibt in der Stille der Nacht einen äußerst leisen, aber kläglichen
Laut, und man meint die Bewegungen der heftig umklammernden
Glieder zu hören.

DER JÜNGLING
muß zurücktreten

Welch eine Angst ist hier, welch eine Not.
Mein Blut muß ebben, daß ich dich da sehe,
Du häßliche Gewalt, du Tier, du Tod!
Der großen Träume wundervolle Nähe
Klingt ab, wie irgendwo das ferne Rollen
Von einem Wasserfall, den ich schon ehe
Gehört, da schien er kühn und angeschwollen,
Jetzt sinkt das Rauschen, und die hohe Ferne
Wird leer und öd aus einer ahnungsvollen:
Die Welt besitzt sich selber, o ich lerne!
Nicht hemme ich die widrige Gestalt,
So wenig als den Lauf der schönen Sterne.
Vor meinen Augen tut sich die Gewalt,
Sie tut sich schmerzend mir im Herzen innen,
Sie hat an jeder meiner Fibern Halt,
Ich kann ihr – und ich will ihr nicht entrinnen:
Als wärens Wege, die zur Heimat führen,
Reißt es nach vorwärts mich mit allen Sinnen
Ins Ungewisse, und ich kann schon spüren
Ein unbegreiflich riesiges Genügen
Im Vorgefühl: ich werde dies gewinnen:
Schmerzen zu leiden, Schmerzen zuzufügen.
Nun spür ich schaudernd etwas mich umgeben,
Es türmt sich auf bis an die hohen Sterne,
Und seinen Namen weiß ich nun: das Leben.

REISELIED

Wasser stürzt, uns zu verschlingen,
Rollt der Fels, uns zu erschlagen,
Kommen schon auf starken Schwingen
Vögel her, uns fortzutragen.

Aber unten liegt ein Land,
Früchte spiegelnd ohne Ende
In den alterslosen Seen.

Marmorstirn und Brunnenrand
Steigt aus blumigem Gelände,
Und die leichten Winde wehn.

SÜDLICHE MONDNACHT

Werden zu doppelter Lust nun doppelte Tage geboren?
Ehe der eine versank, steigt schon der neue herauf!
Herrlich in Salben und Glanz, gedächtnislos wie ein
                                          Halbgott,
Deckt er mir Gärten und See zu mit erstarrendem Prunk.
Und der vertrauliche Baum wird fremd, fremd funkelt der
                                          Springbrunn,
Fremde und dunkle Gewalt drängt sich von außen in mich.
Sind dies die Büsche, darin die bunten Gedanken genistet?
Kaum mehr erkenn ich die Bank! Die ists? Die lauernde
                                          hier?
Aber sie ists, denn im Netz der fleißigen, winzigen Spinne
Hängt noch der schimmernde Punkt! Komm ich mir selber
                                          zurück?
Als dein Brief heut kam – ich riß mit zu hastigen Fingern
Ungeduldig ihn auf –, flogen die Teilchen hinweg
Von dem zerrissenen Rand: sie sprühten wie Tropfen dem
                                          Trinker,
Wenn er zum Springbrunn sich drängt, um den ver-
                                          dürsteten Mund!
Ja, jetzt drängt sichs heran und kommt übers Wassers ge-
                                          schwommen,

Hebt sich mit lieblichem Arm rings aus dem Dunkel zu
mir:
Wie ein Entzauberter atme ich nun, und erst recht nun
verzaubert,
Und in der starrenden Nacht halt ich den Schlüssel des
Glücks!

DIE DICHTER UND DIE ZEIT

Wir sind dein Flügel, o Zeit, doch wir nicht die tragende
Klaue!
Oder verlangst du so viel: Flügel und Klaue zugleich?

DICHTKUNST

Fürchterlich ist diese Kunst! Ich spinn aus dem Leib mir
den Faden,
Und dieser Faden zugleich ist auch mein Weg durch die Luft.

ERKENNTNIS

Wüßt ich genau, wie dies Blatt aus seinem Zweige heraus-
kam,
Schwieg ich auf ewige Zeit still: denn ich wüßte genug.

KUNST DES ERZÄHLERS

Schildern willst du den Mord? So zeig mir den Hund auf
dem Hofe:
Zeig mir im Aug von dem Hund gleichfalls den Schatten
der Tat.

GRÖSSE

Nennt ihr die Alpen so groß? Leicht könnt ich viel größer
sie denken:
Aber den Markusplatz nicht, niemals den Dom von Florenz.

DREI KLEINE LIEDER

I

Hörtest du denn nicht hinein,
Daß Musik das Haus umschlich?
Nacht war schwer und ohne Schein,
Doch der sanft auf hartem Stein
Lag und spielte, das war ich.

Was ich konnte, sprach ich aus:
»Liebste du, mein Alles du!«
Östlich brach ein Licht heraus,
Schwerer Tag trieb mich nach Haus,
Und mein Mund ist wieder zu.

II

IM GRÜNEN ZU SINGEN

War der Himmel trüb und schwer,
Waren einsam wir so sehr,
Voneinander abgeschnitten!
Aber das ist nun nicht mehr:
Lüfte fließen hin und her;
Und die ganze Welt inmitten
Glänzt, als ob sie gläsern wär.

Sterne kamen aufgegangen,
Flimmern mein- und deinen Wangen,
Und sie wissens auch:
Stark und stärker wird ihr Prangen;
Und wir atmen mit Verlangen,
Liegen selig wie gefangen,
Spüren eins des andern Hauch.

Die Liebste sprach: »Ich halt dich nicht,
Du hast mir nichts geschworn.
Die Menschen soll man halten nicht,
Sind nicht zur Treu geborn.

Zieh deine Straßen hin, mein Freund,
Beschau dir Land um Land,
In vielen Betten ruh dich aus,
Viel Frauen nimm bei der Hand.

Wo dir der Wein zu sauer ist,
Da trink du Malvasier,
Und wenn mein Mund dir süßer ist,
So komm nur wieder zu mir!«

GROSSMUTTER UND ENKEL

»Ferne ist dein Sinn, dein Fuß
Nur in meiner Tür!«
Woher weißt dus gleich beim Gruß?
»Kind, weil ich es spür.«

Was? »Wie Sie aus süßer Ruh
Süß durch dich erschrickt.« —
Sonderbar, wie Sie hast du
Vor dich hingenickt.

»Einst...« Nein: jetzt im Augenblick!
Mich beglückt der Schein —
»Kind, was haucht dein Wort und Blick
Jetzt in mich hinein?

Meine Mädchenzeit voll Glanz
Mit verstohlnem Hauch
Öffnet mir die Seele ganz!«
Ja, ich spür es auch:

Und ich bin bei dir und bin
Wie auf fremdem Stern:

Ihr und dir mit wachem Sinn
Schwankend nah und fern!

»Als ich dem Großvater dein
Mich fürs Leben gab,
Trat ich so verwirrt nicht ein
Wie nun in mein Grab.«

Grab? Was redest du von dem?
Das ist weit von dir!
Sitzest plaudernd und bequem
Mit dem Enkel hier,

Deine Augen frisch und reg,
Deine Wangen hell –
»Flog nicht übern kleinen Weg
Etwas schwarz und schnell?«

Etwas ist, das wie ein Traum
Mich Verliebten hält.
Wie der enge, schwüle Raum
Seltsam mich umstellt!

»Fühlst du, was jetzt mich umblitzt
Und mein stockend Herz?
Wenn du bei dem Mädchen sitzt,
Unter Kuß und Scherz,

Fühl es fort und denk an mich,
Aber ohne Graun:
Denk, wie ich im Sterben glich
Jungen, jungen Fraun.«

AUF DEN TOD
DES SCHAUSPIELERS HERMANN MÜLLER

Dies Haus und wir, wir dienen einer Kunst,
Die jeden tiefen Schmerz erquicklich macht
Und schmackhaft auch den Tod.

Und er, den wir uns vor die Seele rufen,
Er war so stark! Sein Leib war so begabt,
Sich zu verwandeln, daß es schien, kein Netz
Vermöchte ihn zu fangen! Welch ein Wesen!

Er machte sich durchsichtig, ließ das Weiße
Von seinem Aug die tiefste Heimlichkeit,
Die in ihm schlief, verraten, atmete
Die Seele der erdichteten Geschöpfe
Wie Rauch in sich und trieb sie durch die Poren
Von seinem Leib ans Tageslicht zurück.
Er schuf sich um und um, da quollen Wesen
Hervor, kaum menschlich, aber so lebendig –
Das Aug bejahte sie, ob nie zuvor
Dergleichen es geschaut: ein einzig Blinzeln,
Ein Atemholen zeugte, daß sie waren
Und noch vom Mutterleib der Erde dampften!
Und Menschen! Schließt die Augen, denkt zurück!
Bald üppige Leiber, drin nur noch im Winkel
Des Augs ein letztes Fünkchen Seele glost,
Bald Seelen, die um sich, nur sich zum Dienst
Ein durchsichtig Gehäus, den Leib, erbauen:
Gemeine Menschen, finstre Menschen, Könige,
Menschen zum Lachen, Menschen zum Erschaudern –
Er schuf sich um und um: da standen sie.

Doch wenn das Spiel verlosch und sich der Vorhang
Lautlos wie ein geschminktes Augenlid
Vor die erstorbne Zauberhöhle legte
Und er hinaustrat, da war eine Bühne
So vor ihm aufgetan wie ein auf ewig
Schlafloses aufgerißnes Aug, daran
Kein Vorhang je mitleidig niedersinkt:
Die fürchterliche Bühne Wirklichkeit.
Da fielen der Verwandlung Künste alle
Von ihm, und seine arme Seele ging
Ganz hüllenlos und sah aus Kindesaugen.
Da war er in ein unerbittlich Spiel
Verstrickt, unwissend, wie ihm dies geschah;
Ein jeder Schritt ein tiefrer als der frühere
Und unerbittlich jedes stumme Zeichen:
Das Angesicht der Nacht war mit im Bund,

Der Wind im Bund, der sanfte Frühlingswind,
Und alle *gegen* ihn! Nicht den gemeinen,
Den zarten Seelen stellt das dunkle Schicksal
Fallstricke dieser Art. Dann kam ein Tag,
Da hob er sich, und sein gequältes Auge
Erfüllte sich mit Ahnung und mit Traum,
Und festen Griffs, wie einen schweren Mantel,
Warf er das Leben ab und achtete
Nicht mehr denn Staub an seines Mantels Saum
Die nun in nichts zerfallenden Gestalten.

So denkt ihn. Laßt ehrwürdige Musik
Ihn vor euch rufen, ahnet sein Geschick,
Und mich laßt schweigen, denn hier ist die Grenze,
Wo Ehrfurcht mir das Wort im Mund zerbricht.

GLÜCKLICHES HAUS

Auf einem offenen Altane sang
Ein Greise orgelspielend gegen Himmel,
Indes auf einer Tenne, ihm zu Füßen,
Der schlanke mit dem bärtigen Enkel focht,
Daß durch den reinen Schaft des Oleanders
Ein Zittern aufwärts lief; allein ein Vogel
Still in der Krone blütevollem Schein
Floh nicht und äugte klugen Blicks herab.
Auf dem behauenen Rand des Brunnens aber
Die junge Frau gab ihrem Kind die Brust.

Allein der Wandrer, dem die Straße sich
Entlang der Tenne ums Gemäuer bog,
Warf hinter sich den einen Blick des Fremden
Und trug in sich — gleich jener Abendwolke
Entschwebend über stillem Fluß und Wald —
Das wundervolle Bild des Friedens fort.

DER SCHIFFSKOCH,
EIN GEFANGENER, SINGT:

Weh, geschieden von den Meinigen,
Lieg ich hier seit vielen Wochen;
Ach und denen, die mich peinigen,
Muß ich Mahl- um Mahlzeit kochen.

Schöne purpurflossige Fische,
Die sie mir lebendig brachten,
Schauen aus gebrochenen Augen,
Sanfte Tiere muß ich schlachten.

Stille Tiere muß ich schlachten,
Schöne Früchte muß ich schälen
Und für sie, die mich verachten,
Feurige Gewürze wählen.

Und wie ich gebeugt beim Licht in
Süß- und scharfen Düften wühle,
Steigen auf ins Herz der Freiheit
Ungeheuere Gefühle!

Weh, geschieden von den Meinigen,
Lieg ich hier seit wieviel Wochen!
Ach und denen, die mich peinigen,
Muß ich Mahl- um Mahlzeit kochen!

ZU EINER TOTENFEIER FÜR ARNOLD BÖCKLIN

*In die letzten Takte der Symphonie tritt der Prolog auf, seine Fackel-
träger hinter ihm.*

*Der Prolog ist ein Jüngling; er ist venezianisch gekleidet, ganz in
Schwarz, als ein Trauernder.*

Nun schweig, Musik! Nun ist die Szene mein,
Und ich will klagen, denn mir steht es zu!
Von dieser Zeiten Jugend fließt der Saft
In mir; und er, des Standbild auf mich blickt,
War meiner Seele so geliebter Freund!

Und dieses Guten hab ich sehr bedurft,
Denn Finsternis ist viel in dieser Zeit,
Und wie der Schwan, ein selig schwimmend Tier,
Aus der Najade triefend weißen Händen
Sich seine Nahrung küßt, so bog ich mich
In dunklen Stunden über seine Hände
Um meiner Seele Nahrung: tiefen Traum.
Schmück ich dein Bild mit Zweig und Blüten nur?
Und du hast mir das Bild der Welt geschmückt
Und aller Blütenzweige Lieblichkeit
Mit einem solchen Glanze überhöht,
Daß ich mich trunken an den Boden warf
Und jauchzend fühlte, wie sie ihr Gewand
Mir sinken ließ, die leuchtende Natur!
Hör mich, mein Freund! Ich will nicht Herolde
Aussenden, daß sie deinen Namen schrein
In die vier Winde, wie wenn Könige sterben:
Ein König läßt dem Erben seinen Reif
Und einem Grabstein seines Namens Schall.
Doch du warst solch ein großer Zauberer,
Dein Sichtbares ging fort, doch weiß ich nicht,
Was da und dort nicht alles von dir bleibt,
Mit heimlicher fortlebender Gewalt
Sich dunklen Auges aus der nächtigen Flut
Zum Ufer hebt – oder sein haarig Ohr
Hinter dem Efeu horchend reckt,
                              drum will ich
Nie glauben, daß ich irgendwo allein bin,
Wo Bäume oder Blumen sind, ja selbst
Nur schweigendes Gestein und kleine Wölkchen
Unter dem Himmel sind: leicht daß ein Etwas,
Durchsichtiger wie Ariel, mir im Rücken
Hingaukelt, denn ich weiß: geheimnisvoll
War zwischen dir und mancher Kreatur
Ein Bund geknüpft, ja! und des Frühlings Au,
Siehe, sie lachte dir so wie ein Weib
Den anlacht, dem sie in der Nacht sich gab!

Ich meint um dich zu klagen, und mein Mund
Schwillt an von trunkenem und freudigem Wort:
Drum ziemt mir nun nicht länger hier zu stehen.
Ich will den Stab dreimal zu Boden stoßen

Und dies Gezelt mit Traumgestalten füllen.
Die will ich mit der Last der Traurigkeit
So überbürden, daß sie schwankend gehn,
Damit ein jeder weinen mag und fühlen:
Wie große Schwermut allem unsern Tun
Ist beigemengt.
             Es weise euch ein Spiel
Das Spiegelbild der bangen, dunklen Stunde,
Und großen Meisters trauervollen Preis
Vernehmet nun aus schattenhaftem Munde!

VOR TAG

Nun liegt und zuckt am fahlen Himmelsrand
In sich zusammgesunken das Gewitter.
Nun denkt der Kranke: »Tag! jetzt werd ich schlafen!«
Und drückt die heißen Lider zu. Nun streckt
Die junge Kuh im Stall die starken Nüstern
Nach kühlem Frühduft. Nun im stummen Wald
Hebt der Landstreicher ungewaschen sich
Aus weichem Bett vorjährigen Laubes auf
Und wirft mit frecher Hand den nächsten Stein
Nach einer Taube, die schlaftrunken fliegt,
Und graust sich selber, wie der Stein so dumpf
Und schwer zur Erde fällt. Nun rennt das Wasser,
Als wollte es der Nacht, der fortgeschlichnen, nach
Ins Dunkel stürzen, unteilnehmend, wild
Und kalten Hauches hin, indessen droben
Der Heiland und die Mutter leise, leise
Sich unterreden auf dem Brücklein: leise,
Und doch ist ihre kleine Rede ewig
Und unzerstörbar wie die Sterne droben.
Er trägt sein Kreuz und sagt nur: »Meine Mutter!«
Und sieht sie an, und: »Ach, mein lieber Sohn!«
Sagt sie. – Nun hat der Himmel mit der Erde
Ein stumm beklemmend Zwiegespräch. Dann geht
Ein Schauer durch den schweren, alten Leib:
Sie rüstet sich, den neuen Tag zu leben.
Nun steigt das geisterhafte Frühlicht. Nun
Schleicht einer ohne Schuh von einem Frauenbett,

Läuft wie ein Schatten, klettert wie ein Dieb
Durchs Fenster in sein eigenes Zimmer, sieht
Sich im Wandspiegel und hat plötzlich Angst
Vor diesem blassen, übernächtigen Fremden,
Als hätte dieser selbe heute nacht
Den guten Knaben, der er war, ermordet
Und käme jetzt, die Hände sich zu waschen
Im Krüglein seines Opfers wie zum Hohn,
Und darum sei der Himmel so beklommen
Und alles in der Luft so sonderbar.
Nun geht die Stalltür. Und nun ist auch Tag.

DES ALTEN MANNES SEHNSUCHT
NACH DEM SOMMER

Wenn endlich Juli würde anstatt März,

Nichts hielte mich, ich nähme einen Rand,
Zu Pferd, zu Wagen oder mit der Bahn
Käm ich hinaus ins schöne Hügelland.

Da stünden Gruppen großer Bäume nah,
Platanen, Rüster, Ahorn oder Eiche:
Wie lang ists, daß ich keine solchen sah!

Da stiege ich vom Pferde oder riefe
Dem Kutscher: Halt! und ginge ohne Ziel
Nach vorwärts in des Sommerlandes Tiefe.

Und unter solchen Bäumen ruht ich aus;
In deren Wipfel wäre Tag und Nacht
Zugleich, und nicht so wie in diesem Haus,

Wo Tage manchmal öd sind wie die Nacht
Und Nächte fahl und lauernd wie der Tag.
Dort wäre Alles Leben, Glanz und Pracht.

Und aus dem Schatten in des Abendlichts
Beglückung tret ich, und ein Hauch weht hin,
Doch nirgend flüsterts: »Alles dies ist nichts.«

Das Tal wird dunkel, und wo Häuser sind,
Sind Lichter, und das Dunkel weht mich an,
Doch nicht vom Sterben spricht der nächtige Wind.

Ich gehe übern Friedhof hin und sehe
Nur Blumen sich im letzten Scheine wiegen,
Von gar nichts anderm fühl ich eine Nähe.

Und zwischen Haselsträuchern, die schon düstern,
Fließt Wasser hin, und wie ein Kind, so lausch ich
Und höre kein »Dies ist vergeblich« flüstern!

Da ziehe ich mich hurtig aus und springe
Hinein, und wie ich dann den Kopf erhebe,
Ist Mond, indes ich mit dem Bächlein ringe.

Halb heb ich mich aus der eiskalten Welle,
Und einen glatten Kieselstein ins Land
Weit schleudernd, steh ich in der Mondeshelle.

Und auf das mondbeglänzte Sommerland
Fällt weit ein Schatten: dieser, der so traurig
Hier nickt, hier hinterm Kissen an der Wand?

So trüb und traurig, der halb aufrecht kauert
Vor Tag und böse in das Frühlicht starrt
Und weiß, daß auf uns beide etwas lauert?

Er, den der böse Wind in diesem März
So quält, daß er die Nächte nie sich legt,
Gekrampft die schwarzen Hände auf sein Herz?

Ach, wo ist Juli und das Sommerland!

VERSE ZUM GEDÄCHTNIS
DES SCHAUSPIELERS JOSEF KAINZ

O hätt ich seine Stimme, hier um ihn
Zu klagen! Seinen königlichen Anstand,
Mit meiner Klage dazustehn vor euch!
Dann wahrlich wäre diese Stunde groß
Und Glanz und Königtum auf mir, und mehr
Als Trauer: denn dem Tun der Könige
Ist Herrlichkeit und Jubel beigemengt,
Auch wo sie klagen und ein Totenfest begehn.

O seine Stimme, daß sie unter uns
Die Flügel schlüge! – Woher tönte sie?
Woher drang dies an unser Ohr? Wer sprach
Mit solcher Zunge? Welcher Fürst und Dämon
Sprach da zu uns? Wer sprach von diesen Brettern
Herab? Wer redete da aus dem Leib
Des Jünglings Romeo, wer aus dem Leib
Des unglückseligen Richard Plantagenet
Oder des Tasso? Wer?
Ein Unverwandelter in viel Verwandlungen,
Ein niebezauberter Bezauberer,
Ein Ungerührter, der uns rührte, einer,
Der fern war, da wir meinten, er sei nah,
Ein Fremdling über allen Fremdlingen,
Einsamer über allen Einsamen,
Der Bote aller Boten, namenlos
Und Bote eines namenlosen Herrn.
Er ist an uns vorüber. Seine Seele
War eine allzu schnelle Seele, und
Sein Aug glich allzusehr dem Aug des Vogels.
Dies Haus hat ihn gehabt – doch hielt es ihn?
Wir haben ihn gehabt – er fiel dahin,
Wie unsre eigne Jugend uns entfällt,
Grausam und prangend gleich dem Wassersturz.

O Unrast! O Geheimnis, offenkundiges
Geheimnis menschlicher Natur! O Wesen,
Wer warest du? O Schweifender! O Fremdling!
O nächtlicher Gespräche Einsamkeit
Mit deinen höchst zufälligen Genossen!

O starrend tiefe Herzenseinsamkeit!
O ruheloser Geist! Geist ohne Schlaf!
O Geist! O Stimme! Wundervolles Licht!
Wie du hinliefest, weißes Licht, und rings
Ins Dunkel aus den Worten dir Paläste
Hinbautest, drin für eines Herzschlags Frist
Wir mit dir wohnten – Stimme, die wir nie
Vergessen werden – o Geschick – o Ende –
Geheimnisvolles Leben! Dunkler Tod!
O wie das Leben um ihn rang und niemals
Ihn ganz verstricken konnte ins Geheimnis
Wollüstiger Verwandlung! Wie er *blieb*!
Wie königlich er standhielt! Wie er schmal,
Gleich einem Knaben, *stand*! O kleine Hand
Voll Kraft, o kleines Haupt auf feinen Schultern,
O vogelhaftes Auge, das verschmähte,
Jung oder alt zu sein, schlafloses Aug,
O Aug des Sperbers, der auch vor der Sonne
Den Blick nicht niederschlägt, o kühnes Aug,
Das beiderlei Abgrund gemessen hat,
Des Lebens wie des Todes – Aug des *Boten*!
O Bote aller Boten, Geist! *Du* Geist!
Dein Bleiben unter uns war ein Verschmähen,
Fortwollender! Enteilter! Aufgeflogener!

Ich klage nicht um dich. Ich weiß jetzt, wer du warst,
Schauspieler ohne Maske du, Vergeistiger,
Du bist empor, und wo mein Auge dich
Nicht sieht, dort kreisest du, dem Sperber gleich,
Dem Unzerstörbaren, und hältst in Fängen
Den Spiegel, der ein weißes Licht herabwirft,
Weißer als Licht der Sterne: dieses Lichtes
Bote und Träger bist du immerdar,
Und als des Schwebend-Unzerstörbaren
Gedenken wir des Geistes, der du bist.

O Stimme! Seele! aufgeflogene!

DIE GESTÄNDNISSE

ER:

Nur dieses kannt ich über mir: Gebot
Der Sterne hehr und klar, und aus der Ferne
Der Väter Stimmen, strenger als die Sterne,
Drei: Dienen, Tragen, Stehn, die drei sind not.

Da spannte sichs in mir und hielt dem Stand:
Jung setzt ich über mich ein strenges Tun
Und war mein Herr und ließ mein Herz ausruhn
Auf Gott, und auf dem Degen meine Hand.

Nun kam dies, das mich aus mir selber hetzt,
Wild durch mich hinreißt, mich in Staub zu schmiegen,
Mich jauchzend zu entmannen sich ergetzt.

Zergehen muß ich, denn ich kann nicht fliehen!
Wär ich ein Mann, wenn ich im Unterliegen
Nicht noch mich sträubte, ja noch auf den Knieen?

SIE:

Wär ich denn eine Frau, wenn ich dich bände
Und nicht mit dir an gleicher Kette ginge
Und nur, damit nicht klirren ihre Ringe,
Den Fuß kaum regen darf und kaum die Hände?

Auch mich bezwingts und bringt mich bis ans Ende,
Ich steh in Feur und spürs mit grausem Staunen,
Doch alle Lüsternheit und niedre Launen
Verbrennen diese reinigenden Brände.

Du siehst mich fahren, bangest ungeheuer
Und willst mir nach und stürzest dich hinüber –
Weißt du denn nicht – du bist ja selbst mein Steuer!

Die Schwinge du, mit der mein Ich entschwebt,
Die Klaue du, die mich in Lüfte hebt –:
Ich lieb dich ja von Anbeginn, du Lieber!

LIED DER WELT

Flieg hin, Zeit, du bist meine Magd,
Schmück mich, wenn es nächtet, schmück mich, wenn
es tagt,
Flicht mir mein Haar, spiel mir um den Schuh,
Ich bin die Frau, die Magd bist du.
Heia!

Doch einmal trittst du zornig herein,
Die Sterne schießen schiefen Schein,
Der Wind durchfährt den hohen Saal,
Die Sonn geht aus, das Licht wird fahl,
Der Boden gibt einen toten Schein,
Da wirst du meine Herrin sein!
O weh!
Und ich deine Magd, schwach und verzagt,
Gott seis geklagt!

Flieg hin, Zeit! die Zeit ist noch weit!
Heia!

DRAMEN

DER TOD DES TIZIAN

Bruchstück

DRAMATIS PERSONAE

DER PROLOG, *ein Page*

FILIPPO POMPONIO VECELLIO, *genannt*

   TIZIANELLO, *des Meisters Sohn*

GIOCONDO

DESIDERIO

GIANINO *(er ist sechzehn Jahre alt und sehr schön)*

BATISTA

ANTONIO

PARIS

LAVINIA, *eine Tochter des Meisters*

CASSANDRA

LISA

Spielt im Jahre 1576, da Tizian neunundneunzigjährig starb. Die Szene ist auf der Terrasse von Tizians Villa, nahe bei Venedig.

PROLOG

Der Prolog, ein Page, tritt zwischen dem Vorhang hervor, grüßt artig, setzt sich auf die Rampe und läßt die Beine (er trägt rosa Seidenstrümpfe und mattgelbe Schuhe) ins Orchester hängen.

Das Stück, ihr klugen Herrn und hübschen Damen,
Das sie heut abend vor euch spielen wollen,
Hab ich gelesen.
Mein Freund, der Dichter, hat mirs selbst gegeben.

Ich stieg einmal die große Treppe nieder
In unserm Schloß, da hängen alte Bilder
Mit schönen Wappen, klingenden Devisen,

Bei denen mir so viel Gedanken kommen
Und eine Trunkenheit von fremden Dingen,
Daß mir zuweilen ist, als müßt ich weinen...
Da blieb ich stehn bei des Infanten Bild —
Er ist sehr jung und blaß und früh verstorben...
Ich seh ihm ähnlich — sagen sie — und drum
Lieb ich ihn auch und bleib dort immer stehn
Und ziehe meinen Dolch und seh ihn an
Und lächle trüb: denn so ist er gemalt:
Traurig und lächelnd und mit einem Dolch...
Und wenn es ringsum still und dämmrig ist,
So träum ich dann, ich wäre der Infant,
Der längst verstorbne traurige Infant...
Da schreckt mich auf ein leises, leichtes Gehen,
Und aus dem Erker tritt mein Freund, der Dichter.
Und küßt mich seltsam lächelnd auf die Stirn
Und sagt, und beinah ernst ist seine Stimme:
»Schauspieler deiner selbstgeschaffnen Träume,
Ich weiß, mein Freund, daß sie dich Lügner nennen
Und dich verachten, die dich nicht verstehen,
Doch ich versteh dich, o mein Zwillingsbruder.«
Und seltsam lächelnd ging er leise fort,
Und später hat er mir sein Stück geschenkt.

Mir hats gefallen, zwar ists nicht so hübsch
Wie Lieder, die das Volk im Sommer singt,
Wie hübsche Frauen, wie ein Kind, das lacht,
Und wie Jasmin in einer Delfter Vase...
Doch mir gefällts, weils ähnlich ist wie ich:
Vom jungen Ahnen hat es seine Farben
Und hat den Schmelz der ungelebten Dinge;
Altkluger Weisheit voll und frühen Zweifels,
Mit einer großen Sehnsucht doch, die fragt.

Wie man zuweilen beim Vorübergehen
Von einem Köpfchen das Profil erhascht, —
Sie lehnt kokett verborgen in der Sänfte,
Man kennt sie nicht, man hat sie kaum gesehen
(Wer weiß, man hätte sie vielleicht geliebt,
Wer weiß, man kennt sie nicht und liebt sie doch) —
Inzwischen malt man sich in hellen Träumen
Die Sänfte aus, die hübsche weiße Sänfte,
Und drinnen duftig zwischen rosa Seide

Das blonde Köpfchen, kaum im Flug gesehn,
Vielleicht ganz falsch, was tuts... die Seele wills...
So, dünkt mich, ist das Leben hier gemalt
Mit unerfahrnen Farben des Verlangens
Und stillem Durst, der sich in Träumen wiegt.

*Spätsommermittag. Auf Polstern und Teppichen lagern auf den Stufen,
die rings zur Rampe führen, Desiderio, Antonio, Batista und Paris. Alle
schweigen, der Wind bewegt leise den Vorhang der Tür. Tizianello und
Gianino kommen nach einer Weile aus der Tür rechts. Desiderio, Antonio,
Batista und Paris treten ihnen besorgt und fragend entgegen und
drängen sich an sie. Nach einer kleinen Pause:*

PARIS
Nicht gut?

GIANINO *mit erstickter Stimme*
                    Sehr schlecht.
Zu Tizianello, der in Tränen ausbricht
                              Mein armer lieber Pippo!

BATISTA
Er schläft?

GIANINO   Nein, er ist wach und phantasiert
Und hat die Staffelei begehrt.

ANTONIO   Allein
Man darf sie ihm nicht geben, nicht wahr, nein?

GIANINO
Ja, sagt der Arzt, wir sollen ihn nicht quälen
Und geben, was er will, in seine Hände.

TIZIANELLO *ausbrechend*
Heut oder morgen ists ja doch zu Ende!

GIANINO
Er darf uns länger, sagt er, nicht verhehlen...

PARIS
Nein, sterben, sterben kann der Meister nicht!
Da lügt der Arzt, er weiß nicht, was er spricht.

DESIDERIO
Der Tizian sterben, der das Leben schafft!
Wer hätte dann zum Leben Recht und Kraft?

BATISTA
Doch weiß er selbst nicht, wie es um ihn steht?

TIZIANELLO
Im Fieber malt er an dem neuen Bild,
In atemloser Hast, unheimlich, wild;
Die Mädchen sind bei ihm und müssen stehn,
Uns aber hieß er aus dem Zimmer gehn.

ANTONIO
Kann er denn malen? Hat er denn die Kraft?

TIZIANELLO
Mit einer rätselhaften Leidenschaft,
Die ich beim Malen nie an ihm gekannt,
Von einem martervollen Zwang gebannt –
Ein Page kommt aus der Tür rechts, hinter ihm Diener; alle er-
schrecken.

TIZIANELLO, GIANINO, PARIS
Was ist?

PAGE   Nichts, nichts. Der Meister hat befohlen,
Daß wir vom Gartensaal die Bilder holen.

TIZIANELLO
Was will er denn?

PAGE   Er sagt, er muß sie sehen...
»Die alten, die erbärmlichen, die bleichen,
Mit seinem neuen, das er malt, vergleichen...
Sehr schwere Dinge seien ihm jetzt klar,
Es komme ihm ein unerhört Verstehen,
Daß er bis jetzt ein matter Stümper war...«
Soll man ihm folgen?

TIZIANELLO   Gehet, gehet, eilt!
Ihn martert jeder Pulsschlag, den ihr weilt.
Die Diener sind indessen über die Bühne gegangen, an der Treppe
holt sie der Page ein. Tizianello geht auf den Fußspitzen, leise den
Vorhang aufhebend, hinein. Die andern gehen unruhig auf und
nieder.

ANTONIO *halblaut*
Wie fürchterlich, dies letzte, wie unsäglich...
Der Göttliche, der Meister, lallend, kläglich...

GIANINO
Er sprach schon früher, was ich nicht verstand,
Gebietend ausgestreckt die blasse Hand...
Dann sah er uns mit großen Augen an
Und schrie laut auf: »Es lebt der große Pan.«
Und vieles mehr, mir wars, als ob er strebte,
Das schwindende Vermögen zu gestalten,
Mit überstarken Formeln festzuhalten,
Sich selber zu beweisen, daß er lebte,
Mit starkem Wort, indes die Stimme bebte.

TIZIANELLO *zurückkommend*
Jetzt ist er wieder ruhig, und es strahlt
Aus seiner Blässe, und er malt und malt.
In seinen Augen ist ein guter Schimmer.
Und mit den Mädchen plaudert er wie immer.

ANTONIO
So legen wir uns auf die Stufen nieder
Und hoffen bis zum nächsten Schlimmern wieder.
*Sie lagern sich auf den Stufen. Tizianello spielt mit Gianinos
Haar, die Augen halb geschlossen.*

BATISTA *halb für sich*
Das Schlimmre...dann das Schlimmste endlich...nein.
Das Schlimmste kommt, wenn gar nichts Schlimmres
mehr,
Das tote, taube, dürre Weitersein...
Heut ist es noch, als obs undenkbar wär...
Und wird doch morgen sein.
Pause

GIANINO   Ich bin so müd.

PARIS
Das macht die Luft, die schwüle, und der Süd.

TIZIANELLO *lächelnd*
Der Arme hat die ganze Nacht gewacht!

GIANINO *auf den Arm gestützt*
Ja, du... die erste, die ich ganz durchwacht.
Doch woher weißt denn dus?

TIZIANELLO   Ich fühlt es ja,
Erst war dein stilles Atmen meinem nah,

Dann standst du auf und saßest auf den Stufen...

Mir wars, als ginge durch die blaue Nacht,
Die atmende, ein rätselhaftes Rufen.
Und nirgends war ein Schlaf in der Natur.
Mit Atemholen tief und feuchten Lippen,
So lag sie, horchend in das große Dunkel,
Und lauschte auf geheimer Dinge Spur.
Und sickernd, rieselnd kam das Sterngefunkel
Hernieder auf die weiche, wache Flur.
Und alle Früchte, schweren Blutes, schwollen
Im gelben Mond und seinem Glanz, dem vollen,
Und alle Brunnen glänzten seinem Ziehn.
Und es erwachten schwere Harmonien.
Und wo die Wolkenschatten hastig glitten,
War wie ein Laut von weichen, nackten Tritten...
Leis stand ich auf – ich war an dich geschmiegt –
Er steht erzählend auf, zu Tizianello geneigt
Da schwebte durch die Nacht ein süßes Tönen,
Als hörte man die Flöte leise stöhnen.
Die in der Hand aus Marmor sinnend wiegt
Der Faun, der da im schwarzen Lorbeer steht
Gleich nebenan, beim Nachtviolenbeet.
Ich sah ihn stehen, still und marmorn leuchten;
Und um ihn her im silbrig-blauen Feuchten,
Wo sich die offenen Granaten wiegen,
Da sah ich deutlich viele Bienen fliegen
Und viele saugen, auf das Rot gesunken,
Von nächtgem Duft und reifem Safte trunken.
Und wie des Dunkels leiser Atemzug
Den Duft des Gartens um die Stirn mir trug,
Da schien es mir wie das Vorüberschweifen
Von einem weichen, wogenden Gewand
Und die Berührung einer warmen Hand.
In weißen, seidig-weißen Mondesstreifen
War liebestoller Mücken dichter Tanz.
Und auf dem Teiche lag ein weicher Glanz
Und plätscherte und blinkte auf und nieder.
Ich weiß es heut nicht, obs die Schwäne waren,
Ob badender Najaden weiße Glieder.
Und wie ein süßer Duft von Frauenhaaren

Vermischte sich dem Duft der Aloe...
Und was da war, ist mir in eins verflossen:
In *eine* überstarke, schwere Pracht,
Die Sinne stumm und Worte sinnlos macht.

ANTONIO
Beneidenswerter, der das noch erlebt
Und solche Dinge in das Dunkel webt!

GIANINO
Ich war in halbem Traum bis dort gegangen,
Wo man die Stadt sieht, wie sie drunten ruht,
Sich flüsternd schmieget in das Kleid von Prangen,
Das Mond um ihren Schlaf gemacht und Flut.
Ihr Lispeln weht manchmal der Nachtwind her,
So geisterhaft, verlöschend leisen Klang,
Beklemmend seltsam und verlockend bang.
Ich hört es oft, doch niemals dacht ich mehr...
Da aber hab ich plötzlich viel gefühlt:
Ich ahnt in ihrem steinern stillen Schweigen,
Vom blauen Strom der Nacht emporgespült,
Des roten Bluts bacchantisch wilden Reigen,
Um ihre Dächer sah ich Phosphor glimmen,
Den Widerschein geheimer Dinge schwimmen.
Und schwindelnd überkams mich auf einmal:
Wohl schlief die Stadt: es wacht der Rausch, die Qual,
Der Haß, der Geist, das Blut: das Leben wacht.
Das Leben, das lebendige, allmächtge —
Man kann es haben und doch sein' vergessen!...
Er hält einen Augenblick inne
Und alles das hat mich so müd gemacht:
Es war so viel in dieser einen Nacht.

DESIDERIO *an der Rampe, zu Gianino*
Siehst du die Stadt, wie jetzt sie drunten ruht?
Gehüllt in Duft und goldne Abendglut
Und rosig helles Gelb und helles Grau,
Zu ihren Füßen schwarzer Schatten Blau,
In Schönheit lockend, feuchtverklärter Reinheit?
Allein in diesem Duft, dem ahnungsvollen,
Da wohnt die Häßlichkeit und die Gemeinheit,
Und bei den Tieren wohnen dort die Tollen;
Und was die Ferne weise dir verhüllt,

Ist ekelhaft und trüb und schal erfüllt
Von Wesen, die die Schönheit nicht erkennen
Und ihre Welt mit unsren Worten nennen...
Denn unsre Wonne oder unsre Pein
Hat mit der ihren nur das Wort gemein...
Und liegen wir in tiefem Schlaf befangen,
So gleicht der unsre ihrem Schlafe nicht:
Da schlafen Purpurblüten, goldne Schlangen,
Da schläft ein Berg, in dem Titanen hämmern –
Sie aber schlafen, wie die Austern dämmern.

ANTONIO *halb aufgerichtet*
Darum umgeben Gitter, hohe, schlanke,
Den Garten, den der Meister ließ erbauen.
Darum durch üppig blumendes Geranke
Soll man das Außen ahnen mehr als schauen.

PARIS *ebenso*
Das ist die Lehre der verschlungnen Gänge.

BATISTA *ebenso*
Das ist die große Kunst des Hintergrundes
Und das Geheimnis zweifelhafter Lichter.

TIZIANELLO *mit geschlossenen Augen*
Das macht so schön die halbverwehten Klänge,
So schön die dunklen Worte toter Dichter
Und alle Dinge, denen wir entsagen.

PARIS
Das ist der Zauber auf versunknen Tagen
Und ist der Quell des grenzenlosen Schönen.
Denn wir ersticken, wo wir uns gewöhnen.
Alle verstummen. Pause. Tizianello weint leise vor sich hin.

GIANINO *schmeichelnd*
Du darfst dich nicht so trostlos drein versenken,
Nicht unaufhörlich an das eine denken.

TIZIANELLO *traurig lächelnd*
Als ob der Schmerz denn etwas andres wär
Als dieses ewige Dran-denken-Müssen,
Bis es am Ende farblos wird und leer...
So laß mich nur in den Gedanken wühlen,
Denn von den Leiden und von den Genüssen
Hab längst ich abgestreift das bunte Kleid,

Das um sie webt die Unbefangenheit,
Und einfach hab ich schon verlernt zu fühlen.
Pause

GIANINO
Wo nur Giocondo bleibt?

TIZIANELLO   Lang vor dem Morgen
— Ihr schlieft noch — schlich er leise durch die Pforte.
Auf blasser Stirn den Kuß der Liebessorgen
Und auf den Lippen eifersüchtge Worte...
*Pagen tragen zwei Bilder über die Bühne (die Venus mit den Blumen
und das Große Bacchanal); die Schüler erheben sich und stehen,
solange die Bilder vorübergetragen werden, mit gesenktem Kopf, das
Barett in der Hand. Nach einer Pause (alle stehen)*

DESIDERIO
Wer lebt nach ihm, ein Künstler und Lebendger,
Im Geiste herrlich und der Dinge Bändger
Und in der Einfalt weise wie das Kind?

ANTONIO
Wer ist, der seiner Weihe freudig traut?

BATISTA
Wer ist, dem nicht vor seinem Wissen graut?

PARIS
Wer will uns sagen, ob wir Künstler sind?

GIANINO
Er hat den regungslosen Wald belebt:
Und wo die braunen Weiher murmelnd liegen
Und Efeuranken sich an Buchen schmiegen,
Da hat er Götter in das Nichts gewebt:
Den Satyr, der die Syrinx tönend hebt,
Bis alle Dinge ins Verlangen schwellen
Und Hirten sich den Hirtinnen gesellen...

BATISTA
Er hat den Wolken, die vorüberschweben,
Den wesenlosen, einen Sinn gegeben:
Der blassen, weißen schleierhaftes Dehnen
Gedeutet in ein blasses, süßes Sehnen;
Der mächtgen goldumrandet schwarzes Wallen
Und runde, graue, die sich lachend ballen,

Und rosig silberne, die abends ziehn:
Sie haben Seele, haben Sinn durch ihn.
Er hat aus Klippen, nackten, fahlen, bleichen,
Aus grüner Wogen brandend weißem Schäumen,
Aus schwarzer Haine regungslosem Träumen
Und aus der Trauer blitzgetroffner Eichen
Ein Menschliches gemacht, das wir verstehen,
Und uns gelehrt, den Geist der Nacht zu sehen.

PARIS

Er hat uns aufgeweckt aus halber Nacht
Und unsre Seelen licht und reich gemacht
Und uns gewiesen, jedes Tages Fließen
Und Fluten als ein Schauspiel zu genießen,
Die Schönheit aller Formen zu verstehen
Und unsrem eignen Leben zuzusehen.
Die Frauen und die Blumen und die Wellen
Und Seide, Gold und bunter Steine Strahl
Und hohe Brücken und das Frühlingstal
Mit blonden Nymphen an kristallnen Quellen,
Und was ein jeder nur zu träumen liebt
Und was uns wachend Herrliches umgibt:
Hat seine große Schönheit erst empfangen,
Seit es durch *seine* Seele durchgegangen.

ANTONIO

Was für die schlanke Schönheit Reigentanz,
Was Fackelschein für bunten Maskenkranz,
Was für die Seele, die im Schlafe liegt,
Musik, die wogend sie in Rhythmen wiegt,
Und was der Spiegel für die junge Frau
Und für die Blüten Sonne, licht und lau:
Ein Auge, ein harmonisch Element,
In dem die Schönheit erst sich selbst erkennt –
Das fand Natur in seines Wesens Strahl.
»Erweck uns, mach aus uns ein Bacchanal!«
Rief alles Lebende, das ihn ersehnte
Und seinem Blick sich stumm entgegendehnte.

Während Antonio spricht, sind die drei Mädchen leise aus der Tür
getreten und zuhörend stehengeblieben; nur Tizianello, der zer-
streut und teilnahmslos abseits rechts steht, scheint sie zu bemerken.
Lavinia trägt das blonde Haar im Goldnetz und das reiche Kostüm
einer venezianischen Patrizierin. Cassandra und Lisa, etwa neun-

zehn- und siebzehnjährig, tragen beide ein einfaches, kaum stili-
siertes Peplum aus weißem anschmiegendem, flutendem Byssus;
nackte Arme mit goldenen Schlangenreifen; Sandalen, Gürtel aus
Goldstoff. Cassandra ist aschblond, graziös. Lisa hat eine gelbe
Rosenknospe im schwarzen Haar. Irgend etwas an ihr erinnert ans
Knabenhafte, wie irgend etwas an Gianino ans Mädchenhafte er-
innert. Hinter ihnen tritt ein Page aus der Tür, der einen getrie-
benen silbernen Weinkrug und Becher trägt.

ANTONIO
Daß uns die fernen Bäume lieblich sind,
Die träumerischen, dort im Abendwind...

PARIS
Und daß wir Schönheit sehen in der Flucht
Der weißen Segel in der blauen Bucht...

TIZIANELLO *zu den Mädchen, die er mit einer leichten Verbeugung*
begrüßt hat; alle andern drehen sich um
Und daß wir eures Haares Duft und Schein
Und eurer Formen mattes Elfenbein
Und goldne Gürtel, die euch weich umwinden,
So wie Musik und wie ein Glück empfinden –
Das macht: Er lehrte uns die Dinge sehen...
Bitter
Und das wird man da drunten nie verstehen!

GIANINO *zu den Mädchen*
Ist er allein? Soll niemand zu ihm gehen?

LAVINIA
Bleibt alle hier. Er will jetzt niemand sehen.

DESIDERIO
Vom Schaffen beben ihm der Seele Saiten,
Und jeder Laut beleidigt die geweihten!

TIZIANELLO
Oh, käm ihm jetzt der Tod, mit sanftem Neigen,
In dieser schönen Trunkenheit, im Schweigen!

PARIS
Allein das Bild? Vollendet er das Bild?

ANTONIO
Was wird es werden?

BATISTA   Kann man es erkennen?

LAVINIA
Wir werden ihnen unsre Haltung nennen.
Ich bin die Göttin Venus, diese war
So schön, daß ihre Schönheit trunken machte.

CASSANDRA
Mich malte er, wie ich verstohlen lachte,
Von vielen Küssen feucht das offne Haar.

LISA
Ich halte eine Puppe in den Händen,
Die ganz verhüllt ist und verschleiert ganz,
Und sehe sie mir scheu verlangend an:
Denn diese Puppe ist der große Pan,
Ein Gott,
Der das Geheimnis ist von allem Leben.
Den halt ich in den Armen wie ein Kind.
Doch ringsum fühl ich rätselhaftes Weben,
Und mich verwirrt der laue Abendwind.

LAVINIA
Mich spiegelt still und wonnevoll der Teich.

CASSANDRA
Mir küßt den Fuß der Rasen kühl und weich.

LISA
Schwergolden glüht die Sonne, die sich wendet:
Das ist das Bild, und morgen ists vollendet.

LAVINIA
Indes er so dem Leben Leben gab,
Sprach er mit Ruhe viel von seinem Grab.
Im bläulich bebenden schwarzgrünen Hain
Am weißen Strand will er begraben sein:
Wo dichtverschlungen viele Pflanzen stehen,
Gedankenlos im Werden und Vergehen,
Und alle Dinge ihrer selbst vergessen,
Und wo am Meere, das sich träumend regt,
Der leise Puls des stummen Lebens schlägt.

PARIS
Er will im Unbewußten untersinken,
Und wir, wir sollen seine Seele trinken
In des lebendgen Lebens lichtem Wein,

Und wo wir Schönheit sehen, wird Er sein!

DESIDERIO
  Er aber hat die Schönheit stets gesehen,
  Und jeder Augenblick war ihm Erfüllung,
  Indessen wir zu schaffen nicht verstehen
  Und hilflos harren müssen der Enthüllung. . . .
  Und unsre Gegenwart ist trüb und leer,
  Kommt uns die Weihe nicht von außen her.
  Ja, hätte der nicht seine Liebessorgen,
  Die ihm mit Rot und Schwarz das Heute färben,
  Und hätte jener nicht den Traum von morgen
  Mit leuchtender Erwartung, Glück zu werben,
  Und hätte jeder nicht ein heimlich Bangen
  Vor irgend etwas und ein still Verlangen
  Nach irgend etwas und Erregung viel
  Mit innrer Lichter buntem Farbenspiel
  Und irgend etwas, das zu kommen säumt,
  Wovon die Seele ihm phantastisch träumt,
  Und irgend etwas, das zu Ende geht,
  Wovon ein Schmerz verklärend ihn durchweht —:
  So lebten wir in Dämmerung dahin,
  Und unser Leben hätte keinen Sinn. . .

  Die aber wie der Meister sind, die gehen,
  Und Schönheit wird und Sinn, wohin sie sehen.

————————————————————————————————

DAS KLEINE WELTTHEATER

ODER DIE GLÜCKLICHEN

Die Bühne stellt den Längsschnitt einer Brücke dar, einer gewölbten
Brücke, so daß die Mitte höher liegt als links und rechts. Den Hinter-
grund bildet das steinerne Geländer der Brücke, dahinter der Abend-
himmel und in größerer Ferne die Wipfel einiger Bäume, die Uferland-
schaft andeutend.

Der Gärtner trägt ein Gewand von weißem Linnen, eine blaue Schürze,
bloße Arme, Schuhe von Stroh; der junge Herr einen dunkelgrünen
Jagdanzug mit hohen gelben Stulpstiefeln; das junge Mädchen ein
halblanges Mullkleid, mit bloßen Armen, einen Strohhut in der Hand:
der Dichter einen dunklen Mantel.

Alle im Geschmack der zwanziger Jahre des vorigen Jahrhunderts.

DER DICHTER

Ich blieb im Bade, bis der Widerschein
Des offnen Fensters zwischen meinen Fingern
Mir zeigte, daß der Glanz der tiefen Sonne
Von seitwärts in die goldnen Bäume fällt
Und lange Schatten auf den Feldern liegen.
Nun schreit ich auf und ab den schmalen Pfad,
Von weitem einem Vogelsteller gleichend,
Vielmehr dem Wächter, der auf hoher Klippe
Von ungeheuren Schwärmen großer Fische
Den ungewissen Schatten sucht im Meer:
Denn über Hügel, über Auen hin
Späh ich nach ungewissen Schatten aus:
Dort, wo ein abgebrochnes Mauerstück
Vom Park die Buchen dämmernd sehen läßt,
Dort hebt sichs an! Kehr ich die Schultern hin
Und wende mich, den hellen Fluß zu sehen:
Ich weiß drum doch, es regt sich hinter mir.
Mit leichten Armen teilen sie das Laub:
Gestalten! und sie unterreden sich.
O wüßt ich nur, wovon! ein Schicksal ists,
Und irgendwie bin ich dareinverwebt.
Mich dünkt, sie bücken sich, mich dünkt, die Riemen
Der Schuhe flechten sie für langen Weg...
Mir schlägt das Herz bei ihrem Vorbereiten:

Seh ich nun aber jenseits an den Hängen
Nicht Pilger mühsam wie Verzauberte
Hinklimmen und mit jeder Hecke ringen?
Und mit geheimnisvoll Ermüdeten
Ist jener Kreuzweg, sind die kleinen Wege
Durch die Weingärten angefüllt: sie lagern
Und bergen in den Händen ihr Gesicht...
Doch an den Uferwiesen, doch im Wasser!
Von Leibern gleicher Farbe wie das Erz
Sind funkelnd alle Wellen aufgewühlt;
Sie freuen sich im Bad, am Ufer liegen
Die schweren Panzer, die sie abgeworfen,
Und andre führen jetzt die nackten Pferde,
Die hoch sich bäumen, in die tiefe Welle.
Warum bewegen sich so fürchterlich
Die Weidenbüsche? andre Arme greifen
Daraus hervor, mit jenen nackten Schultern
Seh ich gemischt Gepanzerte, sie kämpfen,
Von Badenden mit Kämpfenden vermengt
Schwankt das Gebüsch: wie schön ist diese Schlacht!
Er wendet sich
Den Fluß hinab! da liegt der stille Abend.
Kaum ein verworrenes Getöse schwimmt
Herab mit Blut und golddurchwirkten Decken.
Nun auch ein Kopf: am Ufer hebt sich einer
Und mißt mit einem ungeheuren Blick
Den Fluß zurück... Warum ergreifts mich so,
Den einen hier zu sehn?... Nun läßt er sich
Aufs neue gleiten, kein Verwundeter!
So selig ist er wie ein wilder Faun,
Und mit den Augen auf dem Wasser schwimmt
Er hin und fängt mit trunknen Blicken auf
Die feuchten Schatten, durcheinanderkreisend,
Der hohen Wolken und des stillen Goldes,
Das zwischen Kieseln liegt im Grund. Den Schwimmer
Trifft nur der Schatten riesenhafter Eichen,
Von einer Felsenplatte überhängend:
Er kann nicht sehn die Schöngekleideten,
Die dort versammelt sind... um was zu tun?
Sie knien nieder... einen zu verehren?
Vielmehr sie graben, alle bücken sich:
Ist eine Krone dort? ist dort die Spur

Von einem Mord verborgen? Doch der Schwimmer,
Die Augen auf die Wellen, gleitet fort.
Will er hinab, bis wo die letzten Meere
Wie stille leere Spiegel stehen? wird er,
Sich mit der Linken an die nackte Wurzel
Des letzten Baumes haltend, dort hinaus
Mit unbeschreiblichem Erstaunen blicken?
Ich will nicht ihn allein, die andern will ich,
Die auf den Hügeln wiedersehn, und schaudernd
Im letzten Lichte spür ich hinter mir
Schon wieder neue aus den Büschen treten.
Da bebt der Tag hinab, das Licht ist fort,
Wie angeschlagne Saiten beb ich selber.
Die Bühne wird dunkler.
Nun setz ich mich am Rand des Waldes hin,
Wo kleine Weiher lange noch den Glanz
Des Tages halten und mit feuchtem Funkeln
Die offnen Augen dieser Landschaft scheinen:
Wenn ich auf die hinsehe, wird es mir
Gelingen, das zu fertigen, wofür
Der Waldgott gern die neue Laute gäbe
Aus einer Schildkrot, überspannt mit Sehnen:
Ich meine jenes künstliche Gebild
Aus Worten, die von Licht und Wasser triefen,
Worein ich irgendwie den Widerschein
Von jenen Abenteuern so verwebe,
Daß dann die Knaben in den dumpfen Städten,
Wenn sie es hören, schwere Blicke tauschen
Und unter des geahnten Schicksals Bürde,
Wie überladne Reben schwankend, flüstern:
»O wüßt ich mehr von diesen Abenteuern,
Denn irgendwie bin ich dareinverwebt
Und weiß nicht, wo sich Traum und Leben spalten.«
*Der Dichter geht ab, der Gärtner tritt auf. Er ist ein Greis mit
schönen, durchdringenden Augen. Er trägt eine Gießkanne und
einen kleinen Korb aus Bast.*

GÄRTNER

Ich trug den Stirnreif und Gewalt der Welt
Und hatte hundert der erlauchten Namen,
Nun ist ein Korb von Bast mein Eigentum,
Ein Winzermesser und die Blumensamen.

Wenn ich aus meinem goldnen Haus ersah
Das Blumengießen abends und am Morgen,
Sog ich den Duft von Erd und Wasser ein
Und sprach: Hierin liegt großer Trost verborgen.

Nun gieß ich selber Wasser in den Mund
Der Blumen, seh es in den Grund gesogen
Und bin vom Schatten und gedämpften Licht
Der ruhelosen Blätter überflogen,

Wie früher von dem Ruhm und Glanz der Welt.
Der Boten Kommen, meiner Flotte Rauschen,
Die goldnen Wächter, Feinde, die erblaßten:
Befreiung wars, dies alles umzutauschen

Für diese Beete, dieses reife Lasten
Der Früchte, halbverborgen an Spalieren,
Und schwere Rosen, drin die goldig braunen
Von Duft betäubten Bienen sich verlieren.

Noch weiß ich eines: Hier und Dort sind gleich
So völlig, wie zwei Pfirsichblüten sind,
In einem tiefen Sinn einander gleich:
Denn manchesmal, wenn mir der schwache Wind

Den Duft von vielen Sträuchern untermengt
Herüberträgt, so hab ich einen Hauch
Von meinem ganzen frühern Leben dran,
Und noch ein Größres widerfährt mir auch:

Daß an den Blumen ich erkennen kann
Die wahren Wege aller Kreatur,
Von Schwach und Stark, von Üppig oder Kühn
Die wahre Art, wovon ich früher nur

In einem trüben Spiegel Spuren fand,
Wenn ich umwölkt von Leben um mich blickte:
Denn alle Mienen spiegelten wie Wasser
Nur dies: ob meine zürnte oder nickte.

Nun aber webt vor meinen Füßen sich
Mit vielen Köpfen, drin der Frühwind wühlt,
Dies bunte Leben hin: den reinen Drang
Des Lebens hab ich hier, nur so gekühlt,

Wie grüne Kelche sich vom Boden heben,
So rein und frisch, wie nicht in jungen Knaben

Zum Ton von Flöten fromm der Atem geht.
So wundervoll verwoben sind die Gaben

Des Lebens hier: mir winkt aus jedem Beet
Mehr als ein Mund wie Wunden oder Flammen
Mit schattenhaft durchsichtiger Gebärde,
Und Kindlichkeit und Majestät mitsammen.
*Er tritt ab, der junge Herr tritt auf, langsam, sein Pferd am Zügel
führend.*

DER JUNGE HERR
Ich ritt schon aus, bevor der Tau getrocknet war.
Die andern wollten mich daheim zu ihrem Spiel,
Mich aber freut es so, für mich allein zu sein.
Am frühen Tage bin ich schon nicht weit von hier
Dem Greis begegnet, der mir viel zu denken gibt:
Ein sonderbarer Bettler, dessen stummer Gruß
So war, wie ihn vielleicht ein Fürst besitzen mag
Von einer Art, wie ich von keinem freilich las:
Der schweigend seine Krone hinwürf und vor Nacht
Den Hof verließ und nie mehr wiederkäm.
Was aber könnte einen treiben, dies zu tun?
Ich weiß, ich bin zu jung, und kann die vielerlei
Geschicke nicht verstehn; vielmehr sie kommen mir
Wie Netze und Fußangeln vor, in die der Mensch
Hineingerät und fallend sich verfängt; ich will
So vielen einmal helfen, als ich kann. Schon jetzt
Halt ich mein Pferd vor jedem an, der elend scheint,
Und wenn sie wo im Felde mähen, blieb ich stehn
Und frage sie nach ihrem Leben, und ich weiß
Schon vielerlei, was meinen Brüdern völlig fremd.
Zu Mittag saß ich ab im dämmernden Gebüsch,
Von Brombeer und von wilden Rosen ganz umzäunt,
Und neben meinem Pferde schlief ich ein. Da fing
Ich gleich zu träumen an. Ich jagte, war der Traum:
Zu Fuß und mit drei großen Hunden trieb ich Wild,
Gekleidet wie auf alten Bildern und bewaffnet
Mit einer Armbrust, und vor mir der dichte Wald
War angefüllt mit Leben, überschwemmt mit Wild,
Das lautlos vor mir floh. Nichts als das Streifen
Der Felle an den Bäumen und das flinke Laufen
Von Tausenden von Klauen und von leichten Hufen
Auf Moos und Wurzeln, und die Wipfel droben dunkel

Von stiller atemloser Flucht der Vögel. In getrennten,
Doch durcheinander hingemengten Schwärmen
                                        rauschten
Birkhähne schweren Flugs, das Rudern wilder Gänse,
Und zwischen Ketten der verschreckten Haselhühner
                                        schwangen
Die Reiher sich hindurch, und neben ihnen, ängstlich
Den Mord vergessend, hasteten die Falken hin.
Dies alles trieb ich vor mir her, wie Sturm ein schwarzes
Gewölk, und drängte alles einer dunklen Schlucht
Mit jähen Wänden zu. Ich war vom Übermaß
Der Freude über diese Jagd erfüllt und doch
Im Innersten beklommen, und ich mußte plötzlich
An meinen Vater denken, und mir war, als säh ich
Sein weißes Haar in einem Brunnen unter mir.
Da rührte sich mein Pferd im Schlaf und sprang auf
                                        einmal
Zugleich auf die vier Füße auf und schnaubte wild,
Und so erwachte ich und fühlte noch den Traum
Wie dunkle Spinnweb um die Stirn mir hängen. Aber
                                        dann
Verließ ich diese dumpfe Kammer grüner Hecken, und
                                        mein Pferd
Ging neben mir, ich hatte ihm den leichten Zaum
Herausgenommen, und es riß sich kleine Blätter ab.
Da schwirrten Flügel dicht vor mir am Boden hin:
Ich bückte mich, doch war kein Stein im tiefen Moos,
Da warf ich mit dem Zaum der Richtung nach und traf:
Zwei junge Hühner lagen dort und eine Wachtel, tot.
In einem Wurf erschlagen mit der Trense. Sonderbar
War mir die Beute, und der Traum umschwirrte mich
                                        so stark,
Daß ich den Brunnen suchte und mir beide Augen
                                        schnell
Mit klarem Wasser wusch; und wie mir flüchtig da
Aus feuchtem Dunkel mein Gesicht entgegenflog
Kam mir ein Taumel so, als würd ich innerlich
Durch einen Abgrund hingerissen, und mir war,
Da ich den Kopf erhob, als wär ich um ein Stück
Gealtert in dem Augenblick. Zuweilen kommt,
Wenn ich allein bin, solch ein Zeichen über mich:
Und früher war ich innerlich bedrückt davon

Und dachte, daß in meinem tiefsten Seelengrund
Das Böse läg und dies Vorboten wären, und
Erwartete mit leiser Angst das Kommende.
Nun aber ist durch einen Gruß ein solches Glück
In mich hineingekommen, daß ich früh und spät
Ein Lächeln durch die lichten Zweige schimmern seh,
Und statt die Brüder zu beneiden, fühl ich nun
Ein namenloses stilles Glück, allein zu sein:
Denn alle Wege sind mir sehr geheimnisvoll
Und doch wie zubereitet, wie für mich
Von Händen in der Morgenfrühe hingebaut,
Und überall erwarte ich den Pfad zu sehn,
Der anfangs von ihr weg zu vieler Prüfung führt
Und wunderbar verschlungen doch zu ihr zurück.

Er geht mit seinem Pferde ab. Nun ist völlige Dämmerung. Der
Fremde tritt auf; nach seiner Kleidung könnte er ein geschickter
Handwerker, etwa ein Goldschmied, sein. Er bleibt auf der Brücke
stehen und sieht ins Wasser.

DER FREMDE

Dies hängt mir noch von Kindesträumen an:
Ich muß von Brücken in die Tiefe spähen,
Und wo die Fische gleiten übern Grund,
Mein ich, Geschmeide hingestreut zu sehen,

Geschmeide in den Kieselgrund verwühlt,
Geräte, drin sich feuchte Schatten fangen.
Wie Narben an dem Leib von Kindern wuchs
Mit mir dies eingegrabene Verlangen!

Ich war zu klein und durfte nie hinab.
Nun wär ich stark genug, den Schatz zu heben,
Doch dieses Wasser gleitet stark und schnell,
Zeigt nicht empor sein stilles innres Leben.

Nur seine Oberfläche gibt sich her,
Gewaltig wie von strömendem Metalle.
Von innen treibt sich Form auf Form heraus
Mit einer Riesenkraft in stetem Schwalle.

Aus Krügen schwingen Schultern sich heraus,
Aus Riesenmuscheln kommt hervorgegossen
Ein knabenhafter Leib, ihm drängt sich nach
Ein Ungeheuer und ist schon zerflossen!

Lieblichen Wesen, Nymphen halb, halb Wellen,
Wälzt eine dunkle riesige Gewalt
Sich nach: mich dünkt, es ist der Leib der Nacht,
In sich geballt die dröhnende Gestalt:

Nun wirft sie auseinander ihre Glieder,
Und für sich taumelt jedes dieser wilden.
Mich überkommt ein ungeheurer Rausch,
Die Hände beben, solches nachzubilden,

Nur ist es viel zu viel, und alles wahr:
Eins muß empor, die anderen zerfließen.
Gebildet hab ich erst, wenn ichs vermocht,
Vom großen Schwall das eine abzuschließen.

In einem Leibe muß es mir gelingen,
Das unaussprechlich Reiche auszudrücken,
Das selige Insichgeschlossensein:
Ein Wesen ists, woran wir uns entzücken!

Seis Jüngling oder Mädchen oder Kind,
Das lasse ich die schmalen Schultern sagen,
Die junge Kehle, wenn sie mir gelingt,
Muß jenes atmend Unbewußte tragen,

Womit die Jugend über Seelen siegt.
Und der ich jenes Atmen ganz verstehe,
Wie selig ich, der trinkt, wo keiner trank,
Am Quell des Lebens in geheimer Nähe,
Wo willig kühle unberührte Wellen
Mit tiefem Klang dem Mund entgegenschwellen!

Tritt ab. Das junge Mädchen tritt auf. Sie ist noch ein halbes Kind.
Sie geht nur wenige Schritte, setzt sich dann auf den steinernen
Brückenrand. Ihr weißes leichtes Kleid schimmert durch das Dunkel.

DAS MÄDCHEN

Die Nacht ist von Sternen und Wolken schwer,
Käm jetzt nur irgendeiner daher
Und säng recht etwas Trauriges,
Indes ich hier im Dunkeln säß!

DIE STIMME EINES BÄNKELSÄNGERS *aus einiger Entfernung*
Sie lag auf ihrem Sterbebett
Und sprach: Mit mir ists aus.
Mir ist zumut wie einem Kind,
Das abends kommt nach Haus.

Das Ganze glitt so hin und hin
Und ging als wie im Traum:
Wie eines nach dem andern kam,
Ich sterb und weiß es kaum!

Kein andrer war, wie der erste war:
Da war ich noch ein Kind,
Es blieb mir nichts davon als ein Bild,
So schwach, wie schwacher Wind.

Dem zweiten tat ich Schmerz und Leid
So viel an, als er mir.
Er ist verschollen: Müdigkeit,
Nichts andres blieb bei mir.

Den dritten zu denken, bringt mir Scham.
Gott weiß, wie manches kommt!
Nun lieg ich auf meinem Sterbebett:
Wenn ich nur ein Ding zu denken hätt,
Nur *ein* Ding, das mir frommt!

DAS MÄDCHEN *ist aufgestanden und spricht im Abgehen*
Die arme Frau, was die nur meint?
Das ganze Lied ist dumm, mir scheint.
Schlaftrunken bin ich. Mir scheint, dort fällt
Ein Stern. Wie groß ist doch die Welt!
So viele Sachen sind darin.
Mir käm jetzt manches in den Sinn,
Wenn ich nur nicht so schläfrig wär . . .
Mir kann doch alles noch geschehn!
Jetzt aber geh ich schon ins Haus,
Ich ziehe mich im Dunkeln aus
Und laß die Läden offenstehn!
Nun schläft der Vogel an der Wand,
Ich leg den Kopf auf meine Hand
Und hör dem lang noch singen zu.
Ich hör doch für mein Leben gern
So traurig singen, und von fern.
Geht ab. Es ist völlig Nacht geworden. Der Wahnsinnige tritt auf,
jung, schön und sanft, vor ihm sein Diener mit einem Licht, hinter
ihm der Arzt. Der Wahnsinnige lehnt sich mit unbeschreiblicher
Anmut an den Brückenrand und freut sich am Anblick der Nacht.

DER DIENER
Schicksal ist das Schicksal meiner Herrschaft,

Von dem eignen sei mir nicht die Rede!
Dieser ist der Letzte von den Reichen,
Von den Mächtigen der Letzte, hilflos.
Aufgetürmten Schatz an Macht und Schönheit
Zehrte er im Tanz wie eine Flamme.
Von den Händen flossen ihm die Schätze,
Von den Lippen Trunkenheit des Siegers,
Laufend auf des Lebens bunten Hügeln!
Wo beginn ich, sein Geschick zu sagen?
Trug er doch gekrönt von wildem Feuer
Schon in knabenhafter Zeit die Stirne:
Und der Vater, der die Flüsse nötigt,
Auszuweichen den Zitronengärten,
Der die Berge aushöhlt, sich ein Lusthaus
Hinzubaun in ihre kühle Flanke,
Nicht vermag er, seinen Sohn zu bändigen.
Dieser dünkt sich Prinz und braucht Gefolge:
Mit den Pferden, mit den schönen Kleidern,
Mit dem wundervollen tiefen Lächeln
Lockt er alle Söhne edler Häuser,
Alles läuft mit ihm; den Papageien,
Den er fliegen läßt, ihm einzufangen,
Laufen aus den Häusern, aus den Gärten
Alle, jeder läßt sein Handwerk liegen
Und der lahme Bettler seine Krücke.
Und so wirft er denn aus seinem Fenster
Seines Vaters Gold mit beiden Händen:
Wenn das Gold nicht reicht, die goldnen Schüsseln,
Edle Steine, Waffen, Prunkgewebe,
Was ihr wollt! Wie eine von den Schwestern
Liebesblind, mit Fieberhänden schöpfend,
Von den aufgehäuften Hügeln Goldes
Alles gibt, die Wege des Geliebten
Mit endloser Huldigung zu schmücken
– Fremd ist ihr die Scheu wie einer Göttin –,
Wie die andre Fürstengüter hingibt,
Sich mit wundervollen Einsamkeiten
Zu umgeben, Park und Blütenlaube
Einer starren Insel aufzulegen,
Mitten in den öden Riesenbergen
Eigensinnig solchen Prunk zu gründen:
ER vereinigt in den süßen Lippen,

In der strengen, himmelhellen Stirne
Beider Schönheit –, in der einen Seele
Trägt er beides: ungeheure Sehnsucht,
Sich für ein Geliebtes zu vergeuden –
Wieder königliche Einsamkeit.
Beides kennend, überfliegt er beides,
Wie er mit den Füßen viele Länder,
Mit dem Sinn die Freundschaft vieler Menschen
Und unendliches Gespräch hindurchfliegt
Und der vielen Frauen Liebesnetze
Lächelnd kaum berührt und weiterrauscht.
Auf dem Wege blieben wie die Schalen,
Leere Schalen von genoßnen Früchten,
Herrliche Gesichter schöner Frauen,
Lockig, mit Geheimnissen beladen,
Purpurmäntel, die um seine Schultern
Kühnerworbne Freunde ihm geschlagen.
Alles dieses ließ er hinter sich!
Aber funkelnde Erfahrung legte
Sich um seiner Augen innre Kerne.
Wo er auftritt, bringen kluge Künstler
Ihm herbei ihr lieblichstes Gebilde;
Mit den Augen, den beseelten Fingern
Rührt ers an und nimmt sich ein Geheimnis,
Das der Künstler selbst nur dunkel ahnte,
Nimmt es atmend mit auf seinem Wege.
– –
Manches Mal an seinem Wege schlafend
Oder sitzend an den dunklen Brunnen,
Findet er die Söhne oder Töchter
Jener fremden Länder; neben ihnen
Ruht er aus, und mit dem bloßen Atmen,
Mit dem Heben seiner langen Wimpern
Sind sie schon bezaubert, und er küßt sie
Auf die Stirn und freut sich ihres Lebens.
Denn er sieht ihr sanftes, stilles Leben,
Mit dem stillen Wehen grüner Wipfel
Sieht er es in ihren großen Augen.
Sie umklammern seine Handgelenke,
Wenn er gehen will, und wie die Rehe
Schauen sie voll Angst, warum er forteilt.
Doch er lächelt; und auf viele Fragen

Hat er eine Antwort: mit den Augen,
Die sich dunkler färben, nach der Ferne
Winkend, sagt er mit dem strengen Lächeln:
»Wißt ihr nicht? Dies alles ist nur Schale!
Hab so viele Schalen fortgeworfen,
Soll ich an der letzten haftenbleiben?«
Und er treibt sein Pferd schon vorwärts wieder,
Wie ihn selbst die rätselhafte Gottheit.
Seine Augen ruhen auf der Landschaft,
Die noch nie ein solcher Blick getroffen:
Zu den schönsten Hügeln, die mit Reben
An die dunklen, walderfüllten Berge
Angebunden sind, zu schönen Bäumen,
Hochgewipfelt seligen Platanen,
Redet er: er will von ihnen Lächeln,
Von den Felsen will sein starker Wille
Eine atmend wärmere Verkündung,
Alle stummen Wesen will er, flehend,
Reden machen, in die trunkne Seele
Ihren großen Gang verschwiegnen Lebens,
Wie der Knaben und der Mädchen Leben,
Wie der Statuen Geheimnis *haben*!
Und er weint, weil sie ihm widerstehen.
Diese letzte Schale wegzureißen,
Einen unerhörten Weg zu suchen
In den Kern des Lebens, dahin kommt er.
In das einsamste von den Kastellen,
Nur ein Viereck von uralten Quadern,
Rings ein tiefer Graben dunklen Wassers,
Nistet er sich ein. Das ganze Leben
Läßt er draußen, alle bunte Beute
Eines grenzenlos erobernden
Jungen Siegerlebens vor dem Tore!
Nur die zaubermächtigen Geräte
Und die tief geheimnisvollen Bücher,
Die Gebildetes in seine Teile
Zu zerlegen lehren, bleiben da.
Unbegreiflich ungeheure Worte
Fängt er an zu reden und den Abgrund
Sich hinabzulasen, dessen obrer
Äußrer Rand an einer kleinen Stelle
Von des Paracelsus tiefsten Büchern

Angeleuchtet wird mit schwacher Flamme.
Und es kommen wundervolle Tage:
In der kahlen Kammer, kaum der Nahrung,
Die ein zahmer Vogel nimmt, bedürftig,
Wirft sich seine Seele mit den Flügeln,
Mit den Krallen kühner als ein Greife,
Wilder als ein Greife, auf die neue
Schattengleiche, körperlose Beute.
Mit dem ungeheueren Gemenge,
Das er selbst im Innern trägt, beginnt er
Nach dem ungeheueren Gemenge
Äußern Daseins gleichnishaft zu haschen.
Tausend Flammen schlagen ihm entgegen
Da und da! in Leben eingekapselt;
Und vor ihm beginnt der brüderliche
Dumpfe Reigen der verschlungnen Kräfte
In der tiefsten Nacht mit glühendem Munde
Unter sich zu reden: Wunderliches,
Aus dem Herzblut eines Kindes quellend,
Findet Antwort in der Gegenrede
Eines Riesenblocks von dunklem Porphyr!

— — — — — — — — — — — — — — — — — — — —

Welcher Wahnsinn treibt mich, diesen Wahnsinn
Zu erneuern! Ja, daß ich es sage:
Wahnsinn war das wundervolle Fieber,
Das im Leibe meines Herren brannte!...
Nichts hat sich seit jenem Tag verändert,
Mit den süßen hochgezognen Lippen
Tauscht er unaufhörlich hohe Rede
Mit dem Kern und Wesen aller Dinge.
Er ist sanft, und einem Spiel zuliebe,
Meint er, bleibt er noch in seinem Leibe,
Den er lassen könnte, wenn er wollte...
Wie vom Rande einer leichten Barke
In den Strom hinab, und wenn er wollte,
In das Innre eines Ahornstammes,
In den Halm von einem Schilf zu steigen.
Nie von selber denkt er sich zu nähren,
Und er bleibt uns nicht an einem Orte:
Denn er will die vielen seiner Brüder
Oft besuchen und zu Gast bei ihnen
Sitzen, bei den Flüssen, bei den Bäumen,

Bei den schönen Steinen, seinen Brüdern.
Also führen wir ihn durch die Landschaft
Flußhinab und hügelan, wir beide,
Dieser Arzt und ich, wie nicht ein Kind ist
Sanft und hilflos, diesen, dem die Schönen
Und die Mächtigen sich dienend bückten,
Wenn er hinlief auf des Lebens Hügeln,
Trunkenheit des Siegers um die Stirne.

DER ARZT

Ich sehe einen solchen Lauf der Welt:
Das Übel tritt einher aus allen Klüften;
Im Innern eines jeden Menschen hält
Es Haus und schwingt sich nieder aus den Lüften:
Auf jeden lauert eigene Gefahr,
Und nicht die Bäume mit den starken Düften
Und nicht die Luft der Berge, kühl und klar,
Verscheuchen das, auch nicht der Rand der See.
Denn eingeboren ist ihr eignes Weh
Den Menschen: ja, indem ich es so nenne,
Verschleir ich schon die volle Zwillingsnäh,
Mit ders dem Sein verwachsen ist, und trenne,
Was nur *ein* Ding: denn lebend sterben wir.
Für Leib und Seele, wie ich sie erkenne,
Gilt dieses Wort, für Baum und Mensch und Tier.
Und hier . . .

DER WAHNSINNIGE *indem er sich beim Schein der Fackel in einem
silbernen Handspiegel betrachtet*

Nicht mehr für lange hält dieser Schein,
Es mehren sich schon die Stimmen,
Die mich nach außen rufen,
So wie die Nacht mit tausend Lippen
Die Fackel hin und wider zerrt:
Ein Wesen immer gelüstet es nach dem andern!
Düstern Wegen und funkelnden nachzugehen,
Drängts mich auseinander, Namen umschwirren mich
Und mehr als Namen: sie könnten meine sein!
Ich bin schon kaum mehr hier!
Ich fühl schon auf der eigenen Stirn die Spur
Der eignen Sohle, von mir selber fort
Mich schwingend wie ein Dieb aus einem Fenster.
Hierhin und dorthin darf ich, ich bin hergeschickt,

Zu ordnen, meines ist ein Amt,
Des Namen über alle Namen ist.
Es haben aber die Dichter schon
Und die Erbauer der königlichen Paläste
Etwas geahnt vom Ordnen der Dinge,
Der ungeheuren dumpfen Kräfte
Vielfachen Mund, umhangen von Geheimnis,
Ließen sie in Chorgesängen erschallen, wiesen ihm
Gemessene Räume an, mit Wucht zu lasten,
Empor zu drängen, Meere abzuhalten,
Selbst urgewaltig wie die alten Meere.
Schicksal aber hat nur der einzelne:
Er tritt hervor, die ungewissen Meere,
Die Riesenberge mit grünem Haar von Bäumen,
Dies alles hinter ihm, nur so wie ein Gewebe,
Sein Schicksal trägt er in sich, er ist kühn,
Verfängt sich in Fallstricke und schlägt hin
Und vieles mehr, sein Schicksal ist zehntausendmal
Das Schicksal von zehntausend hohen Bergen:
Der wilden Tiere Dreistigkeit und Stolz,
Sehnsüchtige Bäche, der Fall von hohen Bäumen,
Dies alles ist darin verkocht zehntausendmal.
Hier tritt der Mond vor die Wolken und erleuchtet das Flußbett.
Was aber sind Paläste und die Gedichte:
Traumhaftes Abbild des Wirklichen!
Das Wirkliche fängt kein Gewebe ein:
Den *ganzen* Reigen anzuführen,
Den wirklichen, begreift ihr dieses Amt?
Hier ist ein Weg, er trägt mich leichter als der Traum.
Ich gleite bis ans Meer, gelagert sind die Mächte dort
Und kreisen dröhnend, Wasserfälle spiegeln
Den Schein ergoßnen Feuers, jeder findet
Den Weg und rührt die andern alle an...
Mit trunknen Gliedern, ich, im Wirbel mitten,
Reiß alles hinter mir, doch alles bleibt
Und alles schwebt, so wie es muß und darf!
Hinab, hinein, es verlangt sie alle nach mir!
*Er will über das Geländer in den Fluß hinab. Die beiden halten ihn
mit sanfter Gewalt. Er blickt, an sie gelehnt, und ruft heiter, mit
leisem Spott*
Bacchus, Bacchus, auch dich fing einer ein
Und band dich fest, doch nicht für lange!

DER KAISER UND DIE HEXE

DER KAISER PORPHYROGENITUS

DIE HEXE

TARQUINIUS, *ein Kämmerer*

EIN VERURTEILTER

EIN ARMER MENSCH

EIN URALTER BLINDER

Der oberste Kämmerer, der Großfalkonier, der Präfekt des Hauses und andere Hofleute. Ein Hauptmann. Soldaten.

Eine Lichtung inmitten der kaiserlichen Jagdwälder. Links eine Quelle. Rechts dichter Wald, ein Abhang, eine Höhle, deren Eingang Schling-pflanzen verhängen. Im Hintergrund das goldene Gitter des Fasanen-geheges, dahinter ein Durchschlag, der hügelan führt.

DER KAISER *tritt auf, einen grünen, goldgestickten Mantel um, den Jagdspieß in der Hand, den goldenen Reif im Haar*

    Wohl, ich jage! ja, ich jage!
    Dort der Eber, aufgewühlt
    Schaukelt noch das Unterholz,
    Hier der Speer! und hier der Jäger!
Er schaudert, läßt den Speer fallen
    Nein, ich bin das Wild, mich jagt es,
    Hunde sind in meinem Rücken,
    Ihre Zähne mir im Fleisch,
    Mir im Hirn sind ihre Zähne.
Greift sich an den Kopf
    Hier ist einer, innen einer,
    Unaufhörlich, eine Wunde,
    Wund vom immer gleichen Bild
    Ihrer offnen weißen Arme...
    Und daneben, hart daneben,
    Das Gefühl von ihrem Lachen,
    Nicht der Klang, nur das Gefühl
    Wie ein lautlos warmes Rieseln ...

Blut?... Mein Blut ist voll von ihr!
Alles: Hirn, Herz, Augen, Ohren!
In der Luft, an allen Bäumen
Klebt ihr Glanz, ich muß ihn atmen.
Ich will los! Die Ohren hab ich
Angefüllt mit Lärm der Hunde,
Meine Augen bohr ich fest
In das Wild, ich will nichts spüren
Als das Keuchen, als das Flüchten
Dieser Rehe, dieser Vögel,
Und ein totenhafter Schlaf
Soll mir nachts mit Blei versiegeln
Diese Welt... doch innen, innen
Ist die Tür, die nichts verriegelt!
Keine Nacht mehr! Diese Nächte
Brechen, was die Tage schwuren.

Er rüttelt sich an der Brust

Steh! es wird ja keine kommen,
Sieben sind hinab, vorbei...
Sieben? Jetzt, nur jetzt nichts denken!
Alles schwindelnd, alles schwach,
Jagen und nur immer jagen,
Nur bis diese Sonne sank,
Diesen Taumel noch ertragen!
Trinken hier, doch nicht besinnen.

DIE HEXE *jung und schön, in einem durchsichtigen Gewand, mit offenem Haar, steht hinter ihm*

Nicht besinnen? nicht auf mich?
Nicht auf uns? nicht auf die Nächte?
Auf die Lippen nicht? die Arme?
Auf mein Lachen, auf mein Haar?
Nicht besinnen auf was war?
Und auf was, einmal verloren,
Keine Reue wiederbringt...?

DER KAISER

Heute, heute ist ein Ende!
Ich will dirs entgegenschrein:
Sieben Jahre war ich dein,
War ein Kind, als es begann,
End es nun, da ich ein Mann!

Wußtest du nie, daß ichs wußte,
Welches Mittel mir gegeben,
Abzureißen meinem Leben
Die Umklammrung deiner Arme
Sichrer als mit einem Messer?

Verwirrt

Sieh mich nicht so an . . . ich weiß nicht,
Du und ich . . . wie kommt das her?
Alles dreht sich, alles leer!

Sich ermannend

Wußtest du nie, daß ichs wußte?
Immerhin . . . ich will nicht denken,
Welch verschlungnen Weg dies ging,
Fürchterlich wie alles andre . . .
Ich steh hier! dies ist das Innre
Eines Labyrinths, gleichviel
Wo ich kam, ich weiß den Weg,
Der hinaus ins Freie! Freie! . . .

Er stockt einen Moment unter ihrem Blick, dann plötzlich sehr laut

Sieben Tage, wenn ich dich
Nicht berührt! Dies ist der letzte!
Diese Sonne dort im Wipfel,
Nur so wenig muß sie fallen,
Nur vom Wipfel bis zum Boden.
Und hinab in ihren Abgrund
Reißt sie dich, und ich bleib hier!
Sieben Tag und sieben Nächte
Hab ich deinen Leib nicht anders
Als im Traum berührt – der Traum
Und der Wahnsinn wacher Träume
Steht nicht in dem Pakt! – mit Händen
Und mit Lippen nicht den Leib,
Nicht die Spitzen deiner Haare
Hab ich angerührt in sieben
Tag . . . und Nächten . . . Traum ist nichts! . . .
Wenn die Sonne sinkt, zerfällst du:
Kröte! Asche! Diese Augen
Werden Schlamm, Staub wird dein Haar,
Und ich bleibe, der ich war.

DIE HEXE *sanft*

Ist mein Haar dir so verhaßt,

Hast doch in das End davon
Mit den Lippen einen Knoten
Dreingeknüpft, wenn wir dort lagen,
Mund auf Mund und Leib auf Leib,
Und ein Atemholen beide
Hob und senkte, und der Wind
Über uns im Dunkel wühlte
In den Bäumen.

DER KAISER   Enden, enden
            Will ich dieses Teufelsblendwerk!

DIE HEXE

            Wenn du aufwachst in der Nacht
            Und vor dir das große schwere
            Dunkel ist, der tiefe Schacht,
            Den kein Schrei durchläuft, aus dem
            Keine Sehnsucht mich emporzieht,
            Wenn du deine leeren Hände
            Hinhältst, daß ich aus der Luft
            Niederflieg an deine Brust,
            Wenn du deine Hände bebend
            Hinhältst, meine beiden Füße
            Aufzufangen, meine nackten
            Füße, schimmernder und weicher
            Als der Hermelin, und nichts
            Schwingt sich aus der Luft hernieder,
            Und die beiden Hände beben
            Leer und frierend? Nicht die goldne.
            Weltenkugel deines Reiches
            Kann sie füllen, nicht die Welt
            Füllt den Raum, den meine beiden
            Nackten Füße schimmernd füllten!

DER KAISER

            Welch ein Ding ist diese Welt!
            Sterne, Länder, Menschen, Bäume:
            Ein Blutstropfen schwemmt es fort!

DIE HEXE

            Jeden Vorhang hebst du auf,
            Windest dich in den Gebüschen,
            Streckst die Arme in die Luft,

Und ich komme nie mehr! Stunden
Schleppen hin! die Tage leer,
Leer die Nächte! und den Dingen
Ihre Flamme ausgerissen,
Jede Zeit und jeder Ort
Tot, das Glühen alles fort...

DER KAISER *die Hand vor den Augen*

Muß ich denn allein hier stehen!
Gottes Tod! ich bin der Kaiser,
Meine Kämmrer will ich haben,
Meine Wachen! Menschen, Menschen!

DIE HEXE

Brauchst die Wachen, dich zu schützen,
Armer Kaiser, vor dir selber?
Droh ich dir, rühr ich dich an?
Nein, ich gehe, und wer will,
Kommt mir nach und wird mich finden.
Armer Kaiser!

Sie biegt die Büsche auseinander und verschwindet.

DER KAISER   Nicht dies Lachen!

Einmal hat sie so gelacht...
Was dann kam, ich wills nicht denken!
Hexe, Hexe, Teufelsbuhle,
Sehn! Ich will dich sehn, ich will nicht
Stehn wie damals vor dem Vorhang.
Gottes Tod, ich wills nicht denken!
Faune, ekelhafte Faune
Küssen sie! die weißen Hände
Toter, aus dem Grab gelockter
Heiden sind auf ihr, des Paris
Arme halten sie umwunden:
Ich ertrag es nicht, ich reiße
Sie hinweg!

TARQUINIUS *aus dem Hintergrunde rechts auftretend*

Mein hoher Herr!

DER KAISER

Was? und was? wer schickt dich her?

TARQUINIUS

Herr, es war, als ob du riefest
Nach den Kämmrern, dem Gefolge.

DER KAISER *nach einer langen Stille*
  Rief ich und du hörtest, gut.
  Er hört ins Gebüsch
  Hier ist alles still, nicht wahr?

TARQUINIUS
  Herr, die Jagd zog dort hinunter,
  Jenseits des Fasangeheges.

DER KAISER
  Laß die Jagd! Du hörtest hier nichts?
  Nichts von Flüstern, nichts von Lachen?
  Wie?
  In Gedanken verloren, plötzlich
      Abblasen laß die Jagd!
  Ich will meinen Hof um mich:
  Meine Frau, die Kaiserin,
  Soll hierher, mein Kind soll her,
  Um mich her mein ganzer Hof,
  Ringsum sollen Wachen stehen,
  Und so will ich liegen, liegen,
  Auf den Knien die heilige Fahne.
  Zugedeckt, so will ich warten,
  Bis die Sonne... wohin gehst du?

TARQUINIUS
  Herr, zu tun, was du befahlst,
  Deinen Hof hierher zu rufen.

DER KAISER *halblaut*
  Wenn sie kommt vor meinen Hof,
  Sich zu mir hinschleicht und flüstert
  Und die Scham hält mich, ich muß
  Ihren Atem fühlen, dann
  Wird es stärker sein als ich!
  Bleib bei mir, es kommen andre.
  Du bleib da. Ich will mit dir
  Reden, bis die andern kommen.
  Er geht auf und ab, bleibt schließlich dicht vor dem Kämmerer stehen
  Bist der jüngste von den Kämmrern?

TARQUINIUS *auf ein Knie gesunken*
  Nicht zu jung, für dich zu sterben,
  Wenn mein Blut dir dienen kann!

DER KAISER
  Heißt?

TARQUINIUS Tarquinius Morandin.

DER KAISER *streng*
  Niemands Blut kann niemand dienen,
  Es sei denn sein eignes.

TARQUINIUS   Herr,
  Zürn mir nicht, die Lippen brennen,
  Einmal dirs herauszusagen.

DER KAISER
  Was?
  Tarquinius steht verwirrt.

DER KAISER *gütig*
    Nun was?

TARQUINIUS   Gnädiger Herr,
  Daß ich fühle, wie du gut bist,
  So mit Hoheit und mit Güte,
  Wie ein Stern mit Licht beladen.

DER KAISER
  Kämmerer, du bist ein Kind...
  Wenn du nicht ein Schmeichler bist!
  Junge Menschen sind nicht gut,
  Und ob älter auch wie du,
  Bin ich jung. Nimm dich in acht;
  Ich weiß nichts von dir, weiß nicht,
  Wie du lebst, nur Seele seh ich,
  Die sich so aus deinen Augen
  Lehnt, wie aus dem Kerkerfenster
  Ein Gefangner nach der Sonne;
  Nimm du dich in acht, das Leben
  Hat die rätselhafte Kraft,
  Irgendwie von einem Punkt aus
  Diesen ganzen Glanz der Jugend
  Zu zerstören, blinden Rost
  Auszustreun auf diesen Spiegel
  Gottes... wie das alles kommt?
  Halb für sich
  Anfangs ists in einem Punkt,

Doch dann schiebt sichs wie ein Schleier
Zwischen Herz und Aug und Welt,
Und das Dasein ist vergällt;
Bist du außen nicht wie innen,
Zwingst dich nicht, dir treu zu sein,
So kommt Gift in deine Sinnen,
Atmests aus und atmests ein,
Und von dem dir gleichen Leben
Bist du wie vom Grab umgeben,
Kannst den Klang der Wahrheit hören,
So wie Hornruf von weither,
Doch erwidern nimmermehr;
Was du sprichst, kann nur betören,
Was du siehst, ist Schattenspiel,
Magst dich stellen, wie du willst,
Findest an der Welt nicht viel,
Wandelst lebend als dein Grab,
Hexen deine Buhlerinnen...
Kehr dich nicht an meine Reden,
Wohl! wenn du sie nicht verstehst.
Denk nur eins: ich will dir Gutes!
Nimms, als käm es dir von einem,
Den du sterbend wo am Wege
Liegen findest; nimms an dich,
Drücks an dich wie eine Lampe,
Wenn dich Finsternis umschlägt;
Merk dir: jeder Schritt im Leben
Ist ein tiefrer. Worte! Worte!
Merk dir nichts als dies, Tarquinius:
Wer nicht wahr ist, wirft sich weg!
...Doch vielleicht begreifst du dies
Erst, wenn es zu spät ist; merk
Dies allein: nicht eine einzige
Stunde kommt zweimal im Leben,
Nicht ein Wort, nicht eines Blickes
Ungreifbares Nichts ist je
Ungeschehn zu machen, was
Du getan hast, mußt du tragen,
So das Lächeln wie den Mord!

Nach einer kleinen Pause

Und wenn du ein Wesen liebhast,
Sag nie mehr, bei deiner Seele!

Als du spürst. Bei deiner Seele!
Tu nicht eines Halms Gewicht
Mit verstelltem Mund hinzu:
Dies ist solch ein Punkt, wo Rost
Ansetzt und dann weiterfrißt.
Dort am Durchschlag hör ich Stimmen:
Jäger sind es wohl, die kommen,
Aber hier ist alles still...
Oder nicht? ...Nun geh nur, geh,
Tu, wie ich dir früher sagte.

TARQUINIUS
Hierher ruf ich das Gefolge.

DER KAISER
Ja! was noch?

TARQUINIUS   Du hast befohlen.
  Geht.

DER KAISER
Irgendwo ist Klang der Wahrheit
Wie ein Hörnerruf von weitem,
Doch ich hab ihn nicht in mir;
Ja, im Mund wird mir zur Lüge,
Was noch wahr schien in Gedanken.
Schmach und Tod für meine Seele,
Daß sie in der Welt liegt wie ein
Basilisk, mit hundert Augen,
Die sich drehen, nach den Dingen
Äugend! daß ich Menschenschicksal
So gelassen ansehn kann
Wie das Steigen und Zerstäuben
Der Springbrunnen! daß ich meine
Eigne Stimme immer höre,
Fremd und deutlich wie das Schreien
Ferner Möwen! Tod! mein Blut
Ist verzaubert! Niemand, niemand
Kann mir helfen, und doch bin ich
Stark, mein Geist ist nicht gemein,
Neugeboren trug ich Purpur,
Diesen Reif, bevor die Schale
Meines Kopfs gehärtet war...

Er reißt sich den Reif vom Kopf
>Und er schließt das Weltall ein:
>Diese ganze Welt voll Hoheit
>Und Verzweiflung, voll von Gräbern
>Und von Äckern, Bergen, Meeren,
>Alles schließt er ein . . . was heißt das?
>Was ist mir dies alles? welche
>Kraft hab ich, die Welt zu tragen?
>Bin ich mir nicht Last genug!

Er zerbricht den Reif, wirft die Stücke zu Boden und atmet wild.
Die Stimme der Hexe aus dem Gebüsch. Der Kaiser horcht vorgebückt.

DIE STIMME
>Komm, umschling mich mit den Armen,
>Wie du mich so oft umschlungen!
>Fühlst du nicht, wie meine Schläfen
>Klopfen, fühlst dus mit den Lippen?

DER KAISER *sich zurückwerfend, mit emporgestreckten Armen*
>Redet sie zu mir? zu einem
>Andern? ich ertrag es nicht!
>Hat sie alles noch mit andern,
>Wie mit mir? Dies ist so furchtbar,
>Daß es mich zum Wahnsinn treibt . . .
>Alles ist ein Knäul, Umarmung
>Und Verwesung einerlei,
>Lallen von verliebten Lippen
>Wie das Rascheln dürrer Blätter,
>Alles könnte sein, auch nicht . . .

Die Arme sinken ihm herunter, seine Augen sind starr zu Boden
gerichtet. Er rafft sich auf und schreit
>Menschen, Menschen, ich will Menschen!

Die drei Soldaten mit dem Verurteilten treten von rückwärts auf.
Der Kaiser läuft auf sie zu.

DER KAISER
>Ihr seht aus wie Menschen. Hierher
>Tretet! hier!

EIN SOLDAT   Was will der Mensch?

ZWEITER
>Still, das ist ein Herr vom Hof!
>Tu, was er uns heißt.

DER KAISER

> Diesen hier macht frei! die Ketten
> Sind für mich! in mir ist einer,
> Der will dort hinein, er darf nicht
> Stärker werden! gebt die Ketten!

Allmählich beruhigter

> Zwar mich dünkt, nun ist es still...
> Und die Sonne steht schon tief!...
> ...Welch ein Mensch ist dies, wohin
> Führt ihr ihn?

ERSTER   Zu seinem Tod.

DER KAISER

> Warum muß er sterben?

DER SOLDAT   Herr,

> Lydus ist es.

DER KAISER   Lydus?

DER SOLDAT   Herr,

> Wenig weißt du, was im Land,
> Was sich im Gebirg ereignet,
> Wenn du nichts von diesem weißt.
> Dieser ist der Fürchterliche,
> Der ein ganzes Land verbrannte,
> Feuer warf in dreizehn Städte,
> Sich Statthalter Gottes nannte
> Und der Ungerechten Geißel,
> Selbst ein ungerecht Begehren
> Wie ein Rad von Blut und Feuer
> Durch das Land des Friedens wälzend.

DER KAISER

> Doch die Richter?

DER VERURTEILTE *den Blick am Boden*

>   Einen Richter,
> Der das Recht bog, wollt ich hängen,
> So fing alles an.

DER KAISER   Der Kaiser?

> Der doch Richter aller Richter?

DER SOLDAT
> Herr, der Kaiser, der ist weit.
> *Eine kleine Stille*

DER HAUPTMANN *kommt gelaufen*
> Hier ist nicht der Weg. Wir müssen
> Weg von hier. Des Kaisers Jagd
> Kommt bald hier vorbei.
> *Erkennend*   Der Kaiser!
> *Kniet nieder, sogleich auch die drei Soldaten.*

DER KAISER *zum Verurteilten*
> Stehst du, Mensch? die andern knien.

DER VERURTEILTE *den Blick am Boden*
> Diese Spiele sind vorüber;
> Morgen knie ich vor dem Block.

DER KAISER
> Mensch, bei Gott, wie fing dies an?
> Wie der erste Schritt davon?

DER VERURTEILTE *hebt seinen Blick*
> Mensch, bei Gott, mit einem Unrecht.

DER KAISER
> Das du tatest?

DER VERURTEILTE *immer die Augen auf ihn geheftet*
> Das ich litt!

DER KAISER
> Und was weiter kam?

DER VERURTEILTE   Geschick.

DER KAISER
> Und die Toten?

DER VERURTEILTE   Gut verstorben.

DER KAISER
> Und was morgen kommt?

DER VERURTEILTE   Das Ende,
> Das höchst nötige gerechte
> Ende.

DER KAISER Doch gerecht?

DER VERURTEILTE *ruhig* Jetzt wohl.
Der Kaiser geht auf und ab. Endlich nimmt er seinen Mantel ab,
hängt ihn dem Verurteilten um, winkt den Soldaten, aufzustehen.
Tarquinius zurückkommend, verneigt sich.

DER KAISER
    Kämmrer, schließ dem Mann den Mantel
    Und mach ihm die Hände frei!
Es geschieht. Der Verurteilte blickt unverwandt, mit äußerster Auf-
merksamkeit, beinahe mit Strenge den Kaiser an.

DER KAISER
  Tarquinius zu sich, nach rechts vorne, heranwinkend
    Die Galeeren nach Dalmatien,
    Die Seeräuber jagen sollen,
    Warten, weil ich keinen Führer
    Noch genannt. Ich nenne diesen.
    Diesen Lydus. Wer sich selber
    Furchtbar treu war, der ist jenseits
    Der gemeinen Anfechtungen.
    Als ich in der Wiege lag,
    Trug ich Purpur, um mich her
    Stellten sie im Kreise Männer,
    Und auf wen mit unbewußtem
    Finger ich nach Kindesart
    Lallend deutete, der war
    Über Heere, über Flotten,
    Über Länder zum Gebieter
    Ausgewählt. Ein großes Sinnbild!
    Auf mein ungeheures Amt
    Will ich Kaiser mich besinnen:
    Meine Kammer ist die Welt,
    Und die Tausende der Tausend
    Sind im Kreis um mich gestellt,
    Ihre Ämter zu empfangen.
    Ämter! darin liegt noch mehr!
    Kämmrer, führ den Admiral!
    Lydus heißt er, Lydus, merk.
    Sonst ist nichts vonnöten, geh.
Sie gehen ab, noch im Weggehen heftet der Mann seinen ernsten,
beinahe strengen Blick auf den Kaiser.

Doch ... wie eitel ist dies alles,
Und wie leicht, daran zu zweifeln,
Wie so leicht, es wegzuwerfen!
Dieses Hauchen lauer Luft
Saugt mir schon die Seele aus!
Kommt nicht irgend etwas näher?
Schwebt es nicht von oben her
Unbegreiflich sanft und stark?
Meinem Blut wird heiß und bang...
Wie soll dies aus mir heraus?
Nur mit meinen Eingeweiden!
Denn ich bin darin verfangen
Wie der Fisch, der allzu gierig
Eine Angel tief verschlang.
Sklave! Hund! was steh ich hier?
Weiß, daß sie mich nehmen will,
Steh ihr selbst am Kreuzweg still!
Dies muß sein! Ich will mich selber
An den Haaren weiterschleppen
Bis zum Sinken dieser Sonne!
Jagen! Jagd ist alles! Schleichen
Auf den Zehen, mit dem Spieß
Eigne Kraft in eines fremden
Lebens Leib so wie der Blitz
Hineinschleudern ... Eine Taube!
Wie sie an den Zweigen hinstreift,
Trunken wie ein Abendfalter,
Kreise zieht um meinen Kopf!
Wo der Spieß? Doch hier der Dolch!
Hier und so!

Er wirft den Dolch nach der Taube. Die Hexe, angezogen wie ein
Jägerbursch, taumelt hervor. Sie preßt die Hände auf die Brust und
sinkt am Rand eines Gebüsches rechts nieder.

DIE HEXE   O weh! getroffen!

DER KAISER
          Trug und Taumel! wessen Stimme?
          Vogel wars! Die Taube flog!
In der Nähe, aufschreiend
          Was für Augen, welche Lippen!
Kriecht auf den Knien der Hingesunkenen näher.

DIE HEXE *sanft wie ein Kind*

> Lieber, schlägst du mir mit Eisen
> Rote Wunden, blutig rote
> Neue Lippen? Dort wo deine
> Lippen lagen oft und oft!
> Weißt du alles das nicht mehr?
> So ist alles aus? Leb wohl,
> Aber deiner nächsten Freundin,
> Wenn ich tot bin, sei getreuer,
> Und bevor du gehst und mich
> Hier am Boden sterben lässest,
> Deck mir noch mit meinen Haaren
> Meine Augen zu, mir schwindelt!

Der Kaiser hebt die Hände, sie zu berühren. In diesem Augenblick überschüttet die dem Untergang nahe Sonne den ganzen Waldrand mit Licht und den rötlichen Schatten der Bäume. Der Kaiser schaudert zurück, richtet sich auf, geht langsam, die Augen auf ihr, von ihr weg; sie liegt wie tot.

DER KAISER

> Tot! was ist für diese Wesen
> Tot? die Sonne ist nicht unten,
> Dunkel flammt sie, scheint zu drohen.
> Soll ich sie hier liegen sehen?
> Sollen Ameisen und Spinnen
> Über ihr Gesicht hinlaufen
> Und ich sie nicht anrührn? ich,
> Der mit zehnmal so viel Küssen
> Ihren Leib bedeckt hab, als
> Das Gewebe ihres Kleides
> Fäden zählt, wie? soll ich sie
> Liegen lassen, daß mein Hof,
> Meine Diener ihr Gesicht
> Mir betasten mit den Blicken?
> Ich ertrüg es nicht, ich würfe
> Mich auf sie, sie zuzudecken!
> Dort! ein Mensch, der Stämme schleppt,
> Abgeschälte schwere Stämme.
> Hier ist eine schönre Last.

Er tritt in eine Lichtung und winkt

> Du, komm her! komm hierher! hier!
> Zwar, womit den Menschen lohnen?

Auf den Gold- und Silberstücken
Ist mein Bild, doch hab ich keines!
Doch, der Reif, den ich zerbrach:
Wenn die Krone auch zerschlagen
Da und dort am Boden rollt,
Ist sie doch noch immer Gold.

*Er bückt sich und hebt ein paar Stücke auf. Er betrachtet die Stücke,
die er in der Hand hält*

Wohl, solange du geformt warst,
Warst du viel. Dein bloßes Blinken
Konnte ungeheure Heere
Lenken wie mit Zauberwinken.
Krone, brauchtest nur zu leuchten,
Nur zu funkeln, nur zu drohn...
Kaum die Dienste eines Knechtes
Zahlt dein Stoff, der Form entflohn.

Eine kleine Stille

Mitten drunter kann ich denken,
Ruhig denken, sonderbar.

DER ARME MENSCH *in Lumpen, ein junges, entschlossenes Gesicht
und eine unscheinbare, gebückte Haltung*
Herr, was riefst du, daß ich tun soll?

DER KAISER *steht vor der Leiche abgewandt*
Diesen Toten...

DER MENSCH   Herr, ein Weib!

DER KAISER
Frag nicht, schaff sie fort!

DER MENSCH   Wohin?
Fort? Wohin?

DER KAISER   Gleichviel! ins Dickicht.
Wo sie keiner sieht, wo ich
Sie nicht sehe! später dann...
Hier ist Gold für deine Arbeit.

DER MENSCH *steht starr*
Dies? dafür? für nichts als das?

DER KAISER
Nicht genug? komm später wieder.

DER MENSCH

Nicht genug? es wär genug,
Mir mein Leben abzukaufen.
Herr, wer bist du? um dies Gold
Stoß ich dir am hellen Tag,
Wen du willst von deinen Feinden,
Während er bei Tisch sitzt, nieder...
Um dies Gold verkauft dir meine
Schwester ihre beiden Töchter!

Er richtet sich groß auf, mit ausgestreckten Armen.

DER KAISER

Später dann, wenns dunkel ist,
Kommst du wieder und begräbst sie,
Gräbst im Dunkeln ihr ein Grab,
Aber so, daß auch kein Wiesel
Davon weiß und es je aufspürt;
Hüte dich!

DER MENSCH   Ich will es graben,
Daß ich selber morgen früh
Nicht den Ort zu sagen wüßte:
Denn mit diesem Leib zugleich
Werf ich in die dunkle Grube
Meinen Vater, meine Mutter,
Meine Jugend, ganz beschmutzt
Mit Geruch von Bettelsuppen,
Mit Fußtritten feiger Lumpen!

DER KAISER

Geh nun, geh! Doch hüte dich,
Daß du sie nicht anrührst, nicht
Mehr als nötig, sie zu tragen.
Ich erführ es, sei versichert,
Ich erführs, und hinter dir
Schickte ich dann zwei, die grüben
Schneller dir ein Grab im Sand,
Schneller noch und heimlicher,
Als du diese wirst begraben.

Er winkt ihm, Hand anzulegen, setzt sich selbst auf einen Baum-
strunk und schlägt die Hände vors Gesicht. Der Mensch schleppt
den regungslosen Leib ins Gebüsch. Lange Stille

103

DER KAISER *aufstehend, umherschauend*

Ist sie fort, für immer fort?...
Und die Sonne doch noch da?...
Zwar nicht Tag, nicht schöner Tag,
Vielmehr Nacht mit einer Sonne.
Und ich tat es wirklich, tat es?
Unsre Taten sind die Kinder
Eines Rauchs, aus rotem Rauch
Springen sie hervor, ein Taumel
Knüpft, ein Taumel löst die Knoten.
Meine Seele hat nicht Kraft,
Sich zu freun an dieser Tat!
Diese Tat hat keinen Abgrund
Zwischen mich und sie getan,
Ihren Atem aus der Luft
Mir nicht weggenommen, nicht
Ihre Kraft aus meinem Blut!
Wenn ich sie nicht noch einmal
Sehen kann, werd ich nie glauben,
Daß ich mich mit eignem Willen
Von ihr losriß; dies noch einmal
Sehen! dies, was eine Hand
Zudeckt, dieses kleine Stück
Ihres Nackens, wo zur Schulter
Hin das Leben sich so trotzig
Und so weich, so unbegreiflich
Drängt, nur dieses eine sehen!
Sehen und freiwillig nicht –
Nicht! – berühren... Aber wo?
Fort! er trug sie... ich befahl,
Schuf mir selber diese Qual.
Aber dort die grünen Ranken
Seh ich, spür ich nicht? sie beben!
Frag ich viel, obs möglich ist!
Spür ich nicht dahinter Leben?

Er reißt die Ranken weg, die den Eingang der Höhle verhängen.
Ein uralter Blinder tritt ängstlich hervor, weit mit einem dürr.
Stecken vor sich hintastend. Sein ganzes Gewand ist ein altes li.
nenes Hemd.

DER KAISER *hinter sich tretend*

Wie, hier auch ein Mensch! Dies feuchte

Loch noch immer Raum genug
Für ein Leben? Ists damit,
Daß ich sehen soll, welch ein Ding
Herrschen ist, daß mir der Wald
Und die Straße, ja das Innre
Eines Berges nichts wie Menschen
Heut entgegenspein? Heißt dies
Kaiser sein: nicht atmen können,
Ohne mit der Luft ein Schicksal
Einzuschlucken?

DER GREIS

War es Sturm, der meine Türe
Aufriß? Weh, es ist nicht Nacht!
Nicht das kleine Licht der Sterne
Rieselt auf die Hände nieder...
Schwere Sonne! schwacher Wind!

DER KAISER *für sich*

Diese Stirn, die riesenhaften,
Ohnmächtigen Glieder, innen
Ist mir, alles dieses hab ich
Schon einmal gesehen! wann?
Kindertage! Kindertage!
Hier ist irgendein Geheimnis,
Und ich bin darein verknüpft,
Fürchterlich verknüpft...

DER GREIS

Dort! es steht! es atmet jung!

Pause

Wie ein junges Tier!

Pause

                        Ein Mensch!

Er zittert

Hab Erbarmen! ich bin blind!
Laß mich leben! leben! leben!

DER KAISER

Alter Mann, ich tu dir nichts.
Sag mir deinen Namen.

DER GREIS

Laß mich leben, hab Erbarmen!

DER KAISER
    Fühl, ich habe leere Hände!
    Sag mir, wer du bist.
  Lange Pause

DER GREIS *seine Hände anfühlend*
    Ring!

DER KAISER   Den Namen, sag den Namen!

DER GREIS
    Was für Stein?

DER KAISER   Ein grüner.

DER GREIS   Grüner?
    Großer grüner?

DER KAISER   Deinen Namen!
  *Er faßt ihn an, der Greis schweigt. Im Hintergrunde sammelt sich
  der Hof. Sie geben ihre Spieße an die Jäger ab. Links rückwärts
  wird ein purpurnes Zelt aufgeschlagen. Unter den anderen steht der
  Verurteilte, er trägt ein rotseidenes Gewand, darüber den Mantel des
  Kaisers, in der herabhängenden Hand einen kurzen Stab aus Silber
  und Gold.*

TARQUINIUS *kniend*
    Herr! die allergnädigste
    Kaiserin läßt durch mich melden,
    Daß sie sich zurückgezogen,
    Weil die Zeit gekommen war
    Für das Bad der kaiserlichen
    Kinder.

DER KAISER *ohne aufzumerken, betrachtet den Greis, wirft dann
einen flüchtigen Blick auf seinen Hof, alle beugen ein Knie*
    Decken!
  *Man bringt purpurne Decken und Felle und legt sie in die Mitte
  der Bühne.*
  *Der Kaiser führt den Blinden hin und läßt ihn setzen. Er sitzt wie
  ein Kind, die Füße gerade vor sich. Die weichen Decken scheinen
  ihn zu freuen.*

DER KAISER *von ihm wegtretend*
    Großfalkonier! ich habe diesen Menschen

Im kaiserlichen Forst gefunden. Wer
Ist das? Kannst du mir sagen, wer das ist?
Tiefe Stille
Großkämmerer, wer ist der Mann? mich dünkt,
Ich seh ihn heute nicht zum erstenmal.
Stille
Präfekt des Hauses, wer ist dieser Mensch?
Stille
Großkanzler, wer?
Stille
                    Großdragoman, wer ist das?
Stille
Die Kapitäne meiner Wachen! wer?
Stille
Du, Tarquinius, bist zu jung,
Um mich anzulügen, hilf mir!

TARQUINIUS *um den Blinden beschäftigt*
Herr, er trägt ein Band von Eisen
Um den Hals geschmiedet, einen
Schweren Ring mit einer Inschrift.
Der Kaiser winkt ihm zu lesen. Tiefe Stille

TARQUINIUS *liest*
Ich, Johannes der Pannonier,
War durch dreiunddreißig Tage
Kaiser in Byzanz.
Pause. Tiefe Stille
                    Geblendet
Bin ich nun und ausgestoßen
Als ein Fraß der wilden Tiere
Auf Befehl...

DER KAISER *sehr laut*   Lies weiter, Kämmrer!

TARQUINIUS *liest weiter*
Auf Befehl des höchst heiligen, höchst
Weisen, des unbesiegbarsten, erlauchtesten
Kindes...
Stockt

DER KAISER *sehr laut*
                    Kindes...lies!

TARQUINIUS   Dein Name, Herr!
Lange Stille

DER KAISER *mit starker Stimme*
Großkämmerer! wie alt war ich, der Kaiser,
Als dies geschah?

DER GROSSKÄMMERER *kniend*
Drei Jahre, hoher Herr.
Lange Stille

DER KAISER *mit halber Stimme, nur zu Tarquinius*
Kämmrer, schau, dies war ein Kaiser!
Zu bedeuten, das ist alles!
Nach einem langen Nachdenken
Ja, den Platz, auf dem ich stehe,
Gab mir ungeheurer Raub,
Und mit Schicksal angefüllt
Ist die Ferne und die Nähe.
Von viel buntern Abenteuern,
Als ein Märchen, starrt die Welt,
Und sie ist der große Mantel,
Der von meinen Schultern fällt.
Überall ist Schicksal, alles
Fügt sich funkelnd ineinander
Und unlöslich wie die Maschen
Meines goldnen Panzerhemdes.
Denn zu unterst sind die Fischer
Und Holzfäller, die in Wäldern
Und am Rand des dunklen Meeres
Atmen und ihr armes Leben
Für die Handvoll Gold dem ersten,
Der des Weges kommt, verkaufen.
Und dann sind die vielen Städte...
Und in ihnen viele Dinge:
Herrschaft, Weisheit, Haß und Lust,
Eins ums andere feil, zuweilen
Eines mit dem andern seine
Larve tauschend und mit trunknen
Augen aus dem ganz verkehrten
Antlitz schauend. Und darüber
Sind die Könige, zuoberst
Ich: von dieser höchsten Frucht

Fällt ein Licht zurück auf alles
Und erleuchtet jede tiefre
Stufe; jede: auf den Mörder
Fällt ein Strahl, Taglöhner, Sklaven
Und die Ritter und die Großen,
Mir ist alles nah; ich muß das
Licht in mir tragen für den,
Der geblendet ward um meinet-
Willen, denn ich bin der Kaiser.
Wunderbarer ist mein Leben,
Ungeheurer aufgetürmt
Als die ungeheuren Dinge,
Pyramiden, Mausoleen,
So die Könige vor mir
Aufgerichtet. Ich vermag
Auf den Schicksalen der Menschen
So zu thronen, wie sie saßen
Auf getürmten toten Steinen.
Und so ungeheure Kunde,
Wer ich bin und was ich soll,
Brachte diese eine Stunde,
Denn ihr Mund war übervoll
Von Gestalten...

Der Greis wendet sich mit heftiger Unruhe und einem leisen Wim-
mern nach dem Hintergrunde.

TARQUINIUS

Herr, es ist, er riecht die Speisen,
Die sie hinterm Zelt bereiten,
Und ihn hungert.

DER KAISER   Bringt zu essen.

Es kommen drei Diener mit goldenen Schüsseln. Den ersten und
zweiten beachtet der Greis nicht, nach der Richtung, wo der dritte
steht, begehrt er heftig. Tarquinius nimmt dem dritten die Schüssel
aus der Hand, kniet vor dem Greis hin und reicht ihm die Schüssel.

TARQUINIUS *bei dem Greis kniend*

Er will nur von dieser Speise:
Süßes ist es.

Tarquinius will ihm die Schüssel wieder wegnehmen, der Greis
weint. Er stellt die Schüssel hin.

DER GREIS *winkt mit der Hand, alle sollen wegtreten, versichert sich,*
daß er die Schüssel hat, richtet sich groß auf, streckt die Hand, an
der des Kaisers Ring steckt, gebieterisch aus — der Arm zittert heftig —
und ruft schwach vor sich hin
> Ich bin der Kaiser!

Sogleich setzt er sich wieder hin wie ein Kind, ißt die Schüssel leer.

DER KAISER *rührt ihn sanft an*
> Du, du hast aus meiner Schüssel
> Jetzt gegessen; komm, ich geb dir
> Jetzt mein Bett, darin zu schlafen.

Der Greis nickt, der Kaiser stützt und führt ihn in das Zelt. Der
Hof zieht sich nach links rückwärts zurück. Man sieht sie zwischen
den Bäumen lagern und essen. Rechts rückwärts geht eine Wache
auf und ab. Die Sonne steht nun in dem Walddurchschlag, dem
Rande des Hügels sehr nahe.

DER KAISER *aus dem Zelt zurückkommend, neben ihm Tarquinius*
> Immer noch dieselbe Sonne!
> Geht mirs doch wie jenem Hirten,
> Der, den Kopf im Wasserschaff,
> Meinte, Welten zu durchfliegen.

Er setzt sich links vorne auf einen Stumpf
> Ich bin heiterer, mein Lieber,
> Als ich sagen kann . . . gleichviel,
> Denk nicht nach! . . . Es ist der neue
> Admiral, der mich so freut.
> Sieh, ein Schicksal zu erfinden,
> Ist wohl schön, doch Schicksal sein,
> Das ist mehr; aus Wirklichkeit
> Träume baun, gerechte Träume,
> Und mit ihnen diese Hügel
> Und die vielen weiten Länder
> Bis hinab ans Meer bevölkern
> Und sie vor sich weiden sehn,
> Wie der Hirt die stillen Rinder. . .

Eine kleine Pause
> Grauenhaftes, das vergangen,
> Gibt der Gegenwart ein eignes
> Leben, eine fremde Schönheit,
> Und erhöht den Glanz der Dinge
> Wie durch eingeschluckte Schatten.

TARQUINIUS
Die Kaiserin!
Er springt zurück. Von hinten her ist mit leisen Schritten die Hexe
herangetreten. Sie trägt das Gewand der Kaiserin, in dessen untersten
Saum große Saphire eingewebt sind. Über das Gesicht fällt ein
dichter goldner Schleier. In der Hand trägt sie eine langstielige
goldne Lilie.

DER KAISER *ohne aufzustehen*
                    So kommst du
Doch! Man hat mir was gemeldet...
Doch du kommst, so sind die Kinder
Wohl gebadet, Helena.
Laß uns von den Kindern reden!
Zwar du redest von nichts anderm...
In der Kammer, wo sie schlafen,
Wohnt die Sonne, Regenbogen,
Mond, die schönen klaren Sterne,
Alles hast du in der Kammer,
Nicht? Mich dünkt, du lächelst nicht!
Lächelst doch so leicht: zuweilen
Bin ich blaß vor Zorn geworden,
Wenn ich sah, wie leicht dir dieses
Lächeln kommt, wenn ich bedachte,
Daß ein Diener, der dir Blumen
Bringt, den gleichen Lohn davon hat
Wie ich selber... es war unrecht!
Heut begreif ichs. Über alle
Worte klar begreif ichs heute:
Welch ein Kind du bist, wie völlig
Aus dir selbst dies Kinderlächeln
Quillt. Ich bin so froh, zu denken,
Daß... ich mein, daß du es bist,
Die mir Kinder auf die Welt bringt.
Meine Kinder, Helena —...
Wie von einer kleinen Quelle
Hergespült, wie aufgelesen
Von den jungen grünen Wiesen,
Die Geschwister ahnungsloser,
Aus dem Nest gefallner kleiner
Vögel sind sie, Helena,
Weil es deine Kinder sind!

Keine Antwort? und den Schleier
Auch nicht weg? Wir sind allein!
Die Hexe schlägt den Schleier zurück.

DER KAISER *aufspringend*
Hexe du und Teufelsbuhle,
Stehst du immer wieder auf?

DIE HEXE *indem sie sich halb wendet, wie ihn fortzuführen*
Komm, Byzanz! Wir wollen diese
Schäferspiele nun vergessen!
Miteinander wieder liegen
In dem goldnen Palankin,
Dessen Stangen deine Ahnherrn,
Julius Cäsar und die andern,
Tragen.
Der Kaiser lacht.

DIE HEXE *mit ausgebreiteten Armen*
Ich kann nicht leben
Ohne dich!

DER KAISER   Geh fort von mir!

DIE HEXE
Sieben Jahre!

DER KAISER   Trug und Taumel!
Sieben Tage brachen alles!

DIE HEXE
Hör mich an!

DER KAISER   Vorbei! vorbei!

DIE HEXE
Keine Stunde! Deine Lippen
Beben noch.

DER KAISER   Gott hats gewendet!
Jeden Schritt von deinen Schritten
Gegen dich! Aus allen Klüften,
Von der Straße, aus den Wäldern,
Von dem Boden, aus den Lüften
Sprangen Engel, mich zu retten!
Wo ich hingriff, dich zu spüren,
Taten sich ins wahre Leben

Auf geheimnisvollen Türen,
Mich mir selbst zurückzugeben.

DIE HEXE *schleudert ihre goldene Lilie zu Boden, die sogleich zu*
Qualm und Moder zerfällt
Hingest doch durch sieben Jahr
Festgebannt an diesen Augen
Und verstrickt in dieses Haar!
Völlig mich in dich zu saugen
Und in mir die ganze Welt;
Hexe denn! und Teufel du,
Komm! uns ziemt das gleiche Bette!

DER KAISER
Willst du drohen? sieh, ich stehe!
Sieh, ich schaue! sieh, ich lache!
Diese Flammen brennen nicht!
Aber grenzenlose Schwere
Lagert sich in dein Gesicht,
Deine Wangen sinken nieder,
Und die wundervollen Glieder
Werden Runzel, werden Grauen
Und Entsetzen anzuschauen.

DIE HEXE *zusammensinkend, wie von unsichtbaren Fäusten gepackt*
Sonne! Sonne! ich ersticke!
Sie schleppt sich ins Gebüsch, schreit gellend auf und rollt im Dunkel
am Boden hin. Die Sonne ist fort. Der Kaiser steht, die Augen starr
auf dem Gebüsch. Eine undeutliche Gestalt, wie ein altes Weib,
humpelt im Dickicht nach rückwärts.

DER KAISER
Gottes Tod! dies halten! haltet!
Wachen! Kämmrer! dort! dort! dort!

TARQUINIUS *kommt gelaufen*
Hoher Herr!

DER KAISER   Die Wachen, dort!
Sollen halten!
Lange Pause

TARQUINIUS *kommt wieder*
                    Herr, die Wachen
Schworen: niemand ging vorüber

Als ein runzlig altes Weib,
Eine wohl die Beeren sammelt
Oder dürres Holz.

DER KAISER *ihn anfassend, mit einem ungeheuren Blick*
Tarquinius!
Zieht ihn an sich, überlegt, schweigt eine Weile, winkt ihm weg-
zutreten, kniet nieder
Herr, der unberührten Seelen
Schönes Erbe ist ein Leben,
Eines auch ist den Verirrten,
Denen eines, Herr, gegeben,
Die dem Teufel sich entwanden
Und den Weg nach Hause fanden.

Während seines Gebetes ist der Vorhang langsam gefallen.

VORSPIEL ZUR ›ANTIGONE‹ DES SOPHOKLES

Auf dem Theater. Die Hauptdekoration (Palast des Kreon) ist aufge-
stellt. Mitwirkende sind im Abgehen. Theaterarbeiter löschen die Lichter
aus.
Erster und zweiter Student sind vorne. Der zweite schon im Überrock,
den Hut auf dem Kopf. Der erste barhaupt, einen großen dunklen Man-
tel über den Arm geschlagen.

ZWEITER STUDENT
  Die Prob ist aus. Man geht. Was kommst du nicht?

ERSTER STUDENT *sieht in die Kulisse, welche die Tür des Palastes*
  darstellt
  Wart, ich will sehn, was dort im Dunkeln steht.

ZWEITER STUDENT
  Wo denn?

ERSTER STUDENT
      Dort in der Tür.

ZWEITER STUDENT   Ich sehe niemand.

ERSTER STUDENT
  Niemand? Du siehst das nicht? Sie ist sehr biegsam
  und klimmt in einem Schattenstreif empor.
  Doch ihr Gewand – du siehst nicht, wie sichs regt?

ZWEITER STUDENT
  Ja, doch, ich seh. Die Zugluft weht es an.

ERSTER STUDENT
  Wen?

ZWEITER STUDENT
      Das Gewand, das dort im Dunkeln hängt.

ERSTER STUDENT
  Du siehst nur ein Gewand? Ich sehe mehr.

ZWEITER STUDENT *schon rückwärts, indes auch alle übrigen abge-*
  gangen sind und nur die rückwärtige Bühne noch von einem dürf-
  tigen Lichtschein erhellt wird
  Wilhelm, so komm!

ERSTER STUDENT   Ich komme.
Er zögert wiederum.

ZWEITER STUDENT   Man will schließen!
Verschwindet, indem er eine schwere, eisenbeschlagene Tür hinter
sich zuschlägt ; es ist völlig finster.

ERSTER STUDENT
Ich bin schon da.
Will gehen. — Der Genius tritt aus der Tür des Palastes und steigt
langsam die Stufen herab. Er trägt ein flutendes Gewand und eine
tragische Maske vor dem Gesicht. Ein milchiger, schimmernder
Schein umgibt ihn.

ERSTER STUDENT *außer sich*
                    Heinrich, es tritt hervor!
Heinrich, es schaut auf mich!
Dann halblaut, sich selber mit Lächeln beruhigend
                    Schauspielerin!
Der Genius bleibt vor ihm stehen ; er trägt schöne Reifen um die
nackten Arme ; in der Rechten hat er einen hohen Stab, wie die
Herolde.

STUDENT
Mein Fräulein, ich war ziemlich lächerlich,
vor Ihnen zu erschrecken. Zwar, es wird
nicht mehr probiert, und so ganz unvermutet. . .
Stockt, lächelt verlegen, wechselt den Ton
Ich bin ein Neuling, auch in dieser Welt,
wo Tag auf Nacht, und Höhle auf Palast,
ein künstliches Geschöpf dem andern folgt —
Stockt wiederum unter dem geheimnisvoll auf ihn gehefteten Blick,
tritt einen Schritt zurück, spricht mit gezwungener Lebhaftigkeit
Es regt die Phantasie gewaltig auf:
das Nichtigste ist nicht geheimnislos,
man trägt sogar ein Etwas mit hinaus —
Muß wieder innehalten, findet gewaltsam den Übergang
Die Griechen, sie sind doch recht fern — doch Sie,
Sie tragen dies Gewand, als wärs das Ihre —
ja, Sie sind hier im Täuschenden zu Haus,
und das geheimnisvolle Element
umgibt und nährt Sie; wie beneidenswert!
Nach einer Totenstille Pause; mit gewaltsamer Leichtfertigkeit auf
die Gestalt zutretend

Sehr schöne Maske, deine Augen leuchten!
Sprich nicht, noch nicht, der Augenblick ist köstlich!
Geheimnisvoll ist der Schönheit schönstes Kleid:
ihr solltet immer nur in Larven gehn,
und eur Gesicht sollt was Verborgnes sein
und sich dem Blick nur geben, der schon liebt.
Doch deine Hand, die laß mir; Hände sprechen!
Indem er die Hand berührt, fährt er blaß und zitternd zurück
Ah! Du bist keine Frau! Du bist kein Mensch!
Du bist die fürchterliche Gegenwart
von etwas, das mein Fleisch sich kräuseln macht
wie Zunder. Warum muß mir das geschehn!
Sehr stark
Wie, oder bin ich hier, und das ist drüben?
Flüsternd
Ich träume nur. Hier rechts von meinem Bett
ist meine Uhr, und dort das Fenster, wo nur?
Ein weißes Linnen regt sich von der Wand,
da nahm ich es für eine Nachtgestalt,
die hier vor mich hertrat. Wo ist mein Bett?
So fest liegt es auf mir, ich meine, ich höre,
wie fingernd ihre Hand den Stab berührt.
Ich hab den Mut nicht, nur ein Aug zu drehn.
Phantom, geträumtes, du, Phantom, was willst du?

GENIUS
Mit welchem Namen da benennst du mich?

STUDENT
Von irgendwo Emporgestiegenes,
des Gegenwart mich kalt besessen macht!
Wandrer, an dessen Sohlen Staub nicht haftet!
Ich weiß, ich werd erwachen, werde liegen
hart neben meinem Bette an der Erde,
allein, und werde sprechen: Dies war nichts!
Doch gib mir eine Nachricht, gib ein Etwas!
Mich überkommt das Süße an dem Wahnsinn!

GENIUS
Die ewig leben, senden mich an dich
mit einer schönen Botschaft.

STUDENT   Deine Stimme
– ich red mit ihm! – ist schön. Jedwede Botschaft

muß schön sein, die du bringst.
Denn deine Stimme ist mit Glück geschwellt
wie Segel eines Fahrzeugs fern am Himmel,
drin Liebende der ganzen Welt vergessen;
und deiner Stimme Schwebung ist gesegnet
so wie ein goldner Tag im Herbst, den Greise,
auf Mauern wandelnd zwischen Rebenlauben,
mit kühler Hand und reinem Auge segnen.
Dies alles hab ich schon einmal geträumt.
Doch war es nie so schön. —

GENIUS *den Stock auf den Boden stoßend*
      Du träumest nicht:
Das eben ist die Botschaft, die ich bringe:
Mich mußt du glauben, daß du sie verstehst.

STUDENT
Dich glauben? wer bist du?

GENIUS   Und wer bist du?

STUDENT
Ich? ich? ich steh doch hier, ganz Wirklichkeit.
Dies ist die Bühne, eh probierten wir
ein griechisch Trauerspiel; die draußen gehn
und Türen schließen, die sind meinesgleichen;
und draußen ist die Stadt mit vielen Straßen:
auf Viadukten dröhnen Züge hin
durch schwefelfarbne Luft hinaus ins Land;
dort stehen Wälder, und die suchen wir
zuweilen — doch umgibt uns hier wie dort
Geschick und schlummerlose Wirklichkeit,
und nichts ist leer —, wie fandest du den Raum,
aus deinem Drüben hier hereinzugleiten?
Wer grub dir mit den Händen diese Höhlung
in die lebendige Luft? was willst du hier?

GENIUS
Die ewig leben, senden mich an dich
mit ihrer Botschaft.

STUDENT   Du bist ein Phantom,
die Stätte hier hat dich gebrütet, dies
unsichre Licht, die trügerischen Wände,
die Legionen Träume, die hier nisten.

Schönes Gespenst, du bist die Ausgeburt
von einem sonderbaren Haus: hier geben
erbärmliche und sehr erhabne Träume
einander Stelldichein –

GENIUS
Und kehrst doch selber gern hierher zurück,
und rührest ungeheueren Geschicken
wieder und wieder an den Saum des Mantels
und nahmest in der Seele dumpfen Spiegel
des Königs Ödipus furchtbares Auge,
das rollende, voll Abgrund der Verblendung,
und später blutige, gebrochene.
Und kommest wiederum und drängest dich,
der schwesterlichsten Seele Schattenbild
zu sehen: hier heraus wird sie dir treten,
Antigone, und wie sie reden wird
und ihren Leib dem Tod entgegentragen
mit heiligem, gebundnem Schritt, da wird
die Kraft der Seele dir von ihren Lippen
entgegenschwirren und wird ihre Fesseln
um deine Seele legen, daß sie nackt,
so wie die Sklavin einem Siegeswagen,
mitfolgt und spricht: »Dies mußte so geschehen.
So will ich tun, und will so sterben müssen.
Denn hier ist Wirklichkeit, und alles andre
ist Gleichnis und ein Spiel in einem Spiegel.«

STUDENT
Mir ist, dies könnte möglich sein, doch seh ichs
wie zwischen Dämpfen, und es hält nicht stand!

GENIUS
Erfaß es nur. Dir bietet sich kein Festes.
So wie die Möwe auf dem Kamm der Wogen
so muß dein Geist ausruhn auf Fliehendem.
Durchsichtig ist sein Thron und rollt dahin.
Erfaß es! sei nicht dumpf! laß dich erschüttern!
Von Gipfeln, die im Lichte ewig blühn,
warfs mich herab zu dir mit einer Botschaft:
Antigones erhabnem Schattenbild
schreit ich in der erneuten Todesstunde
voran und streue Ehrfurcht ringsumher.

Mit starken Händen greif ich in die Luft
und banne sie, daß sie gewaltig sich,
ein unsichtbarer Schoß des Schicksals, lagert,
ausstoßend des Gemeinen dumpfen Dunst.
Ob Tausende sich drängen, Einsamkeit
der Wüste gieße ich um jedes Herz,
die Unruh hemm ich, heiß die Zeit stillstehn.
Stößt dröhnend seinen Stab auf den Boden
Was hier geschieht, ist ihr nicht untertan.
Hier hebt eine leise Musik an, die Rede zu begleiten.

STUDENT
Du atmest kühn und stark. Doch eine Maske
verhüllt mir dein Gesicht. Wie glaub ich dir?
Zweideutig ist ein so verhüllter Anblick:
die Maske, die du trägst, ist wundervoll –
allein dein Wesen scheint mir mehr, viel mehr!
Hingerissen
Begreif ichs ganz, wie würd ich wesentlich!
Müde, entmutigt zurücktretend
Dein Anblick wieder nährt nur Träumereien.

GENIUS
Ich sprach zu dir, du ahntest, ahntest recht:
zuck nicht umher nach neuer Offenbarung!
Ergriff ich dich, was kümmerts dich, wodurch?
Ich rief dich auf, ich rührte dich, ich bin!
Die Maske aber darf dich nicht verstören:
es tragen die Geliebtesten der Menschen
vor dir ein maskenhaft Gesicht:
ein menschlich Aug erträgt nichts Wirkliches.
Verlarvt, der Herold eines Schattens, steh ich
vor dir – glaubst du an mich?

STUDENT   Ich möchte glauben.
Hier schwillt die Musik an.

GENIUS
So hauch ich deine beiden Augen an.
*Der Student neigt sich der Gestalt, die ihn anhaucht. Dann läuft
ein starker Schauder durch seinen Leib. Der Genius tritt von ihm
weg und steigt langsam die Stufen zum Palast empor, zweimal sich
umblickend. Der Student richtet sich auf. Er ist blaß. Er wirft einen
völlig veränderten Blick um sich. Hier bricht die Musik plötzlich ab.*

STUDENT

Die Stufen dort sind fürchterlich! Dort saß
Ödipus, und von seinen Lippen troff
der Fluch und Blut von seinen beiden Augen!
Er richtet den Blick nach aufwärts
Die Last des Daches, unter dem sie lebten,
der alte Laios schon! Die Sonne drüber –
Der Himmel hart und funkelnd wie Metall. –
Ich möchte meinen Leib von hier wegschleppen!
Die grelle Sonne liegt wie festgenagelt
vor dieser Tür, und *nichts* bleibt mir verborgen!
Innen und außen muß ich sehn und wissen.
Ein schwerer schwacher Lufthauch weht mich an,
darin ist Staubgeruch und böser Dunst
von etwas, das verwest. Das kommt von dort,
Scheu sich umsehend
dort drüben, wo auf offnem Feld ein Leichnam liegt.
Wenn nur ein starker Wind herkäme und
der Staub ihn ganz zudeckte, dort den Toten.
Er liegt. Wenn man von etwas trinken könnte
und ganz vergessen, daß das alles ist!
Ich höre drin im Haus welche umhergehn.
Du! kannst du denn nichts helfen? nichts abwenden?
Genius winkt verneinend und verschwindet in der Tür des Palastes.

STUDENT *ihm wild nachrufend*

Zu welchem Amte hast du mich geweiht?
Wie hast du mir die Poren aufgetan?
Was für ein sehendes Geschöpf gemacht
aus mir? Warum muß ich Teilnehmer sein
an etwas Furchtbarem, das nun geschehn wird?
Mein Blick schwankt durch die schweren Mauern da,
so wie durch Wasser, und ich seh die Jungfrau
Antigone, das funkelnde Gefäß
des Schicksals,
Hier fängt die Musik wieder an und wird nun immer mächtiger.
                 sehe ihre schlanken Schultern,
das schlichte Haar, entgegen mir bewegt sich
ihr Fuß und ihr Gewand, auf ihrer Stirn
sind sieben Zeichen des ganz nahen Todes!
Sie geht durch eine Ebbe. Links und rechts
tritt in durchsichtigen erstarrten Wogen

das Leben ehrfürchtig vor ihr zurück!

Ihm scheint die Erscheinung wirklich aus dem Dunkel des Palastes entgegenzukommen. Der dunkle Mantel flattert um seinen beweg-ten Leib wie eine Wolke. Die Musik hat die Kraft des vollen Orche-sters und ist hier schon in die eigentliche Ouvertüre übergegangen.

Dies strahlende Geschöpf ist keines Tages!
Sie hat einmal gesiegt und sieget fort.
Da ich sie sehe, kräuselt sich mein Fleisch
wie Zunder unter einem Feuerwind:
mein Unvergängliches rührt sich in mir:
aus den Geschöpfen tritt ihr tiefstes Wesen
heraus und kreiset funkelnd um mich her:
ich bin der schwesterlichen Seele nah,
ganz nah, die Zeit versank, von den Abgründen
des Lebens sind die Schleier weggezogen:
einwühlen muß ich mich in meinen Mantel,
eh mich die übermäßigen Gesichte
erdrücken! Denn dem Hauch des Göttlichen
hält unser Leib nicht stand, und unser Denken
schmilzt hin und wird Musik!

Er sinkt, das Gesicht in seinen Mantel verborgen, auf die Stufen des Palastes. Der Vorhang fällt und bleibt unten, bis die Ouvertüre zu Ende gespielt ist.

DAS BERGWERK ZU FALUN

ELIS FRÖBOM

DER ALTE TORBERN

DIE BERGKÖNIGIN

DER KNABE AGMAHD

FRAU JENSEN, *Wirtin*

ILSEBILL

REGINE

KATHRINE

PETER

KLAUS   *Matrosen*

PORTUGIESER

DER ALTE FISCHER

SEINE FRAU

SEIN SOHN

PEHRSON DAHLSJÖ

CHRISTIAN, *sein Sohn*

ANNA, *seine Tochter*

DIE GROSSMUTTER

DAS KIND

HANDWERKSBURSCH

EIN BURSCH

ERSTE MAGD

ZWEITE MAGD

KNECHT

DIE HOCHZEITSGÄSTE

Der Meeresstrand einer kleinen Hafenstadt. Rechts Fischerhütten. Zwischen ihnen Netze zum Trocknen ausgespannt. Zur Linken eine ärmliche Matrosenschenke, davor Tische und Bänke. Hie und da spärliches Buschwerk. Im Hintergrund ist ein Fischerboot halb an den Strand gezogen. Jenseits der Meeresbucht in der Ferne blaue Bergketten.

Der alte Fischer, nachher seine Frau, treten aus der vordersten Hütte.

DER FISCHER *tut ein paar Schritte gegen das Wirtshaus hin, murmelt*
's ist niemand da.
Kehrt wieder um.

DIE FRAU *in der Tür ihrer Hütte stehend*
               Nu, hast du ihrs gesagt?
Hast du sie angeredet um den Dienst?

FISCHER
Sie hat ja doch kein Mannsbild in der Wirtschaft.
Wir lassen ihn. Ist alles eins.

FRAU   Drei Mädel
Sind drin.

FISCHER
      Kein Mensch!

FRAU   Drei junge starke Mädel,
Ich weiß doch! Jesus, geh doch, red sie an!

FISCHER *geht gegen die Schenke, kehrt wieder um*
Von woher sollten denn drei Mädel da sein,
Wer sollten denn die sein?

FRAU   Zwei städtische,
Und eine ist die Ilsebill vom Schneider.

FISCHER
Für was sind die daher?

FRAU   Na, Vater.

FISCHER   So.
Nu ja. Ei so. Mit Branntwein und mit Bier
Macht sie nicht viel Geschäft, die Jensen,

FRAU   Nein,
  's ist gar zu abgelegen. Aber so,
  Das bringt schon dann und wann Matrosen her.
  Die trinken dann halt besser in Gesellschaft.
  So bitt sie doch, jetzt ist die Luft so schön.
  Er möchte besser atmen.

FISCHER   Das ist so
  Das Ganze, was er hat: wenn das nicht wär,
  So möcht man ihn grad in die Grube legen,
  Und wär kein Mord. Denn wo kein Leben ist,
  Ist auch kein Mord.

FRAU   Na, geh jetzt, Vater, geh,
  Und red dich nicht hinein.

FISCHER *kehrt wieder um*   Sie hat uns erst
  Den Branntwein geben. Ich mag nicht schon wieder...

FRAU
  So geh doch. Soll er ganz verkümmern drin
  In der stinkigen Kammer? Und du bringst ihn
  Doch nicht heraus mit deinem Arm.

FISCHER   Du, Alte,
  Was Glück ist so, das haben wir schon nicht:
  Bei mir ein Tau, der halbe Arm... schön, schön!
  Bei ihm die Rah... der Kopf. Da liegt er so,
  Lebt nicht und stirbt nicht.

FRAU JENSEN *tritt aus der Schenke*
                            Nun, was macht der Sohn?

FISCHER
  Der Sohn, der macht nicht viel. Er liegt halt so.
  Wir möchten Sie schön bitten, wegen... weil
  Ich ihn nicht tragen kann.

FRAU   Wir möchten ihn
  Ins Schiff hinlegen, daß er doch die Luft
  Einatmet.

FISCHER   's ist das einzige, was er hat

FRAU JENSEN
  Wir tragen ihn heraus. Geh, Ilsebill,
  Und eine von den Fischermädeln; welche
  Ist denn die stärkere?...

EINE STIMME *aus dem Hause links*
          Geh du!

ANDERE STIMME   Ich mag nicht!

ERSTE
    Ich hab nicht Zeit!

ZWEITE   Ich kämme mir mein Haar!

ERSTE
    Sie lügt, sie liegt im Bett!

ILSEBILL
    *tritt aus der Schenke. Sie ist blond und voll, noch jung, doch mit
    Spuren des Verblühens. Sie geht hinüber gegen die Fischerhütte. Ruft
    nach rückwärts*
                    So kommt ihr doch!

DAS EINE MÄDCHEN *aus dem Fenster*
    Hast du uns zu befehlen?

ILSEBILL *stampft zornig auf* Komm, du Hex!
    Vor Mitleid aufgeregt
    Er schaut aus wie ein Totes!

STIMME DER ZWEITEN *aus dem Haus*
                    Du, ich geh,
    Ich möcht ihn sehn.

ERSTE *tritt vom Fenster zurück*
                    Nein, ich!

ZWEITE *drinnen*   Jetzt will ich gehen!

ERSTE *drinnen, schreit*
    Sie riegelt mir die Tür!

ZWEITE   Sie will mich schlagen!

ILSEBILL *an der Tür der Fischerhütte*
    Kommt ihr einmal! Wär ich ein Bursch, ich schlüg euch!
    *Die beiden Mädchen, ziemlich hübsch, verwahrlost, treten aus der
    Schenke, gehen hinüber. Ilsebill und das größere Mädchen tragen
    den Fischerssohn aus der Hütte in das rückwärts liegende Boot. Das
    kleine Mädchen geht neugierig hinterher. Der alte Fischer hilft
    mit dem linken Arm tragen.*

DES FISCHERS FRAU *zu Frau Jensen; rechts vorne*
    Zehn Tag liegt er nun so: seit in der Früh

Am letzten Mittwoch.

FRAU JENSEN   Er steht schon noch auf.

FISCHERSFRAU
    Zehn Tag, zehn Nächte liegt er so: kein Bissen
    Im Mund, kein Tropfen Wasser durch die Kehle.
    Sein Puls geht schwach, ein ungebornes Kalb
    Im Mutterleibe drin hat stärkern Herzschlag.

FRAU JENSEN
    Nu, schlägt doch fort.

FISCHERSFRAU   Am Mittwoch in der Früh
    Seh ich ihn stehn und reden: da genau,
    Wo Ihr nun steht, mit einem fremden Herrn.
    Mutter, sagt er, ich fahr den Herrn hinüber,
    Und zeigt über die Bucht, dann geht der Fremde
    Ein bißl weg, und er tritt her an'n Zaun
    Und sagt: muß ein Engländer sein, drei Taler
    Krieg ich, sagt er und lacht, und geht zum Schiff
    Und richtet dem ein Kissen her zum Sitzen.
    's geht Landwind. Nun, was denn? vor Sonnenaufgang
    Was soll da gehn? Er bückt sich: da auf einmal
    Schlägt der Wind um und packt von draußen her
    Das Segel wie mit Fäusten, schlägt die Rah
    Ihm dröhnend auf den Schädel; ohne Taumeln,
    Eh ich aufschreien kann, fällt er ins Schiff...

DER ALTE FISCHER *ist dazugetreten*
    Und seitdem geht der Wind vom Meer herein,
    Nicht eine Mütze voll geht umgekehrt,
    Bald stark, bald schwach. Ich sitz an dreißig Jahr
    Hier an dem Ufer, in den dreißig Jahren
    Hab ich das nicht erlebt, Ihr merkt das nicht,
    Ich merks, und was es ist... 's ist nicht natürlich!
    Der Fischer und seine Frau gehen in ihre Hütte, Frau Jensen in die
    Schenke. Die Mädchen stehen im Hintergrund und betrachten flü-
    sternd den Regungslosen.
    Von rechts her treten auf: der kurze Peter, der faule Klaus, der
    Portugieser, einer hinter dem andern, dann Elis Fröbom. Peter um-
    schauend, Klaus tabakkauend, Elis den Blick starr zu Boden ge-
    richtet.

PETER
  Hier sind wir.

PORTUGIESER   Hier?

PETER   Zur Stelle.
  Frau Jensen tritt aus der Schenke. Peter geht auf sie zu, schüttelt
  ihr die Hand. Die andern stehen hintereinander: Klaus phlegma-
  tisch, der Portugieser neugierig, Elis den Blick zu Boden.

FRAU JENSEN *knicksend*
  Vielleicht, die Herren treten hier herein,
  Wenns so gefällig sein wird...
  Die drei stehen verlegen.

PETER   Geht! Die hol ich!
  Springt nach rückwärts zu den Mädchen. Er bringt die Kathrine
  und Regine nach vorne. Indessen stehen Klaus und der Portugieser
  unbeweglich. Elis hat sich auf eine der Bänke vor dem Wirtshaus
  gesetzt, ohne sonst auf jemanden zu achten. Peter bringt die beiden
  Mädchen zu den Matrosen. Klaus nimmt Kathrine am Kinn.

KATHRINE *schlägt nach seiner Hand*
  Pfui, Tran!

FRAU JENSEN *weist auf Elis*
  Was ist mit dem? Gehört der nicht zu euch?

PETER *halblaut*
  Das ist ein Neriker, laßt den in Ruh.
  Wo der her ist, da scheint die Sonne nicht,
  Da füllt ein blasses Licht, dem Mond vergleichbar,
  Höhlichte Täler, dran das Elchwild äst,
  Da sitzt der Nöck am Wassersturz und singt.
  Schau sein Gesicht nur an, ists nicht so schleirig
  Wie Eulen ihrs? Sein Vater war grad so,
  War Steuermann und hatt ein zweit Gesicht
  Und wanderte in Moor und Bergesklüften,
  Indes sein Leib bei uns an Bord umherging.
  Nun kommt er heim und findt die Mutter tot:
  Das hat ihm ganz den schweren Mund verschlagen.
  Sie wenden sich alle, ins Haus zu gehen.

PETER *im Abgehen zu Frau Jensen, die inzwischen Elis einen Becher*
  auf den Tisch gesetzt hat
  Ach! neunzehn Wochen kein vernünftiger Hafen!

128

Alle treten in die Schenke. Elis bleibt auf seinem Platz. Nach einer Weile tritt Ilsebill geräuschlos aus dem Hause und stellt sich vor Elis hin.

ILSEBILL
   Kennst mich noch, Elis?

ELIS *nickt*   Bist die Ilsebill.
   Da, trink.

ILSEBILL   Ich dank dir schön.
   Setzt sich neben ihn, trinkt. Pause

ELIS *gleichgültig*   Wie lebst?

ILSEBILL *schiebt den Becher zurück*   Ich dank dir, gut.
   Steht auf
   Ich stehl dir deine Zeit.

ELIS   Ich brauch sie nicht.
   Ich wart auf einen, der ja so nicht kommt.
   Auf Niels, den Sohn vom frühern Kirchspielschreiber.

ILSEBILL
   Sagst du mit Fleiß den Namen da vor mir,
   Damit du mir was tust? Dann geh ich fort.

ELIS
   Was ist mit dir und dem?

ILSEBILL   Es ist gar nichts.
   Es war nur was.
   Mit abgewandtem Gesicht
                    Ein Kind hab ich gehabt
   Von ihm. Der arme Wurm ist tot.
   Ich leb. Und jetzt geht mich der Niels nichts an.

ELIS
   So, so.

ILSEBILL
   Es ist gar lang her, daß du fort warst.

ELIS *mit künstlicher Gelassenheit*
   Ja, ja. Die Mutter muß jetzt so was sein,
   Wie da an meinem Stiefel hängt. Und ist
   Nicht etwa schnell gestorben...

ILSEBILL *nickt*   Deine Mutter.

ELIS
Und da wir gingen, war sie aus dem Zeug
Wie du und ich, nur besser. Ihre Augen
So rein, ihr Mund viel frischer wie der deine.
Drei Jahr sind freilich eine lange Zeit.

ILSEBILL
Und du hasts nicht gewußt?

ELIS *anscheinend gleichmütig, mit der Ironie tiefsten Schmerzes*
Nein, nein, o nein.
Erst beim Anklopfen. Erst hab ich gemeint,
Es ist ein falsches Haus. Es steht ein Ofen,
Wo sonst ihr Bette stand; und wo ihr Leib
Erkaltete im Tod, da wärmt ein Hund
Den seinen. Und dem Kirchspielschreiber Niels
Hab ich geschrieben, daß er mir das Amt
Ansagt, wo ich die Sachen holen kann,
Wenn was geblieben ist, wie man so schreibt:
Nach Abzug der Begräbniskosten.
Start vor sich hin.

ILSEBILL *wischt sich die Augen* Elis!
Laß deine Hand anschauen, nein, die andre.
Weißt du noch, was das ist?

ELIS Die Narbe da?
Das ist ja alles nicht mehr wahr. Wann war das?

ILSEBILL
Elis, wir gingen aus der Sonntagsschule,
Da tratest du mir in den Weg.

ELIS Ach ja...
Und fragte dich...

ILSEBILL Du fragtest nicht, du sprachst:
Was ich jetzt tu, das tu ich zum Beweis,
Daß ich dich liebhab und damit dus glaubst:
Sonst will ich nichts.

ELIS Und schnitt mich da hinein?

ILSEBILL
Du bücktest dich, da lag ein roter Scherben
Von hartem Ton; und damit fuhrst du dir
Wild über deine Hand, daß schweres Blut
Aufquoll.

130

ELIS   Ich schnitt beinah die Sehnen durch.

*Lacht trocken. Ilsebill bückt sich auf den Tisch und drückt die Lippen
auf seine Hand. Elis zieht die Hand weg, rückt mit dem Stuhl fort.*

ILSEBILL

Zudringlich bin ich.

Pause

       Elis!

Elis sieht sie an.

ILSEBILL *mit ängstlich flehendem Blick*

          Gar nichts mehr?

Elis zuckt die Achseln, klopft seine Pfeife aus.

ILSEBILL *zögernd*

Wenn du nicht wüßtest, wo du wohnen solltest...
Weil ja die Mutter tot ist, hätt ich nur
Gemeint, du könntest ja bei mir...

ELIS   Schön Dank.

Ich schlaf an Bord.

Ilsebill sieht vor sich hin.

ELIS *sucht in seinen Rocktaschen, nimmt ein buntes Tuch, zieht aus der
Geldkatze zwei Goldstücke, wickelt sie ins Tuch, schiebt es hin, wo es
ihre Hand berührt*

       Das Tuch da nimm und trags,
Ist indisch Fabrikat. Wers kennt, erkennts.

ILSEBILL *wickelt die Goldstücke aus und schiebt sie ihm wieder hin*

Sei schön bedankt fürs schöne Tuch. Dein Geld
Behalt. Das will ich nicht. Das wär mir nichts,
Von dir Geld nehmen. Dein Geld brauch ich nicht.
Ich schwimm im Gelde, wie man spricht. Ich habs
Nicht nötig.

Lacht, näher dem Weinen.

DER PORTUGIESER *sieht aus dem Fenster der Schenke*

Blas doch nicht immer Trübsal, Elis, trink
Und laß das Mädel trinken.

ELIS *hält Ilsebill den Becher hin, sie schüttelt den Kopf; er trinkt den
Branntweinbecher aus, atmet tief auf und lehnt sich zurück*

Schön warst du freilich. Nun ich trunken hab,
Kommt mirs zurück. Die Züge scharfgezackt
Wie die Korallen, die tief drunten wachsen,
Blaß das Gesicht, allein so rot die Lippen...

So schön warst du, wo hast dus hingetan?
Hör auf mit Weinen. Kann auch sein, du bist
Nicht gar so anders. Ich hab andre Augen.
Den Star hat mirs gestochen, und mir kehrt
Das Leben wie ein Wrack sein Eingeweide zu.
Wenn ich dich anschau, fest, so seh ich deutlich
Zwei Augen, glasig Zeug, gefüllt mit Wasser,
Zwei Lippen, rund wie Egel, auch geformt,
Sich festzusaugen. Was steckt da dahinter,
Was denn für große Lust? und dann nachher
Was für ein Schmerz? was weiter für ein Schmerz?
Was ist daran so viel?

Schlägt sich an den Kopf

           Wie konnt ich träumen
Und danach hungern, immerfort danach!
Es ist doch über alle Maßen schal!

Er streift seine Ärmel auf

Da trag ich auch so was. Die küßte mich
Und bohrte ihre kleinen Zähne ein:
Ein javanesisches Geschöpf: ihr Reden
Verstand ich so, wie ich ein Tier versteh;
In ihren Augen war was Bittendes,
Wie Hunde bitten, und sie wollte immer,
Daß ihrer Zähne Spur mir nicht verginge –
Denn ihre Lippen freilich waren weich
Wie Blumenblätter – da brannt ich mir das
Als Zeichen ein, damit mirs immer bliebe.
Da lachte sie vor Freude... vor dem Spiegel
Hab ichs gemacht, mit Nadeln macht man das
Und reibts mit Pulver ein.

ILSEBILL   Das bleibt dir nun.

ELIS

Die Haut ist freilich zäh.

Nach einer Pause

Der arme Hund, das Mädchen, wollt ich sagen,
Von Java... einmal stieß ich so nach ihr,
Wie man nach Hunden stößt...denselben Abend
Dacht ich an dich: mir war, der Unterschied
Wär riesengroß: ich seh, es ist gar keiner:
So schal bist du mir nun wie damals die.

ILSEBILL *dumpf*   Elis!

ELIS   Den Namen wußte die dort auch.
Denselben Abend...
Starrt vor sich.

ILSEBILL   Elis!

ELIS   ...ist mein Vater
Verbrannt. Allein der Hund blieb ganz gesund,
Der Schiffshund, ja. Er schlief mit ihm in einer
Kabine. Die Kabine brannte aus,
Mein Vater mit. Der Hund lief heil heraus,
Mein Vater schlief. Er hatte ein Gesicht
Drei Tage früher.
Starrt vor sich.

ILSEBILL *ängstlich*   Elis!

ELIS *in sehr hartem Ton, abweisend*
                Liebes Mädchen,
Verstehst du,
Er steht auf, geht auf und ab
                meines Vaters Sohn zu sein,
Das war kein Kinderspiel. Er war nicht hart,
Allein sein Wandeln war stille Verzweiflung.
Tief war sein Sinn. Er lebte in der Furcht.
Er hatte ein Gesicht, ehdem er starb,
Und wußte seinen Tod drei Tage vorher,
Und ging so hin, der alte Mann, und schwieg.
. . .
Gleich nachher kam die Sehnsucht über mich,
Nach ihm nicht, nach der Mutter!
Setzt sich wieder, flüstert
                's war ein Auftrag
Von ihm, drum kams so plötzlich über mich:
Sie geben solchen Auftrag, die dort unten.
Mir fuhr das Schiff zu langsam: in den Adern
Quoll mir das Blut wie schweres glühndes Erz
Und drückte mich zur Nacht: da ward aus mir
Jedwede andre Sehnsucht ausgeglüht:
Dies einzige Verlangen fraß die andern
Im Finstern auf; wär ich im Krampf erstarrt
Und so gestorben, auf den Lippen hätte,
Den starren, jedes Aug den Laut gelesen,
Mit dem du anhebst, wenn du Mutter sagst.

Er steht auf
Die war schon unten, als ich kam. Die Reden,
Die mir im voraus von den Lippen trieften,
Wie Wasser aus des gierigen Hundes Lefze,
Die schlugen sich nach innen. Mir ist übel,
Die Landluft widert mir, mir widert Seeluft.
Setzt sich wieder
Mir ist das Bett verleidet und der Becher;
Wenn ich allein bin, bin ich nicht allein,
Und bei den andern bin ich doppelt einsam.

ILSEBILL
Dein Blut ist schwer. Dich hat der große Kummer
Tiefsinnig werden lassen. Geh mit mir.

ELIS
Ich könnte stundenlang auf meine Hände
Hinunterstarren und den fremden Mann
Mir träumen, dem die zwei gehören können.
Ilsebill legt ihr Gesicht auf seine Hände.

ELIS *seine Hände wegziehend, rauh*
Hab ichs nicht schon gesagt, ich schlaf an Bord.
Ilsebill nickt unterwürfig, schleicht sich lautlos fort. Elis sitzt allein.
Die andern drinnen lärmen und singen. Der faule Klaus und der
Portugieser kommen ans Fenster.

PORTUGIESER *beugt sich aus dem Fenster zu Elis*
Wo bist du wieder?

ELIS *spricht über die Schulter, ohne sich umzusehen*
                    Ich, ja, Portugieser,
Ich bin hinüber.

POTRUGIESER   Was?

ELIS   Ei ja. Herum
Ums letzte Kap und schwimm mit nackten Masten
Und ohne Steuer in der großen Drift,
Der großen Drift, dort drunten, von woher
Kein Schoner wiederkommt und keine Brigg.

PORTUGIESER
Er redet wie ein Pfarrer!

KLAUS   Sauf und schweig!
Gehen vom Fenster weg.

ELIS *vor sich*

Ich bin heruntergekommen. Ich war jung,
Da war mir nur ums Fahren. Einen Fußtritt
Gab meinem Kahn der Vater, und die Mutter
Blies ihren letzten Atem in die Leinwand,
Da kam ich gleich hinüber. Und da ist
Die Drift, die große, totenhafte Drift.

PORTUGIESER *wieder am Fenster*

Komm doch herein und iß jetzt einen Bissen!
Geht wieder weg.

ELIS *vor sich hin*

Sagt einer »guten Bissen«, so sag ich:
Den besten essen doch die Würmer, freilich ...
Sagt einer: »Schau, das Mädel, schöne Brüste«,
Sag ich: ein Stein wär besser. Diese Steine,
Er stößt mit dem Fuß gegen den Erdboden
Die sind doch auch herum ums große Kap,
Die haben ausgespielt, die spüren nichts.
Er versinkt in ein finsteres Hinträumen. Die drinnen singen.

*Der alte Fischer schleicht aus seiner Hütte zu dem Ohnmächtigen hin,
betrachtet ihn traurig, geht mit gesenktem Kopf wieder nach Hause.
Frau Jensen, die beiden Mädchen und der Peter kommen aus der Tür
herausgetanzt, einander umschlungen haltend.*

KATHRINE

Wo ist dein Mann?

REGINE

Wo ist dein Mann?

ALLE DREI

So sind wir halt drei Witwen dann!

KATHRINE

Der meine wollte mich verkaufen
Und 's Geld versaufen,
Da bin ich fortgelaufen!

REGINE

Mir lief der meine selber fort!

FRAU JENSEN

Der meine sitzt an einem Ort,
Da möcht er gern und kann nicht fort.

ALLE DREI

Ach Gott, mir ist das Herz so schwer!
Wo nehm ich schnell einen andern her?

REGINE *setzt sich dicht zu Elis*

Ich möcht einen Mann!

PETER

Eine Maultrommel nimm und marschier voran!

PORTUGIESER *ist mit Klaus auch herausgetreten; sie stehen auf den Türstufen*

Wo solls denn hin?

PETER

Meint ihr, wir verhocken den Abend hier?
Ich möcht ein bißl noch was andres haben
Als fades Bier und die paar Mädel da.
Ich weiß euch ein Lokal: ein Keller ists,
Hui, wenn du da hinabkommst, weiß du nicht,
Ob du nicht gar im Meer bist: nichts als Licht
Und Spiegel vorn und hinten, daß dich schwindelt.
Du schiebst dich weiter, und in eine Höhle
Trittst du, da ist kein Licht, kein Öl nicht Kerzen;
Die ganzen Wände leuchten wie Karfunkel,
Und Bänke stehen drin, von rotem Samt,
Da sitzen dir zwei, drei, die können singen!
Du meinst, es wäre künstlich, nicht natürlich!
Und wenn sie dann gesungen haben, wenn sie
Sich zu dir setzen, weißt du gar nicht erst,
Was du mit einer solchen reden sollst:
Dir nimmts den Atem, wie sie nach Vanille
Und Rosenwasser riecht. Und willst du trinken,
Greifst in die Wand der Höhle, wo du willst,
So faul du kannst, das Mädel auf den Knien,
Drehst einen Hahn, hältst unter, rot und grün
Kommt ein Getränke, stark und süß zugleich,
Wie Feuersirup, und die Mädel, du...
Geht auf Elis zu, schüttelt ihn an den Schultern
Du willst nicht mit? Du bist ja gar kein Seemann,
Hätt ich ein Schiff, mir tät es grausen, grausen,
Dich mitzunehmen, dich.

ELIS *sieht einen Augenblick ihm ins Gesicht, dann zu Boden*

                           Das kann wohl sein,
Daß ich kein Seemann mehr bin, kurzer Peter!

PETER *zornig, daß ihm Elis nicht widerspricht*
  Ein Maulwurf bist du, weiter nichts!

*Links vorne ist unscheinbar der alte Torbern aufgetreten. – Er ist
ein kräftiger, etwas gebeugter Mann, dem Ansehen nach kaum sieb-
zig. Trägt altertümliche Bergmannstracht, völlig abgetragen und ver-
schossen. Hat blutumränderte merkwürdige Augen. Steht dort in der
linken Ecke, an den Zaun gelehnt, von niemandem beachtet, und
läßt seine Augen auf Elis ruhen.*

ELIS *siebt Peter groß an*   Ja, Peter,
  Das kann schon sein. Mir ist, du hast ganz recht.
  Das ist nicht dumm, was du da sagst. Mir wär
  Sehr wohl, könnt ich mich in die dunkle Erde
  Einwühlen. Ging es nur, mir sollt es schmecken,
  Als kröch ich in den Mutterleib zurück.
  *Er steht auf, fährt mit den Händen wie staunend an seinem Leib
  herab*
  Mir löst sichs jetzt, daß dieser hier mein Leib
  Nur ein Geköch ist aus lebendigen Erden,
  Verwandt den Sternen auch. Wär das nicht so,
  Wär nicht gewaltsam nur die Nabelschnur
  Zerrissen zwischen mir und den Geschöpfen,
  Den andern, dumpfen, erdgebundenen:
  Wie dränge mir ans Herz des Hirschen Schrei?
  Wie möchte dann der Linde Duft mein Blut
  Bewegen? wie verschlänge mich die Nacht
  In schwere Träume? wie gelüstete
  Mein Leib, die Gleichgeschaffnen zu berühren?
  *Tut ein paar schwere, gleichsam gebundene Schritte nach vorwärts ;
  spricht gegen den Boden*
  Du tiefes Haus, was streben wir von dir,
  Wir sinnentblößt Wahnwitzigen aufs Meer,
  Dem Lügensinn, dem Aug allein gehorchend,
  Der uns vorspiegelt, was für ewig uns
  Verborgen sollte sein, die bunte Welt,
  Die wir doch nie besitzen!
                           Seht, die Unke,
  Das tagblinde verborgene Geschöpf,
  Ist strahlend gegen unsre Finsternis
  Und winkt mir mit bediademtem Haupt:
  Denn ihr ist noch Gemeinschaft mit der Erde!

REGINE *schreiend*
  Nimm dich in acht, es hört dir einer zu!
  Springt weg, schlägt ein Kreuz über ihn. Torbern ist einen Schritt
  näher getreten. Die Anderen stehen rechts rückwärts beisammen, im
  Begriff, wegzugehen.

KLAUS
  So war sein Vater, wenns ihn überfiel!

PETER
  Laßt ihn allein. Nachher wird er wie immer.
  Sie wenden sich zum Gehen.

ELIS *an dem Busch, der vorne steht ; immer gegen den Erdboden sprechend*
  Haus, tu dich auf! gib deine Schwelle her:
  Ein Sohn pocht an! auf tu dich, tiefe Kammer,
  Wo Hand in Hand und Haar versträhnt in Haar
  Der Vater mit der Mutter schläft, ich komme!
  Entblößt euch, ihr geheimnisvollen Adern,
  Ausbluten lautlos sich die meinen schon!
  Mein Haar sträubt sich vor Lust, bei euch zu sein,
  Ihr Wurzeln, die ihr an dem Finstern saugt,
  Euch funkelnd nährt aus jungfräulicher Erde!
  Mein Herz will glühn in einem Saal mit euch,
  Blutrote Funkelsteine, hocherlauchte,
  Schlaflose Lampen, täuscht mich nicht, ich seh euch,
  Ich seh euch glühen wie durch fahles Horn,
  Versinkt mir nicht, ich halt euch mit der Seele!
  Tiefer gebückt, wild atmend. Die Anderen sind fort. Torbern steht vor
  ihm, hüllt ihn in seinen Blick.

ELIS *auffahrend, in völlig verändertem Ton*
  Wer bist du, der mir zuhört? Was hab ich
  Geredet? Wer bist du? Die Worte brachen
  Aus mir hervor...
  Stark
            Das hast du mir getan!

TORBERN
  Und wie?

ELIS *ohne ihn anzusehen*
            Das frag ich mich. So warst dus nicht?
  Du warsts! Du sprachst ein Zauberwort.

138

TORBERN *sehr laut*   Sprach ich?
  Kleine Pause
  Flüsternd
  Bedurft es dessen auch? Entquoll den Lippen
  Von selber nicht das rechte Wort? Entglomm
  Dem Aug von selber nicht der starke Strahl?

ELIS
  Mir war, ich sähe in den Grund. Mein Blut
  Macht mir was vor.

TORBERN   Du blöder Tor, gib acht.

ELIS
  Zuerst so leise, nun so überlaut!
  Willst du betrügen?

TORBERN *sehr leise*   Meiner Stimme Klang
  Bin ich entwöhnt.

ELIS   Wo kamst du her?

TORBERN   Von dort.
  Wo du hin willst.

ELIS *zurücktretend*   Ich weiß nicht, was ich sprach.

TORBERN *leise*
  Doch sinds der Seele tiefgeheimste Wünsche,
  Die sich dem unbewußten Mund entringen.

ELIS
  Wer seid denn Ihr?

TORBERN
  Ein Bergmann. Hast du keinen noch gesehn?

ELIS
  Der Mutter Vater war ein Bergmann auch.
  Sein Kleid war ähnlich, doch auch wieder anders.
  Was wollt Ihr von mir?

TORBERN   Nur den Weg dir zeigen.
  Ich kam, weil du mich brauchst.

ELIS   Ich brauch dich nicht.

TORBERN
  Du brauchst mich, wie ich dich.

ELIS   Ich bin ein Seemann...
Torbern lacht.

ELIS *stutzt; fährt dann fort*
Zurück aus Indien und nehm nächstens Handgeld
Nach Grönland. Guten Abend.
Will gehen.

TORBERN *hält ihn sanft*   Elis Fröbom...

ELIS
Wir haben miteinander nichts zu schaffen,
Als... etwa... da...
Will ihm Geld geben
             Was hältst du meine Augen
Mit deinem Blick?
Macht sich los
         Ei, geht und laßt mich gehn.
Er geht einige Schritte, wird langsamer, bleibt stehen.

TORBERN *sieht ihm nicht nach, bückt sich, betrachtet einen Kiesel*
Ich halt Euch nicht.
*Elis geht, wie gezogen, wieder zu ihm zurück. Torbern richtet sich
jäh auf.*

ELIS
So ists ein Auftrag, den du hast an mich?

TORBERN
Nenns immer so. Mir ist es aufgetragen,
Daß ich den Weg dir zeig, und dir...

ELIS *fieberhaft*   Und mir?

TORBERN
Daß du ihn gehst.

ELIS *wie verloren*   Ich wollte jetzt fortgehn.

TORBERN
Doch kamst du wieder.

ELIS   Wußtest dus voraus?
Pause
Womit bezwingst du mich?

TORBERN *rasch*   Mit deinem Willen.

ELIS
Der war, zu gehn!

TORBERN   Der ist: mit mir zu gehn
  Nach Falun und ein Bergmann dort zu sein.

ELIS *tonlos*
  Zu werden?

TORBERN   Keiner wird, was er nicht ist.
  Eine starke Pause

ELIS
  Was hält mich hier?
  Er spricht mehr zu sich als zu dem andern
                    Was soll ich mir gewinnen
  Und was der Preis, womit ichs zahlen soll?
  Hier steh ich, Elis Fröbom, ein Matros
  Und eine Waise: wenn dies hier die Falltür
  Der Hölle ist, und der des Teufels Bote,
  Und meine Seele das, worauf er ausgeht,
  So gib mir du, an den mein Flehn sich klammert,
  Ein Zeichen, dran ich mich ermannen kann!
  Pause
  Wenn ich mich zwingen wollte und es lügen:
  Die Zunge bäumt sich gegen meinen Willen,
  Und sie bekennt: in mir geht etwas vor!
  Er befühlt sich
  Was immer nun dies sei, ich kann nicht anders!
  Die Knie werden schwer...

TORBERN   Denn es verlangt sie
  Hinabzusteigen.

ELIS   Wolken droben, Bäume,
  Sie werden fahl...

TORBERN   Dein Aug will Schönres sehen!

ELIS
  Mich faßt aus Klüften ein gewaltiger Hauch...

TORBERN
  Dir widert Landluft, Seeluft widert dir.

ELIS
  Der Boden wankt!
  Klammert sich an den Busch.

TORBERN   Steh! Seemann, schwindelt dich?

ELIS *schon im Versinken*
Ich sinke ja! es nimmt mich ja! ich muß!
Er versinkt völlig.

Rasche Verwandlung

Im Innern des Berges. Ein nicht sehr großer Raum, rechteckig, dessen Wände aus dunklem, fast schwarzem Silber. Zwischen Pfeilern rechts ein Ausgang, von Finsternis völlig verhangen, zu dem drei runde Stufen aufsteigen. Die Decke flach gewölbt. Alles aus dem gleichen, prunkvoll finsteren Stoff gebildet.

ELIS *steht mit dem Rücken an die linke Seitenwand gelehnt, die Augen weit aufgerissen; das Weiß seiner Augen ist im Anfang das einzige Helle in dem finsteren Raum, auf dem die Schwere undurchdringlicher Wände lastet*
Ich hab geträumt! Jetzt lieg ich wach! Ich lieg
In meiner Koje. Nein, ich steh. Ich bin
Ganz angezogen. Hier ist Hartes: Stein.
So bin ich blind! Ich fiel: doch schmerzt mich nichts.
Ich fiel endlos durch rötlich schwarze Schlünde.
Ich bin nicht blind. Ich sehe meine Hände!
Ich bin allein in einem finstern Raum.
Nein, nicht allein! Da! da! da! da!
Die Bergkönigin ist zwischen den finstern Pfeilern rechts hervorgetreten und steht auf der obersten der drei dunklen Stufen. Vom Scheitel bis zur Sohle ist sie in ein schleierhaftes Gewebe gehüllt, dem ein sanfter Glanz, das gedämpfte Leuchten ihres Körpers, entströmt. Am stärksten leuchtet ihr Scheitel, wo ein fast glühender Reif in funkelndem Haar den Schleier zusammenhält. Die lautlose Gestalt, die unmerklich bebt wie eine hochstielige Blume, strömt in den ganzen Raum eine mäßige Helle aus, und die finstern Silberwände blinken manchmal auf.

ELIS *auf die Gestalt hinstarrend*　　　Ich träum
Und träum nur, ich bin wach.

KÖNIGIN　　　　　　　　　Nein, Elis Fröbom,
Nun träumst du nicht.

ELIS　　　　　　　　　Es spricht zu mir.

KÖNIGIN *ohne sich zu regen*　　　　Er meint,
Er liegt im Traum. Bring ihm zu trinken, Agmahd.
Der Knabe Agmahd kommt lautlos die Stufen herab. Er ist völlig schwarz gekleidet. Sein Kopf ist hell, mit weichem blondem Haar.

Er hat meergrüne Augen, die seltsam ins Leere zu starren scheinen.
Er trägt auf silberner Schüssel einen silbernen Becher, aus dem
schwaches Leuchten steigt. Lautlos gleitet er auf Elis zu und bleibt
vor ihm stehen, den Becher aufwartend.

ELIS

Du liebliches Gesicht, wo kommst du her?
Laß mich dein Haar anrühren! Kennst du mich
Nicht mehr? Ich bins, der bei dir lag, so oft, so oft,
Dort bei den Palmen, dort am stillen Fluß.
Weißt dus nicht mehr? wie ich dich lehrte, dich
Zu spiegeln hier in meinen beiden Augen,
Und wie ich mir dein Zeichen in den Arm
Einschnitt? Sieh mich doch an, weißt du nichts mehr?
Wie? Trinken soll ich, weil die dort es will.

Er nimmt den Becher und trinkt

Es glüht und schäumt und schüttert durch mein Innres
                                                    hin
Bieg mir dein Antlitz her! Verfärbst du dich?
Wie anders scheinst du nun! Du bist kein Mädchen...
Du bist es, du Ertrunkner, lieber, lieber!
Nicht wahr, wir waren Freunde! Daß du starbest!
Wir zogen dich heraus, da lagest du:
Dein Leib war hell und kühl wie Elfenbein:
Ich kaufte ein geweihtes Licht und saß
Die ganze Nacht bei dir, es drückte mich,
Daß ich nicht weinen konnte, und ich sah dich an.
Kommst du jetzt, mir das danken? Bleib doch hier!
Was schwankst du fort? Laß mich nicht hier allein.

Der Knabe Agmahd hat sich von ihm entfernt, ist plötzlich im
Dunkel der Wände wie verloschen.

ELIS

Und du! Du bebst! Bebst du vor Ungeduld?
Sinnst du auf meinen Tod? Du! du!

KÖNIGIN   Ich acht auf dich.

ELIS

Mir grauts vor dir.

KÖNIGIN   Warum? Du kennst mich nicht!

Sie wirft mit einer ungeduldigen Bewegung die Arme nach rück-
wärts und faltet die Hände im Nacken, so daß die weiten Ärmel
zurücksinken und die wundervollen Hände sichtbar werden.

ELIS

    Den Händen, die du hast, entblüht ein Glanz,
    Mir ist, als trät mein Blut aus mir ins Freie,
    Wenn ich hinseh.

KÖNIGIN *streckt die Rechte aus*

          Tritt her und rühr sie an.

ELIS *unbeweglich an seinem Platz*

    Ich kann nicht. Wir sind nicht aus einer Welt.
    Ich kanns nicht fassen, daß ich hier steh, ich!
    Warum denn *ich?* Droben sind tausende!
    Warum denn *ich?* Mich schauderts bis ins Mark.

KÖNIGIN

    Und ich hab mich so lang nach dir gesehnt.
    Wohl hundert Jahr. Was zuckst du? Grauts dich so?
    Sieh, ich kann doch für dich nicht fremder sein,
    Nicht unbegreiflicher als du für mich.
    Mich schauderts nicht. Und glaub mir, manches, was ich
                         weiß
    Von euch da droben, ist wohl schauerlich.
    Ich weiß, ihr kennt das Angesicht des Wesens,
    Das euch geboren hat. Ihr nennt es »Mutter«,
    Wohnt unter einem Dach mit ihm, berührt es!
    Das macht mich grauen, wenn ichs denken soll.
    Ich weiß, ihr schlummert niemals lang, doch wenn
    Ihr euch hinlegt zu einem langen Schlaf,
    So seid ihrs schon nicht mehr: der Erdengrund,
    Der mich mit klingendem Gehäus umschließt,
    Euch löst er eure Glieder auseinander,
    Und Bäume wachsen auf aus eurer Brust,
    Und Korn schlägt seine Wurzeln euch im Aug.
    Und die dann droben leben, die ernährt,
    Was also aufkeimt aus der Brüder Leib.
    Mich dünkt, ich stürb vor Graun, müßt ich so leben
    Hervor aus einem Leib, hinab zu Leibern.
    Und wenn ich eurer einen atmen seh,
    Werd ichs nicht los, mir ist, als müßt an ihm
    Noch hängen Ungewordnes und Verwestes,
    Als wär er nie allein, wo er auch geht und steht.
    Und dennoch lieb ich dich und will dich halten!
    Ringt ungeduldig die Hände

Graut dir, daß ich schon war, bevor du warst?
Macht dich das zornig, daß ich schlafen kann,
So lang und rein und tief? Daß ich allein bin,
Nur spielend mit Geschöpfen, die mir dienen?
Gib mir doch Antwort, steh nicht stumm und hart!
Sieh: euch da droben flutet ohne Halt
Die Zeit vorüber, doch mir ists gegeben,
In ihren lautlosen kristallnen Strom
Hinabzutauchen, ihrem Lauf entgegen
Und ihren heiligen Quellen zuzugleiten!
Heft nicht so dumpf den starren Blick auf mich!
Begreifst du nicht: das uralt heilige Gestern,
Ruf ich es auf, umgibts mich und wird Heut:
Und Dunkelndes und Funkelndes vergeht,
Und Längstversunknes blüht und glüht herein.
*Indem die Wand des Hintergrundes durchsichtig wird, tut sich eine
tiefe Landschaft auf. Über hellgelb leuchtende Gewässer neigen
sich ungeheure Bäume, bald von glühenden, bald von zarten Farben.
Im fernen Hintergrunde werfen mächtige dunkle Abgründe und
Felsenwände einander geheimnisvollen metallischen Schein zu.*
Und wieder tauch ich auf und laß dies alles
Hinunterrollen in die ewigen Tiefen!
*Indem sie so weiterspricht, ohne sich im geringsten zu wenden, steht
rückwärts wieder die finstere, dann und wann aufblinkende Wand
von dunklem Silber.*
Ahnst du denn nicht, wie mächtig Geister sind,
Und bist doch einer! Wirst du immer bleicher?
Vielleicht ist dies Musik vor deinem Ohr!
*Schlägt in die Hände. Der alte Torbern steht plörtzlich da, das Ge-
sicht ihr zugewendet, in dem von ihr ausgehenden Lichte regungslos
wie ein ehernes Standbild.*

KÖNIGIN

Sprich zu ihm, Torbern. Hilf mir du, ihn fassen!
Dich wird er hören, weil du auch ein Mensch.

TORBERN

Mich ekelt seine Dumpfheit. Königin,
Ist dies das letztemal, daß ich dich sehe?

KÖNIGIN

Ich weiß nicht.

TORBERN   Wohl, ich weiß! Und er steht da,
Wo ich einst stand!

KÖNIGIN   Sprich nicht davon!
Sag ihm, wie über aller Menschen Lose
Dein Los anschwoll. Wie du verlernen durftest,
Zu messen dich mit ihrer Zeiten Maß.
Wie dir zu Dienst das wogende Gewässer
Vor deinen Füßen starrte, dich zu tragen.
Wie dich die Kraft, die in dir wuchs und wuchs,
Hin über Klüfte riß, wie ihre Sterne
Herniederstürzten, deinem Pfad zu leuchten.
Sag ihm...

ELIS   Nun, wie geschah dies, Torbern, wie?

TORBERN
Vom Anfang soll ich reden, nun das Ende
So nah? Entkräftend faßts mich an wie fahle Träume.
Es ist so lange her. Die nun im Sarge liegen,
Damals stand noch der Baum in jungem Saft,
Der später, später gab das Holz zu ihren Wiegen.
Verlernen durft ichs, mich mit ihrem Maß zu messen.
Verlernen durft ich alles, was sie meinen.
Die ganze Welt, die sie mit dumpfem Sinn
Aufbaun, brach mir in Stücke. Ob ein Mensch,
Ich ward ein Geist und redete mit Geistern.
Von ewiger Luft umwittert, ward ich schnell
Dem dumpf umgebend Menschlichen entfremdet:
Mir galt nicht nah, nicht fern: ich sah nur Leben.
Er tut einen tiefen Atemzug
Da droben waren welche, die mit Armen
Und Lippen klammernd als an einem Teil
Von ihrem Selbst an mir inbrünstig hingen:
Ich schüttelte sie weg von meiner Brust.
Mein Herz schwoll auf und redete bei Tag
Und Nacht mit den Abgründen und den Höhen,
Und meinem seligen Aug entblößte sich
Die Schwelle deines Reichs...

KÖNIGIN *schnell*   Nichts davon, Torbern,
Hier steht er ja und weiß nicht, wie ihm ist!
Nun geh.

TORBERN   Muß ich?

KÖNIGIN   Hast du noch nicht gelernt
Zu fühlen, was du mußt?

146

TORBERN

So schwank ich denn im Kreis dem Anfang wieder zu,
Und so begegn ich dem, der nach mir kommt.

KÖNIGIN

Er wird dich rufen.

TORBERN   Mag er folgen,
Wo er mich schreiten sieht, doch stumm, mich ekelt
Gespräch der Menschen. Mag er sich von Zeichen
Zu Zeichen tasten, endlich trifft er her.
Und ich – er soll schnell kommen! – in mir flackerts
Und zuckts und will verlöschen! Jahre glitten
An meinen Wimpern ab wie leichter Duft
An Felsenwänden... und nun zehrt der Hauch
Von einer einzigen Nacht mit Wut an mir;
Und wo ich ruhe, mein ich schon zu sinken.
Er verschwindet.

ELIS

Ihn treibt ein ungeheurer Geist umher,
Er kam zu dir und durfte bei dir wohnen,
Die Jahre hatten ihm nichts an, er hing
An deinem Aug, an deinem Leib... Erbarm dich meiner:
Er trat heran, er durfte dich berühren,
Er! er! doch ich! wie ich?

KÖNIGIN   Du bist wie er.

ELIS

Die Stimme, die du hast, greift mir ins Innre.
Ich will mit dir sein können!

KÖNIGIN   Bist dus nicht?

ELIS

Dies Grauen...

KÖNIGIN   Wirfs von dir!

ELIS   Wie konnt ich kommen?

KÖNIGIN

Fragst du aufs neu? Weil du ein Geist wie ich.
Dein Mund sprach mächtige Worte aus.

ELIS   Doch wann?

KÖNIGIN

Du sehntest dich herab, den Boden schlug
Dein Fuß, unwillig trugst du, zornig atmend,
Den Druck der irdischen Luft, dein Blick durchdrang
Die Niedrigkeit, dein Mund verschmähte sie,
Ein ungeheurer Strahl entglomm dem Aug,
Und das Gewürme floh, die Finsternis
Trat hinter sich, so wie sies tut vor mir!

ELIS

Wie kam es über mich!

KÖNIGIN   Es schläft in euch.
Doch ahnt ihrs nicht. Du warst zu Tod erstarrt,
Dein Mund verhangen, deine Augen öd.
Da trats in dir empor, und wie im Traum
Griffst du mit Aug und Mund nach Strahlendem,
Gebunden wie ein Kind, und doch ein Zauberer!
Und halb noch dunkel, halb wie Geister leuchtend,
Ergriffs dich, unbewußt herabzusteigen!
War dir, du fielest? war dir nicht, du flogest?
Und fühltest nicht, wie ich im Dunkel stand
Und bebte?

ELIS

So darf ich hingehn und dein Antlitz sehn?

KÖNIGIN

Tritt her!
*Elis tritt zu ihr. Königin steigt die Stufen herab, ihm entgegen, hebt
mit der Linken den Schleier von ihrem Antlitz, so daß sein Gesicht, von
unten ihr entgegengehoben, ganz von ihrem Abglanz überflutet wird.*

ELIS *schreit auf*
Ah!
Duckt sich, geblendet, gegen den Boden.

KÖNIGIN *läßt den Schleier wieder zufallen, richtet sich auf, spricht sanft*
Sinn ich auf deinen Tod? Wirst dus ertragen,
Mit mir zu sein? Wirst du die ganze Welt
Bei mir vergessen können?

ELIS *vor ihren Füßen, seiner Stimme nicht mächtig*
Sprich langsamer. Dein Antlitz funkelt so
Vor meinen Sinnen!

| KÖNIGIN | Elis! |

| ELIS | Wie? |

| KÖNIGIN | Merk auf! |
Du darfst nicht bleiben.

| ELIS | Wie? |

| KÖNIGIN | Du mußt hinauf |
Und wiederum herab. Komm bald! komm bald!
Du!

ELIS *schwach, völlig vor ihr liegend*
Ich muß sterben, wenn du mich verhöhnst.

KÖNIGIN
Hör mich: es muß so sein.

| ELIS | Wie? |

| KÖNIGIN | Hör mich, Lieber. |
Ich darf dich noch nicht halten. Ich kann dir
Noch nicht gehören. Deine Sinne sind
Mit Sehnsucht vollgesogen noch nach denen
Da droben.

| ELIS | Wie? |

| KÖNIGIN | Dir ist es nicht bewußt. |
Doch hab ichs wohl gesehn. Der Knabe Agmahd,
Ein schwankend wesenlos Gebilde ists:
Ein Spiegel. Jedem zeigts, was heimlich ihm
Am Herzen ruht. Du stießest sie von dir,
Die droben, aber etwas lebt von ihnen,
Noch etwas lebt in dir. Du mußt hinauf . . .

ELIS *schwach*
Ja.

KÖNIGIN
Und ein Bergmann sein. In Einsamkeit,
Tief eingewühlt in Dunkel. Immer näher . . .

ELIS
Ja.

KÖNIGIN
Geh dem Alten nach, er weiß den Weg,
Ob widerwillig auch, er zeigt ihn dir.

ELIS
Ja.

KÖNIGIN *berührt ihm leise die Schulter*
Auf, mein Zauberer!

ELIS   Weh, du wirst mir bleicher!
Die Gestalt der Königin wird undeutlicher, endlich unsichtbar.
Ich seh dich nicht! Erbarmen! Gib mir Antwort!
Sag noch ein einzig Wort zu mir!

STIMME DER KÖNIGIN   Komm bald!

Verwandlung

Die Szene wie zu Anfang des Aufzuges.

Elis taucht aus dem Erdboden empor, liegend, mit geschlossenen Augen.
Es dunkelt. Die Fenster der Schenke, die nun geschlossen sind, blinken
noch einmal auf, erblinden dann.

ELIS *schlägt die Augen auf, richtet sich jäh auf*
Dorthin! dorthin! Nun zeig den Weg! Wo bist du?
Läuft ans Fenster der Schenke, schlägt daran, versucht hineinzu-
sehen.

FRAU JENSEN *aus der Schenke tretend*
So kommt Ihr wieder? Nun, mir war nicht bang.

ELIS *ohne Atem*
Der Alte, wo?

FRAU JENSEN   Der da war, der? der Bettler?
ELIS
Ein Bettler, er, der Könige machen kann!
Weib, wo ist er?

FRAU JENSEN   Ja, was weiß ich?

ELIS   Vernichtung!
Besinnt sich
Hier, nehmt Euch selbst.
Wirft ein Geldstück hin
                    Und nun ist Eins zu sorgen.
Ich muß nach Falun.

FRAU JENSEN   Wo's hinuntergeht
Ins Innere des Berges?

ELIS   Recht! Und das
  Sogleich, eh diese Nacht zu Ende geht.

FRAU JENSEN
  Wie wollt Ihr das?

ELIS *seine Geldkatze in der Hand*
                            Ich reit ein Pferd zu Tod
  Und kauf ein neues, wo das erste fiel.

FRAU JENSEN
  Nicht in drei Tagen und dazu drei Nächten
  Trägt Euch ein Saumtier durch die Pässe hin,
  Zu Wasser aber...

ELIS   Also denn zu Wasser.
  Hier wohnen Fischer, schaukelt doch ein Boot,
  Des Menschen ist es wohl, der drinnen schläft:
  Ich weck ihn denn!

FRAU JENSEN *hält ihn*
  Den rührt nicht an, der schläft nicht irdischen Schlaf:
  Wo der liegt, ist die Schwelle schon zum Jenseits!

ELIS
  Die will mein Fuß betreten: Er soll aufstehn
  Und mir den Weg nicht sperren!
  *Des Fischers Sohn richtet sich auf und tritt aus seinem Boot ans
  Land.*

FRAU JENSEN *aufschreiend*   Gott im Himmel!
  Fliegt an des Fischers Haus
  Alt-Fischer, Fischer-Mutter, Euer Sohn!
  *Der alte Fischer läuft heraus, reißt die Mütze vom Kopf. Seine Frau
  hinter ihm.*

DER ALTE FISCHER
  Mutter, Mutter, still!

DES FISCHERS SOHN, *ein großer, starker, blondbärtiger Mann, geht
  ruhig auf Elis zu, macht einen Kratzfuß, sagt*
  Das Schiff wär fertig, wenn der Herr jetzt will.
  *Fischer und Frau kommen von der Seite, betrachten den Sohn mit
  scheuer Ehrfurcht.*

DER ALTE FISCHER *nimmt mit gespreizten Fingern den Sohn bei der
  Hand, mit zitternder Stimme*
  Mein Sohn, mit dir hat sich ein großes Wunder
  Begeben!

DER SOHN *ruhig*
          Mutter, führ den Vater weg:
Er hat schon trunken, eh die Sonne auf ist.
Ich hab nicht Zeit, ich muß den Fremden führen.
Nach Falun will der Herr!

DER ALTE FISCHER   Mein Kind, erkennst
Denn nicht, die Sonn ist unter, Nacht bricht an!

DER SOHN
Laß, Vater, wir sind eilig, und der Landwind
Ist stark und gut. Grad hat er mir die Rah
So hinters Ohr geschlagen, wie zum Zeichen,
Daß ich nicht mich versäumen soll.

DER ALTE FISCHER *feierlich*   Der Landwind,
Der ist verschwunden seit zehn Tagen, Sohn.
Ein starker Windstoß.

DER SOHN
Und da sollt Abend sein!

DER ALTE FISCHER *erregt*   Mein Sohn, mein Sohn!

DER SOHN *zur Mutter*
So führ ihn weg! Er redet nicht Verstand.
Zu Elis, munter
Das ist der rechte Wind auf Falun zu.
Der Herr wird wohl zufrieden sein. Geh, Mutter,
Bring mir die Mütze noch. Gleich, Herr, sogleich!
*Er geht zum Schiff, tut noch die letzten Handgriffe. — Der Wind
wird stärker, der Himmel immer dunkler. Das Folgende rufen die
beiden einander zu, indem sie die Hände schallverstärkend an den
Mund heben. — In der Ferne, über den blauen Bergen, die nun nicht
mehr sichtbar sind, fällt ein Stern.*

ELIS
Du! du! Fiel nicht ein Stern?

DER JUNGE FISCHER
Ja, Herr, grad über Falun hin!

ELIS
Der tote Mann stand auf zu meinem Dienst,
Die Sterne stürzen, meinem Pfad zu leuchten,
Und wenn dies Boot zerscheitert unter mir:

Die grüne Woge starrt und wird mich tragen.
Mein Innres schaudert auf, und fort und fort
Gebiert's in mir ihr funkelnd Antlitz wieder...
Und was mir widerführ, nun sterb ich nicht,
Denn dieser Welt Gesetz ist nicht auf mir.
Er springt ins Boot, das sogleich vor dem Wind liegt.

Der Vorhang fällt.

ZWEITER AUFZUG

*Die große Stube in Pehrson Dahlsjös Haus. Die linke Wand der Stube
wird von der Felswand des Berges gebildet, an den das Haus angebaut
ist. Nur ganz vorne links ist der Raum für eine kleine Tür, die in
einen schmalen Gang führt. Rechts zwei Fenster in den freundlichen
Garten. In der Mitte des Hintergrundes eine Tür ins Vorhaus, daneben links eine kleine Tür zu Annas Kammer. Rechts vorne eine Tür
zu Dahljös Stube. Im Hintergrund rechts von der Ausgangstür noch
ein Fenster in den Garten: hier werden alle zuerst sichtbar, die ins Vorhaus und von dort in die Stube treten. Mitten ein schwerer eichener Tisch,
links vorne ein altertümlicher Lehnstuhl für die Großmutter. In der
linken natürlichen steinernen Wand an Haken allerlei altertümliches
Berggerät: Bergeisen, Spitzhämmer, Handfäustel, Grubenlampen.*

*Pehrson Dahljös steht an der Tür im Hintergrund. Vor ihm der
Knecht, der ein mäßig großes Felleisen hält. Christian vorne, reise-
fertig, seine Kappe in der Hand, steht zwischen der Großmutter, die
in ihrem Lehnstuhl sitzt, und Anna, die seine linke Hand in ihren
beiden hält.*

DAHLSJÖ *zum Knecht*
Die Lis ist krumm? So spann den Falben ein
In Gottes Namen. Acht auf das Felleisen,
Sind gute Kleider drin, daß es nicht naß wird.
Der Knecht mit dem Felleisen ab.
Dahlsjö am rückwärtigen Fenster, weist ihm noch etwas.

CHRISTIAN
Schwester, leb wohl; du weinst nicht, du bist brav.
Es ist auch nicht zum Weinen. Wer ein Mann
Will heißen, muß die Welt gesehen haben.
Was seh ich hier? Das Tal ist eng und klein.
Nein, schöner, schöner – weiß ich – ist es nirgends!

Allein, müßt ich hier bleiben immerfort,
Mich täts ersticken. Du verstehst das nicht,
Weil du ein Mädel bist.

ANNA   O ich versteh dich.
Wär ich ein Bub, wie gern ging ich mit dir,
Schlief jede Nacht in einem andern Bett,
Säh jeden Tag was Fremdes.

CHRISTIAN   Darum ists nicht.
Ich spür es nun einmal, ich muß hinaus.
Da drunten in den großen Städten, wo wir
Die Handelsfreunde haben, muß ich wohnen,
Muß mich umtun, muß sehen, wie sies treiben.
Hier rollt im alten Gleise alles fort,
Und was geschieht, mir ist, als wär es nichts.
Ich will gehorchen lernen und befehlen,
Ertragen was ich soll, und wagen was ich darf,
Will sehn, wie's zugeht dort, wo Bettelbuben,
Emporgewühlt vom blinden Ungefähr,
Fürstliche Töchter heuern, wo verfallne
Berühmte Männer, die ein Flugblatt schildert,
Sich irgendwo in einem finstern Stall
Mit Hund und Katz um einen Knochen balgen,
Wo alles zu gewinnen ist und alles
Der Preis kann werden, den man zahlen muß,
Wo tausend Falltür'n lauern, wo – was weiß ich!...

DAHLSJÖ *hinzutretend*
Laßt ihn nur gehn. Ihn leidets nicht bei uns.
Er hat ganz recht. Da ist ein zu eintönig Leben.
Da ist ein Vater, der einsilbig wird,
Ein Bergwerk, dessen Adern allgemach
Versiegen, alles das schleppt sich so hin,
Dann kommt ein Tag, da wird es stocken. Laßt ihn.
Er ist so eine von den klugen Ratten:
Er geht rechtzeitig seines Weges, laßt ihn!

CHRISTIAN
So bitter, Vater, du! und, Kleine, dein Gesicht
Auch blaß und bebend vom verhaltnen Weinen?
Großmutter, so hilf du mir, sag es ihnen:
Was nütz ich hier dem Werk, wenn ich gleich bleib.

154

Ich will was lernen, ich will durch die Welt,
So wie dein Vater: triebs den nicht zu uns
Durch Gott weiß wieviel Königreich' und Länder?
Von drunten aus dem Venezianischen
Kam er, als hätte ihn ein Stern geführt,
Hierher in unser Tal. Sags ihnen doch!
In manchem Menschen steckts so wie in jungen Bäumen,
Daß er umgraben werden muß, auf daß
Die Wurzeln ihm im Boden nicht verwesen.
Wie gern wär ich schon wieder da, nur laßt mich!

GROSSMUTTER
Ja, ja, laßt ihn den Weg gehn, den er will,
Zwängt ihr zu bleiben ihn, er könnte sich
Auch wachend schwerer Träume nicht erwehren.
Ein Etwas treibt ihn vorwärts: laßt ihn gehn,
Ausschütten all sein Finstres in die Welt!
Kehrt er zurück, wie hell ist ihm das Tal,
Wie gern umarmt er die, die dann noch da sind.

*Dahlsjö hat inzwischen aus der Stube rechts vorne einen gefüllten
Lederbeutel gebracht, den er Christian zusteckt.*

CHRISTIAN *halblaut*
Vater, das ist mehr, als die Abred war.
So haben wirs doch nicht.

DAHLSJÖ   Laß gut sein, Christian,
Du wirst es brauchen. Nein, nicht viele Worte!
Er tritt mit Christian etwas nach rechts, von den Frauen weg
Ob deines Vaters Haus ein gutes Haus war,
Das wirst du draußen, kann sein, innewerden.
Christian, wirf dich nicht weg: bleib lieber durstig,
Als daß du trinkst, wo dich der Becher ekelt.
Es schwindet alles, alles gleitet hin,
Dein Leib bleibt dir nicht treu, kaum bist dus noch,
Doch daß du deine Lippe hast befleckt,
Das bleibt, und wär die Lippe weggeschwunden.
An der Türe rechts vorne
Komm her, schau noch einmal hinein: da drinnen
Steht deiner Mutter Bette und das deine:
Da drin bist du geboren und die Anna,
Und deine Mutter starb da drinnen.

Leise

Christian,
Eh dir ein Weib was wird, so frag dich selber,
Ob sie dir gut genug wär, da hinein
Mit ihr zu gehn. Die's nicht ist, rühr nicht an!
Jetzt geh, mach schnell.

ANNA
                    Ich fahr mit dir im Wagen
Bis zu der Mühle, dann lauf ich zurück.
Ich wollt, ich wär ein Bub, sei lustig, Bruder!

CHRISTIAN
Du, bis ich wiederkomm, vielleicht —

ANNA
Nein, nein, nein!
*Will lachen, muß aber weinen, läuft zur Tür hinaus, ihr Weinen
zu verbergen.*
Christian umarmt die Großmutter.

ANNA *ruft durchs Fenster herein*
Schnell du, der Falbe scharrt schon!

CHRISTIAN   Vater! Vater!

DAHLSJÖ
Leb wohl.
Christian geht, man sieht ihn und Anna rasch am Fenster vorbeikommen

DAHLSJÖ *nachdem er durchs Fenster nachgesehen, tritt nach links
vorne in die Nähe der Großmutter; seine Stimme klingt gepreßt.*
Da geht er fort: mir ist recht schwer ums Herz.
Die Kinder, das ist wahr, die stürmen hin
Und wissen nicht, was in den Eltern vorgeht.
Und öfter wärs mit einem Fremden leichter
Zu reden als mit ihnen. Mutter, hörst du mich?

GROSSMUTTER
Ja, mein Kind, ja.

DAHLSJÖ   Es steht nicht ,wie es soll,
Mit uns. Und ich glaub, ich bin schuld daran.
Ich hab das Bergwerk wohl geerbt vom Vater,
Allein das andre hab ich nicht geerbt.

GROSSMUTTER
Was denn?

DAHLSJÖ   Die große Kraft und Ständigkeit,
Die Macht. Siehst du: sie waren andre Leute.
Der Vater, der Großvater, ihnen wär
Nicht widerfahren, was mir widerfährt.
Wo sie den Balken legten, stand der Fels
Und drängte nicht herab; wo sie dem Wasser
Ein Wehr hinbauten, duckte sich das Wasser;
Wo sie die Knappen hießen Licht hintragen,
Da floh der Dunst und fraß das Licht nicht auf.
Wo ich mein Bergwerk führ, frißt mich das Wasser,
Das Wetter schlägt, der Felsen drückt mich tot.
Weich ich zurück und bleib, wo sie mirs bauten,
So weicht das Erz vor mir in seinen Adern
Nach rückwärts. Mutter, hörst du, was ich sag?
Großmutter nickt.

DAHLSJÖ
Manchmal, wenn ich im Bett lieg und nicht schlafe,
Ist mir, ich seh sie aus der Nische treten
Und hör sie leise reden über mich.
Da sagt der Vater zum Großvater – beide
Deuten auf mich –: »Das ist ein schwacher Herr,
Der wird das Haus vertun, das wir ihm bauten.«
Da überläufts mich siedendheiß, ich mach
Ein Licht und geh umher im Haus und alles,
Mein ich, sieht mich mit stillem Vorwurf an.

GROSSMUTTER
Komm, setz dich her zu mir.

DAHLSJÖ *setzt sich zu ihr*   Ja, Mutter, alles
Sieht mich so an: das Bett, drin meine Frau
Im Wochenfieber starb, die Türen, hinter denen
Die Kinder schlafen, dieser Stuhl da, der,
In dem der Vater immer saß, das alles!
Mutter, könnt ich dir in die Augen schaun!

GROSSMUTTER *streichelt seinen Kopf*
Mein Sohn! bist mehr als fünfzig und so weich!
Dein Vater war wohl anders...

DAHLSJÖ   Nicht wahr, Mutter!

GROSSMUTTER
Allein darum bist du nicht schlimmer. Hast du
Noch nicht gefühlt, wie alles sich verzweigt?

Wer ist denn stark, wer ist denn schwach? Mein Sohn,
Sieh, wie ich jung war, dünkt mich jetzt, ich war
Ganz Sehnsucht, nichts als ein beseeltes Auge.
Mit meinen Augen sog ich wie im Traum
Die Welt in mich hinein, von innen trat
Die Seele an dies Fenster, und dein Vater
Liebte mich um nichts andres auf der Welt.
Nun starben mir die Augen ab – und ich
Bin drum nicht minder ganz: im Innern drängt
Sich ein Gewinde, ein Gewühl empor,
Verbunden alles wie in Blumenketten.
Dich und die Kinder und die nicht mehr sind,
Ihr aller Schicksal fühle ich in Einem,
Wie wenn die Hände Blüten und Gezweige
Von einem Strauch betasten. Alles blüht!
Aufwachsen laß die Kinder, häng dein Herz
Nicht an dein Haus, hängs nicht an dein Gewerb:
Du kannst das Glück nicht in verschlossnen Höhlen
Dir halten, denn es atmet nur im Flug!

DAHLSJÖ

Mutter, wie leicht muß dir die Seele sein!
Ich kann mein Herz nicht auftun, auf mir lastets!
Er steht auf.

GROSSMUTTER

So geh nur deinen Sorgen nach. Bald, bald
Wechselt auch das. Ich hab so viel, so viel
Schon wechseln sehen. Wie der Christian sagte:
»Der Anna ihr Gesicht ist blaß«, da dacht ich:
So ist sie wieder anders: ein Jahr her,
Da wurde sie noch kindisch rot vom Weinen.
Hörst du die Amsel draußen? Die sitzt jetzt
Beim Singen nicht mehr, wo sie früher saß:
Wie schön das alles ist, auch wenn mans nicht sieht!
Hörst du die Anna kommen? Wie sie springt!
Sie ist doch noch ein rechtes Kind. Geh, geh,
Dein Bergwerk kommt auch wieder in die Höh.

DAHLSJÖ

Wüßt nicht, wie das geschehen sollte, Mutter,
Es stiege denn der Vater aus dem Grab
Und stieß mich weg und legte seine Hand an.
Er geht durch die Türe rechts hinaus.

ANNA *kommt mit der fünfjährigen Rigitze rückwärts herein*
Ich hab mir die da mitgebracht vom Nachbarn,
Daß ich Gesellschaft hab. Da, geh hinein
Und hol dir deine Puppe aus der Kammer.
Nimmt aus einem Schrank an der rechten Wand Tischzeug und
fängt an, aufzudecken.

KIND *geschäftig bei ihr*
Ich helf dir.

ANNA   Bin schon fertig.

KIND   So erzähl mir!

ANNA
Was?

KIND   Von der Königstochter.

ANNA   Welcher?

KIND   Die
Hat gehen müssen und dem fremden Mann...

ANNA
Du weißts ja so.

KIND *wichtig*   Der Mann war ein Soldat!

ANNA
Was hat sie müssen?

KIND   Ihn bedienen, alles:
Stiefel ausziehen, Zimmer kehren.

ANNA   Nun?

KIND
Warum hat sie ihm dienen müssen?

ANNA   Weißts ja!

KIND
Weil er die Lampe angezündet hat?
Ja? Sag!

ANNA   Die Lampe, freilich.

KIND   Von der Hexe die?

ANNA *alles, indem sie den Tisch deckt*
Da zog es sie, sie mußte hin zu ihm

Und hatte beide Augen halb geschlossen
Und wußte nichts von sich und diente ihm.

KIND

Gibts solche Lampen, Anna? Sag mir, Anna!
Zupft sie.

ANNA *singt halblaut, indes sie Messer und Gabel zu jedem Gedeck legt*
Er blickte ihr ins Herz hinein:
Du mußt mir ganz leibeigen sein!
Den Willen mach dem meinen gleich,
So wird mein Herz so freudenreich.
*Indessen trippelt das Kind in die rückwärtige Kammer, deren Tür
links von der ins Vorhaus führenden größeren Tür.*

ANNA

Da leg ich für den Christian ein Besteck!
Der Platz bleibt heute leer. Nun wein ich doch!
Nach einer Pause
Daß unsereins die Welt so gar nicht kennt!
Es gibt so viele schlechte Menschen, heißt es.
Wie die nur sind? Mit Absicht schlecht, Großmutter?
Eine kleine Pause
Ob er zu solchen kommen wird, die ihn
Darum nicht leiden mögen, weil er fremd ist?
Ob er manchmal auf seinem Bett wird sitzen
Und gar nichts um sich haben, was ihm lieb ist,
Nichts Heimliches, nichts Zutrauliches fühlen
Als seine eigenen zwei armen Hände
Vor dem Gesicht! Großmutter, wird das sein?
Eine kleine Pause
Großmutter, schläfst du?

GROSSMUTTER   Nein, ich denk und seh
Den Christian in einem fremden Haus.

ANNA

Und wie denkst du dirs aus? Sind sie ihm freundlich?
Eine kleine Pause
Großmutter, wenn zu uns ein fremder Mensch
Tät hereintreten, wär er häßlich auch
Und rauh und gäb er uns kein freundlich Wort,
Ich mein: wärs einer, der die Menschen haßt,
Vielleicht, weil sie ihm unrecht tun, verstehst du,

Solch ein Verfolgter, wie man manchmal hört...
Ich kann mir gar nichts so wie du ausdenken,
Ich bin recht dumm. Allein, ich mein, wir müßten
Gut sein zu ihm, nicht wahr?

GROSSMUTTER *aufstehend* Ja, freilich, Kind.

ANNA
Gehst du in Garten?

GROSSMUTTER *die kleine Tür links vorne aufdrückend*
Nein, in meine Kammer.
*Anna summt vor sich hin, indem sie mit dem Aufdecken zu Ende
kommt. Kind in der rückwärtigen Kammer, schreit kläglich.*

ANNA
Das Kind! Was ist mit dir, Rigitze, was?
Kind läuft auf sie zu, preßt den Kopf an sie.

ANNA
Was ist? Ich bin bei dir!

KIND *mühsam* Ich fürchte mich!

ANNA
Warum denn? Sag mir doch, warum!

KIND Am Fenster...

ANNA
Am Fenster ist kein Mensch, schau hin! kein Mensch!

KIND *stockend*
Er war am Fenster, draußen...

ANNA Wer?

KIND *von Angst geschüttelt* Der Torbern!
Der alte Torbern! Ich hab ihn gesehn!
Verbirgt den Kopf.

ANNA *küßt sie*
Wer hat dir denn von dem erzählt?

KIND Der Pehr,
Und auch der Onkel, Anna!

ANNA *nimmt sie in den Arm* Kind, mein Kind:
Der alte Torbern lebt ja längst nicht mehr!

KIND

Ja, ja! Er ist ein Zauberer! Der wars!

ANNA

Warum muß ers gewesen sein?

KIND

Er hat so ausgeschaut.

ANNA

Wie denn?

KIND   Mit blutigen Augen, und der Hals
So lang und nackt!

ANNA   Rigitze, jetzt merk auf:
Der Torbern war einmal ein weiser Bergmann,
Den hat der Berg verschüttet, und das ist
Zweihundert Jahr jetzt her.

KIND   Zweihundert Jahr?
Das ist sehr lang?
Nickt
       Er ist sehr alt.

ANNA   Mein Kind,
Kein Mensch kann so lang leben.

KIND   Gar kein Mensch?
Warum?

ANNA   Weil alle früher sterben müssen.

KIND

Warum?

ANNA   Halt, wenn sie alt sind. Manche auch
Schon früher.

KIND   Mußt du auch bald sterben? Sag!
Klammert sich an sie.

ANNA

Merk auf: jetzt gehen wir hinein ins Zimmer,
Und ich näh deiner Puppe für den Sommer
Ein weißes dünnes Hemd.

KIND *ängstlich*   Nein, nicht hinein!

Eine Pause

KIND *aufs neue furchtsam*
Sie haben doch gesagt, er geht herum!

ANNA
Wer denn?

KIND   Der Torbern.

ANNA   Früher hat man das
Geglaubt.

KIND   Erzähl mir, was?

ANNA   Daß er herumgeht...

KIND *fürchtet sich*
Ja, ja!

ANNA   Nein, nein, nicht hier: im Land da draußen,
Und wenns an Bergleuten gefehlt hat hier,
So hat er neue hergeschickt.

KIND   So alte?

ANNA
Nein, junge.

KIND   Hergeschickt?

ANNA *gleichmütig*   Aus den Seestädten,
Und sonst vom Land.

KIND *ängstlich*   Fehlts jetzt an Leuten, Anna?
Ich fürcht mich!

ANNA   Hör doch auf, wir gehn in Garten
Und holen Petersil.

KIND *läuft ihr voraus, am rückwärtigen Fenster in den Garten spähend,*
    schreit es   Da! da!
Anna läuft hinzu.

KIND *bei ihr*   Ein Mann!
Ein fremder Mann! Er kommt! Er ist im Garten!

ANNA
Der ist ja jung! Wie einen du erschreckst!
Schau selber!

KIND *den Kopf in Annas Schoß versteckt*
Kommt er? Hat er blutige Augen?
Elis wird am rückwärtigen Fenster sichtbar.

ANNA
Wie du und ich!
Kind weint.

ANNA   Du Ding, gib Ruh, ein Fremder
Wirds sein, der sich vergangen hat.

KIND *an ihr hängend*   Nicht gehn!

ELIS *tritt durch die Eingangstür, unschlüssig, die Klinke nicht loslassend*
Verzeiht, nicht in die Stube wollt ich treten,
Auch nicht ins Haus. Es führt ein Weg wohl durch…

ANNA
Wie?

ELIS   An den Berg.

ANNA   Ein Pfad?

ELIS   Ja, durch den Garten,
Wohl hinterm Haus.
Sieht sich um.

ANNA *schüttelt den Kopf*
Kein Pfad führt hinterm Haus.

ELIS
So trat er hier herein?

ANNA   Wer trat herein?
Wen sucht Ihr?

ELIS   Den, der eben vor mir kam.

ANNA
Hier kam
Stockend   kein Erdenmensch vorbei.

KIND   Der Torbern!

ELIS
Was sagt das Kind?

ANNA *sieht ihn groß an*
Das Kind ist schreckhaft.

164

ELIS *zwischen Tür und Angel*   Ja, verzeiht, ich geh.
   Unschlüssig, vor sich
   Doch hab ich ihn gesehn: er sah sich um
   Und zögerte am Kreuzweg, schritt dann links
   Und deutete... Der Weg führt durch den Garten?

ANNA
   Ins Haus, nicht weiter.

ELIS   Aber an den Berg?

ANNA *zeigt auf die Wand links*
   Der Berg ist hier. Er springt uns hier ins Haus.

ELIS *geht mechanisch hin, befühlt die steinerne Wand, schüttelt den
   Kopf, wendet sich, fortzugehen*
   Ei ja. Ich geh. Schön guten Abend.

ANNA *plötzlich, fast heftig*   Nein, sitzt nieder.
   Ihr seid ermüdet, ich bring Euch zu trinken.
   Ich fühl, Euch dürstet. Setzt Euch! Hier, ans Fenster.
   Ihr seht die Straße, und der, den Ihr sucht,
   Wird wiederkommen – nicht? – nach Euch zu sehen!
   Ich bitt Euch, ruht Euch aus!

ELIS *steht an der Tür*   Was ist die Uhr?
   Sieht nach der Wanduhr, für sich
   Noch sieben nicht. Gestern um diese Zeit
   Da wars noch nicht.

ANNA *zutraulich*   Der Vater kommt auch bald,
   Er ist im Berg.

ELIS *tut einen Schritt auf sie zu*
                 Er dient im Berg, nicht wahr?

ANNA
   Der Schacht, in dem er anfährt, ist sein eigen.
   Wollt Ihr nicht sitzen, ich hol Euch schnell was.

   *Elis läßt sich an der untern Schmalseite des Tisches auf einen Stuhl
   nieder, halb umgewandt, daß er das Fenster rechts im Auge behält
   und auf die Straße achten kann.*

KIND *kommt zutraulich auf ihn zu*
   Ich weiß ein Sprüchel!

ANNA *die links rückwärts am Schrank kniet*
Quäl den Herrn doch nicht!

ELIS *streichelt das Kind, halb zerstreut*
So sags nur, du.

KIND Seeleut sind lustige Leut
Bauersleut sind geizige Leut,
Stadtleut sind schlechte Leut,
Bergleut sind rechte Leut.
Anna kommt nach vorne, stellt einen Krug und ein Brot vor Elis.
Eine kleine Pause

ELIS
Seeleut sind nicht so lustig, wie sie meint.

ANNA
Ihr seid auch einer?

ELIS *nach einer kleinen Stille*
Wo ich geboren bin, da sind auch Berge.
Dann zogen wir hinab.

ANNA Da ists wohl anders.

ELIS
Mit dreizehn kam ich auf ein Schiff.

ANNA So jung!

ELIS
Nun ists mir wie im Traum, daß ich einmal
Im Herbst des Hirschen Schrei gehört, im Sommer
Des Kuckucks Ruf, und Lindenduft geatmet!

ANNA
Wir haben auch drei Linden, da.
Zeigt durchs Fenster.

ELIS *blickt hinaus* Und drüben
Laubbäume viel.

ANNA Ja, dort den Bach entlang.

ELIS
Mit Vögeln in den Kronen? Sterne blinken
Durchs Laub?

ANNA   Zuweilen sind so schöne Nächte,
Doch lebt man immer hier, man achtets kaum.
Sie lehnt sich an den Tisch, zutraulich plaudernd
Mit vierzehn, fünfzehn, da lief ich herum,
Bis dunkel war, und tief hinein in Wald.
Manchmal schlugs mir den Atem ein, mir war,
Es käm des Nöcken Singen durch die Luft,
Den ich erlösen müßte, ich allein.
Dann wieder triebs mich in den Büschen fort,
Und wie der Kuckuck rief und rief, so riefs
In mir, es war kein Wünschen, süßer wars
Als Sehnsucht, so beklommne Fülle wars
Und süße Leere, und er rief und floh
Und rief... bis alles um mich dunkelte
Und durch das Laub die feuchten Sterne drangen.
Und wie sie winkten, da und dort um mich
Im stillen Bach aufblinkten und am Rand
Der dunklen Berge ruhten still wie Lämmer,
Da fing ich an zu zählen, aus dem Bette
Stieg ich im Dunklen und ich zählte sie,
Und die ich mir gezählt, die waren dann
Mir untertan und mußten mir einmal
Wünsche erfüllen. Gar wenn einer fiel!
Wie einem das entschwindet. Wenn nun Nacht ist
Und sie aufziehen droben ohne Zahl:
Ich mag gar nicht hinaufschaun, mich verwirrts.
Ja, gestern wie wir baden, weißt, Rigitze,
Im Dämmer, da fiel einer nah von uns,
So nah, daß ich mich unters Wasser duckte,
Denn er erhellte wie ein Wetterleuchten
Die Uferstauden rings. Ich red vor Euch
Schon alles! Was Ihr nur Euch denken müßt!

KIND *eifrig*
Die Puppe war auch mit im Bad.

ANNA *verlegen*   Ja, ja.

ELIS *zerstreut, nach einem suchenden Blick durchs Fenster, wieder zu ihr
    gewandt*
Ein Wetterleuchten? Und Ihr ducktet Euch?

ANNA
Nein, doch ein Stern, der fiel. Ihr macht mich rot.

ELIS

Ich sah Euch auf den Mund und gab nicht acht.
Ein Stern, habt Ihr gesagt? ein Stern, der fiel?
Im Abenddämmern? fiel? Hier fiel mein Stern!
Steht auf, vor sich
Es sind nicht Träume, oder dieses All
Träumt mit. Hier ist das Ende meines Weges.
Von hier muß ich hinab.

ANNA   Seid Ihr unruhig,
Daß Euer Freund nicht kommt? Ihr seht verstört.
Wüßt ich nur ein gescheites Wort zu sagen.
Wollt Ihr nicht essen? Sagt, kommt Ihr weither?

ELIS

Wenn, Anna, du einmal wirst meiner denken,
So wird es sein, als wie an einen Gast,
Der dir herabkam flüchtig, schattengleich
Von einem Stern, von einem funkelnd roten,
Des ganze Lebensluft ein schwindliges Gemisch
Von Wonne und Entsetzen. Niemals geht
Ein zweiter dir vorbei mit gleichem Schicksal.

ANNA *sieht ihn mit großen Augen an*
Ich weiß nicht, was für ein Geschäft das sein mag,
Das Euch hierhertrieb. Draußen in der Welt
Muß vieles sein, das unsereins nicht ahnt.
Allein Ihr seid noch jung und sprecht so wild
Und blickt so scheu um Euch, und Eure Augen
Sind überwacht. Ich bitt Euch, bleibt bei uns:
Wir sind zu drei; der Vater ist so gut,
Und wohnt Ihr hier bei uns, so kann Euch niemand
Was anhaben. Seht, hier ist ein Platz leer
An unserm Tisch, der Bruder ist heut fort
Für lang, und seine Kammer steht auch leer.

ELIS *für sich*
Mit vielen Zeichen weisest du den Weg!

ANNA *indem sie den in sich Versunkenen leise anrührt, wie Kinder tun*
Die Kammer ist nicht groß, doch licht und rein.
Merkt: — wenn Ihr aufsteht, morgen in der Früh,
So tretet leise auf, daß Ihr das Kind
Nicht weckt. Sie schläft mir dann nicht wieder ein:
Ich hab sie öfters über Nacht bei mir,

Und Eure Kammer ist der unsern über.
Hört Ihr? Nicht wahr, Ihr bleibt? Wärs auch für kurz!
Das Kind hat sich weggestohlen, ist in Annas Kammer gegangen
und hat die Türe hinter sich angelehnt gelassen.

ELIS

Jetzt steht die Tür von deiner Kammer offen:
Da wirst du leben drin und deine Tage,
Die werden kommen und vorüberrinnen
Anna geht, indessen er redet, leise hin und macht die Türe zu.
So wie der Brunnen draußen, hör nur, hör.
Und Nächte auch, erst solche wie bisher,
Dann eine, wo du liegst und glühst im Dunkeln,
Weil der im Dunkeln steht, dem du gehörst...
Doch vorher noch so viel: des Kuckucks Ruf
Wird durch den Abend dringen, weit herab,
Weit hin, nur nicht hinunter, Stürme werden
Am Fenster rütteln, sanfte Regenbogen
Aufsteigen aus den Schluchten, immer wirst du
Die Glocken läuten hören, Anna, Anna –,
Ich will nicht ganz vergessen sein hier oben!

ANNA
Gott sei uns gnädig! Wollt Ihr denn ins Grab?

ELIS, *die gefalteten Hände beschwörend vor seinen Mund erhoben*
Du bist so schön und gut, du mußt mich fassen!
Nimm, ich blieb' lange hier, heroben, hier,
Bei euch im Haus, du sähst mich Tag um Tag...
Dann käm ein Etwas und das zwänge dich,
An einem Morgen, einem Abend etwa,
Seis früher, später, einmal käms dich an
Und zwänge dich, mit einem andern Blick
Mich anzusehn: das käme so, das ist so:
Ich weiß vom Schiff, da war ein Junge drauf,
Ein halb Jahr aßen wir an einem Brett
Und schliefen in demselben Raum, ich sah ihn
Und sah ihn nicht, er war mir wie ein Holz,
Die Katz im Schiffsraum gab mir mehr zu denken. –
Bis einmal – er ist tot, er fiel von Bord –,
Einmal, da lag er da und schlief, da kam ich
Und streift ihn und er schlug die Augen auf
Und zog den Kopf so zu der Schulter, da,

Da konnte ich ihn sehn, ich sah durchs Auge
Bis in sein Herz hinein, und von dem Tag
Half ich ihm bei der Arbeit, und des Abends
So setzten wir uns mit verschlungnen Fingern
In einem Winkel auf gerolltes Tau
Und sahen eins das andre an und schwiegen,
Und die uns spotten wollten, sagten: »Brautleut!«
Nimm, ich blieb' lange hier, so käm der Tag,
Da du mich sehen könntest, wie ich bin...
Allein, auch so, du hast nicht Ursach, freilich,
Allein, so denk, du sitzest da im Garten
Und riechst zu deinen Blumen, und da tut
Der Grund sich auf und schlingt vor deinen Augen,
Der grüne Rasengrund, der dich sanft trägt,
Schlingt mich hinunter und im Sinken spräch ich
Zu dir, du fingst den letzten Seelenblick,
Der aus den schon verdrehten Augen schießt,
Mit deinen Augen auf, und eh die Erde
Den Mund mir füllte, rief' ich noch zu dir:
Du blasse rote Blume, wo du mein
Vergessen kannst, so hab ich nie gelebt,
Denn nichts bleibt auf der Welt, das mein gedenke.

ANNA
    So hast du keine Heimat, armer Mensch?

ELIS *faßt sie an*
    In dir! Denn du sollst meiner denken, sollst!

ANNA *tritt einen Schritt zurück*
    Weiß ich doch deinen Namen nicht einmal,
    Nicht wo du herkommst, nicht, wohin du gehst.

ELIS
    Und wenn ich dorthin geh, wo keiner rückkehrt?

ANNA
    Du willst dir Leid antun! Was ist auf dir?

ELIS *sanft*
    Nicht fragen, wenn ich geh, wo keiner rückkehrt,
    Nimm, wenn ich ginge, Liebe, hör mir zu:
    Wenn sie – und brächten dir die Botschaft wieder:
    Er kommt nicht, darf nicht, kann nicht mehr zurück:
    Dicht an ihr

Sie brächten dir die Botschaft hier herein,
Und du im Dämmer stündest da und wüßtest,
Nicht dächtest – wüßtest: der kommt nie mehr wieder,
Nie, nimmer, nimmermehr, sag, Anna, sag,
Wie denn geschäh dir? Anna, wär dir weh?
Anna schweigt.

ELIS
Nicht wahr, du sagtest dir: was er mir war,
Eh ich ihn sah, das ist er mir nun wieder,
Kann sein, ich träumte auch am hellen Tag.
So sprächest du und schütteltest den Schauder
Von deinem Leib, wie nach dem Bad im Bach?
*Er streckt die Arme gegen sie aus und schlägt dann die flachen
Hände bittend wie ein Kind zusammen*
Nicht so? Nicht diese Rede? Anna, sag!

ANNA
Was quält Ihr mich?

ELIS   Du sollst mirs sagen, Anna!

ANNA
Ich kann Euch doch nicht fassen, Eure Rede
Springt um, so wie ichs beim Großvater sah,
Bevor er starb. Du lieber Gott im Himmel,
Was kann ein Mann erleben, das ihm so
Den Sinn zerrüttet!
Ihr sprecht von mir, von Euch, vom Gehn, vom Bleiben
Und wie Ihrs aussprecht, ängstet mich ein jedes.
Ich bitt Euch, sagt, wie ich Euch helfen kann.
Um welches Ding auf Erden tratet Ihr
In dieses Haus?

ELIS *sich völlig zusammennehmend*
                    Sei ruhig, gutes Mädchen.
Weil ich ein Bergmann werden will, darum.
Weil ich in deines Vaters Dienst will einstehn.

ANNA
Nein, so dürft Ihr nicht zu mir sprechen, Herr.
Ich weiß, ich bin jung und nicht klug, doch nicht
Gewohnt zweideutige und schlechte Rede.
Das, was Ihr sagt, so viel versteh ich schon,
Daß Ihrs nicht meinen könnt.

ELIS   Bei Gott, ich mein es.

ANNA
  Warum dann tratet Ihr mit einer Lüge
  Herein, als wärt Ihr auf der Wanderung,
  Als wär ein Freund vorauf, und was noch alles!
  Sprecht lieber nicht mit mir. Kann sein, Euch liegt
  Nicht viel daran, Ihr nehmts für einen Scherz...
  Mit mir spricht niemand so und mich verwirrts.
  Es brächt mich um mein Zutraun zu den Menschen.

ELIS *tritt dicht vor sie*
  Sieht so die Lüge aus?

ANNA   Ich möcht Euch gern,
  So gerne alles glauben, wie nur?

ELIS   Anna, hör mich:
  Der mich geführt hat, wird nicht wiederkommen:
  An Zeichen hab ich erst erkennen müssen,
  Daß ich am Ziel bin, daß ich her hab müssen
  In euer Haus.

ANNA   An Zeichen?

ELIS   Sinn nicht nach.
  Sinn nicht darauf. Du sinnsts nicht aus.

ANNA
  Das muß wohl sein.. Und doch ist mir... Nein, nein.
  Ich möchte fragen. Nein, ich frag Euch nichts.
  Mich schauderts an und ich begreif es nicht,
  Und für Euch ist es Wirklichkeit, es ist.
  Sie haben oft gesagt, ich bin so kindisch,
  Ich faß nur, was ich mit den Händen greif:
  Könnt ich denn das erfassen, was Ihr meint?
  Ihr dürft nie lügen, Ihr, mit Worten nie
  Und anders nie, ich bitt Euch. Denn wenn das
  Geschäh, verlör ich allen Halt. Mir ist schon jetzt,
  Als wär ichs nicht. Es gleitet alles so.
  Mir scheint, da trat der Vater schon ins Haus,
  Und wir stehn da. Sagt mir, was soll ich sagen?
  Sie rührt ihn leise an
  Weiß ich doch Euren Namen nicht einmal.

ELIS
  So sag ihm, daß ich Elis Fröbom heiß

Und fahren will in seinen Schacht, weils mir
Zu fahren nicht mehr taugt auf weitem Meer.

ANNA

Ich will ihm sagen, du heißt Elis Fröbom
Und willst einstehn als Knapp in seinen Dienst,
Ja?

Sie gibt ihm die Hand, ihn in des Vaters Kammer zu führen.

ELIS

Wie kalt jetzt deine Hand ist, kalt wie Stein.

ANNA

Acht nicht darauf, mir kann ein Kindermärchen
Das Blut erstarren machen. Elis Fröbom,
Nicht wahr, so heißt du? Mir ist wie im Traum.
*Sie führt ihn an die Tür rechts, dort horcht sie einen Augenblick,
klopft dann an die Tür.*

Vorhang.

DRITTER AUFZUG

*Die Landstraße vor Dahlsjös Haus. Links steigt die Straße in einem
steilen Hohlweg den bewaldeten Berg empor. Rechts setzt sie über eine
kleine Brücke talab. Den Hintergrund nimmt das Haus ein, mit Stall
und Schuppen, in den Berg eingebaut. Rechts schließt ans Haus ein
freundlicher bäurischer Garten, den das tiefe Bette des Baches durch-
schneidet. Rechts von der Haustür läuft unter den ebenerdigen Fenstern ein Rasenstreif mit blühenden Georginen. Ein an Gitterwerk ge-
zogener Obstbaum greift an der Wand bis unter den hölzernen freien
Gang, der in Stockhöhe ums Haus läuft. Abendsonne.*

*Anna und die Großmutter treten aus dem Pförtchen im Gartenzaun auf
die Landstraße heraus.*

ANNA

Riechst du den guten Duft vom frischgeschlagnen Holz?
Spürst du, wies kühl vom Wald herüberkommt?
Dort dämmerts schon, hier atmets noch im Licht,
Du, ich, die Georginen, unser Bach,
Und alles glänzt so sehr.

GROSSMUTTER

Ich spür schon etwas Welkes in der Luft:

Es muß jetzt bald ein Jahr sein, daß der Christian
Fort ist von uns.

ANNA   Und weißt du noch, Großmutter,
Den gleichen Tag — ist das nicht wunderbar? —
Den gleichen Tag wars, daß der Elis kam.
Eine kleine Pause
Ich kanns kaum denken: heut vor einem Jahr,
Da kannten wir den Namen noch gar nicht.
Wie alles zugeht!
Eine kleine Pause
Anna heraußen, die Großmutter ruht am Gartenzaun aus
                Alles ist so schön.
Nun wird es Nacht, nun kommen sie bald heim!
Da fliegt die Schwalbe in die Stalltür, siehst du?
Ach nein, du kannsts nicht sehen, sei nicht bös!
Allein wenn dann die vielen Sterne aufziehn
Und du die Hände ausstreckst, spürst du auch
Ihr feines Licht herniederrieseln, nicht wahr?
Und wenn der Mond ums Haus geht und den Glanz
Zwischen den wilden Wein legt und die Laube
Mit weichem Schatten anschwillt und der Bach
In halbem Schlaf so rauscht und wieder wegsinkt
Und wieder stärker rauscht, und über einem
Gehn Schritte in der Kammer — Großmutter,
Was sinnst du so und schaust so her auf mich?
Großmutter schweigt.

ANNA
Ich bin so froh, daß über mir die Kammer
Nicht eine einzige Nacht hat leerstehn müssen.
Denn wie der Christian fortging, hab ich mich so sehr
Gefürchtet: ich wars so gewohnt, ihn gehn
Zu hören, so unheimlich wärs gewesen!
Da kam der Elis und wohnt seitdem drin.
Eine kleine Pause
Sag mir, woran du denkst?

GROSSMUTTER   Ich hör dich reden,
Und denk mir, wie du aussiehst, daß die Stimme
So anders klingt.

ANNA   Wie denn?

GROSSMUTTER   So anders, anders
Als früher. Sonst wars so ein kleines Ding,
Das lief umher und sprach.

ANNA   Und nun, Großmutter?
Ich bin nicht anders worden, geh, Großmutter.
Eine kleine Pause
Großmutter, hörst du nichts! Du hörst doch gut.
Sie kommen.

GROSSMUTTER   Wer?

ANNA   Sie kommen aus dem Berg.
's ist Feierabend. Willst du, gehen wir
Hinauf: sie sehn uns nicht, wir sehen alle
Und hören, was sie sprechen. Ja, Großmutter?
Anna und Großmutter treten durch das Pförtchen zurück und ver-
schwinden im Garten.

DAHLSJÖ *tritt mit dem Knecht aus der Stalltür*
Ein schöner Kerl, der neue Hengst. Was, Karl?
Der Spiegelglanz am Hals, die starke Krupp:
Sie haben keinen solchen in der Landschaft.
Dahlsjö kommt nach vorne, der Knecht ist in den Stall zurück
Herr Gott, wär jetzt der Christian noch heim,
Wie schön stünd mir mein Haus da!
Sieht mit beschattetem Aug nach rechts in die Weite
Ich bau dem Bach ein neues Wehr, und längshin
Setz ich Birnbäume an, und wenn ich alt bin,
Wie jetzt die Mutter, eß ich ihre Frucht
Und denk an das merkwürdige Jahr des Glücks.
Wendet sich gegens Haus zu
Du altes Dahlsjö-Haus, nun siehst du nicht mehr
Mit stillem Vorwurf auf mich her, nun glänzt
Dein alter First, und aus den Fenstern dämmernd
Drängt sichs wie liebe Seelen still hervor.
Seid ihr da droben, ihr!
Anna und die Großmutter sind oben sichtbar, Anna am Geländer
vorgelehnt, die Großmutter dahinter, im Halbdunkel.

ANNA *von oben*
Vater, mir hat heut nacht vom Christian geträumt!

DAHLSJÖ
Was denn?

ANNA   Es ging ihm gut.

DAHLSJÖ   Das gebe Gott.
Tritt näher hinzu, spricht zu ihr hinauf
In mir will manchesmal solch ein Gedanke
Nicht schweigen, als ob sichs an ihm da draußen
Müßt strafen, daß es uns hier allzu gut geht.
Als müßt ers zahlen irgendwie, Gott weiß,
Daß uns der Elis solch ein Glück ins Haus bringt.

ANNA
Geh Vater, sicher kommt ein Brief bald wieder.
Was du dich quälst! Komm doch herauf zu uns.

DAHLSJÖ
Ich muß was schreiben, dann komm ich zu euch.
Tritt ins Haus.

ANNA *abwechselnd vornübergeneigt, dann zur Großmutter zurück-
sprechend*
Jetzt kommen unsre Bergleut schon, Großmutter.
Der Vater? Nein, der ist ins Haus gegangen.
*Es kommt ein Trupp Bergleute den Hohlweg herunter und am Haus
vorbei. Dann noch ein paar einzelne.*

ANNA
Der Elis ist noch nicht da. Da! ich seh ihn!
Jetzt decken ihn die Bäume zu, Großmutter.
Wenn ich nur wüßt, wie du ihn dir vorstellst!
Wie du dir vorstellst, daß er aussieht. Wie?
Jetzt seh ich ihn schon deutlich. Wie die Menschen
Sich an ihn hängen! Immer, alle drängen
Ihm nach, wo er nur geht und steht. Ein Alter!
Was will denn der von ihm? Er hält ihn auf!
Nein, eine arme Frau ist das: er spricht
Mit ihr, jetzt streichelt er das Kind. Großmutter,
Die Kinder hängen alle so an ihm!
Jetzt könnt er hier sein! Jetzt ist er schon da:
Da treten wieder zwei ihm in den Weg!
Elis tritt links aus dem Hohlweg hervor.

*Der Handwerksbursch und sein Bruder treten aus dem Gebüsch ihm
in den Weg. Der Handwerksbursch hat rotbraun struppiges Haar
und Bart, vorgequollne Augen. Sein Bruder hält sich hinter ihm, ist
hager, jung, bartlos, von scheuem Ausdruck, mit dunklen Augen.*

HANDWERKSBURSCH
  Herr Fröbom!

ELIS   Woher weißt du meinen Namen?

HANDWERKSBURSCH
  O den weiß hier herum ein jedes Kind.
  Ihr seid es doch, der Sonn und Regen macht
  Im Bergbetriebe hier.

ELIS   Was solls? was solls?

HANDWERKSBURSCH
  Wir möchten Arbeit haben hier bei Euch.
  Im Förderschacht etwa.

ELIS   Seid ihr vom Handwerk?

HANDWERKSBURSCH
  Ich bin ein Hufschmied.

ELIS   Was dann suchst du hier?

HANDWERKSBURSCH
  Ihr war't auch kein Gelernter, Herr, ich weiß wohl:
  Matros war't Ihr.

ELIS   Ei ja, und da meinst du,
  Du mußt mirs nachtun, mußt vom Handwerk laufen...

HANDWERKSBURSCH
  Man geht halt hin, wo man sich besser steht.

ELIS
  Meinst du? Ich aber mein, man liebt sein Handwerk
  Und freut sich dran: denn auf der weiten Erde
  Dem Manne bleibt nichts Bessres, sich zu freuen.
  Und wie er viel sich müht und sich sein Leib
  In dumpfer Glut fast löst in den Gelenken
  Und ihn Vergessen seiner selbst befällt –
  Da regt sichs im Gestaltlosen um ihn,
  Das Mächtige gibt auf den Widerstand,
  Und er... Auf Euch gehts nicht, was ich da red.
  Allein seit sichs verbreitet hat im Land,
  Es geht uns wohl, wir fördern viel, und Gott
  Mag wissen was auch sonst für Lügenrede,
  Seitdem da schwankts und schlürfts und stolperts her.

Wer hieß Euch hier heraufgehn, ich hab Bergleut
So viel ich brauch. Geht Eurer Wege, Mensch.

HANDWERKSBURSCH
Es werden auch nicht lauter Heilige
In Euren Gruben schürfen.
Er geht widerwillig die Straße rechts ab.

ELIS *zu dem Jüngeren, der sich anschickt, langsam fortzugehen*
Und du, wer bist denn du?

DER BURSCH   Ich bin sein Bruder.

ELIS
Und wolltest?

DER BURSCH   Ihr habts schon gehört! Ich geh.
Wendet sich zum Gehen.

ELIS *tritt auf ihn zu*
Bleib stehn. Du wolltest Arbeit haben hier?

DER BURSCH
Ihr gebt mir keine und ich geh. Gleichviel.
Es ist ganz gleich.
Sieht immer zu Boden.

ELIS   Kannst du dein Aug nicht heben?

DER BURSCH
Ich sag Euch, laßt mich lieber gehen, Herr.
Ich bring kein Glück ins Haus.

ELIS   Bist du so bitter?
Willst du dem Bruder nach?

DER BURSCH   Der mag auch gehn
Wohin er will. Denn mir ist nichts gemein
Mit ihm.

ELIS   So bist du ganz allein?

DER BURSCH   Freuts Euch,
So viel zu fragen? Oder kann ich gehn?

ELIS
Nein, denn ich heiß dich bleiben, denn ich will
Dich so anfassen, daß du dich ermannst,
Und diese Starrheit will ich von dir schütteln.
Komm, armer Bursch, komm.

DER BURSCH   Nun, Herr, wenn Ihr wollt.
Elis geht an das Fenster rechts neben der Haustür, klopft an die
Scheibe.

DAHLSJÖ *indem er das Fenster halb aufmacht, von drinnen*
Ich schreib was, Elis, gleich komm ich hinaus.
Schließt wieder.
Elis setzt sich auf die Bank links von der Haustür. Der Bursch steht
scheu mit niedergeschlagenem Blick vor ihm.

ANNA *oben*
Ich kann nicht hören, was er spricht mit diesem.

ELIS *halb für sich*
Da steht so einer da und starrt in Boden
Und beißt die Zähne zu und will nichts von der Welt.
Glaub mir, es löst sich auch der schwerste Krampf,
Und auch der tiefste Kerker tut sich auf.
Dann bist dus und erkennst dich selber kaum,
Im Duft von Nacht und Schauder, der um dich
Verfließt im Tag, dein Aug ist dir gelöst,
Du weißt nicht, wie du herkamst, doch es ist
Als wär zu atmen dir nur hier gegeben!
Zwar: hier... vielleicht auch anderswo, allein
Wos ähnlich ist, wie hier. Wos hell und still ist,
Wo solch ein Bach ist, solch ein kleiner Garten
Sich an die Schwelle schmiegt von einem Haus,
Und wo du sitzen darfst am Abend, hören,
Wie sie drin auf- und niedergehn und droben,
Und wo der Hund dann herkommt, sich an dir
Zu wärmen, weil er weiß, du bist vom Haus:
Nicht fremd und flüchtig, wie das wilde Wasser,
Nicht starr und finster, wie der Fels da drüben!
Dahljsö tritt aus der Haustür.

ELIS *vor ihm aufstehend*
Herr Dahlsjö, ich hab einen neuen Knappen
Auf sein Gesicht gedungen, scheltet Ihr?
Der Bursch da ists.

DAHLSJÖ   Es war nichts anders, Elis,
Daß ich dich selber nahm. Kann ich da schelten?
Zu dem Burschen
Geh hier ins Haus und setz dich zum Gesinde.

Der Bursch tritt ins Haus. Dahlsjö legt seinen Arm um Elis' Nacken.
Sie kommen nach vorne gegangen.

ELIS
Es kommen ihrer viel jetzt hergestrichen.
Man muß sich wahren. Der war jung und scheu.
Ich weiß nicht, was mich trieb. Er gab kaum Antwort.

DAHLSJÖ
Es ist wie meine Mutter immer sagt:
Acht auf den Fremden, der die Schwelle tritt:
Es ist ein Baum, darauf von Höll und Himmel
Dir Früchte wachsen können.

ELIS *nachdenklich*   Sagt sie das?

ANNA *oben, zurücktretend*
Großmutter, ist dir kühl? Wir gehn hinein.
Anna und Großmutter verschwinden. Es dunkelt merklich.

ELIS
Ich wußte nicht, daß Eure Tochter hier war!

DAHLSJÖ *indem er einen Blick hinaufwirft*
Mir gibt es einen Stich, wenn ich dran denk,
Daß die Zeit kommt, wo ichs auch lernen muß,
Die Stimme zu entbehren.

ELIS   Wie, Herr Dahlsjö?

DAHLSJÖ *indem er von dem lebendigen Gartenzaun Raupen abnimmt,*
sich hie und da gegen Elis umwendet
Es kommt doch wohl der Tag, daß ich sie muß
Vermählen wo im Land. – Ein Raupenjahr!
Da hängen sie in ganzen Nestern gleich. –
Es müßte denn sich manches seltsam fügen,
Wie sich schon manches seltsam hat gefügt.
Eine kleine Pause
Seht Ihr, da drüben will ich Birnen setzen.
Eine kleine Pause
Man muß die Maulwurfsfallen wieder stellen,
Ist alles aufgewühlt.
Eine kleine Pause
                    Doch meine Art
Ists nicht, zu lauern.
Man muß die Menschen lassen, wandelt doch
Gerad ihr Gutes wie im Traum dahin.

ELIS
    Herr Dahlsjö, sind die Worte, die Ihr redet,
    Ein Hauch nur, den die Ruh des schönen Abends,
    Der Anblick Eures Gartens und der Zufall
    In Euch aufweckt, so bitt ich, heißt mich fortgehn!
    Denn meine Ohren saugen sich an ihnen
    Mit einem Etwas voll, das schwindeln macht.
    Das war die Meinung nicht, nicht wahr, Herr Dahlsjö?

DAHLSJÖ *immer an dem Zaun geschäftig*
    Siehst du, ich kenn mein Kind, und kenn sie nicht.
    Auch ist es mir so widrig und verhaßt,
    Wenn man nichts unberedet lassen kann:
    Als hätt nicht grad das Beste auf der Welt
    Gar keinen Namen, weils zu körperlos.
    Wir wollen nun zum Essen gehn, nicht, Elis?
    Es war mein ewig sorgend sinnend Herz,
    Das anhub, vor dir von dem Kind zu reden.
    Und wie gesagt, ich kenn sie, kenn sie nicht...

ELIS *vertritt ihm den Weg*
    Und mich?
    Wißt Ihr denn, wer ich bin?

DAHLSJÖ *legt ihm die Hand auf die Schulter*
                                Ich denk, ich weiß es, Elis.
ELIS
    Der Unstete bin ich, der Heimatlose,
    Der eines Abends eintrat hier zu Euch,
    An Zeichen her sich tastend, was für Zeichen!
    Der lang sein Brot an Eurem Tische brach
    Und keinem wagte ins Gesicht zu schaun,
    Im Innern grauenvolle Zwiesprach führend.
    Der Finstre, dem der Hofhund winselnd auswich...

DAHLSJÖ
    Nun aber folgt er dir und weint um dich,
    Wenn du nicht da bist. Sind das deine Zeichen?

ELIS
    Was aber trieb mich her? welch ein Geschäft?

DAHLSJÖ
    Wärs zu verhehlen, riefst du es nicht auf!
    Es kommt der Tag, da du es gern erzählst.

ELIS *zur Seite sehend*
Der Tag kommt nicht. Zumindest lang noch nicht.

DAHLSJÖ *lächelnd*
Du findest etwa hier, was dich vergessen lehrt.
Wie, oder nicht?

ELIS   Herr Dahlsjö, habt Erbarmen!

DAHLSJÖ
Wir wollens haben mit den warmen Speisen,
Die brennen wohl schon an. Komm, Elis, komm.
Es ist fast völlig dunkel geworden.

ELIS
Hinein? zu ihnen, in die stille Stube?
Mir geht die Brust als ob sie springen sollte,
Und mich hinsetzen? reden dies und das?

DAHLSJÖ *lächelnd*
Ist doch ein Abend wie die andern alle.

ELIS
Oh, nun nicht mehr! Es wuchs in mir, es wuchs,
Und drunten bei der schweigend dunklen Arbeit,
Da fiels mich an, da ward mir heiß, da warf ich
Den Mantel ab, vom innern Feuer glühend.
Seht Ihr: ich hab ihn nicht. Auch heut! noch heut!
Und nun brauch ichs zu bändigen nicht in mir,
Darfs nennen vor mir selbst, vor Euch, vor ihr!
Ich kann jetzt nicht hinein, laßt mich den Weg
Dort laufen, Worte ohne Sinn hinstammeln,
Die Augen, prahlend wie ein Trunkner tut,
Aufwerfen zu den Sternen! Ich will gleich,
Gleich wieder da sein. Ich find einen Grund:
Ich sag: ich lief mir meinen Mantelholen,
Wahrhaftig ja, das tu ich, er liegt dort
Wo wir das Werkzeug bergen, sicherlich,
Dort liegt er, und ich find ihn schnell, und schneller
Spring ich zurück, denn ich bin federleicht!
*Springt weg, den Hohlweg aufwärts. Dahlsjö tritt ins Haus. Eine
Pause. Übers Dach fällt Mondlicht auf die Straße.*

ANNA *kommt aus dem Garten*
Kommt ihr noch nicht herein? Sie sind nicht da!

Sieht sich um, ist unschlüssig, ob sie ins Haus gehen soll, tut ein
paar Schritte gegen den Stall, singt vor sich hin

> Er sah ihr in ihr Herz hinein:
> Willst du mir ganz leibeigen sein?
> Den Willen mach dem meinen gleich,
> So wird dein Herz so freudenreich!

Bleibt stehen
Das Lied hab ich vom Christian. Wo der ist?
Und auch das Lied kommt mir verändert vor,
Als wie ein Kind, das recht gewachsen wär.
Ja so, ja so! ich denk doch nichts: das heißts:
Mit völlig verändertem Ton

> Den Willen mach dem meinen gleich,
> So wird dein Herz so freudenreich!

DAHLSJÖS STIMME *aus dem Hause*
Anna!

ANNA *vor sich*
Das will das Lied! Wie oft hab ichs gesungen
Und nicht verstanden: nun versteh ichs gut,
So gut, nun sing ichs nur, wenn ich allein bin.
Ich schäm mich fast: 's ist so herausgesagt.
Dahlsjö tritt aus dem Hause.

ANNA
Vater, seid ihr schon drin, du und der Elis?

DAHLSJÖ
Der Elis ist noch einen Sprung in Berg.

ANNA
Im Berg? allein? jetzt bei der Nacht? im Berg?

DAHLSJÖ
Zum Eingang nur vom Stollen. Seinen Mantel
Will er sich holen und ist gleich zurück.
Gehn wir hinein?

ANNA *schmeichelnd*   Nein, Vater, hier ists gut.
Spürst du schon etwas Welkes in der Luft?
Die Großmutter sagt, daß sies spürt. Ich nicht.
Dahlsjö hat sich auf die Bank vor dem Haus gesetzt.
Eine kleine Pause

ANNA *die ungeduldig nach dem Hohlweg späht*
     Da!

DAHLSJÖ
     Was denn?

ANNA   Nein, das war ein Schatten überm Weg,
     Und nicht der Elis. Wie der Weg herleuchtet
     Zwischen den Bäumen. Vater, komm ein Stück:
     Wir gehen ihm entgegen!

DAHLSJÖ   Ei, er kommt schon.

ANNA
     Wo? Siehst du ihn?

DAHLSJÖ   Er weiß doch, was die Zeit ist.
     Wir sprachen eben was, da sprang er fort,
     Und rief: »Gleich bin ich wieder da!«

ANNA   Nun, siehst du,
     Und ist nicht da! Man sieht ja fast bis hin!
     Und er kommt nicht! Das war noch keinen Abend.

DAHLSJÖ *lächelnd*
     Vielleicht liegt ihm was andres heut im Sinn
     Als andre Abende.

ANNA   Weißt du, was, Vater,
     Sag!

DAHLSJÖ
     Bist du so neugierig?

ANNA   Vater, sag mir,
     Sprachst du das nur so hin?
     Nach einer Pause
                           Er kommt nicht, kommt nicht!
     Im Stollen ruhts doch jetzt, was tut er dort?
     Wir gehen ihm entgegen, Vater, ja?
     Und zeigen ihm, daß es besorgt uns macht.
     Er tuts dann einen andern Abend nimmer!

DAHLSJÖ
     Doch bin ich nicht besorgt.

ANNA   So bin denn ichs.

DAHLSJÖ
  Und zeigst ihms so?

ANNA   Wozu denn ihms verbergen?

DAHLSJÖ *aufstehend, zu ihr gehend*
  Bist du so weit mit ihm?

ANNA   Wie meinst du, Vater?

DAHLSJÖ
  Verstehst du nicht, wie ich das meine, Anna?

ANNA
  Ich glaub wohl, ich versteh dich: du meinst so:
  Da ich ein Mädchen bin, kein Kind doch mehr,
  Und ohne Mutter, so für mich allein,
  So müßt ich... Ich hab oft schon nachgedacht,
  Wie andre Mädchen sind: die sind wohl anders.
  Ich kanns nicht finden, wie ichs halten müßt.
  Es quält mich oft. Allein, wenn ich um ihn
  Mich ängstige, verbergen sollt ichs? tuen,
  Als wär mir nichts? Und dreht sich mir doch alles,
  Wenn ich den Weg dort seh und seh *ihn* nicht!

DAHLSJÖ *sieht ihr in die Augen*
  So seid ihr – Anna, ich bin ja nicht bös,
  Sags nur! – so seid ihr beiden einverstanden?

ANNA
  Vater, du meinst, ich rede was mit ihm
  Von solchen Dingen? meinst, ich red mit ihm,
  Wie ich zu ihm steh? Aber, Vater, nein,
  Nein, nein. Wie ich mich das getraute, Vater!
  Allein ich seh ihn doch und früh und spät
  Denk ich an ihn. Wenn er nicht da ist, hör ich noch,
  Was er geredet hat, ich lauer wo
  Und sehe was er tut, und der Großmutter,
  Die ihn nicht sehen kann, erzähl ichs dann.
  Weil er den Pflock dort einschlug an der Brücke,
  Sitz ich gern dort und lehn den Kopf daran.
  Seitdem er ober mir wohnt in der Kammer,
  Hab ich das ganze Haus viel lieber, nachts
  Horch ich manchmal wie die Großmutter atmet
  Und freu mich, daß sie lebt, und in der Früh

Seh ich der Schwalbe zu, die hat ihr Nest
Von außen an der Wand, an der er schläft.
Ich acht, wie er mit allen Leuten spricht,
Danach sind sie mir mehr und minder lieb,
Und du und alles — Vater, alles, alles
Erzähl ich dir, so viel du willst, nur jetzt —
Ich kann nicht denken, ich seh immer nur
Die Bäume, zwischen denen er nicht kommt!
Tu mirs zulieb, wir gehen beide, beide
Entgegen, und bevor wir völlig dort sind,
Begegnet er uns schon, nicht wahr? Komm, Vater!
Siehst du, er kommt ja nicht, hab Mitleid, Vater!

DAHLSJÖ *bei ihr*
Mit deiner Angst! Das kenn ich nicht an dir!
Er ist ein Mann, kennt jeden Schritt und Tritt!
Wär er im Berg, was sollt ihm denn geschehn?

ANNA
Das Fürchterliche, Vater, das was ich
Nicht weiß und immer spür, komm, Vater, komm!

DAHLSJÖ
Du Kind!

ANNA *fieberhaft erregt*
Den ersten Abend, wie er kam...

DAHLSJÖ *schnell*
Er war verstört, ihn schüttelte ein Fieber.

ANNA
Nein, nein. Du weißt es nicht. Wir standen da
Im Dämmer und da faßte er mich an
Und sprach: »Wenn sie an einem Abend kämen
Und brächten dir die Botschaft hier herein:
Er kommt nie mehr zurück, nie, nimmer, nie!«
Dort drinnen wars, am ersten Abend, Vater,
Sprach ers zu mir, mir war er fremd, ich wußte
Noch seinen Namen nicht, da griff ein Etwas
In mich und tat mir heimlich einen Schmerz an,
Und davon hab ich etwas Dumpfes, Wehes
Nie aufgehört zu spüren, aber heut
Greift es in mich hinein wie eine Hand.
Weißt du denn nicht mehr, Vater, wie er herkam?

Siehst du, ich trag ihn ganz in mir und kann
Nichts, nichts vergessen, wollt ich noch so gerne!
Da war ein Etwas, das sich um ihn wob,
Das sich anzeigte, das im Dunklen winkte:
Vater, wenn sie... und klopften an die Tür,
Und wir, wir wüßten: er kommt nicht zurück!
Vater, wir müssen schnell gehn, alle Leute,
Die wir begegnen, müssen mit, die schlafen,
Die müssen aufstehn, alle müssen leuchten
Und rufen alle, damit wir ihn finden!
Vater, ich seh ihn noch nicht! Vater, Vater!
Sie zieht in ihrer fieberhaften Hast den Vater hinter sich her, den
Hohlweg hinauf.

Schnelle Verwandlung

Ein Stollen im Bergwerk, gestützt mit gewaltigen Balken, auf die eine
ungeheure Wucht finsteren Gesteins von allen Seiten hereinzudrängen
scheint. Der Stollen verläuft nach rechts hin in undurchdringliches
Dunkel. Links mündet ein anderer, um einige Stufen höher geführter
Querstollen. Alles niedrig, luftlos, in Finsternis gehüllt.

ELIS *kommt die Stufen herab, in der Hand sein Grubenlämpchen, dessen*
unsicherer Schein über die finster lastenden Wände hinhuscht. Seiner
Stimme Ton ist harmlos fröhlich.
He, Grubenwächter! hört mich niemand rufen?
Ich möchte meinen Mantel, ich hab nicht
Viel Zeit, im Finstern hier herumzukriechen!
Heda, ihr die nicht schlafen dürft! he! auf!
Mantel, wo steckst du? Mantel, Mantel, Mantel!
Er späht herum.
Aus dem Dunkel rechts schiebt sich, vom Hals bis über die Knöchel
in den dunklen Mantel gehüllt, eine Gestalt hervor, deren helles
Haupt Annas Züge trägt: der Knabe Agmahd.

ELIS
Herr Gott! du dort im Mantel, wer bist du?
Wer bist du, der so lautlos auf mich zukommt?
Nun bleibst du stehn, nun schütt ich dir mein Licht
In dein Gesicht. Du, du, du! Anna! Anna!
Herr meiner Seele, wie kommst du hierher?
Du, Anna, Liebste, Kind, was kommst du her?

Stehst da, von scheuer Schönheit blaß und funkelnd,
In meinen finstern Mantel eingewickelt,
Stumm wie ein Bettelkind, du Süße, Liebe!
Nein, du hast recht, gib mir nicht Antwort, nicht
Wie immer dus erklärst, ob dus dem Vater
Hast abgeschmeichelt, ob dich heimlich her-
Gestohlen wie ein kleines Kätzchen, nichts
Ist so, wie daß du da bist, wundervoll!
So weißt du, Liebste, alles ohne Worte
Und drängst dein Alles', weils zu viel für Worte,
Zusammen in dies lieblich süß wortlose
Dastehen, in dies unbegreifliche!
Weißts immerfort und tatest keinen Blick
Und keinen Wink, der zeigte, daß dus wußtest?
Weißt, daß um dich in diesen kalten Klüften
Glutwell um Well durch meinen Leib sich wühlend
Wie Fieber mich aus diesem Mantel trieb,
Und nimmst ihn auf und bringst in ihm mir dar
Dein Selbst, den jungen seelenfrischen Leib,
Vielmehr die Seele, die vor Staunen bebt
Ob ihrer eignen nackten Lieblichkeit,
Und zuckt im Licht, und schwankt, und Finsternis
Mit beiden Armen fester um sich wickelt.
Wie er dichter an die Gestalt herantritt, weicht diese lautlos zurück.

ELIS

Weich nicht zurück! Nur wie der Mantel dich
Umschlägt, so schauert Langgebändigtes
Aus mir wie dunkles Feu'r um deine Glieder.
Weich nicht zurück, bieg mir dein Antlitz her,
Nicht meinen Lippen, meinen Augen nur!
Licht, zuck nicht so, sei ruhiger als ich!
Nun, Anna, sprich ein Wort, nun doch, dies Flackern
Entzieht dem Auge alles was es gab:
Du schwankst mir so, sprich nur ein Wort, das Ohr
Ist solch ein treuer Sinn und bringt so liebe Botschaft!
Willst du nicht sprechen, Anna? Du erbleichst mir!
Soll ich dich halten? Nicht daß ich den Arm
Um dich will legen, aber sag doch, Anna!
Die Gestalt hält ihm einen Schlüssel hin.

ELIS

Dies soll ich nehmen? dies? den Schlüssel da?

Wie gern! Sind deine Hände auch so kalt,
Wie der? Er schaudert mich. So sprich doch, Anna.
Du weichst ins Dunkle? Sprich doch, hat die Angst
Dich überkommen, schwindelt dich auf einmal
Vor deinem süßen unerhörten Tun?
Dein Antlitz ist wachsbleich, hörst du mich nicht?
Soll ich weggehen und die Lampe hier
Dir stehen lassen, daß du ruhen kannst?
Ists Scham, die dir das Blut treibt aus dem Herzen?
Ich möchte bitten, flehen: Schäm dich nicht...
Doch wag ichs nicht! So soll ich gehen, Anna?
Du sinkst mir ja!
Er läuft hin, die Gestalt sinkt rechts an der dunklen Wand zusammen.

ELIS   Blendwerk und Grausen! Niemand!
Der Mantel leer! Das war der Knabe Agmahd,
Das wesenlose greuliche Gebild,
Auf den goß ich die süßen ersten Worte,
Die lieblichen, die niemals wiederkehren.
Mir grausts vor mir! Schlag, Finsternis, herein!
Seine Lampe erlischt
Bist du schon da! So kommt ihr alle, alle,
Umstrickt mich wieder! Wer rief euch? wer? wer?
Ich war euch los, von Leib und Seele hatt ich
Euch weggeschüttelt.
Der Schlüssel in seiner Hand zuckt und leuchtet.
       Bin ich nicht allein?
Was streicht Lebendiges so an mir hin,
Drückt mir die Hand? Ei du, was treibst du, Schlüssel,
Was drängst du mir für Unruh in den Arm!
Ich will dich von mir werfen und ich tus nicht,
Ich kanns nicht, er schlägt Wurzel ja in mir
Und ist ein Teil von meinem Selbst und drängt und
                                   glüht,
Ganz durch mich wühlt sichs hin, es hat mich wieder!
Aus einem Spalt im Gestein, nicht größer als ein Schlüsselloch, im
Hintergrund, bricht ein starker Lichtstrahl.

ANNAS STIMME *aus großer Entfernung, von oberhalb*
Elis!

ELIS
Sie rufen droben, meine Erdenträume!

Mich aber reißts, den Zauberer, den funkelnden,
An eine Tür, da! da! und da der Schlüssel!

ANNAS STIMME *näher*
Elis!
Elis zieht es nach dem Lichtstrahl, an die geheimnisvolle Tür. Er schlägt den Schlüssel ein. Die Tür springt auf. Blendender Glanz schlägt heraus.

ANNAS STIMME *sehr nahe, flehend*
Elis!

ELIS *an der leuchtenden Schwelle der Tür, zurückhorchend*
Wer? Einmal noch es hören! und dann fort!
Die Tür schlägt zu, ein fahler Blitz zuckt durch den Raum hin. Elis liegt am Boden. Völliges Dunkel.

DAHLSJÖS STIMME *aus dem Querstollen, gleichzeitig von dort Schein von Fackeln*
Zurück die Fackeln! Schlagend' Wetter sinds!

ANNA *die Stufen herabsteigend*
Nein! her die Fackeln! Ich will sehen! sehen!
Tastet sich vorwärts
Ich tret auf ihn, er liegt! Hier! Vater! Vater!

DAHLSJÖ *und Bergleute mit Grubenlampen*
Mein Kind, er atmet!

ANNA *Elis' Kopf aufrichtend*
              Aber wie, wie schwer!
Er schlägt die Augen auf!

ELIS *schlägt die Augen auf*   Nicht dieses Blendwerk –
Geh weg, du gräßlich spiegelndes Gebild!
Laßt jeder Welt, was ihr gehört! Nehmt mich!
Läßt seinen Kopf sinken.

ANNA *bei ihm kniend*
Er schließt die Augen, er will mich nicht sehen!
Doch hält er meine Hand mit seinen Fingern –
Wie fest!

ELIS *matt, halbaufgerichtet*
           Bist dus denn wirklich, diesmal wirklich?
DAHLSJÖ
Er redet irr! Hinauf, nur schnell, nur schnell!

ANNA

Faßt ihn nicht heftig!

ELIS

*indem die Bergleute ihn aufheben, Dahlsjö leise anfassend, mit weit-
aufgerissenen Augen*

Das war kein Abend wie die andern alle!

Sie tragen ihn, Anna geht an ihn geschmiegt.

Vorhang.

VIERTER AUFZUG

*Der Garten. Im Hintergrund links, bergauf, das Haus, dahinter der
Berg. Rechts, bergab, das Bette des Baches, von Weiden verdeckt. Den
Hintergrund schließt der Zaun, dahinter eine schmale Landstraße, jenseits Buschwerk. Der ganze Garten ist ein grasbewachsener Abhang, auf
dem unregelmäßig Obstbäume stehen. Abendsonne.*

*Elis liegt auf dem Boden, auf dem von der tiefstehenden Sonne durch-
wärmten Rasen. Sein Kopf ruht auf einem weißen Bettpolster. Seine
Augen sind geschlossen. Großmutter und Anna stehen hinter ihm,
Anna über ihn geneigt.*

ANNA

Siehst du, Großmutter, wie er nun sanft atmet?
Stell dich hierher, Großmutter, und ich will
Die Hand vorhalten, daß die Sonne ihm
Nicht auf die Lider scheint. Versteckt sie sich?
Wie gut! Das war die erste Nacht im Leben,
Die ich gewacht hab. So kommt alles einmal.
Zuerst warf er sich wild herum und sprach so wirr,
Dann nahm er wieder meine Hand in seine...
Großmutter, später wenn ich seine Frau bin –
Großmutter, weißt du, daß es morgen sein soll?
Daß so etwas so wird! Kannst dus denn fassen?
Auf einmal war es da, war ausgesprochen!
Er liegt und hält mir fest die Hand in seiner,
Und mitten in sein schwaches Augen-Auf-
Und wieder Zuschlagen, da spricht der Vater
Als wie im Scherz und halb, ihn zu erfreuen,
Ein Wort und er, halbaufgestemmt im Bette,
Drängt seinen Blick in mich und dann zum Vater

Und »morgen,« sagt er, »laßt es morgen sein«,
So ängstlich innig erst, dann noch einmal,
Befehlend heftig und doch flehend, »morgen!«
Dann sank er hin und nahm auch mein Blut mit,
Daß ich kaum hörte, was der Vater... Du,
Du sprachst dann noch, das gab den Ausschlag, du!
Und morgen! Die Verwandten werden kommen,
Den Vater freuts, nicht wahr, Großmutter? Sag!
Er gönnt mich ihm. Es hätt ja doch nicht anders,
Nicht wahr, es hätt nicht anders kommen können?
Sprech ich zu viel? Meinst du, ich weck ihn auf?
Ich kann nicht schweigen, schwieg ich doch die Nacht
Zu Tod beklommen, und vorher dies alles,
Es drückt mich tot, wenn ich nicht reden darf!
Großmutter, wenn ich seine Frau bin, weißt du,
Und er mein Mann... Großmutter, wohin gehst du?

GROSSMUTTER *auf ihren Stock gestützt, im Begriff, gegen das Haus*
  hinaufzusteigen
Ich geh hinein und laß den großen Schrank
Auftun, der lang nicht offen war, den hohen:
Da hängt der Anzug, den der Großvater
Zu deines Vaters Hochzeit trug: er trug ihn
Nur dieses eine Mal, die Knöpfe dran
Sind schwere Silbertaler, den soll morgen
Der Elis antun, und du legst mein Kleid an,
Das her ist noch von meiner Mutter selig.

ANNA
Das fremdartige, das ich mir als Kind
Nicht genug sehen konnte, wenns im Schrank hing?
Paßt das für mich?

GROSSMUTTER   Für *den* Tag paßt es wohl,
Und daß der Elis von Statur fast gleich ist
Wie dein Großvater, hab ich wohl bemerkt
Im Stehn und Sitzen, wenn er mit mir sprach.
So kommt in einem Reigen alles wieder!
Sie entfernt sich.

ANNA *neben Elis niederkniend*
Ihr müßt ihm alles tun, daß er nicht merkt,
Wie nichts an mir ist, wie er da nichts hat!
Nun sind wir ganz allein. Wär ich was Andres,

Was mehr, was Schönres! Daß er sich nach mir
Verlangt! Wenn ich es denken will, verwirrts mich.
Er hat mich ja schon ganz, was kann ich ihm noch geben?
Mir ist, als hätt ich niemals was gespürt,
Was sich nicht schon versteckt auf ihn bezog.
Sprang ich aus meinem Bett, die Stern zu zählen,
So wars um ihn, und zogs mich in den Wald,
Ich weiß, es war um ihn.

ELIS *richtet sich auf*
Du sitzt bei mir! So ist es wahr, sag, Anna!
Sag: morgen! sag mir, daß es wirklich ist!
Und daß dus warst, die ganze Nacht du, wirklich...

ANNA
Nicht fragen!

ELIS *plötzlich verfinstert*
    Doch vorher!
ANNA   Was denn vorher?
Denk nicht daran: du gingst um deinen Mantel,
Da faßte dich der böse schwere Dunst
Und schlug dich nieder.
Elis schüttelt den Kopf.

ANNA   Elis, ich weiß jetzt,
Was ihr vorher gesprochen habt, ihr beide...

ELIS *angstvoll aufgerichtet*
Wir beide?

ANNA *völlig harmlos*
    Nun, du und der Vater, Elis.
ELIS
Doch drunten dann die lieblich ersten Worte
Vergeudet, statt an dich! Kannst dus verzeihen?
Mich grausts, wenn ich es denk!

ANNA   Sag, welche Worte?

ELIS
Es kam aus seinem Dunkel auf mich zu
Und hatte dein Gesicht.
Bedeckt sich die Augen.

ANNA   So wars ein Nichts!
Und ausgebrütet von der bösen Luft

Und Finsternis. Ich hatt einmal ein Fieber
Und war noch klein, da meint ich immerfort,
Ich sähe eine Hand an meinem Bett,
Und wie das Fieber fort war, wars auch fort.
Denk nicht mehr an die Träume, nun ists hell,
Und wirds auch dunkel, sind wir beieinander.
Und künftig, wenn ich merk, du träumst so finster.
Und wenn du mirs erlaubst, so weck ich dich,
Dann plaudern wir, und wie du merkst, daß ichs bin,
Die dir gehört und die lebendig ist,
Besinnst du dich auf alles, und die Träume
Huschen so weg.

ELIS   Du Liebe, in der Kammer,
In der du bist und mir gehörst, da brauch ich
Nicht Sonne und nicht Mond.

ANNA   Nicht laut es sagen!
  Eine kleine Pause

ELIS *einen Gedanken verfolgend*
So weißt du denn, wie alles kam?

ANNA   Geh, freilich:
Ich sah dich fort und fort und hatte dich
Ja lieb vom ersten Abend an!

ELIS   Nicht so,
Ich meins nicht so! Ahnst nicht, ist nichts in dir,
Das ahnt, wie alles dies zusammenhängt?

ANNA
Ich kann dich nicht verstehn, jetzt gar nicht, Elis.
Daß mich auch du anfingest liebzuhaben?
Du lieber Gott, freilich begreif ichs nicht!
Sag, meinst du das? Ists denn auch wirklich wahr?
Könnt ichs nur glauben! Zwar ich spürs, ich trau mich
Nur nicht zu glauben, daß es das auch ist,
Was ich so spür. Verstehst du, wie ichs mein?

ELIS *ohne auf sie zu achten*
Ich mein, ob du begreifst, wie ich herkam,
Was mich herführte, hier zu euch, zu dir?

ANNA
Was gehts mich an, wie du mir kamst, ich hab dich!

ELIS *stärker erregt*

Du mußt mich hören! Das, was mich hierhertrieb,
Das, dünkt mich, war im Dunkeln irgendwie
Drauf abgesehn, dich zu verderben!

ANNA *hält ihm den Mund zu*   Elis!

ELIS *macht sich frei, liegt aufgestemmt; immer erregter. Sie kniet neben ihm.*

Nein, laß mich reden. Es muß an den Tag.
Habt ihrs euch nie gesagt? Wer bin denn ich,
Daß ich, ich, der verlaufene Matros,
Hinunterfahren mocht in euren Schacht
Und eure alten Bergleut wie im Traum
Dahin und dorthin weisen, alles lenken.
Und euch reich machen, wie kein Mensch hier ist.
Habt ihr euchs nie geträumt, daß irgendwie
Ein Preis dafür gezahlt müßt worden sein?
Nahmt ihrs, wie ihr die Birnen nehmt vom Baum?

ANNA

Ein Fürchterliches willst du mir jetzt sagen:
Dir im Gesicht arbeitet schon der Schein,
Dens vorauswirft. Elis, erbarm dich, schnell!

ELIS

Hör mich: Ich, der hierherkam, hier zu wohnen,
Hier ging und stand und aß und schlief bei euch:
Ich durfte das nicht tun.

ANNA   Was denn, mein Lieber?

ELIS

Ich richtete manchmal bei Tisch die Rede
So halb an dich, daß du wohl fühlen konntest.
Mir wars um dich, ob ich nun sprach, ob schwieg!

ANNA

Mir war, als wärs so.

ELIS   Abends setzt ich mich
Dort hin, wo du vorübergehen mußtest?

ANNA

Ja, Elis, oder nicht?

ELIS   Und einmal nahm ich,
Einmal, am Zaun dort, dich bei deiner Hand?

ANNA

    Ja freilich. Das ist schon zwei Monat her.

ELIS

    Von meinem Vater und von meiner Mutter
    Erzählt ich dir, und als du weintest, sprach ich ...
    Was denn?

ANNA   Ja hast dus denn vergessen, Elis?

ELIS

    Und überhaupt, hier oder dort und früh
    Und spät drängt ich mich in dein Denken ein,
    Wollt wissen, was dir lieb war, fragte dich
    Um alles aus mit sehnsuchtsvollem Atem.
    Wie? Oder nicht?

ANNA   Nicht mehr mich fragen, Elis!
    Was siehst du so auf mich? Verdrieß ich dich?

ELIS

    Dies alles, alles, alles durft ich nicht!

ANNA *sanft*

    Du darfst an mir so tun, wie dir gefällt!

ELIS *wilder*

    Ich durft es nicht!
    Dumpf

              Ich warb und durfte nicht!

ANNA *springt auf*

    Ich fleh dich an, verschon mich nicht, sag alles!
    Du hast ein Weib in einem andern Land?

ELIS *aufgestemmt auf dem Rasen wie ein Kranker im Bett*

    Kein Weib auf Erden, das zu mir gehört!
    Mißhör mich nicht, komm näher her zu mir!
    Ich selber, ich, bin so beschaffen, Anna,
    Daß ich nicht mehr daheim sein kann auf Erden:
    Mir widerfuhrs einmal, daß mich ein Etwas
    Hindrängte an den Rand, dann zog es mich
    Hinüber, ich gehör nicht mehr hierher,
    Ich bin ein Gast, ein schauerlicher Gast!
    Bitt nicht mit deinen Augen, daß ich schweige:
    Es muß heraus, begreif mich!

ANNA   Du bist krank.

ELIS

Versteh mich doch. Es ist nicht bloß in mir:
Gemeinschaft hats mit Anderem, das draußen!
Ist eine Welt wie eure, stärker, größer:
Die Sterne sind ihr untertan, die Zeiten.
Zu der gehör ich. Sieh, ich meinte auch,
Ich wähnte ja, man könnte ihr entrinnen.
Allein sie legt den Körper und den Geist
An ihre Ketten. Wollt ich ihr Geheimnis
Hinunterschlingen, es zerfleischte mir
Mein Inneres und bräch aus seinem Käfig.
Könnt ichs vergessen, mirs vom innern Aug
Wegblenden, sieh, dann wär ich selber nichts,
Gar nichts mehr, dies war alle meine Macht:
Was dich verfing an mich, war dieser Zauber,
Er sitzt in allen Fibern meines Wesens,
Und liebst du mich, so liebst du mich um Dinge,
Die mehr als Tod hinhauchen über dich.
Ich wollt es ja vergessen, wollte atmen
An dir, bei dir nur diese süße Luft.
Es ließ mich auch, es ließ mich, aber gestern
Sprangs aus dem Dunkel vor und nahm mich wieder
Und drückte mir den Schlüssel in die Hand...
Er schaudert.

ANNA

Hab Mitleid mit dir selber! Welchen Schlüssel?

ELIS

Den, der die erste äußre Tür aufschließt.
Und drinnen stehts im Dunkel, bebt und schimmert
Und wartet... Anna, bieg dein Ohr zu mir,
Ich will dir alles sagen, doch von innen
Schnürts mir die Kehle zu, von außen kommts,
Unsichtbar reckt sichs zwischen uns und saugt
Das Wort mir von den Lippen!

ANNA *umschlingt ihn und küßt ihn rasch auf die Lippen*
                              Elis, mich!
Fühl meine Lippen! Sieh, zum erstenmal,
Es kann nichts zwischen uns, ich halte dich.
Glaub mir, dies alles ist nichts, du bist krank.
Gibts nicht geheimnisvolle Krankheiten?

Greif her, wie kalt jetzt meine Hände sind:
Dies ist, weil ich mich ängstig, wie du redest.
Siehst du, selbst ich, gesund und frisch und töricht,
Werd gleich etwas wie krank aus Einbildung.
Nun du! was kocht und schafft in dir nicht alles!
Das fällt dich nun auf einmal an, siehst du,
Und fürchterlich zuckts zwischen Geist und Leib
Dir hin und her, dich schwindelts, von den Lippen
Fällt dir die Rede wild, die Augen starren.
Ich aber rühr dich an und hab nicht Furcht:
Auch deine Krankheit graut mich nicht, weil sie
Von dir ein Teil. Glaub mir, fast bin ich froh.
Nun hab ich doch, was ich dir tuen darf,
Und hab das erste, was ich tragen muß
Um deinetwillen. Nun ists Angst nur halb,
Halb etwas Liebes. Um dich darf ich nun
Herumschleichen und fort und fort dich ansehn
Und schwätzen und dich nicht in Ruhe lassen,
Bis dies vorbei ist. Sinkst du so in dich
Wie jetzt und starrst so vor dich, Elis, Lieber,
So darf ich bitten: mich sieh an, nur mich!
Und keine Stelle, nirgends, nicht im Haus
Und nicht im Garten, wo dein Blick hinfällt,
Soll leer sein von Erinnerung, daß ich
Auch dort und da und dort und überall
So vor dir lag, ob nichtig auch, doch dein!
Sie hält einen Augenblick inne, sein Blick ruht auf ihr und scheint
doch über sie hinauszustarren
Und öfter war mir so, du sehntest dich
Danach ein wenig und ich würd es nicht
So vor dir sagen können, und nun kann ichs.
Bleib sitzen, bleib bei mir, was jagt dich auf?

ELIS *reißt sich und zugleich Anna, die sich an ihn klammert, vom*
Boden auf
Er kommt auf uns zu!

ANNA   Elis, bleib bei mir!

Torbern ist aus den dämmernden Weiden rechts unten hervorge-
treten, barhaupt, noch verfallener als früher. Er steigt mit gewal-
tigen Schritten den Rasenhang hinauf, grüßt Elis im Kommen,
mit der knochigen Hand schlenkernd.

ELIS

Was grinsest du auf mich, was wälzest du
Auf die und alles deinen Blick!
Anna drückt sich an Elis, fast sinnlos vor Furcht.

TORBERN

Wieder seh ichs!
Den Anfang wieder, nun das Ende da!
Er steht etwas oberhalb und hinter den beiden, wie ein im Vorüber-
gehn Stehengebliebener
Hier wars wohl etwa, hier, und solch ein Haus
Und solch ein Weib. Die Züge sind entschwunden.
Allein es schwankt ein Bild heran und gleicht
In etwa diesem... Ob sie jung verstarb?
Ob alt, was die alt nennen – beides sinkt
Gleich weit zurück, ein Dunst trinkt alles auf.
Ich bin zu alt, mich hier noch zu erinnern.

ELIS

Du fürchterlicher Knecht, was führtest du
Mich her, hier her? Konnt ich nicht diese Frist
In der Einöde hausen? Konnt ich nicht
Mich aus der Wildnis dort hinunter wühlen?
Was mußt ich her und dies Geschöpf verderben?

ANNA *zitternd an ihn gedrückt*
Elis, ich kann nicht hinschauen, deck mich zu!

TORBERN

Ja, ja, ich brachte dich hierher. Mich freuts.
Wie stets dein Schicksal nur das meine äfft.
Triebs mich nicht auch aus solchen Armen weg!
Tritt nach, tritt nach. Weißt du noch, wie du saßest
Am Strand da drunten, wie aus deinem Mund
Der Ekel troff und Fluch auf diese Welt,
Wie dir sichs löste, daß es unsersgleichen
Gegeben ist, sie hinter sich zu lassen
Und ihre Niedrigkeiten abzutun?
Wie dir das Weib so schal war als ein Tier
Und jedes irdische Geschöpf mit Grauen
Trat hinter sich vor dir und deinem Blick...
Da kam ich recht, da sogest du gewaltig
Den Hauch, da rissest du in dich die Macht,

Die mir aus Antlitz und Gebärden quoll.
Mich trieb ein Geist, er springt auf dich hinüber,
Tritt nach, Zeit ists, ich fahre hin wie Rauch.

ANNA *ohne aufzusehen*
Was spürt er noch umher und streut den Tod
Auf alles! Hab' doch Mitleid, heiß ihn gehn!

TORBERN *umherblickend*
Habt ihr auch Kinder? Ist mir nicht, mir hingen
Auch Kinder um die Knie? Nun stehn sie auf,
Die letzten Tage! oder warens Jahre?
Ich witter einen Duft, der sie zurückbringt,
Die Zeit, die vor dem großen Weggehn war.
Da kämpft verworren eins gegen das andre,
Im dumpfen Herzen würgt sich Wunsch und Wunsch,
Und die empörten Teile lösen fast
Das Ganze auseinander – Tod ist nah.
Da bricht ein ungeheurer Morgen an,
Da stehst du auf, sie schlafen rings um dich,
Das Weib und deine Kinder, und dein Blick
Streift über sie und achtet ihrer kaum:
Den Hund, die Katze streift dein Blick, und sie,
Gleichmütig, ungerührt, von innen funkelnd:
Denn vor ihm, dem erlösten Adlerblick,
Entblößt sich die geheime Schwelle wieder.
Spürst du den Morgen herwehn, Elis Fröbom?
Ich aber spür den Morgen, der mich nimmt.
Er wendet sich zu gehen.

ELIS *dumpf*
Wo gehst du hin?

TORBERN   Heißt du mich immer reden,
Und schon dies Denken saugt an meinem Mark.
Zu sterben geh ich, einen Wassersturz
Find ich wohl wieder, Bäume liegen dort,
Die brach ein Sturm der Nacht, die riesigen.
Dort leg ich mich, dort ziemt es mir zu liegen.
Dort fängt ein Mondstrahl sich im starren Aug
Und läßt es funkeln als einen Rubin,
Nachtvögel kreisen durch den offnen Mund.
Es ziemt sich nicht, daß unsereiner sterbe,
Wo Menschen um ihn sind, denn da wir lebten,

Teilhaftig eines Bessern, stießen wir
Das Menschliche mit Füßen, redeten
Mit Höhn und Tiefen und genossen Glück
Von einem Leib, vor dem die Zeiten knien
Und dem die Sterne ihren Dienst erweisen.

ANNA *fast wimmernd*
Elis, ich will nicht hören, was er redet.

TORBERN
Ich will dich nicht mehr sehn. Es zehrt an mir,
Daß du anhebst zu leben, da ich ende.
*Er geht mit großen schweren Schritten aufwärts, schief durch den
Garten, tritt rückwärts auf die Straße hinaus, verschwindet drüben
in der Dämmerung. Eine Weile schweigen beide.*

ANNA *sich aufrichtend*
Weh, grausam, grausam. Und du ganz wie er!
Du seinesgleichen, du! Vorbei. Ganz aus.
Aus, alles aus, zu Ende, tot, vorbei.
Nicht Träume, *wirklich*, wie dies Herz das schmerzt.
Sprich nicht, ich hab alles verstanden, alles!
Ich weiß wohl, wer er war. Ich weiß, er ließ
Sein Weib, ich weinte, als sie mirs erzählten.
Ich weinte doch, und hielt es für ein Märchen.
Nun sah ich ihn, den seit zweihundert Jahren
Kein Auge sah, und sah, wie er zu dir
So redet, wie der Gleiche zu dem Gleichen.
An mir ist nichts, das zweifelt. Eine Hand
Griff fest in mich hinein und hielt mich in die Höh,
Daß ich nicht umfiel, und so wie ein Totes
Starr sein, und alles gleich begreifen konnte.
Nun glaub ich nicht mehr, daß es Träume sind.
So hat ein jedes Ding sein Recht zu leben:
Das fürchterliche Unbegreifliche
Grad so wie Liebes, Gutes. Hast du das
Immer gewußt? Und konntest doch so sein,
So sanft, so lieb, so gut, so fröhlich, Elis,
Als wie du manchmal warst! Das faß ich nicht.

ELIS
Bleib nah bei mir und küsse mich!

ANNA   Du Lieber,
Hast dus denn nicht gehört, es kommt ein Morgen —

Wie bald! Hast dus denn nicht gehört: er saß
In seinem Bett und wälzte seinen Blick
Über sein Weib: sie war ihm wie ein Tier,
Er stieß nach ihr, wie man nach Hunden stößt,
Und lechzte in die Nacht mit glühnden Augen,
Nach der im Dunkel Stehenden, nach der,
Von der ein unsichtbarer Hauch Gewalt hat
Über dein Blut viel mehr, viel mehr als ich,
Ob ich mich lebend an dich häng, ob sterbend!

ELIS

Anna, ich bin bei dir! Fühlst du mich nicht?
Bin nah und in mir ist kein Tropfen Blut,
Der sich nicht lechzend sehnt in dich hinein!

ANNA *sieht ihn traurig an*

Du, du! Dich ganz zu haben, daß ichs wähnte!
Daß ichs nicht besser spürte, wer du sein mußt!
Als du eintratest, ganz von ihr erfüllt:
Die Augen da, die Lippen, alles drängte
Dorthin! Ich rührte dich, weil ich noch dastand
Am Rand der Welt, von der dein Weg sich löste.
Da faßtest du mich an, da wars um mich getan.

ELIS *hastig, fieberhaft*

Komm mit mir weg von hier, wir gehn hinunter
In die Seestädte, wo ich früher war.

ANNA

Wir machen uns nicht los, du warst doch drunten,
Da zog es dich herauf: warum nur hierher?
Ich war so jung, so ohne Arg. So hast du
Dich doch an mir gefreut, solangs gegeben war?

ELIS

Wir sinds noch! Alles ist!

ANNA *schüttelt den Kopf*   Er sah dich ja
Schon einmal, ich habs wohl gehört, er sah dich,
Da stießest du ein Weib von dir zurück:
Sie war dir schal als wie ein Tier, die Arme!
Nun kommt mein Tag, weil ich die Zweite bin.
Du kommst herum um mich auf deinem Weg.

ELIS *wie von einem plötzlichen Krampf verzerrt*
Was für ein Wort du redest, Anna! Anna!

Gib acht, sprich nicht! Wie wirst du mir auf einmal?
Du scheinst mir so verwandelt, du verbleichst so!
So sag doch, daß dus bist!

ANNA *demütig*   Ich bin ja nichts,
Als was du machst aus mir. Nein, Elis, nein:
Das weiß ich wohl, daß ich mit meiner Lieb
Und meinem Leib und allem, was ich bin,
Dich niemals halten kann, dich nie, für den
Dies Leben hier nicht alles ist, wie mir.
Ist dir, du hättest Lust an mir? Da träumst du!
Die Augen hier, der Leib, den alles schüttelt,
Was kanns dir sein, der maßlos wünschen darf?
Ich müßt in deinem Arm vergehn vor Scham:
Mit dem enttäuschten Blick an mir hinwühlend,
Zerstörst du deine Lust und mich zugleich.
Was sollt ich tun, was lassen, dich zu halten?
Wahnsinnig müßt ich werden, stieg' mein Denken
Aus meinem Herzen auf in diesen Kopf!
Nichts bleibt mir, nichts, als Scham und Qual und Not.
Stehst du noch immer da und siehst mich an?
Dahlsjö und die Großmutter kommen aus dem Hause langsam den
dämmernden Garten herab.

ANNA
Daß dus nicht bist! Daß du noch anders bist!
Und wer du seist und wie du mich zerstörst,
Solang du hier willst bleiben, bin ich dein.
Mein Herz zerreißt, doch niemand soll es wissen.
Da kommen die. Willst du mich küssen, Elis?
Sie sollen es nicht sehen, daß ich starb.
Sie biegt ihm ihr Gesicht hin. Ihn treibt ein Schauder zurück und
er weicht aus.

DAHLSJÖ *nahe herangekommen*
Elis, die Mutter will dir ein Wort sagen.
Elis wirft den Kopf zurück, steigt den Abhang hinauf zu der Groß-
mutter.
Dahlsjö geht zu Anna. Diese wandelt langsam vor ihm her, nach
vorne, dann von rechts gegen links vorne, so daß er ihr Gesicht nicht
sehen kann.

DAHLSJÖ
Mein Kind, ich tät dir gern was sagen, Anna.

Weil heut doch ein besondrer Abend ist.
Heut geht dir recht die Mutter ab, nicht wahr?
Anna schweigt.

DAHLSJÖ

Gibst du nicht Antwort, ist dir über Reden?
Ist mir doch selber Weinen nah, so viel
Geht durcheinander in so einer Stunde.

ANNA

Ich kann nicht reden, Vater, und nicht weinen.

DAHLSJÖ

Als ich die Mutter freite, wars mir nicht
So feierlich als nun, da's wiederkommt.
Nicht wahr, obs auch der Weg zur Freude ist,
Es macht doch einen dumpfen Schmerz, nicht wahr?

ANNA

Doch stürb man dran, nicht wahr, so ging ich nicht
Hier neben dir...

DAHLSJÖ   Wie meinst du denn das, Anna?

ANNA

Laß, Vater, laß. Wir gehen nun ins Haus.
*Sie steigen an der linken Seite zum Haus hinauf. Elis, die Groß-
mutter an der Hand führend, kommt an der rechten Seite herabgestiegen.*

GROSSMUTTER

So freuts Euch, daß Ihr meinem Mann sein Kleid
Anlegen werdet für den Ehrentag?
Einhergehn unter allen Anverwandten,
Als wär der Angesehene, der Gute
Ein Auferstandener in ihrer Mitte.

ELIS *läßt ihre Hand los, bleibt vor ihr stehen*

Ich will Euch Antwort geben, Frau, merkt auf.
Ihr habt ein altes Herz, das hat viel Leid
Erfahren und gelernt, viel zu begreifen.
Und da Ihr blind seid, müßt Ihr sehn ins Innre!
Merkt auf: die Hochzeit, die Ihr da ausrichtet
Für Euer Kind und mich, den Elis Fröbom,
Die wird ein Märlein, das nach hundert Jahren
Die Mägde sich erzählen, wenn es dunkelt.

Die Braut tritt hin, der Bräutigam ist nicht da:
Sie trägt den Kranz und klopft an seine Kammer,
Er ist nicht da, er gibt ihr keine Antwort.
Da reißt sie sich den Kranz aus ihrem Haar,
Ihr Aug verdreht sich und sieht durch den Grund:
Da sieht sie, wie ihr Bräutigam Hochzeit hält:
Da sieht sie stehen eine andre Braut:
Der ihrer Hand entblüht ein solcher Glanz,
Davon er blaß und rot wird wechselweis;
Wie die den Mund auftut, da schwillt sein Blut
Und tausend Sterne tanzen um ihn her;
Wie die den Schleier aufhebt, schwinden ihm
Die Sinne, fremd wird ihm sein eigner Leib
Und strahlend wie der neugeborne Tag!
Das sieht die droben und dann fällt sie hin.
Schweigt, alte Frau: eh wart Ihr blind und redend,
Nun machte ich Euch sehend, nun seid stumm!
Zwingt Euer Herz, Zeit kommt, dann tut den Mund auf!
Indem er die Großmutter, die schwankt, als wenn sie umsinken
wollte, ergreift, sie gegen das Haus zu führen,
fällt der Vorhang.

FÜNFTER AUFZUG

Die Dekoration (große Stube) des zweiten Aufzugs. Grauender Morgen.

Anna aus ihrer Kammer, in Strümpfen, die Zöpfe herabhängend. Sie
horcht oben, ringt die Hände.

ANNA

Es trieb ihn auf und ab in seiner Kammer
Die ganze Nacht. Mir wars, er sprach vor sich.
Ich stand und lag und stand und horchte hin.
Das ist mein Hochzeitsmorgen. Weh, ich Arme!
Am Fenster rückwärts
Ob er nun ruht? Knarrt da nicht seine Tür?
Er kommt herunter. Unter seinem Tritt
Stöhnt jede Stufe leise wie mein Herz.
Wie anders war es sonst, wenn ich ihn hörte.
Und doch, daß ich ihn doch noch hören kann!
Ich muß hinein. Käm er, wie säh ich aus!
Schlüpft in ihre Kammer, läßt die Tür angelehnt.

Elis macht die Eingangstür auf, tritt herein, wirft einen langen Blick,
wie abschiednehmend, umher.

ANNA *aus ihrer Tür*
  Ich trags nicht! Elis, sprich zu mir!

ELIS *einen fremden Glanz in den Augen*   Ich geh nun
  Ich muß nun gehen. Zeit ist da. Starr nicht
  So voller Graun auf mich. Denn ich bin fröhlich.
  Hast du die Nacht geachtet, wie da alles
  So voller Geheimnis war? Der Wind kam her,
  Rührte mich an und wich wieder zurück,
  Verneigend sich vor mir, weil ich ein Wunder.
  Die Sterne wußtens auch. Der Berg erbebte.
  Da wußte ich: nun ist die Zeit erfüllt,
  Und alle Zeichen zogen noch einmal
  Durch meinen Sinn: Der Vater mußt hinab,
  Die Mutter mußte fort sein, da ich kam,
  Damit auf meinen Lippen ein Geschmack
  Vom Tode säße so bei Tag wie Nacht,
  Und Seeluft mir zum Ekel würd und Landluft.
  Dann mußt ich einsam sitzen an dem Strand
  In meinem Elend: da glitt ich hinab
  Und durfte sie anschaun zum erstenmal.
  Doch mußt ich noch herauf für eine Frist.
  Und Botschaft über Botschaft sandte mir
  Die Liebste, zu der ich nun eingehn soll.
  Der tote Mann stand auf zu meinem Dienst,
  Hinflog der Stern und wies mir meinen Pfad,
  Ich fand den Tisch bereitet und das Bette,
  Ich fuhr in Berg, der Berg gehorchte mir,
  Ich wuchs und wuchs und diente meine Frist,
  Bis daß der Alte herkam seines Weges,
  Der mächtige, und seinen letzten Atem
  Auf mich hinhauchte, mich, den Unbelehrten,
  Und ich begriff, wie eins das andre zwingt.
  Und nun die Zeit erfüllt, die sie mir setzte,
  Die Botschaft über Botschaft mir gesandt . . .

ANNA
  Er spricht zu mir und weiß nicht, daß ichs bin.

ELIS
  Ich hab dich nicht vergessen: auch in dir

206

Ward mir ein Zeichen übern Weg gesandt.
Mein Herz war noch nicht leer von irdischer Sehnsucht,
Noch sog ein Etwas dumpf an dieser Welt:
Sie weiß dies alles wohl, ein wundertätiger Spiegel
Verrät ihr, was im Herzen heimlich ruht.
Da mußtest du hier stehn, als ich hereintrat,
Anfassen mußt ich dich und alle Sehnsucht
Und alle dumpfen unbewußten Wünsche
Ausschütten hier auf dich. Wir mußten spielen
Das süße, das verworrne Spiel. So tief
Mußt eins ins andre sich verstricken, atmend
Bald nicht mehr wissen, welches atmete,
Eins in des andern Duft und Hauch verfangen.
Wie arm war ich vorher: da ward ich reich!
Denn mein ward deine Lust und auch dein Schmerz
Und alle Höhn und Tiefen.

Anna sinkt in sich zusammen, vor seine Füße hin.

ELIS   Sinkst du mir
An mir herab? So bist du auch ein Stern,
Der lieblichste, lebendigste, der letzte,
Der fallen mußte, meinem Pfad zu leuchten.
Denn eine Sehnsucht über alle Sehnsucht
Nach dir hat ausgeglüht aus meinem Innern
Jedwedes unbefangne dumpfe Trachten.
Das Aug, die Lippen wurden noch einmal
Verführt, sich an ein Etwas anzuklammern:
Der letzte Erdentraum nahm noch Gestalt,
Allein des Wunsches angespannte Sehne
Zerriß, sobald das Ziel getroffen war,
Und wie ein leerer finstrer Mantel sank
Die liebliche Gestalt im Dunkel hin:
Ich hatte dich, da warst du nicht mehr viel.
Wie dich, so schüttle ich die ganze Welt
Von meinem Fuß, und bin schon nicht mehr hier!
In meinem Ohr erklingt ein süßer Ton,
Der heißt: Komm bald! So komm ich denn, und bald!
Denn was ist ihr, vor der die Zeiten knien,
Die Frist, die ich mich unstet hier verweilte.

Er geht fort. Es ist nun heller Tag.
*Anna steht auf und schleppt sich in ihre Kammer. Gleich darauf
kommen zwei Mägde und klopfen an Annas Tür.*

ERSTE MAGD *an der Tür*
Jungfer, seid Ihr schon auf?

ANNAS STIMME Komm nur herein.
Erste Magd geht hinein. Zweite Magd wartet vor der Tür.

ERSTE *tritt wieder heraus*
Sie will ihr Kleid. Sie sieht so seltsam aus,
Als hätt sie keinen Tropfen Blut. Komm jetzt.
Wir müssen zu der alten Frau, die hat
Den Schlüssel.

ZWEITE Welchen Schlüssel?

ERSTE Den zum Schrank,
In dem das Kleid ist.

ZWEITE Trine, dann will ich
Auch mit hineingehn und ihr anziehn helfen.
Du!
*Zeigt der andern die Großmutter, die, lautlos erschienen, in der
kleinen Tür links steht.*

ERSTE
Frau, die Jungfer will ihr Hochzeitskleid!

GROSSMUTTER *tritt an Annas Tür*
Anna, tritt her zu mir.
Horcht
»Großmutter«, sagt sie,
»Großmutter, sprich jetzt nicht mit mir.«
Horcht abermals
»Schick mir
Mein Kleid nur her, ich will mich jetzt anziehn.«
*Richtet sich auf, gibt der Magd einen Schlüssel aus ihrem Schlüssel-
bund. Die Mägde gehen.*

GROSSMUTTER *steht vor Annas Tür*
Wär eines jünger, nun vermöcht es nicht
Zu schweigen. Ich vermags und steh und warte,
Und wie die Toten heut in mir sich rühren!
Mein erster Sohn hebt seinen Kinderkopf
Auf aus dem stillen Bach, drin er ertrank:
Den zog ein Wasser mit gelaßner Unschuld
In seinen frühen Tod, er war verträumt,

208

Da winkte ihn sein eigner Traum hinab.
Und über die da drinnen kommt es nun:
Sie ging so unbefangen hin, es trieb sie
Von Busch zu Busch dem Vogelsingen nach:
Es war kein Wünschen, süßer wars als Sehnsucht,
Des unberührten Herzens dumpfes Trachten,
Sich früh und rein und maßlos hinzugeben.
Da sog sie sich aus wolkenloser Luft,
Sehnsüchtig schuldlos Zauberkreise atmend,
Ein blaues Feuer nieder, das sie schnell verzehrt.
Wird jedem das, worauf sein Trachten geht.
Mir graut nicht mehr: dazu bin ich zu alt,
Durchsichtig wird mir alles wie ein Glas.

DAHLSJÖ *kommt aus der kleinen Tür links*
Mutter, ich such dich schon, wo ist die Anna?
Sie schien mir gestern abend so verstört.
Ist doch nichts zwischen den beiden, Mutter?

KNECHT *ruft durchs Fenster herein*
Herr, treten Gäst ins Haus und Anverwandte.

DAHLSJÖ
Ich komm, ich komm. Sorg du um Pferd und Wagen.

ANNA *tritt aus ihrer Tür, angetan mit dem fremdartigen Kleid*
Geh, Vater, nur. Geh nur die Leut empfangen.
Wir warten hier.

DAHLSJÖ *zärtlich*   Nichts mehr zu sagen?

ANNA   Nein.
Dahlsjö geht.

ANNA
Großmutter, was siehst du so her auf mich?
Spürst du an mir was Fremdes? 's macht das Kleid.
Wie schön es ist! Was schön ist, hab ich immer
Recht liebgehabt. Den Wald! die Regenbogen!
Wie ich ein Kind war, einmal, war ein Jahr,
Da waren gar so viele und so nah,
Ich glaubte, daß sie aus dem Garten wüchsen.
Großmutter, acht nicht so auf meine Stimme,
Tu nicht die Lippen auf, jetzt ist nicht Zeit.
Fehlt noch etwas an mir? Ach ja, der Kranz.

Da muß ich vor den Spiegel, das gehört sich.
Geht in ihre Kammer.

DAHLSJÖ *durch die Eingangstür*
Wo ist die Anna? Alle sind schon da.
Soll ich den Elis rufen?

GROSSMUTTER *lehnt, wachsbleich, an der Tür links*
Ruf nicht, ruf nicht!
DAHLSJÖ
Anna! die Gäste.

ANNA *tritt heraus, einen schönen Kranz im Haar*
Ich bin fertig, Vater.
*Durch die Eingangstür und durch die Tür links treten die Gäste
ein: ernste Männer, stattliche Frauen, Mädchen, junge Männer,
Kinder füllen die ganze rechte Seite der Bühne mit steifer Feierlichkeit. Ganz vorne sind Rigitze und ein kleiner Knabe, ihr Bruder, beide mit Blumensträußen. Dahlsjö gibt Anna die Hand. Sie
verneigt sich.*

DIE GÄSTE *flüstern*
Die Braut! die schöne Braut!

ANNA *zu Dahlsjö*
Ei ja, die Fraun mit ihren Männern alle.
Siehst du, die haben eins das andre immer
Bei Tag und Nacht, bis in den Tod. Nicht, Vater?
Sie tuen sich auch Leid an, aber doch:
Es ist gar nicht das Leid, es ist noch Leben, –
Das fürchterliche Andre ist es nicht,
Das, was mit einemmal alles verzehrt.

DAHLSJÖ
Willst du nicht hingehn und mit ihnen reden?

ANNA *tritt vor, Dahlsjö dicht hinter ihr. Anna kniet bei den beiden
Kindern nieder*
Ihr da? Rigitze und dein kleiner Bruder!
Ihr bringt mir Blumen! Habt ihr mich denn lieb?
Sie schiebt die Kinder heftig von sich weg und steht auf
Ich mag die Kinder nicht. Ich mag die Blumen nicht.
Ich kann nichts mehr gernhaben in der Welt.
Er hat mich ganz vernichtet.
Tritt taumelnd nach links.

DIE BERGLEUTE *draußen im Garten, fangen hier an zu singen und
singen während des Folgenden*

> Der Bergmann fährt in finstern Schacht,
> Da draußen läßt er Weib und Kind.
> Es rühren ihn an mit großer Macht
> Die Kräfte, so im Dunkeln sind.
>
> Herr! nimm ihn Du in Deinen Schutz –
> Sonst ist ihm schnell sein Sinn verwirrt –,
> Daß er, ein Mensch, mit Ehr und Nutz
> Dem Finstern wiederum entwird,
>
> Daß er an seines Hauses Schwell
> Sich nicht erst lang besinnen muß,
> Mit unverstörter Seele schnell
> Sich freu an Menschenblick und -kuß.

ANNA *sowie sie anfangen*
  Nun singen sie. Das Singen ist für nichts.
  Es zieht ihn nicht zurück!
  In der Ferne Glockenläuten.
                           Nun läuten sie.
  Das Läuten ist für nichts. Es kommt nicht wieder.
  Der Vater hat die Augen voller Tränen.
  Mir ist nicht leid um ihn. Ich fühl nichts mehr.
  Sie steht eine Weile, hört dem Singen zu
  Nun werden sie den Mund auftuen alle
  Und werden fragen.
  Sie schwankt
                     Vater, führ mich fort.
  *Dahlsjö will sie auffangen, sie hält sich noch einmal und bleibt
  stehen.*

DIE GÄSTE *flüstern*
  Wo bleibt der Bräutigam? wo bleibt der Bräutigam?

ANNA *wendet sich gegen die Leute*
  Der Bräutigam, der hätt nicht werben sollen.
  Allein er tats, er trat herein im Dämmer:
  Da faßte er mich an, da wars um mich getan.
  Er nahm mich bei der Hand, er küßte meinen Mund
  Und wars nicht, den ich zu umfassen meinte.
  Ein Fremder wars, die Scham trieb mir das Blut

Empor, da wurde mir das Herz ganz kalt,
Die Hände kalt wie Stein. Nun klopf ich an –
Sie kehrt sich gegen die steinerne Wand
Die Tür ist auch von Stein und er steht drinnen
Im Finstern und er funkelt wie ein Licht:
Rührt er mich an, so werd ich wieder warm!
Sie sinkt um, ehe der Vater sie auffangen kann.
Die Gäste drängen hin. Die Bergleute draußen singen die letzte
Strophe zu Ende.

Vorhang.

DER TURM

Ein Trauerspiel in fünf Aufzügen

PERSONEN

KÖNIG BASILIUS

SIGISMUND, *sein Sohn*

JULIAN, *der Gouverneur des Turmes*

ANTON, *dessen Diener*

BRUDER IGNATIUS, *ein Mönch, ehemals der Großalmosenier*

OLIVIER, *ein Soldat*

DER KINDERKÖNIG

EIN ARZT

EIN JUNGER MÖNCH

GRAF ADAM, *ein königlicher Kämmerer*

DER BEICHTVATER DES KÖNIGS

SIMON, *ein Jude*

DER SCHREIBER JERONIM ⎫

DER TATARISCHE ARON ⎬ *Aufrührer*

INDRIK, *der Schmied* ⎭

EIN REITER

EIN REITERBUB

EINE BAUERNFRAU

EINE JUNGE ZIGEUNERIN

Herren vom Hof, Kämmerer, Pagen, ein Kastellan, ein Stallmeister, Soldaten, ein Stelzbeiniger, eine alte Frau, ein Pförtner, ein Bettler, Mönche, Aufrührer, Feldhauptleute, Knaben.

Schauplatz: Ein Königreich Polen, aber mehr der Sage als der Geschichte. Zeit: Ein vergangenes Jahrhundert, in der Atmosphäre dem siebzehnten ähnlich.

DER ERSTE AUFZUG

Erster Auftritt

Vor dem Turm. Vorwerke, halb gemauert, halb in Fels gehauen.
Zwischen dem Gemäuer dämmerts, indessen der Himmel noch hell
ist. — Olivier der Gefreite und ein paar invalide alte Soldaten, unter
ihnen Pankraz und Andreas, sind beisammen.

OLIVIER *ruft nach hinten*
Rekrut, hierher!
Der Rekrut, ein flachshaariger Bauernsohn, läuft herzu
Spring Rekrut, und hol mir Feuer zur Pfeife! Ich will
Tabak rauchen.

REKRUT
Ja, Herr! *Will weg.*

OLIVIER
Zu Befehl, Herr Gefreiter, hast du zu sagen! Verstanden!

REKRUT
Ja, Herr!

OLIVIER
Eselskopf! Dreckschädel! Bougre! Larron! maledetta
bestia! Wie hast du zu sagen?
Rekrut glotzt ihn erschrocken an, schweigt.

OLIVIER
Hols Feuer! Marsch!

REKRUT
Ja, Herr! *Springt weg.*

ANDREAS *nach einer Pause*
Ist das wahr, Gefreiter, daß du ein Student gewesen bist?
Olivier gibt ihm keine Antwort. Pause.

PANKRAZ
So bist du demnach unser neuer Wachkommandant?

OLIVIER
Unterstehst du dich, mir eine direkte Frag zu stellen?
Erfrechst du dich gegen mich dein Maul aufzuwerfen?

ANDREAS

Du hast ein hartes Mundleder! Solche wie du die bringens weit bei heutiger Zeit.

Man hört zeitweilig ein dumpfes Klopfen von hinten.

Rekrut kommt, bringt Feuer.

OLIVIER *will sich die Pfeife anzünden*

Von wo kommt der Wind?

REKRUT

Weiß nicht, Herr.

OLIVIER

Bestie, so will ich dir die Nasenlöcher voneinandernageln! Stell dich zwischen die Pfeifen und den Wind.

REKRUT

Ja, Herr.

OLIVIER *zündet seine Pfeife an*

Ich kann das verdammte Klopfen nicht leiden. Sie sollen aufhören. Marsch hin, Rekrut. Ich befehls, Holzhacken wird eingestellt. Es alteriert mich.

PANKRAZ

Es hackt niemand Holz, es ist der dahinten: der Gefangene.

OLIVIER

Der Prinz, der nackig geht, mit einem alten Wolfsfell um den Leib?

PANKRAZ *sieht sich um*

Sprich: der Gefangene. Nimm das andere Wort nicht auf die Zunge. Es bringt dich vor den Profosen.

OLIVIER

Da gehören zwei dazu. Die Zeitläufte sind nicht danach, daß sie eine Person wie mich schurigeln könnten. – Was treibt die Bestie? Was rumort er in seinem Käfig?

ANDREAS

Er hat einen Pferdeknochen ausgescharrt und wenn ihms die Kröten und Ratten zu arg treiben, schlägt er unters Geziefer drein, wie ein Hirnschelliger.

PANKRAZ

Sie kujonieren ihn seit er am Leben ist, so kujoniert er was ihm unter die Hände kommt.

OLIVIER

Horcht! Der Dudelsack! Jetzt hört er auf, mitten im Takt! Merkt ihr was?

PANKRAZ

Was ist da dabei?

OLIVIER

Jetzt spielts wieder. Und jetzt still. Signale sinds! Juden, Schmuggler!

PANKRAZ

Wie du das weißt!

ANDREAS

Da sollten wir streifen. Da wir einmal auf Grenzbewachung hier sind.

OLIVIER

Laß die. Ist mir gerad recht, was die schmuggeln.

PANKRAZ

Was denn?

OLIVIER

Waffen. Pulver und Blei. Hellebarden, Piken, Morgenstern, Äxt. Aus Ungern herauf, aus Böhmen herüber, aus Littauen herunter.

PANKRAZ

Verfluchte Juden, wo sies nur auftreiben.

OLIVIER

Die spüren was los ist. Spüren blutige Tag. Riechen den roten Hahn aufm Dach.

REKRUT *geheim, ängstlich*

Ein dreibeiniger Has hat sich sehen lassen, ein hageres Schwein ist dahergekommen, ein glühäugiges Kalb rennt durch die Gassen.

OLIVIER

Alle gehen gegen alle. Es bleibt kein Haus. Die Kirchen werden sie mit dem Kehrichtbesen zusammenkehren.

DER STELZBEINIGE *der bisher geschwiegen hat*
Sie werden ihn hervorziehen, und das Unterste wird zuoberst kommen, und dieser wird der Armeleut-König
sein und auf einem weißen Pferd reiten, und vor ihm
wird Schwert und Waage getragen werden.

OLIVIER
Halts Maul, böhmischer Bruder. Schmeiß einen Stein in
den Zwinger, ich will die Remassuri nicht.

DER STELZBEINIGE
Vor ihm wird Schwert und Waage getragen werden!

OLIVIER
Schmeiß einen Stein, Rekrut! – oder der Henker soll
dich mit dem breiten Messer barbieren!

REKRUT *zittert*
Aus dem Wolfsleib ist ein Menschenkopf gewachsen! Er
reckt fünffingerige Händ und faltets wie ein Mensch!

OLIVIER
Sieht das Vieh so kurios aus? Ich steig hinein und zieh
ihm 's Fell ab! Das muß stichfest machen. Ich jag ihn
auf. Her die Pike! Wenn ich was will, so geschiehts!
Hältst du meinen Blick aus? *Er reißt dem Pankraz seine Pike
aus der Hand.*

REKRUT *schreit auf*
Da fliegt ein Schlangenei! fliegts dir ins Gesicht, bist
blind auf ewig! Da fliegts! *Er deutet in die Luft* Wenn eine
menschliche Kreatur ins Blutschwitzen kommt, so erbarmen sich die Schlangen, sie werfen sich in die Luft in
einem Knäuel und gebären alle zusammen ein Ei, – das
macht die Blinden sehend und die Sehenden blind!
*Olivier wischt sich die Augen. Rekrut führt ihn sanft beiseite, nimmt
ihm die Pike aus der Hand und legt sie weg; dann kniet er nieder,
das Gesicht gegen das Gemäuer im Hintergrund.*

ANDREAS *tritt dicht an Olivier heran*
Ich warn dich, Gefreiter. Denk an die scharfe Instruk-
tion!

OLIVIER
Weiß von keiner.

ANDREAS

Da sind zehn verbotene Artikel.

OLIVIER

Wo kämen die her? Auf die pfeif ich!

ANDREAS

Auf die wird hier jedermänniglich vereidigt. Nicht auf zehn Schritt dem Gefangenen nahe. Kein Wort mit ihm, kein Wort über ihn, bei Leib und Leben.

OLIVIER

Den möcht ich sehen, der mich vereidigen kommt. Dem möchte ehender der rote Saft auslaufen.

PANKRAZ *ist hinzugetreten*

Die hat hier der Gouverneur erlassen, dem wir allesamt untergeben sind.

OLIVIER

Den Kerl hab ich nicht gesehen. Der kann mir den Buckel hinunterrutschen. Das ist eine Hofschranze. Ein gesalbter Lauskerl ist das. Er stinkt nach Muskat und Laussalbe, hab ich mir sagen lassen, und wäscht sich die Händ in einem silbernen Waschbecken.

PANKRAZ

Der hat das schleunige Recht. Dem ist Gewalt gegeben über unsere Hälse wie dem Schiffskapitän über seine Mannschaft.

OLIVIER

Gewalt gegeben! über alte Kaschbettler vielleicht, über solche Marodierer, die von der Muskete auf den Bettelnapf herabgekommen sind! Nicht über eine Person wie mich! Wo ist der Kerl? Ich will ihn sehen!

ANDREAS

Den siehst du nicht. Sobald er uns eine Ordre zu geben hat, läßt er dreimal »habt Acht« blasen, dann schickt er seinen Bedienten –

OLIVIER

Seinen Bedienten? an meine martialische Person? seinen rotzigen Bedienten! so will ich doch inner einem Monat dem Hofkerl sein silbernes Waschbecken um die Ohren

218

hauen! Ihn hängen will ich und mit seinem Bauchfett
meine Stiefel schmieren.

PANKRAZ
So ist es. Er läßt dreimal »habt Acht« blasen. Da! –
Drei Hornsignale hintereinander. Anton erscheint auf einer hölzer-
nen Brücke überm Vorwerk und schickt sich an herunterzukommen.
Die Soldaten außer Olivier verziehen sich. Olivier steht da, als be-
merkte er Anton nicht.

ANTON *tritt von hinten auf ihn zu*
Ist Er der neue Herr Wachkommandant?
Olivier schweigt.

ANTON
In hohem Auftrag!
Olivier gibt keine Antwort.

ANTON *nahe, in seinem Rücken, grüßt*
In hohem Auftrag seiner Exellenz! *Grüßt abermals.*
Olivier dreht sich halb um, mißt ihn mit einem verächtlichen Blick
von oben nach unten.

ANTON *grüßt abermals, sehr freundlich*
Dem Herrn Wachkommandanten einen guten Tag.
Olivier klopft seine Pfeife aus, ohne ihn zu beachten.

ANTON *grüßt wiederum*
In hohem Auftrag: der Herr zieh seine Wach hier ab und
besetz die Zugäng. Aber seine Wachposten sollen den
Rücken kehren und dabei alles im Aug behalten. Sie
sollen auf alles aufpassen und nicht hören. Es beküm-
mert ihn nicht, was hier vorgehen wird, aber ich sags
ihm: der Gefangene wird zur ärztlichen Visite vorgeführt.
Olivier pfeift was.

ANTON
Hat der Herr verstanden? Ich bitt den Herrn, daß er den
Befehl ausführ!
Olivier spuckt aus und geht weg.

ANTON *ihm nachsehend, grüßt*
Ein artlicher Herr! sehr ein artlicher junger Herr! Er
will mir danken, aber mich nicht in Verlegenheit setzen.
Ein freimütig soldatischer junger Herr! Mit dem einen
Moment beisammenstehen, ist wie mit einem anderen
eine Stund diskurieren.

Oliviers Stimme außerhalb: »*Wache antreten ! Wache rechts um !*«
Kurzer Trommelwirbel.

ARZT *kommt den gleichen Weg wie Anton auf die Bühne*
Wo find ich den Kranken?

ANTON
Der Herr will sagen: den Gefangenen. Gedulde sich der
Herr. Ich führ ihm die Kreatur heraus.

ARZT
Wo ist das Zimmer?

ANTON
Was für ein Zimmer?

ARZT
Nun, das Verlies, der Gewahrsam?

ANTON *deutet nach hinten*
Dort!

ARZT
Wie, dort? *Wendet sich hin.*

ANTON
Vor dem Herrn seiner Nasen, mit Respekt zu sagen.

ARZT
Ich sehe einen kleinen offenen Käfig, zu schlecht für
einen Hundezwinger. – Du willst mir nicht sagen, daß
er dort – oder hier ist ein Verbrechen begangen, das
zum Himmel schreit!
Anton zuckt die Achseln.

ARZT
Dort? Tag und Nacht?

ANTON
Winter und Sommer. Im Winter wird eine halbe Fuhr
Stroh zugeschmissen.

ARZT
Seit wie lange?

ANTON
Seit vier Jahren.
Arzt steht sprachlos.

ANTON
Vor vier Jahren ist alles verschärft worden. Von da ab
schläft er auch nachts im Zwinger da, hat keinen freien

Ausgang, die Füß an der Kette, eine schwere Kugel dran, die stinkende Wildschur am Leib, ob Sommer ob Winter, sieht die Sonn nicht mehr als im hohen Sommer zwei Stunden lang. *Man hört wieder die dumpfen Schläge, wie am Anfang.*

ARZT *streicht sich mit der Hand über die Stirn*
Wie verbringt er den Tag?

ANTON *zuckt die Achseln*
Mit Nichtstun. Wie ein Herr oder wie ein Hund. Schieb ich ihm die Nahrung hinein, so freut er sich. Ich red immer mit ihm! *Ängstlich schnell* Nur das Unumgängliche natürlich!

ARZT *tritt näher hin*
Mein Auge gewöhnt sich. Ich sehe ein Tier, das an der Erde kauert. *Tritt zurück.*

ANTON *sieht sich um*
Das ist schon das Betreffende!

ARZT
Das! – Ruf ihn. Führ ihn her vor mich.

ANTON
Ich darf vor keiner fremden Person mit ihm reden.

ARZT
Vor dem berufenen Arzt wird dirs erlaubt sein. Ich trage die Verantwortung.

ANTON
Sigismund! – Er gibt keine Antwort. – Achtung! Er leidet nicht, daß man ihn angeht. Er hat sich einmal mit einem Fuchs verbissen, den die Wächter ihm zur Kurzweil übers Gitter werfen taten.

ARZT
Kannst du ihn nicht rufen? nicht zureden? Ist er denn ohne Vernunft?

ANTON
Der? Kann Latein und wird mit einem dicken Buch fertig, wie wenns eine Speckseiten wäre. – Aber manchmal krampft sich ihm's Wort im Mund, und er bringts nicht heraus. Andere Zeiten ist er wie der Herr und ich.

Nähert sich dem Zwinger, sanft anrufend Komm der Sigismund! Wer wird denn da sein? Der gute Anton ist da.
Der Anton macht die Tür auf. *Er öffnet die Tür mit der Pike,
die an der Mauer gelegen hat* Da, jetzt leg ich meinen Stek-
ken weg. *Er legt die Pike auf die Erde* Jetzt sitz ich aufm
Boden. Jetzt schlaf ich. *Leise zum Arzt* Geb der Herr Achtung. Erschrecken darf er nicht, sonst wirds bös.

ARZT

Hat er denn eine Waffe?

ANTON

Immer einen Roßknochen. Sie müssen früher in dem
Winkel das Vieh verscharrt haben. — Es ist innerst eine
gute Kreatur, geb ihm der Herr was ein, daß er wieder
sanft wird.

ARZT

Wo die ganze Welt auf ihm liegt. Es ist alles zusammen-
hängend.

ANTON

Pst! er rührt sich. Er schaut die offene Tür an. Das ist
nichts Gewohntes! — *Gegen den Zwinger hin* Soll ich mich
legen? dann legst dich zu mir? Gemütlich!
*Sigismund tritt aus dem Zwinger hervor, in einer Hand einen gro-
ßen Stein.*

ANTON *winkt ihm*

Geh, da setz dich zu mir.

SIGISMUND *redet nach*

Setz dich zu mir!

ANTON *auf der Erde sitzend*

Ist ein Herr kommen.
Sigismund gewahrt den Arzt, zuckt zusammen.

ANTON

Nicht fürchten. Ein guter Herr. Ein feiner Herr. Was
denkt der Herr von dir? Leg den Stein weg. Er denkt, du
bist ein Kind. Bist aber zwanzig Jahr.
*Steht auf, geht langsam hin, windet ihm sanft den Stein aus der
Hand.*

ARZT

Sigismund, komm zu mir!
Sigismund schaut hin.

ANTON

Siehst dus? ein guter Herr! – *Leise* Seh der Herr seine
Augen. – *Laut* Der Herr wird dir helfen. Besseres Essen! eine Decken! Aber du mußt dein Gutes herzeigen.
Ein Kind nimmt sich zusammen, ein Hund nimmt sich
auch zusammen. Weißt noch: der Hund Tyras! *Zum Arzt,*
aber Sigismund hört zu Er war als Kind bei bäurischen
Leuten, recht guten Leuten, bis zum vierzehnten Jahr.
Herumgelaufen, gesprungen, geschossen mit der Armbrust! Das war ein gutes Leben! *Leise* Seht nicht starr
hin, er verträgt nicht den scharfen Blick, da wird er wie
Eisen. *Halblaut, ohne hinzusehen* Jetzt wird der Sigismund
auch sprechen. Alle werden wir miteinander diskurieren.
Mit Reden kommen die Leut zusammen. Hund reden
auch. Schaf auch: machen bäh!

SIGISMUND

– auch sprechen!

ANTON

Zum Toni wird der Sigismund sprechen. Denn heut ist
einmal 's Sprechen erlaubt.

SIGISMUND

– is Sprechen erlaubt?

ANTON

Und obs erlaubt ist! Befohlen ists! Vorwärts jetzt, wer
diskurieren will! *Haut sich auf die Knie* Haccus, Maccus,
Baccus, das sind drei heilige Wort! bewähren sich an jedem Ort! die heiligen sieben Planeten, die trösten uns in
allen Nöten! – Wird dir auch schon besser gehen.

ARZT *ohne den Blick von Sigismund zu verwenden*

Ein ungeheurer Frevel! Nicht auszudenken ist das.

ANTON

Gib Antwort! oder was soll der Herr denken? Der Herr
ist weit her kommen.

ARZT *tritt näher*

Möchtest du anderswo wohnen, Sigismund?

SIGISMUND *schaut zu ihm auf, dann wieder weg; spricht dann schnell*
vor sich hin, wie ein Kind

Vieher sind vielerlei, wollen alle los auf mich. Ich schrei:

Nicht zu nah! Asseln, Würmer, Kröten, Feldteufeln, Vipern! Sie wollen alle auf mich. Ich schlag sie tot, sinds erlöst, kommen harte schwarze Käfer, vergrabens.

ARZT
Rührende Stimme, noch halb kindisch. – Hol ein Licht, ich muß ihm ins Auge sehen.

ANTON
Ich laß den Herren nicht allein mit ihm, darfs nicht! *Ruft nach hinten* Einen Kienspan daher!
Arzt geht hin, legt Sigismund die Hand auf die Stirn. Hornsignal draußen.

ARZT
Was ist das?

ANTON
Es heißt, daß niemand herandarf, oder es wird scharf geschossen.

SIGISMUND *sehr schnell*
Deine Hand ist gut, hilf mir jetzt da! Wo haben sie mich hingetan? Bin ich jetzt in der Welt? wo ist die Welt?

ARZT
Die Grenze ist verwirrt zwischen innen und außen.

SIGISMUND *sieht ihn an mit verstehendem Ausdruck*
Ist alles durcheinander, blast ein Engel, bringt alles in Reih und Glied. – Schöne Hand, geschickte Hand! greift in Kotter hinein, greift untern Stein, zieht den Krebs hervor! schmeißt ihn in Topf, zündet 's Feuer an, wird der Krebs schön rot und die Fische schön blau!

ANTON
Was er einmal gehört hat, geht ihm nach. Vergißt nichts.

ARZT
Die ganze Welt ist gerade genug, unser Gemüt auszufüllen, wenn wir sie aus sicherem Haus durchs kleine Guckfenster ansehen! Aber wehe, wenn die Scheidewand zusammenfällt!
Ein Soldat kommt und bringt einen brennenden Kienspan.

ANTON
Da ist die Kienfackel! *Reichts dem Arzt.*

ARZT

Ich muß sein Auge sehen. *Drückt Sigismund, der an seinen Knien lehnt, sanft gegen sich und leuchtet ihm von oben ins Gesicht* Nichts von der Starrheit des Wahnsinns. Bei Gott, kein mörderisches Auge, nur ein unermeßlicher Abgrund. Seele und Qual ohne Ende. *Er gibt die Kienfackel zurück, Anton tritt sie aus.*

SIGISMUND

Licht ist gut. Geht herein, macht's Blut rein. Sterne sind solches Licht. In mir drin ist ein Stern. Meine Seele ist heilig.

ARZT

Es muß einmal ein Strahl in ihn gefallen sein, der das Tiefste geweckt hat. So hat man doppelt an ihm gefrevelt. *Julian, der Gouverneur, von einem Soldaten begleitet, der eine Laterne trägt, erscheint droben auf der hölzernen Brücke, sieht herab.*

ANTON

Seine Exzellenz sind selbst hier. Es wird gewinkt von oben. Da soll die Untersuchung zu Ende sein.

ARZT

Das bestimme ich. *Er fühlt Sigismund den Puls* Was gebt ihr ihm zu essen?

ANTON *leise*

Da täte der Herr nicht zufrieden sein. Leg der Herr ein Wort ein. Es ist für einen räudigen Hund zu gering.

ARZT

Ich bin zu Ende.

ANTON

Jetzt geht der Sigismund schön hinein.
Sigismund zuckt, kniet am Boden. Anton nimmt die Pike auf, öffnet ganz die Tür zum Zwinger. Sigismund bleibt auf den Knien, streckt die Hand aus.

ARZT *verhält sich die Augen*

O Mensch! o Mensch!
Sigismund stößt einen klagenden Laut aus.

ANTON

Sollen sie mit Stangen kommen, dich eintreiben?

ARZT

Ich bitte dich, geh für heute an deine Stätte. Ich ver-
spreche dir, daß ich tun werde, was ich vermag.
Sigismund steht auf, verneigt sich gegen den Arzt.

ARZT *vor sich*

O mehr als Würde in solcher Erniedrigung! das ist eine
fürstliche Kreatur, wenn je eine den Erdboden trat.
Sigismund ist in den Zwinger zurückgegangen.

ANTON *hat den Zwinger von außen verschlossen*

Der Herr erlaubt, daß ich vorangeh. Der Herr ist sogleich
droben im Turm erwartet. *Sie gehen hinauf.*

Vorhang.

Zweiter Auftritt

Gemach im Turm, eine größere, eine kleinere Tür. Julian, Anton.

JULIAN

Ist der Simon herein? Er soll gesehen worden sein. Sobald
er sich blicken läßt, wirds mir gemeldet.

ANTON *deutet hinter sich*

Der Herr Doktor.

JULIAN

Eintreten.
*Anton öffnet die kleine Tür. Der Arzt tritt ein, verneigt sich. An-
ton tritt ab.*

JULIAN

Ich bin dem Herrn für die beschwerliche Herreise sehr
verbunden.

ARZT

Eure Exzellenz hatten zu befehlen.

JULIAN *nach einer kleinen Pause*

Ihr habt die Person in Augenschein genommen?

ARZT

Mit Schrecken und Staunen.

JULIAN

Wie beurteilt Ihr den Fall?

ARZT

Als ein grausiges Verbrechen.

JULIAN

Ich frage nach dem ärztlichen Befund.

ARZT

Der Ausgang wird ergeben, ob man, unter anderem, den Arzt nicht zu spät gerufen hat.

JULIAN

Ich will nicht hoffen! Der Herr gebrauche seine gepriesene Überlegenheit. Es sollen keine Kosten gescheut werden.

ARZT

Vom Leib aus allein kann nur Pfuscherei den Leib heilen wollen. Es geht um mehr. Der ungeheure Frevel ist an der ganzen Menschheit begangen worden.

JULIAN

Darf ich um sachlichen Rat bitten?

ARZT

Hier wird mit Drogen und Pulvern nichts erzielt werden. Was die Medikamente nicht heilen, sagt Hippokrates, heilt das Eisen. Was das Eisen nicht heilt, heilt das Feuer.

JULIAN

Wie kommt der Herr zu solchen Divagationen? Es ist von einer einzelnen privaten Person die Rede, die unter meiner Obhut steht.

ARZT

Mitnichten. Hier wird, woferne Gott nicht Einhalt tut, die Majestät gemordet. An der Stelle, wo dieses Leben aus den Wurzeln gerissen wird, entsteht ein Wirbel, der uns alle mit sich reißt.

JULIAN *sieht ihn an*

Ihr nehmt Euch viel heraus. – Ihr seid eine berühmte Persönlichkeit. Die Fakultät feindet Euch an, aber das hat Euch nur noch mehr in Evidenz gebracht. Ihr habt ein großes Gefühl von Euch selbst.

ARZT

Eure Exzellenz ermangeln der Möglichkeit, sich die Vorstellung zu bilden, wie gering ich von mir selbst denke. Mein Ruhm ist vielfach Mißverständnis. Denen, die im Bodendunst gehen, scheint jede Fackel groß wie ein Kirchentor.

JULIAN *geht auf und ab, dann plötzlich vor dem Arzt stehenbleibend*
Gerade heraus! wen vermutet Ihr in dem Gefangenen? Antwortet ohne Scheu. Ich frage als Privatperson.

ARZT
Ihr möget als was immer fragen. Ich habe nur einerlei Rede: hier ist das höchste Geblüt in der erbärmlichsten Erniedrigung gehalten.

JULIAN
Da gibt der Herr Träumereien nach.

ARZT
Eure hochadelige Person allein, die sich hergibt zum Hüter und Kerkermeister eines Unbekannten —

JULIAN
Wir lassen mich aus dem Spiel. — Ich sehe, Ihr seid hergekommen in einer sonderbaren vorgefaßten Meinung.

ARZT
Ich schließe nichts aus der Nachricht, alles aus dem Eindruck. Dieses Wesen, vor dem ich da unten stand, bis an die Knöchel im Unrat, ist eine quinta essentia aus den höchsten irdischen Kräften. Diese Seele wird Euch dereinst zur Last gelegt, und Eure Schultern sind nicht stark genug, um eine diamantene Last zu tragen.

JULIAN
Ihr beliebt mit Phantasie zu reden, ohne Einblick in die Umstände. Ich bleibe in der Wirklichkeit, soweit das Staatsgeheimnis mir nicht den Mund verschließt. Das in Rede stehende junge Mannsbild war ein Opfer von Koinzidenzien. Ich habe gesänftigt, was an mir lag. Ohne mich wäre es kaum am Leben.

ARZT
Es wäre am Leben, so ohne Euch, als ohne mich, und wenn seine Stunde kommt, wird er hervorgehen und unser Herr sein. Das ist der Sinn der Koinzidenzia. *Es klopft.*

JULIAN

Ich wünsche mich mit Euch noch zu unterhalten. Vor allem über das, was zu tun ist. Der Gefangene, ich gebe es zu, war vernachlässigt. Ihr werdet mir einschneidende Maßregeln vorschlagen.

Arzt neigt sich. Anton ist eingetreten, mit Bechern auf einer silbernen Platte.

JULIAN

Im Augenblick bin ich behindert. – Man hat für Euch im Nebenzimmer einen kleinen Imbiß aufgetragen; ein Happen Fleisch, eh Ihr in Sattel steigt. Es ist angeordnet, daß zwei von meinen Leuten mit Euch reiten und Euch vor Nacht aus dem Gebirg auf die königliche Straße bringen.

Anton auf einen Wink tritt heran, mit den Bechern.

JULIAN *ergreift einen Becher*

Einen Satteltrunk, darf ich bitten. Meinen Dank nochmals, für die Hingabe kostbarer Zeit. Ich tue Bescheid.

ARZT *nachdem er getrunken*

Aber nur mit dem Rand der Lippen.

JULIAN

Es nimmt mir neuerdings den Schlaf. Es muß so gut ein Gift in dem edlen Getränk liegen als ein . . . . *Er wendet sich zu Anton, sie reden heimlich.*

ARZT

Al-kohol: das Edelste. Im Innern unserer Muskulatur auftretend im gleichen Augenblick wo, vierundzwanzig Stunden nach dem Tod, Verwesung ihren ersten Hauch tut. Aus dem Heillosen die Kräfte der Heilung. Das ist encheiresin naturae.

ANTON *meldet halblaut*

Der getaufte Simon ist herein, mit einem Brief für Euer Gnaden.

JULIAN

Her mit ihm.

ANTON

Ist schon da. *Läßt Simon zur größeren Tür eintreten. Arzt ist mit einer Verneigung zur kleinen abgetreten.*
Simon überreicht Julian einen Brief.

JULIAN

Auf welchem Weg empfangen?

SIMON

In der bewußten Weise durch die bewußte Person. Es
ist hinzugefügt worden, ich soll mich beeilen: es ist wichtig für seine Gnaden.

*Julian erbricht hastig den Brief, winkt Simon abzutreten. Simon
geht ab.*

JULIAN *liest den Brief*

– Des Königs Neffe auf der Jagd gestorben! Mit dem
Pferd in eine Wolfsgrube gestürzt! – Das ist ungeheuer.
Der zwanzigjährige baumstarke junge Fürst. Das ist Gottes sichtbare Fügung! *Tritt hin und her, liest dann weiter*
Der König allein, zum erstenmal allein, zum erstenmal
seit dreißig Jahren verlassen vom allgewaltigen Berater.
Liest Der Großalmosenier, dein mächtiger unbeug-
samer Feind, ist ins Kloster, ohne Abschied vom König –
er hat seine Hand aus den Geschäften gezogen, für immer – – *Spricht* Ich träume! es kann nicht möglich sein,
daß so viel auf dem kleinen Fetzen Papier steht! *Tritt ans
Fenster ins Helle, liest wieder* – in eine Wolfsgrube gestürzt –
– der Großalmosenier ist in ein Kloster – alle Würden
abgetan – unter dem Namen: Bruder Ignatius – – *Er läutet mit einer Handglocke.*
Simon herein.

JULIAN

Ich habe da überraschende Nachrichten. Es sind große
Dinge vorgegangen. – Was gibts in der Welt? Was reden
die Leute?

SIMON

Die Welt, gnädigster Herr Burggraf Exzellenz, die Welt
ist ein einziger Jammer. Sobald man mit Geld nix mehr
kaufen kann – nu, kauft das Geld was? Was is Geld?
Geld is Zutrauen zum vollen Gewicht. Wo is ein lötiger
Taler? Hat einer an lötigen Taler gesehen, hat er ge-
mußt machen ä große Reis.

JULIAN *zu Anton*

Den Schlüssel!

ANTON

Die Exzellenz hat ihn in der Hand. –

JULIAN
  Den andern!

ANTON
  Da liegt er vor Augen.

SIMON
  Hat der Krieg angefangen, is gezahlt worden mit silberne Taler der Soldat, der Lieferant. Is der Krieg ins
  zweite Jahr gegangen, war der Taler ä Mischung, im
  dritten Jahr war das Silber ä versilbertes Kupfer. Aber
  genommen habens die Leut. Hat der König erkennt,
  man kann machen Geld, wenn man sein Gesicht und
  Wappen prägt auf Zinn, auf Blech, auf Dreck. Haben
  die großen Herren erkennt, haben die Stadtbürger erkennt, haben die kleinen Herren erkennt. Macht der
  König Geld, machen die Grafen Geld, wer macht nicht
  Geld? Bis alles geschwommen is in Geld.
  Julian hat wieder die Augen auf dem Brief.

SIMON
  Aber wer hergegeben hat schweres Geld, soll der nehmen leichtes? Wie denn nicht! Steht doch dem König *Er*
  nimmt die Kappe ab sein landesherrliches Bildnis darauf.
  Aber für Abgab und Steuern wird das neue Geld verboten! Und die Soldaten und die Bergleut sollen nehmen
  das leichte Geld? Was tut sich? Die Bergleut fahren nicht
  mehr in Berg, die Bäcker backen nicht mehr; der Arzt
  lauft vom Krankenbett, der Student von der Schul, der
  Soldat von der Fahn. Dem König sein Zutrauen is dahin.
  Dann is in der ganzen Welt nix geheuer. *Auf einen Blick*
  Julians Was die Leut reden? Von ä großen Strick reden
  sie, so lang wie von da bis Krakau, der wird, sagen sie,
  schon eingeseift jede Nacht, – aber was brauch ich seiner
  Gnaden Exzellenz zu erzählen? Wenn heut am Abend
  einer der größten Herren vom Hof wird hierher zu reiten gekommen sein, wird er bereden mit Euer Gnaden
  Exzellenz die Staats- und politischen Sachen –

JULIAN *stutzt*
  Wer wird gekommen sein zu reiten hierher? Was ist das?

SIMON
  Der gnädige Herr Großwoiwod von Lublin, mit einer

Gesellschaft von mindestens fünfzig, darunter Edelpagen und Hartschierer, den ich hab hinter mir gelassen um zwei, drei Stunden. — Euer Gnaden Exzellenz schaut auf mich, als wenn ich aus dem Mund brächt eine Überraschung, wo doch Euer Gnaden halten in Händen die Briefschaft, wo es muß geschrieben stehen schwarz auf weiß.

JULIAN

Es ist gut. Hinauslassen.

Simon ab. Anton zurück.

JULIAN

Anton! Der stolzeste größte Woiwod am ganzen Hof! Geschickt an mich! Vom Herren selber geschickt an mich! Du! sie machen die Leiche lebendig! Ich — ich — hörst du? was schneidest du für ein Gesicht?

ANTON

Kann ich mir vielleicht nicht denken, was da in Ihnen vorgeht! Das bedeutet doch nicht mehr und nicht weniger, als daß man Sie zurückholt an den Hof, daß man Ihnen aufdrängt die Ehren, soll heißen die Beschweren, die Würden, soll heißen die Bürden, die Vertrauensstellen, die Sinekuren und Sekkaturen, alles das, wovor Ihnen graust, wie dem Kind vor der bitteren Medizin!

JULIAN

Es wird nicht wahr sein. — Mein Gott, wenn es wahr wäre!

ANTON

O du mein Heiland! wie echappieren wir jetzt! wie kommen wir aus? Da ist guter Rat teuer. Wenn sich Euer Gnaden krank stellen täten? Ich mach das Bett auf!

JULIAN

Was redest du da?

ANTON

Weiß ich denn nicht, was Ihnen bevorsteht? und weiß ich denn nicht, wie Sie darüber gesonnen sind? — Wenn Euer Gnaden in Wald verreiten täten?

JULIAN

Schweig das Gewäsch! Das getäfelte Zimmer wird eingerichtet für seine Erlaucht den Woiwoden. Mein eigenes

Bett hinein. Aus meinem besten Reitpelz die Marderfelle
heraustrennen und eine Fußdecke daraus vors Bett für
seine Erlaucht.

ANTON

Daß er nur in Gottesnamen die Füß bald wieder wo anders hinsetzt!

JULIAN

Die schöne venezianische Spitze von meiner Mutter her,
wo ist die?

ANTON

In der Kapellen doch, aufm Altar.

JULIAN

Abnehmen von dort. Dem Herrn Woiwoden auf den
Nachttisch, zur Unterlag für den Becher mit dem Abend-
trunk.

ANTON

Recht! Alles, daß wir nur recht bald Valet trinken mit
ihm. Daß wir ihn nur bald wieder los sind!
Julian ringt nach Fassung.

ANTON *sieht ihn von der Seite an*

Muß ein glorioses Gefühl sein, wenn man weiß: meiner
bin ich sicher! Komm her, Satanas, breits aus vor mir,
die Herrlichkeit, wie einen Teppich — und jetzt hebs
schnell wieder weg, sonst spuck ich dir drauf, denn das
hab ich überwunden.

JULIAN

Das Maul halten mit der Fastenpredigt, der unpassenden!
— Den Hostiniuk hinauf aufs Vorwerk!

ANTON

Den Trompeter?

JULIAN

Sobald er die Kavalkade gewahr wird, ein Signal! eines!
ihm einschärfen: sobald es gewöhnliche Reiter sind. Ists
aber eine fürstliche Kavalkade, — *Er muß sich vor Erregung an
den Tisch halten.*

ANTON

Dann?

JULIAN

Dann drei Stöß nacheinander wie vor dem König! –
Was glotzt du so auf mich? Soll ich –

ANTON

Ich sag schon nichts. Aber es klopft an der Tür. *Geht hin*
Der Herr Doktor haben abgegessen und bitten aufwar-
ten zu dürfen. – Soll er?

JULIAN

Laß eintreten. Und dann fort, alles ausführen.
Arzt ist eingetreten, er trägt einen Zettel in der Hand. Anton geht ab.

ARZT *vor Julian stehenbleibend, der in Gedanken verloren dasteht*
Ich finde Eure Exzellenz verwandelt.

JULIAN

Ihr seid ein scharfer Physiognomiker. – Was seht Ihr
in meinem Gesicht?

ARZT

Eine gewaltige hoffnungsvolle Erregung. Weite Anstal-
ten! Große Anstalten! ein ganzes Reich umspannend.
Euer Gnaden sind aus einem heroischen Stoff gebildet.
Julian muß lächeln, unterdrückt aber das Lächeln sogleich.

ARZT

Aber – ich muß es in einem Atem aussprechen: die
Quelle selber ist getrübt. Die tiefste Wurzel ist angenagt.
In furchtbarem Schlangenkampf ringen Gut und Böse
in diesen gebieterischen Mienen.

JULIAN

Gebt meinem Puls mehr Stetigkeit, das ist alles, was ich
brauche. Mir stehen große Aufregungen bevor. – Ich
brauche andere Nächte. *Schließt die Augen, schlägt sie schnell
wieder auf.*

ARZT *den Blick auf ihm*
Euer Puls geht nicht gut, und doch – ich verbürge es –
ist der Herzmuskel kraftvoll. Aber Ihr verleugnet Euer
Herz. Herz und Hirn müßten eins sein. Ihr aber habt in
die satanische Trennung gewilligt, die edlen Eingeweide
unterdrückt. Davon diese bitter gekräuselten Lippen,
diese Hände, die sich Weib und Kind zu berühren ver-
sagen.

234

JULIAN *nickt*

Furchtbar einsam waren meine Jahre.

ARZT

Furchtbar, aber gewollt. Was Ihr suchet, ist schärfere
Wollust: Herrschaft, unbedingte Gewalt des Befehlens.
Julian sieht ihn an.

ARZT

Der Gang zeigt mir heroischen Ehrgeiz, in den Hüften
verhalten von ohnmächtigem, gigantisch mit sich zer-
fallenem Willen. Eure Nächte sind wütendes Begehren,
ohnmächtiges Trachten. Eure Tage sind Langeweile,
Selbstverzehrung, Zweifel am Höchsten – die Flügel der
Seele eingeschnürt in Ketten!

JULIAN

Ihr kommt einem nahe! zu nahe!

ARZT

Auf das Übel hinzuweisen, dort wo ich es gewahre, ist
mir gegeben. Die Verschuldung an diesem Jüngling, das
ungeheure Verbrechen, die Komplizität, die Miteinwil-
ligung: alles steht in Eurem Gesicht geschrieben.

JULIAN

Genug. Der Herr redet ohne die Dinge zu kennen.
*Geht an die Wand, läßt ein Fach aufspringen, nimmt ein Blatt
heraus, daran ein Siegel hängt* Ich habe ihm das Leben
gerettet, mehr als einmal. Die größte Härte war anbefohlen, ohne Erbarmen. Er sollte verschwinden, ausge-
tilgt sein. Man mißtraute mir. Ich hatte ihn zu gutherzi-
gen Bauern gegeben. Es wurde imputiert, ich hätte ehr-
geizige Pläne auf das Weiterleben des Gefangenen gesetzt.

ARZT

Ich verstehe.

JULIAN

Ich beließ ihn in einem menschenwürdigen Kerker mit
Fenstern. – Durch das Fenster fiel ein Schuß in der er-
sten Nacht und streifte ihn am Hals, ein zweiter gegen
Morgen und ging ihm zwischen Arm und Brust hindurch.
– Ohne mich wäre er erwürgt. – Ich wünsche nicht von

Euch verkannt zu werden. *Er hält ihm das Blatt hin* Der
Herr sieht! das allerhöchste Siegel. Die eigenhändige
Unterschrift der höchsten Person. – Ich gehe sehr weit
mit Euch.

ARZT *liest aus dem Blatt*

» Überführt eines geplanten Attentates auf die geheiligte
Majestät – « – Dieser Knabe! – Die Schrift ist neun Jahre
alt. Damals war er ein Kind!

JULIAN

Sterne haben bevor er geboren war auf ihn gewiesen,
wie mit blutigem Finger. Das Verkündete traf ein,
punktweise, ihn gräßlich zu bestätigen, als den der außerhalb der menschlichen Gemeinschaft steht. Er war überführt, ehe seine Lippen ein Wort bilden konnten.

ARZT *hebt die Hände zum Himmel*

Überführt!

JULIAN

Des Majestätsverbrechens. – Was vermag ich! *Schließt das
Blatt ein.*

ARZT *nimmt einen Zettel aus dem Gürtel*

Ich hatte im währenden Essen aufgeschrieben, was ich
fürs Unerläßlichste hielt. Ein menschenwürdiger Gewahrsam, der Sonne zu, eine reine Nahrung, der Zu-
spruch eines Priesters.

JULIAN

Gebt her.

ARZT

Nein, es ist zu wenig, ich zerreiße es. *Er tuts* Nur Wie-
dergeburt heilt einen so Zerrütteten. Man führe ihn in
seines Vaters Haus zurück, nicht übers Jahr, nicht über
einen Monat, sondern morgen zu Nacht!

JULIAN

Ihr wißt nicht, was Ihr sagt.

ARZT

Ich kann, ich vermag, ich bin, – diese Medizin flößt ihm
ein; dann ladet die Welt auf seine Schultern: er wird sie
tragen!

JULIAN

Ich müßte einen Tag lang mit Euch sprechen, und mir ist die Lippe versiegelt wie die Hand gebunden. Ich hab Euch schon mehr vertraut als irgendwem!

ARZT

Eure Rettung geht durch seine, oder Ihr versinkt in dem Wirbel; es hängt alles an einer Kette.

JULIAN

Ich bin ein Instrument, weiter nichts.

ARZT

So spricht der Leib: aber der Geist kennt seine Schuld.
Julian auf und nieder.

ARZT

Sie haben geschaltet mit Gottes Geschöpf. Sie haben sich an Gott unmittelbar vergangen.

JULIAN

Und wenn es ein Dämon und Teufel ist, vorwitziger Mann? Ein Aufrührer gegen Gott und die Welt! Da!
Er horcht. Trompeten in der Ferne.

JULIAN *schließt erblassend die Augen*

Der Herr ist zu auskultieren gewohnt und hat ein scharfes Ohr. Darf ich fragen, ob ich richtig gehört habe?

ARZT

Drei Trompetenstöße in großer Entfernung.
Julian schlägt die Augen wieder auf, atmet tief auf.

ARZT

Jetzt habt Ihr im Nu einen kühnen und furchtbaren Gedanken ausgeboren. – Euer Gesicht flackert. Verratet ihn nicht! Lasset diese Trompeter nicht sein wie das dreimalige Krähen des Hahnes. Verratet nicht um der Heiden willen den, der in Eure Hand gegeben ist.

JULIAN

Ich sehe wie durch plötzliche Erleuchtung die Möglichkeit einer Probe.

ARZT

Wodurch man den Unglücklichen retten könnte?

JULIAN

Ich halte für möglich, daß vieles wird in meine Hand gegeben werden. Der Herr ist imstande, einen sicher wirkenden gewaltigen Schlaftrunk —?

ARZT

Darf ich fragen —

JULIAN

Ich würde einen Reitenden darum schicken.

ARZT

Errate ich? Ihr wollt den Bewußtlosen in eine andere Umgebung schaffen. Ihm gewisse Personen vor Augen bringen?

JULIAN

Wir wollen kein Wort zu viel aussprechen. Ich spiele noch in diesem Augenblick um meinen Kopf, wofern ich zu weit gehe.

ARZT

Und wenn er die Probe nicht besteht? — Wenn er mißfällt — wenn die Begegnung — mich schauderts. Was wird aus ihm?

JULIAN

Dann wird es — vielleicht — gelingen, ihm das gleiche Leben zu fristen, das er bisher geführt hat.

ARZT

Dazu biete ich nicht die Hand. *Tritt zurück* Es hieße ein Geschöpf Gottes in den Wahnsinn treiben.

JULIAN

Einen andern Ausweg gibt es nicht. Ich gebe Euch eine halbe Minute Bedenkzeit. Überlegt Euchs.

ARZT *nach einigen Sekunden*

Der Reitende kann den Schlaftrunk morgen nacht bei mir abholen. — Die Dosis ist streng bemessen. Euer Exzellenz schwöre mir, daß der Gefangene den Schlaftrunk aus keiner anderen Hand —

JULIAN

Aus meiner eigenen Hand. Wofern ich die Zulassung zur Probe bewirken kann. Das steht bei höheren Personen.

Er zittert, läutet mit der Handglocke.

ARZT
    Ich bin entlassen?

JULIAN
    Mit der Bitte, diese geringfügige Entlohnung anzuneh-
    men *Reicht ihm eine Börse* und dazu diesen Ring als ein
    Andenken. *Zieht den Ring vom Finger, reicht ihn hin, die Hand
    zittert ihm dabei heftig.*

ARZT
    Euer Gnaden belohnen fürstlich. *Neigt sich, zieht sich zurück.
    Anton zur andern Tür herein, einen schönen Überrock auf dem Arm
    und Schuhe. Er hilft Julian das Hausgewand ausziehen, den schönen
    Rock anziehen.*

JULIAN
    Wie nahe sind sie?

ANTON
    Die Kosaken, die vorausreiten, traben über die zweite
    Brücke.

JULIAN
    Ich habe einen einzelnen Reiter heransprengen sehen.

ANTON
    Ja, ja. *Nestelt das Gewand zu.*

JULIAN
    Ein Vorreiter, ein Kurier? was?

ANTON
    Ich sags nicht, es täte Sie ärgern. Ein aufgeblasener Kerl!

JULIAN
    Es handelt sich um mich? Was will man von mir?

ANTON
    Daß sie ein königliches Handschreiben bringen, das
    steigt so einem Stallputzer in die Nase. Soll der König
    nicht auch einmal einen Brief schreiben? Hat er keine
    Hände?

JULIAN
    Gerichtet an mich? An meine Person? *Er muß sich setzen.*

239

ANTON *zieht ihm die Schuhe an*

Ich hab ja gewußt, es wird Ihnen unangenehm sein. –
Aber daß es Sie so grausam angreift –
Julian sagt nichts.

ANTON

Wie wird man sich jetzt herauswinden? Wo die obendrein
ein Reitpferd für Sie mitgebracht haben! Was soll man
da vorschützen?

JULIAN

Ein Reitpferd?

ANTON

Mit Schabracken aus Silberstück und silbernen Zäumen.
Damit Sie morgen mit dem Frühesten aufsitzen und an
Hof reiten.

JULIAN *atmet fliegend*

Sind meine Leute aufgestellt?

ANTON

Spalier. *Bindet ihm die Schuhe.*

JULIAN

Du voraus ans Tor mit dem Leuchter.

ANTON

Sind ja die Kienfackeln an der Treppe. Wer wird sich
strapazieren für Leute, die einem nur Unerwünschtes
ins Haus bringen!

JULIAN

Angezündet! Kniest nieder am untersten Treppenabsatz.
Wenn seine Erlaucht der Woiwod an dir vorbei ist,
springst ihm vor, leuchtest die Treppe hinan. Ich geh
ihm entgegen, vom obersten Absatz drei Stufen, keinen
Schritt mehr.

ANTON *zündet an*

So recht. Er soll verstehen, daß wir auf ihn nicht gewartet haben, die neunzehn Jahr lang.

Vorhang.

Der zweite Aufzug

Erster Auftritt

Kreuzgang im Kloster. Im Hintergrund die Eingangspforte. Zur Rechten Eingang ins Klosterinnere. – Pförtner schließt hinten auf. König Basilius und Höflinge treten ein. Ein Bettler kommt hinter ihnen herein.

KÖNIG
Ist dies der Ort, wo der Bruder Ignatius die empfängt,
die mit einem Anliegen zu ihm kommen?

PFÖRTNER
Hier stellt euch hin und wartet alle.

JUNGER KÄMMERER
Vorwärts du, und melde, wie ich dir sagen werde.

PFÖRTNER
Ich darf nicht melden. Das ist nicht meines Amtes.
Meines Amtes ist Aufschließen, Zuschließen.

JUNGER KÄMMERER
Weißt du, wer vor dir steht?

PFÖRTNER
Weiß nicht. Darfs nicht wissen. Ist nicht meines Amtes,
Diesen kenne ich. *Weist auf den Bettler, tritt zu diesem* Stell
dich daher. Daß er dich sieht. Er wird sich freuen, daß
du wiedergekommen bist.
Bettler stellt sich schweigend abseits.

JUNGER KÄMMERER
Hier steht die Majestät von Polen, unser aller König und
Herr! Hörst du mich, Torwart?

KÖNIG
Laß. – Dies ist ein schwerer Gang. Ich will die Vettern,
die ihn mit mir getan haben, über alle Woiwoden, Palatine und Ordinaten erhöhen. *Die Höflinge neigen sich.*
*Junger Bruder tritt von rechts heraus; schön, leise, mit einem be-
ständigen Lächeln. Kämmerer tritt hin, redet leise mit ihm.*

JUNGER BRUDER *sieht auf den König, tritt dann auf den König und
auf die Höflinge zu, neigt sich ein wenig*
Mir geziemt nicht, die Namen zu kennen. Ich habe ihm

241

zu melden: es ist ein Mann da, in großer Not – oder: es ist ein Weib mit ihren Söhnen von dort und dort – oder: es ist ein Kranker da und bittet um deinen Segen. *Neigt sich, tritt nach der andern Seite.*

HÖFLINGE *unter sich, halblaut*
Ist das erhört! der hochmütige, satanische Gleisner! ist solches erlebt worden!

JUNGER BRUDER *lächelt*
Seiet leise!

KÖNIG
Schläft er so früh am Tag, daß man ihn nicht stören darf?

JUNGER BRUDER
Gegen Morgen, wenn die Sterne bleich werden, erst dann schläft er ein, in seinem hölzernen Sarg, und wenn die Vögel sich rühren, ist er wieder wach. *Tritt zum Bettler, der betet, das Gesicht in den Händen* Was begehrst du?
Bettler regt sich nicht.

PFÖRTNER
Es ist der ohne Namen, der herumzieht von einer heiligen Stätte zur andern und Winter und Sommer übernachtet auf den steinernen Stufen der Kirchen. Er hat schon einmal mit ihm gesprochen. Er hat zu ihm gesagt: Bist du denn der wiedererstandene heilige Hilarius, oder der auf die Welt zurückgekehrte selige Abt Makarion?

BETTLER *nimmt die Hand von den Augen und man sieht, daß eines seiner Augen ausgestochen ist.*
Unwert!

PFÖRTNER
Jetzt kommt er von der heiligen Jungfrau auf dem weißen Berge. Verlaufene Soldaten, wie es jetzt überall gibt, wollten in die Kirche einbrechen und das schwarze Bild stehlen, das leuchtet von Edelsteinen stärker als eine Lampe. Er lag auf der Schwelle, sie stießen an ihn, da schrie er, und die Mönche konnten die Kirche verrammeln und es abwehren. Dafür schlugen ihn die Soldaten so lange, bis sie ihn für tot hielten. Ein Auge haben sie ihm auch ausgeschlagen. Er aber hat ihnen vergeben und betet für sie.

BETTLER
Unwert! *Stellt sich hinter die Höflinge.*

PFÖRTNER
Die Hellebarde ist aus der Hand des Wächters genommen und in die Hand des Räubers gegeben. Was soll da aus uns werden?

JUNGER BRUDER *lächelt*
Das schützende Kleid ist hinweggenommen, so sind wir nackend, wie es sich geziemt zur Züchtigung.

KÖNIG
Melde! melde, es ist einer da, Basilius, und in großer Not, und sein Anliegen ist dringend.

JUNGER BRUDER *neigt sich*
Er wird bald kommen. Gedulde sich die Herrschaft. *Geht rechts hinein; ein dumpfer Gesang wird hörbar: Tu reliquisti me — et extendam manum meam et interficiam te!*

KÖNIG *tut einen Schritt vor, sieht nach oben*
Heut ist Sankt Ägydi-Tag: da geht der Hirsch in die Brunft. — Ein schöner, heller Abend: die Elstern fliegen paarweise vom Nest ohne Furcht für ihre Jungen, und der Fischer freut sich: sie laichen bald, aber sie sind noch begierig und springen im frühen nebligen Mondschein, ehe es noch Nacht ist. Es bleibt lange noch schußlicht, zwischen dem Fluß und dem Wald, und groß und fürstlich tritt der Hirsch aus dem Holz, und löst die Lippen, daß es scheint als ob er lache, und schreit machtvoll, daß die Tiere im Jungholz ihre zitternden Flanken aneinanderdrücken vor Schreck und Verlangen. — Wir waren wie er und haben majestätische Tage genossen, ehe das Wetter umschlug, und den schönen Weibern lösten sich die Knie beim Laut unseres Kommens, und wo wir beliebten einzutreten, da beschien der silberne Leuchter oder der rosige Kienspan die Vermählung Jupiters mit der Nymphe. *Er stützt sich auf den jungen Kämmerer* Und diesem schien kein Ende gesetzt, denn unsere Kräfte waren fürstlich. — Nun aber ist seit Jahr und Tag die Hölle los gegen uns, und es lauert eine Verschwörung gegen unser Glück unter unseren Füßen und über unseren Haaren, die sich sträuben, und wir können die Rädelsführer nicht greifen.

Wir wollen dahin und dorthin, und unsere Gewalt befestigen, und es ist wie wenn der Boden weich würde und unsere marmornen Schenkel ins Leere sänken. Die Mauern wanken von den Grundfesten aus, und unser Weg ist ins Nicht-mehr-gangbare geraten.

EINER DER HÖFLINGE, *ein Greis, tritt neben ihn*
Es ist ein Ding, das kauft die anderen Dinge, und so ist es der König über die Dinge: darum ist ihm dein Gesicht aufgeprägt und dein königliches Wappen und die Leute lieben es und nennen es: das gute Geld. Aber wo ist das gute Geld hin? Wie ist es aus dem Lande hinausgelaufen und mit ihm der Gehorsam? Denn wo kein Lohn ist, da ist keine Ehrfurcht; und wo keine Ehrfurcht, da ist kein Gehorsam.

EIN ANDERER
Das haben die feisten Bürger in den Städten verschuldet, die Pfeffersäcke und Wollkratzer und Leimsieder, die aus dem Krieg Nutzen gezogen haben, nicht zehn für hundert, nein hundert für zehn, und über alles die Juden, diese stinkenden Vampyre: sie haben dem Land das Mark aus den Knochen geschlürft. Sie haben aus dem Geld das Silber herausgezogen und in unseren Händen das rote stinkige Kupfer gelassen, dessen gleichen sie als Haar auf den Köpfen tragen, die Judasse!

EIN DRITTER *tritt von hinten hinzu*
Sie liegen auf königlichen Schuldverschreibungen, wie auf Gansdaunen, ihr stinkender Fuchsbau ist tapeziert mit Pfandscheinen von Grafen und Bannerherren — und wenn du ihrer zehntausend in deine Hände nimmst, über die du einen eisernen Handschuh gezogen hast, und pressest sie in deiner Hand, bis sie ausgepreßt sind, so wird Blut und Schweiß auf die Erde fließen, und die Äcker werden wieder fruchtbar werden und aus den Ähren wird das Gold und Silber fallen auf die polnische Erde.

DER ZWEITE
Lasse die Königliche Majestät uns reiten mit unseren getreuen adeligen Vasallen gegen die Juden und Judenknecht, die hinter Pfählen sitzen, gegen Aufrührer, entlaufene Mönch, entsprungene Schullehrer und in sie

arbeiten mit soviel Schwertern, Piken, Kolben, als noch
in unseren fürstlichen Händen verblieben sind – ehe es
zu spät wird.

KÖNIG

Ich kann das Geschmeiß nicht greifen. Ich reite an: sie
sind Bettler. Aus abgedeckten Hütten kriechen sie mir
entgegen und recken abgezehrte Arme gegen mich. Die
Wälder, in denen ich jage, sind voller Bettler: sie fressen
die Rinde von den Bäumen und stopfen sich die Bäuche
mit Klumpen Erde. *Er schaut vor sich, der Kopf fällt ihm nachdenklich auf die Brust* Auch dies war in der Prophezeiung:
es waren Dinge in der Prophezeiung, die kein Mensch
für möglich gehalten hätte, und sie fangen an, möglich
zu erscheinen! Es waren Greuel darin, von denen jeder
gesagt hätte, daß sie nur könnten bildlich gemeint sein,
und sie fangen an im wörtlichen Verstande einzutreffen.

Der Hunger ist in der Prophezeiung; die Seuche ist in
der Prophezeiung; die Finsternis, erleuchtet von brennenden Dörfern – der Soldat, der die Fahn abreißt und
seinem Oberen die Pferdehalfter ums Maul schlägt, der
Bauer, der vom Pflug läuft und seine Sense umnagelt zur
blutigen Pike, die Kometen, die Erde, die sich spaltet,
die Haufen herrenloser Hunde, die Raben, kreisend
Tag und Nacht überm blachen Feld – es ist alles in der
Prophezeiung. *Leise für sich* Ich habe das Pergament mit
eigenen Händen verbrannt bei verriegelten Türen, aber
die Zeilen, wie ich sie habe sich abkräuseln sehen in
Zunder, so brennen sie auf in meiner Brust unter der
Herzgrube, ob ich lieg oder geh oder stehe. *Er seufzt tief
auf, der andern vergessend* Nun kommen die Hauptstück:
daß die Sonn ausgeht am hellen Tag über einer großen
Stadt – nein! zuvor geschieht, daß die Rebellion ihre
Fahne bekommt: das ist ein Bündel klirrender, zerrissener
Ketten an einer blutigen Stange, und der, dem sie voran-
getragen wird, das ist mein leiblicher Sohn, mein einziges Kind, den ich gewonnen habe in rechtmäßiger Ehe
– und sein Gesicht ist wie eines Teufels Gesicht wieder-
geboren aus dem höllischen Feuer, und er ruht nicht, bis
er mich findet und seinen Fuß auf mein Genick setzt. –
So prophezeit! wörtlich! da! punktweise geschrieben,
wie ich es spreche! *Er stöhnt und besinnt sich dann, blickt zu-*

rück auf sein Gefolge Ich bin sehr krank, meine Getreuen! Ich hoffe, ihr habt mich zu einem Arzt begleitet, der mir helfen kann.

DER ALTE HÖFLING *dicht bei seinem Ohr*

Entsinne sich mein gnädiger Herr der Schärfe des Blickes, dem im Staatsrat der verschlungenste Knoten sich löste — *Der Großalmosenier wird von rechts herausgeführt. Zwei Mönche stützen ihn. Der junge Mönch von früher schreitet daneben, ein aufgeschlagenes Buch in der Hand; ein Laienbruder folgt, der einen Faltstuhl trägt. Sie stellen den Faltstuhl hin und lassen den Großalmosenier drauf nieder. Er ist ein neunzigjähriger Greis; seine Hände und sein Gesicht sind gelblich weiß, wie Elfenbein. Die Augen hält er meist geschlossen, doch wenn er sie öffnet, so vermag ihr Blick noch Schreck und Ehrfurcht zu verbreiten. Er trägt das Habit der einfachen Mönche. Alle sind von seinem Eintreten an still. Der Gesang wird deutlich hörbar: eine einzige drohende Stimme:*

Ecce ego suscitabo super Babylonem
quasi ventum pestilentem. Et mittam in
Babyloniam ventilatores et ventilabunt eam
et demolientur terram eius.

GROSSALMOSENIER *mit halbgeöffneten Augen*

Hier ist, was sie das Licht des Tages nennen. Eine fahle Finsternis. Lies aus dem Guevara. Hier ist ein Blumengarten — ein Gallert, bunt und stickig. *Er schließt die Augen.*

CHOR

Et demolientur terram eius!
Et cadent interfecti in terra Chaldaeorum.

JUNGER BRUDER *liest aus dem Buch*

Fahr hin Welt, denn auf dich ist kein Verlaß, dir ist nicht zu trauen; in deinem Haus weset das Vergangene nur mehr als ein Gespenst, das Gegenwärtige zergeht uns als ein morscher und giftiger Pilz unter den Händen, das Zukünftige pochet immer an als eine Räuberfaust um Mitternacht, und in hundert Jahren schenkst du uns kaum eine Stunde wahrhaftigen Lebens.

GROSSALMOSENIER

Nicht eine Stunde wahrhaftigen Lebens! *Er schlägt die Augen auf, gewahrt den Bettler, winkt ihm lebhaft* Sieh da, welch ein Gast ist über unsere Schwelle getreten!

*König beziehts auf sich, will vortreten. Großalmosenier ohne ihn
anzusehen winkt ihm verächtlich ab, wie einer eine Fliege scheucht.*

HÖFLINGE *fahren auf*
Ha!
König winkt ihnen, sich zu bezähmen.

GROSSALMOSENIER *zu dem Bettler in gespannter Teilnahme*
Wie geht es dir, mein Teurer? und woher lenkt sich dein
Schritt? und wirst du nun bei uns bleiben, zumindest
einen Tag und eine Nacht?
Bettler schweigt.

GROSSALMOSENIER
Führet mich zu ihm, wenn er nicht zu mir kommt, daß
ich ihn küsse, und seinen Segen empfange. *Will auf, von
den Mönchen unterstützt.*

BETTLER
Unwert! *Entspringt.*

CHOR
Et demolientur terram eius!
Et cadent interfecti in terra Chaldaeorum.

GROSSALMOSENIER
Lies im Guevara, solange Licht ist. In der Finsternis
sehe ich Gesichte: Wahrheit.

JUNGER BRUDER *hebt das Buch, um zu lesen*
Fahr hin, Welt, in deinen Palästen dient man ohne Be-
zahlung –

KÖNIG *tritt an den Großalmosenier heran*
Herr Kardinal, Euer König und Herr wünscht Euch
einen guten Abend.

GROSSALMOSENIER
Ich höre eine Stimme, die dazwischenfährt von irgend-
wo. Lies weiter im Guevara.
König tritt zwei Schritte zurück.

JUNGER BRUDER *liest*
Fahr hin, Welt – in deinem Palast dient man ohne Be-
zahlung, man liebkost, um zu töten, man erlöst, um zu
stürzen, man ehrt, um zu schänden, man entlehnt, um
nicht wiederzugeben, man straft ohne Verzeihen. In
deinem Prunksaal ist eine Bühne aufgeschlagen, darauf

spielst du vier oder fünf wüste Szenen, die sind langweilig zu schauen: da wird um Macht geschachert und
um Gunst gebuhlt; da werden die Klugen gestürzt, die
Unwürdigen werden hervorgezogen, der Verräter mit
Gnade angesehen, die Redlichen werden in den Winkel
gestellt —

König tritt abermals heran.

GROSSALMOSENIER *mit geschlossenen Augen*
Wer bist du, der sich vordrängt ungerufen?

KÖNIG
Ich bins!

GROSSALMOSENIER
Ich höre: Ich. Ich höre das scheußliche Wort des Hoch-
muts! *Sehr stark* Lies laut weiter, Knabe.
Junger Bruder hebt das Buch, um zu lesen.

KÖNIG *schlägt ihm gebietend aufs Buch*
Ich, der König, trete vor meinen alten Ratgeber und
klage, klage, klage die Not des Landes.
*Großalmosenier fährt mit der Hand durch die Luft, als scheuche er
eine Fliege.*

HÖFLINGE *murren, wenden sich, als wollten sie gehen*
Unerhört! Unwürdiges Schauspiel!

KÖNIG *tritt auf sie zu*
Bleibet, meine Getreuen! Gehet nicht von mir!

EIN HÖFLING *in Wut, aber mit gedämpfter Stimme*
Man sollte ihn aus dem Sessel reißen und das Maul an
die Erde drucken!

KÖNIG
Ich will den Städten ihre Freiheiten nehmen! ich will
die Juden aus meinem Schutz stoßen, und alles soll in
eure Hände gegeben werden, wie es zu Zeiten unserer
Vorfahren war.
*Höflinge beugen ihre Knie, küssen ihm Hände und Saum des Ge-
wandes. — Der König lächelt.*

GROSSALMOSENIER
Lies im Guevara. Ich bin müde, daß noch immer Tag ist.

JUNGER BRUDER *liest*
— da wird der Aufrichtige in den Winkel gestellt und der

Unschuldige verurteilt. Da ist für den Herrschsüchtigen Kredit, und für den Redlichen ist kein Kredit. — Da ist —

GROSSALMOSENIER *mit gewaltiger Stimme, indem er sich hebt und die Arme in die Luft wirft*
Nichts ist! nichts ist! Nichts ist als das unerbittliche Gericht und die Sonderung der Spreu von dem Weizen.
Stille, der Gesang hat aufgehört. Großalmosenier sinkt von der Anstrengung erschöpft im Stuhl zusammen, mit geschlossenen Augen.

KÖNIG *zu den Höflingen*
Tretet alle hinweg. Wendet euch ab. Es muß sein.
Geht hin, fällt vor dem Großalmosenier auf die Knie und steht wieder auf.

GROSSALMOSENIER *sieht ihn lange durchdringend an*
Ich kenne den Herrn nicht! *Lacht lautlos.*

KÖNIG
Kardinal Großalmosenier! Großkanzler der Krone! Großsiegelbewahrer des Reiches! das erhabene Königreich hebt zu dir die Hände.

GROSSALMOSENIER *lacht noch stärker, aber lautlos*
Ah! sags noch einmal! Ah! was ist denn das? das erhabene Königreich? Ich sehe einen Wust — ein Greuel sehe ich: Die Städtlein und Märkte brennen ja lichterloh, die Straßen kann niemand befahren vor Räubern, und die Friedhöfe haben allbereits die Dörfer aufgefressen!

KÖNIG
Du sagst es, mein Ratgeber!

GROSSALMOSENIER
Es ist ein Krieg verloren worden. Eitel war der Krieg, unzeitig war der Krieg, frech und freventlich war der Krieg. Und als er verloren war, da ist der vom Ratstisch gejagt worden, der seine Hände aufgehoben hatte und geschrien wider diesen Krieg. — Denn es bedurfte der Selbstbezwingung, so war dieser Krieg zu vermeiden, — — und der Weisheit: und hart ist der Pfad der Weisheit zu treten, denn er ist voller Dornen. Aber leicht war es das Eitle zu tun, und zu reiten, anstatt zu raten!

KÖNIG
Genug!

GROSSALMOSENIER *nickt*

Es steht geschrieben: der verdorbene Mensch liebt nicht den, der ihn strafet. Das Wort eitel, merke, hat zweierlei Sinn. Einmal heißt es: prahlen von sich selber, Zuschauer sein sich selber, geistige Buhlerei treiben mit sich selber. Zum zweiten heißt es: nichtig, für nichts, im Mutterleib verloren. — Eitel war dein Gedachtes, dein Getanes, dein Gezeugtes, von dir selber im Mutterleib vereitelt.

KÖNIG

Ich habe meinen einzigen Sohn von mir getan — dahin wo ihn die Sonne nicht bescheint! — Diese Tat und alle meine Taten habe ich getan unter deiner Gewalt. Du hast mir gezeigt: eine heilige Ordnung, gesetzt von Gott. Die hießest du mich schützen, und in ihrem Dienst waren wir verbunden.

GROSSALMOSENIER

Wo war deine Menschheit, die sich hätte verbinden können mit der meinigen? Denn ein Mensch fängt dort an, wo ein viehisch gelüstender Leib überwältigt ist und unter die Füße gebracht von Wesenheit. Das war nicht deine Sache. Dein Wollen sitzt unter dem Nabel und dein Unvermögen in der Herzgrube; unter deinen Haaren war die Bosheit, und der stinkende Hochmut ist dir durch die Nase gegangen: so warst du ein Leib und hast gewuchert mit deinem Leib, und an deinem Leib wirst du gepackt werden. Du hast ins Fruchtfleisch gebissen, das duftend war und weich, jetzt aber beißest du in Holz: dazu ist die Stunde gekommen.

KÖNIG

Du Basilisk, daß ich aus dir herausreißen könnte die Wahrheit, denn immer hast du das Letzte vor mir verborgen, wie die boshafte Stiefmutter vor der armen Waise.

GROSSALMOSENIER

Die Wahrheit, die da ist hinter allem Scheine, wohnt bei Gott.

KÖNIG

So ist es Gott oder der Satan, der durch die Sterne redet? Antworte mir! — Lügen die Sterne?

GROSSALMOSENIER

Wer sind wir, daß sie uns lügen sollten?

KÖNIG

Aber es ist prophezeit: er wird seinen Fuß auf meinen
Nacken setzen, bei hellichtem Tag und in Angesicht
meines Volkes!

GROSSALMOSENIER

Aber du wirst wackeln mit dem Steiß vor ihm, wie ein
Hund vor seinem Herrn und wirst begehren das Schlacht-
messer zu küssen, mit dem er dich abtut.

KÖNIG

Verhöhnst du mich? Glaubst du nicht an die Prophezeiung? Antworte mir? Wie können sie gesehen haben,
was nicht ist? Wo ist der Spiegel, der auffängt, was nirgends gewesen ist?

GROSSALMOSENIER

Recht so! Halte dich an das, was deine Augen sehen und
ergetze dich mit Ehebrecherinnen und Jagdhunden! –
Aber ich sage dir: es gibt ein Auge, vor dem ist heute
wie gestern und morgen wie heute. Darum kann die
Zukunft erforscht werden und es steht die Sibylle neben
Salomo und der Sterndeuter neben dem Propheten.

KÖNIG *vor sich*

Ich war unfruchtbar, so viele Jungfrauen und Weiber
ich erkannte und es wurde gesagt: fruchtbar im Brachmond an der Königin, und meine Königin wurde guter
Hoffnung im Brachmond. Das Kind wurde geboren und
zerriß der Mutter den Leib, widerstrebend der weisen
Frau und dem Arzte. – Es wollte da sein, nackt aus dem
Nackten, tödlich aus dem Tödlichen und wahrmachen
die Prophezeiung vom ersten Schrei an. –

GROSSALMOSENIER

Aber es ist dein Kind, gewonnen in heiliger Ehe!

KÖNIG

Fleisch von meinem Fleisch, du sagst es!

GROSSALMOSENIER

In der Ehe, vergleichbar dem Geheimnis der Kirche zu
ihrem Herrn und Meister.

KÖNIG

Und ich habe ihn nie gesehen und muß mich gegen ihn
verbergen, mit Riegeln und Ketten und Spießen und
Stangen.

GROSSALMOSENIER

Es entflieht keiner der großen Zeremonie, der König
aber und der Vater ist in die Mitte gesetzt.

KÖNIG

Wenn ich das Geschöpf unschädlich gemacht habe in
einem Turm mit Mauern, zehn Schuh dick – und der
Aufruhr soll zu keinem Haupt gelangen – zu welchem
Ende – ich frage dich! – ist dann der Aufruhr über mein
Reich gekommen? – Sind das Spiegelfechtereien? ist
Gott wie der Herzog von Littauen, der sich aufs Blüffen
legt? Und soll ich der Verlierer sein bei Tag und Nacht
und geprellt um meines Reiches Glanz und um meines
Gewissens unbefleckten Spiegel, zugleich um beides?

GROSSALMOSENIER

Wunderbar gefügt aus zweien Schneiden ist die Zange,
und auch die schlaffe Frucht, wenn man sie preßt, gibt
einen Tropfen Öl!

KÖNIG

Ich habe befohlen, den Mann vor mein Angesicht zu
bringen, der ihn bewacht.

GROSSALMOSENIER

Du hast gewagt, den Schleier zu lüpfen, der behütet
war von allen Schrecken der Majestät und bewacht von
zehnfacher Drohung des Todes?

KÖNIG

Ich habe befohlen, den Mann herbeizubringen, der ihn
bewacht, und ihn vor mein Angesicht zu stellen und vor
das deine. – Denn von dir, Kardinal, verlange ich nunmehr mein Kind zurück; wie aber, das habe ich in schlaf-
losen Nächten ausgesonnen. Du wirst heraussteigen aus
deinem hölzernen Sarg und wirst vorsitzen einem Gericht über diesen Knaben, dessen Angesicht wir nie gesehen haben. Denn noch sind deine Kräfte groß und
deine Augen, wie die des Greifen, gehen durch und
durch, und das Eingeweide hält ihnen nicht stand. – So

wird es an den Tag kommen ob dieses ein Dämon ist und ein Aufrührer von Mutterleib: dann wird sein Haupt fallen und vor deine Füße rollen. Oder aber: ich werde mein Kind in meine Arme nehmen und die Krone, geflochten aus dreien Kronen, wird nicht ohne Erben sein. – So wirst du mir das Kind wiedergeben, ehe du mir entfliehst – oder du wirst sein Blut auf deine weiße Kutte nehmen. Daran will ich erkennen, ob Gott dich zu meinem Ratgeber bestellt hat – oder der Satan.

GROSSALMOSENIER

Gott! Gott! nimmst du das Wort in deinen nassen Mund? Ich werde dich lehren, was das ist, Gott! – Du kommst zu mir um Hilfe und Erquickung und findest was dich nicht freut. Statt eines vertrauten Wesens, worein du wie in einen Spiegel dich hineintust, als in die Gesichter der vor dir wedelnden Menschen, findest du eine ungerührte Miene, vor der dich graust. Ein Etwas spricht mit meinem Mund, aber wie aus dir selbst heraus, auf dich selber zielend; es nimmt dich nicht und es läßt dich nicht los; statt daß du von einem zum andern kommst, kommt eines ums andere zu dir: nichts Neues, nichts Altes, abgelebt, doch nicht ausgelebt, öd, lahm, doch wirbelnd. – Du kannst nichts mehr, ermachst nichts mehr, zergehend und zugleich Stein: in nackter Not doch nicht frei. Aber da ist noch etwas! Du schreist: es ist hinter deinem Schrei und zwingt dich und heißt dich deinen Schrei hören, deinen Leib spüren, deines Leibes Schwere wiegen, deines Leibes Gebärde wahrnehmen, wie Wälzen von Schlangen mit schlagendem End, dein Zergehen einatmen, deinen Gestank riechen: Ohr hinterm Ohr, Nase hinter der Nase. Es verzweifelt hinter deiner Verzweiflung, durchgraust dich hinter deinem Grausen, und entläßt dich nicht dir selber, denn es kennt dich und will dich strafen: Das ist Gott. *Er sinkt zusammen mit geschlossenen Augen.*

KÖNIG

Heran, meine Getreuen, faßt ihn an! Mein Herr Minister ist mir Rat schuldig und will mir sein Schuldiges veruntreuen! – Auf und fasset!
Höflinge mit einem Sprung heran. Mönche heben abwehrend die Hände. Großalmosenier liegt wie ein Toter.

Ecce ego suscitabo super Babylonem
quasi ventum pestilentem.

KÖNIG *kehrt sich ab*
Hebet ihn weg.
*Mönche nehmen den Großalmosenier auf und tragen ihn weg. Es
pocht draußen. Pförtner schließt auf, läßt den Woiwoden von
Lublin und Julian eintreten, hinter ihnen Anton.*

JUNGER KÄMMERER *tritt auf den König zu, beugt sein Knie und meldet*
Der Woiwode von Lublin.

WOIWOD *tritt vor den König, beugt sein Knie*
Vergebe deine Hoheit die Verspätung. Die Straßen sind
verlegt von Rebellen. Wir haben uns durch die Wälder
ziehen müssen. Hier bringe ich den Edelmann!
Julian tritt vor, kniet vor dem König hin.

KÖNIG
Dieser? sein Wächter? *Er tritt argwöhnisch zurück.*
Julian bleibt knien.

KÖNIG
Wir erinnern uns gnädig früherer Begegnung. *Reicht
die Hand zum Kuß, winkt aufzustehen* Wir werden zu belohnen
wissen. – Aber wir fürchten, in deinem Aug das Spiegelbild eines Dämons zu gewahren.

JULIAN *aufstehend, aber mit gebogenem Knie*
Er ist ein sanfter, schöner, wohlgeschaffner Jüngling.

KÖNIG
Voll Haß im Innern?

JULIAN
Arglos. Ein weißes unbeschriebenes Blatt.

KÖNIG
Ein Mensch? Ah!

JULIAN
Oh! gefiele es dem undurchdringlichen Ratschluß –
König runzelt die Stirne, tritt zurück.

JULIAN
– den Jüngling einer Prüfung zu unterziehen –
König tritt noch einen Schritt zurück.

JULIAN
Man ließe ihn, bestünde er sie nicht, in ewiger Kerker-
nacht wiederum verschwinden.

KÖNIG
Der Traum einer Nacht? Kühn — und zu kühn! Wer
könnte sich verbürgen —

JULIAN
Ich! Euer Majestät für alles! mit diesem Kopf!

KÖNIG *lächelt*
Ein offenherziger, mannhafter Edelmann! und ein Berater! solch ein Berater! — Du gibst uns die Regsamkeit
der Gedanken wieder. Ein großes Geschenk! — *Er winkt
ihn ganz nahe zu sich* — Wie viele Jahre waltest du des
schweren Amtes?

JULIAN
Zweiundzwanzig Jahre weniger einen Monat. Sein Alter.

KÖNIG
Beispiellos! lernet, meine Großen, lernet, was Hingabe
ist. — Zweiundzwanzig Jahre!

JULIAN *beugt sich über die dargereichte Hand, er hat gleichfalls die
Tränen in den Augen*
Sie sind in diesem Augenblick ausgelöscht.
Anton nähert sich von hinten, unmerklich, spitzt seine Ohren.

KÖNIG
Das Wiedersehen hat uns sehr bewegt. Es sind deine
Arme, die unseren Verwandten betreuen. *Er zieht ihn an
sich, mit der Gebärde einer Umarmung* Wie würden wir es
ertragen, ihn selbst, *Sein Gesicht verändert sich, aber nur für
einen Moment* — Wir wollen an ein teures Grab hier nahebei.
Zu Julian Unsere hochselige Königin liegt hier. — Der
Pförtner soll uns begleiten, niemand sonst. Nach einem
inbrünstigen Gebet treten wir wieder unter euch.
Höflinge verneigen sich.

KÖNIG *schon im Gehen, tritt noch einmal auf Julian zu*
Die Nähe eines treuen Mannes, welch ein Schatz! Berater! Tröster! Du hast mir das Leben wiedergegeben.
Winkt Julian vertraulich zu Er folgt uns an den Hof. Wir
haben viel mit Ihm vertraulich zu beraten.

Julian neigt sich tief. König winkt dem Pförtner und verschwindet hinten zur Linken. Höflinge treten zu Julian heran. Anton trachtet unauffällig seinem Herrn immer näher zu kommen.

EINER DER HÖFLINGE *unter einer leichten Verneigung*

Wir sind nahe Verwandtschaft. Ew. Gnaden Großmutter war meines Herrn Großvaters Schwester. Ich wollte nicht hoffen, daß Euer Gnaden dessen wäre uneingedenk worden in den Jahren, da man Sie nicht bei Hofe gesehen hat.

Anton spitzt die Ohren.

JULIAN *neigt sich leicht*

Wie wäre ich so großer Verwandtschaft uneingedenk worden? Ich hatte alle Zeit Muße, über meinen Stammbaum Betrachtungen anzustellen.

Anton lächelt.

EIN ZWEITER *ebenso*

Trete der Herr mit mir in mein Haus, in welchem Er über alle zu gebieten!

ZWEI ANDERE *ebenso*

Gebe der Herr uns seine Protektion. Wir ersterben des Herrn bereitwilligste und verpflichtetste Diener!

JUNGER KÄMMERER *an Julian herantretend, mit einer tiefen Verneigung*

Bacio le ginocchia di Vosta Eccellenza!

König kommt zurück, steht rückwärts. Höflinge rangieren sich; bitten mit Gebärden Julian, einen vorzüglichen Platz in ihrer Mitte zu nehmen. Julian, indem er unter sie tritt, wirft über die Schulter einen Blick auf Anton. Anton bekreuzigt sich, wie zu Tode erschrocken. Alle gehen.

Vorhang.

Zweiter Auftritt

Im Turm. Fünfeckiges Gemach mit engem vergittertem Fenster. Hinten in einer Ecke eine kleine eiserne Tür. An der Wand ein großes Kruzifix. Eine hölzerne Bank, ein Eimer, ein Waschbecken. Im Hintergrund auf halbverbranntem Stroh sitzt Sigismund. Er trägt einen reinlichen Anzug aus Zwilch und hat nackte Füße, aber ohne Ketten. Man hört von draußen aufsperren.

ANTON *tritt herein*

Aufgeschaut, Sigismund, der Toni ist zurück. Ja, wo war

denn der Toni? das möchtst gern wissen. Ist keine Zeit zum Erzählen. Gründlich gemacht wird. *Er nimmt einen Besen, der nächst der Tür lehnt, sprengt aus dem Eimer Wasser auf den Boden und fängt an auszukehren.*
Sigismund sieht auf ihn, schweigt.

ANTON *im Kehren*

Kriegst einen Besuch oder gar ihrer mehr. *Er schnuppert in die Luft* Was ist das? hast gezündelt im Stroh? Bist leicht zwei Jahr alt, oder zweimal zehn und zwei dazu? Versteckst deine Händ? Da schau! Brandstifter! Sollen wir dir die Händ in eine hölzerne Geigen sperren? Mächtig viel Stroh verbrannt, Reiser, alles! — Gnad dir Gott, wenns ein Wächter bemerkt hätt. — Was hast getrieben und zu welchem End?
Sigismund antwortet nicht.

ANTON *sanfter*

War dir, du wärst ein Köhler? Köhlers Kunst ist Feuer niederhalten, nicht anfachen! Gib Antwort!
Sigismund schüttelt den Kopf.

ANTON *hat wieder zu kehren angefangen*

Hast gemeint, du wärst ein Schmied? Blasbalg treten, Eisen schlagen? willst so hoch hinaus?
Sigismund schüttelt wieder den Kopf.

ANTON *hält inne mit dem Kehren*

Bald dus nicht sagst, wird der Toni schiech. Freut dich das Böse? Bist ein Teufel? Ein Sotek bist! ein Spirifankerl. Fledermauskrallen werden dir wachsen!
Sigismund hebt stumm flehend die Hände.

ANTON

Also sags. Du sollst reden mit mir. Reden ist Menschheit. Wenn die Vießheit reden könnt, wären Wolf und Bär die Herren, täten kommandieren auf der Welt. An der Red erkennt man den Mann. — Hast wollen schlafen gehen, Licht auslöschen? — du hast vergessen, wie man tut, hast den Kien ins Stroh gesteckt, hast gemeint, so löscht man ihn aus? Darauf hast dir einen Schippel Haar ausgerissen, haben gebrannt lichterloh und gestunken wie dem Teufel sein Huf? Ja?

SIGISMUND

Groß war mein Feuer!

ANTON

O du gspaßiger Vogel! wie deine Haare verbrannt waren,
hast das Gewand auszogen, dem Lohfeuer nachge-
schmissen, hast geschrien: Feuer zieh die Hosen an, damit
dich niemand glanzen sieht!

SIGISMUND *schnell*

Mein Vater war im Feuer.

ANTON

Wie hat er denn ausgschaut? Ein Feuergesicht, ein rau-
chiger Mantel, ein blaulodernder Bauch und glühende
Schuh?

SIGISMUND *sieht weg*

Mein Vater hat kein Gesicht!

ANTON

Feuernärrischer Lapp, einen Tunker hast gemacht am
Stroh, und die Glut hat dir die Haar versengt: geträumt
hat dir das Übrige.

SIGISMUND

Mir hat nicht geträumt! Das Feuer war da und ich
war da, so hab ich das Feuer gesehen und das Feuer hat
mich gesehen!

ANTON

Du Fledermaus! *Sprengt geweihtes Wasser über ihn aus einem
kleinen bleiernen Becken, das unterm Kruzifix an der Mauer hängt*
Aufräumen jetzt! Bist ein Mensch? der graust sich,
wenn ein Zimmer ausschaut wie dem Teufel seine Bett-
statt.

SIGISMUND *angstvoll*

Anton, was ist denn das: ein Mensch – wie ich ein
Mensch bin?

ANTON *gießt ihm Wasser ins Becken*

Da, wasch dir dein Gesicht, so kommst auf andere Gedanken. *Man hört die Tür von außen aufsperren* Da hast ein
Tüchel. *Wirft ihm ein bunt baumwollenes Tuch zu, Sigismund
wischt sich ab* Und jetzt! da schau hin! heimsucht wirst!
das ist jetzt ein fideles Gefängnis. Geht bald zu wie in
einem Taubenschlag.

Von außen ist die eiserne Tür geöffnet worden. Eine Bauernfrau,

Sigismunds Ziehmutter, ist eingetreten, bleibt unweit der Tür stehen.
Sigismund kehrt sein Gesicht gegen die Wand.

BÄUERIN *tritt näher, zu Anton*

Ist derselbige krank? weiß er nichts von sich?
Sigismund verbirgt Kopf und Hände im Stroh.

BÄUERIN

Sieben Jahr hab ich ihn nicht gesehen. Ists wahr, daß
ihm Krallen gewachsen sind? glühende Augen, wie bei
einem bösen Nachtvogel?

ANTON

Gelogen! zeig deine Händ, Sigismund. – Dort ist er,
schau sie!

SIGISMUND *faßt sich*

Mutter, bist du zu mir gekommen?

BÄUERIN *tritt zu ihm*

Dein Haar ist wirr. Wo hast du deinen Kamm. Gib ihn
mir, daß ich dich kämme.
Anton reicht ihr aus einer Wandnische einen bleiernen Kamm.

BÄUERIN *kämmt Sigismund das Haar*

Ebenbild Gottes, halt auf dich. Weißt nicht mehr, wie
die Bäuerinnen durch den Zaun gespäht, wegen deiner
weißen Wangen, rabenschwarzen Haare? Milch und
Honig vor die Tür gestellt, ich dich hab verstecken müssen, Fensterladen zurammeln! Streng war das Verbot!

SIGISMUND

Wo ist der Mann?

BÄUERIN

Der Ziehvater ist tot seit vier Jahren. Bet mit mir für
seine Seele: gegrüßt seist du Maria, voll der Gnaden. –
Hast mich verstanden. Bet mit mir: Vater unser, der du
bist in dem Himmel –

SIGISMUND

Mutter, nimm mich zu dir! Nimm mich zu dir hinüber:
denn wo bist du und wo bin ich?

BÄUERIN

Wir sind vereinigt an einem leiblichen Ort, und wenn

du mit mir betest, dann sind wir auch geistlich an einem
Ort.

SIGISMUND

Du bist nicht meine Mutter dem Fleisch nach, so hörst
du nicht meine Stimme, die zu dir ruft!

BÄUERIN

Ich höre deine Stimme.

SIGISMUND

Nicht die wahre, die wird nicht gehört mit diesen Ohren,
sondern die wird gehört von der Mutter zum Kind mit
Ohren, die unter dem Herzen sind. Wo ist meine Mutter dem Fleische nach? warum hilft sie mir nicht? wo
ist mein leiblicher Vater, daß er mich im Stich läßt! da
er mich doch gemacht hat!

BÄUERIN *zeigt aufs Kruzifix*

Da ist dein Vater und dein Erlöser! Sieh hin auf den! –
drück dir sein Bild ins Herz, das Herz ist weich, das Bild
ist hart, drücks ein, wie einen Stempel und Prägestock!

SIGISMUND *sieht lange hin, ahmt die Stellung nach, mit ausgebreiteten
Armen; dann läßt er die Arme sinken*

Ich brings nicht auseinander, mich mit dem und aber
mich mit dem Tier, das aufgehangen war an einem
queren Holz und innen blutschwarz. Mutter, wo ist mein
End und wo ist dem Tier sein End?

BÄUERIN

Hab dein Leiden lieb! reiß' heraus aus dir und opfers
Ihm auf unter Seine blutigen Füß!

SIGISMUND

Ich kann mein Leiden nicht ausreißen aus mir! ist alles
eins mit mir! bleibt dann nichts drin!

BÄUERIN

Du mußt können! Schau an seine brechenden liebevol-
len Augen –

SIGISMUND *schließt die Augen*

Kanns nicht sehen. In mir ists blutschwarz. Er soll mir
helfen!

BÄUERIN

Auf die Augen! Schau hin! verlassen vom Vater im

Himmel! Mit Dornen gekrönt, mit Ruten geschlagen, ins Gesicht gespien die Kriegsleut! erschau das!

SIGISMUND

Umgekehrt! hat frei herumgehen dürfen! auf einem Schiff fahren! Hochzeit mitessen! Burg einreiten aufm Palmesel und alle gejubelt um ihn!

BÄUERIN

Schau hin, Bock du, widerspenstiger! Dahin hat Ihn 's Schiff gefahren! dahin hat Ihn die Eselin getragen! Nägel durch die Händ! die Knöchel durchschlagen! den Leib angestochen! Fest die Augen auf Ihn! an Ihn denken bei Tag und Nacht, oder du gehst verloren!
Sigismund verhält sich die Augen mit der Hand. Bäuerin tritt hart an ihn.

SIGISMUND *schreit auf*

Mutter, erzürne mich nicht! Ah!
Bäuerin tritt zurück.

SIGISMUND

Keinen Leib an meinen Leib! Messer und Ketten, Prügel und Stein, aber keinen Leib.

BÄUERIN *faltet ihre Hände, betet*

Ihr heiligen vierzehn Nothelfer, ihr starken Kämpfer und Diener Gottes, wunderbar in der Kraft, fest in der Beständigkeit des Glaubens, stehend vor Gottes Thron, verherrlicht und gekrönt mit goldenen Kronen, fahret herbei, diesem zuhilfe, tuet ab von ihm gefletschte Zähne, geballte Fäuste, lieber lasset die Hände abfallen, die Füße lahmen, die Augen erblinden, die Ohren ertauben und bewahret seine Seele vor der Gewalttat und dem Übel. Amen. *Sie schlägt das Kreuz über ihn.*

SIGISMUND *still wie zuvor*

Mutter!
Hinten ist die Tür abermals aufgesperrt worden und Julian ist eingetreten. An der Tür wird eine andere Person sichtbar, die wartet. Bäuerin neigt sich, küßt Julian den Rock. Julian bleibt stehen. — Sigismund flüchtet auf sein Strohlager.

JULIAN

In der Art ist er gesänftiget? Hat das Weib nichts Besseres vermocht? und du — *Tritt näher* Sigismund, ich bin zu dir gekommen. *Winkt, Anton gibt ihm einen niedrigen Holzstuhl ohne Lehne, auf den er sich setzt* Ich komme, um dir Freude zu bringen, Sigismund. Achte gut auf das, was mein Mund jetzt spricht: du hast eine schwere, lange Prüfung überstanden. Fassest du meine Rede?

Sigismund verbirgt seine Hände unter den Zwilchärmeln.

JULIAN

Achtest du auf mich?

SIGISMUND

Du bist oberste Gewalt über mir, vor dir zittere ich. Ich weiß, daß ich dir nicht entrinnen kann. *Er verbirgt unwillkürlich seine Hände* Ich sehe auf deine Hände und deinen Mund, damit ich wohl verstehe, was du willst.

JULIAN

Gewalt ist von oben verliehen. Von einem Höheren als ich bin, merke wohl. Ich war aber dein Retter. Heimlich goß ich Öl deiner Lebenslampe zu; durch mich allein ist noch Licht in dir. Das merke dir. Dünke ich dir so fremd, Sigismund? Hab ich dich nicht einen Winter lang neben mir an einem hölzernen Tische sitzen lassen und vor dir das große Buch aufgeschlagen und darin dir Bild für Bild die Dinge der Welt gewiesen, und sie dir mit Namen genannt und dich dadurch ausgesondert unter deinesgleichen?

Sigismund schweigt.

JULIAN

Hab ich dir nicht erzählt, von Moses mit den Tafeln und Noah mit der Arche und Gideon mit dem Schwert und David mit der Harfe, von Rom, der großen, mächtigen Stadt und ihren Kaisern, und daß von ihnen unsere erlauchten Könige abstammen? Hab ich dir nicht Begriff gegeben, von Herr und Knecht, von Fern und Nah, von Himmlisch und Irdisch? Antworte mir!

Sigismund starrt zu Boden.

JULIAN

Hab ich dich nicht erzogen, will sagen: gezogen nach oben, herausgezogen aus der Tiernatur, die auf die Erde starrt, weil sie gebacken ist aus Leim und Asche, und dein Angesicht nach oben gerissen zum Gewölb des Himmels, dahinter Gott wohnt? – Blick auf, gib Antwort auf der Stelle! Oder leugne, wenn du kannst!

Sigismund nickt.

JULIAN

Ungeheure Wohltat hab ich dir demnach erwiesen. Hineingetreten bin ich in deine Finsternis, wie der Mond, die silberne, gekrümmte Lampe, zu der die Heiden beten. Anbeten solltest du mich dafür nach Recht, niederfallen vor mir und den Zipfel meines Rockes fassen!

SIGISMUND

Ungleich dem Tier hab ich Begriff von meiner Unkenntnis. Ich kenne, was ich nicht sehe, weiß, was fern von mir ist. Dadurch leide ich Qual wie kein Geschöpf.

JULIAN

Wunderbarer Vorzug! Danke mir! Preise mich noch mit dem letzten Atemzug! Zum Betrachter der Gestirne hab ich dich gemacht, zum Genossen der Engel! Einen gewaltigen Magier habe ich aus dir gemacht, gleich Adam und Moses! denn ich habe das Wunder der Sprache in deinen Mund gelegt.

Sigismund birgt sich leise stöhnend im Stroh.

JULIAN

Ha! so liebe ich dich, Sigismund: denn dadurch wird der Mund des Menschen gewaltig, daß er in die Buchstaben seinen Geist eingießt, rufend und befehlend! – Warum stöhnst du?

SIGISMUND

Ein furchtbares Wort aber ist: das wiegt alle anderen auf!

JULIAN

Was ist das für ein Wort? wie heißt das Wort? Ich bin begierig, was das für ein Zauberwort ist!

SIGISMUND

Sigismund! *Er fährt sich mit den Fingern über die Wangen und den Leib hinab* Wer ist das? ich? Wo hats ein End? Wer hat mich zuerst so gerufen? Vater? Mutter? Zeig mir sie!

JULIAN

Deine Eltern haben dich von sich getan. Du warst schuldig vor ihnen.

SIGISMUND

Grausig ist das Tier. Es frißt die eigenen Jungen, noch
feucht aus dem Mutterleib. Meine Augen habens gesehen.
Und doch ist es unschuldig.

JULIAN

Forsche nicht, bis der Vorhang zerreißt. Steh auf dir
selber! allein! So hab ich dich ausgestattet! Kriechendes
und reißendes Getier, an denen dein kindischer Sinn
hängt, sind aus der Erde gewirkt, Bäume und Fische aus
Wasser, Vögel aus Luft, Sterne aus Feuer, du aus noch
reinerem Feuer. Lichtgeist, vor dem Engel knien!
Feuersohn, oberster! Erstgeborener!

SIGISMUND

Warum redest du so groß zu mir? was schwingst du in
der Hand, das funkelt und glüht?

JULIAN

Wonach Hirsch und Adler und Schlange lechzen: daß
sie durch Pflanzen und Steine, durch Tränke und Bäder
ihr Leben erneuern: denn zweimal geboren wird der
Auserwählte. Feuerluft schwinge ich in der Hand, Elixier
des neuen Lebens, balsamische Freiheit!
Sigismund schaudert vor dem Fläschchen in Julians Hand zurück.

JULIAN *leise zu Anton*

Sprich ihm zu! Sag ihm von einer Reise!

ANTON

Hurrah! Sigismund! wir machen eine Reis! groß ist die
Welt! schön ist die Welt! auf ausm Stroh!

SIGISMUND

Weh! muß ich für immer ganz ins Dunkle zurück!

JULIAN

Ans Licht! So nah ans Licht, daß nur ein junger Adler
nicht blind wird. – Trink dies.

SIGISMUND

Du hast mich gelehrt, daß sie Gefangene in einem
Trunk vergeben. Sag mir zuvor, wer bin ich, und ich
folge dir wie ein Lamm.
*Julian ist zur Tür getreten und hat gewinkt. Ein vermummter Diener,
der einen Becher trägt, ist eingetreten. Julian nimmt den Becher,*

gießt aus dem Fläschchen ein, birgt das Fläschchen wieder in seiner Gürteltasche. Der Diener verschwindet.

JULIAN *hält Sigismund den Trank hin*

Du bist du. Dir fehlt die schimmernde Ahnung, was das heißt: Leben. Höre: durch Taten ist die Welt bedingt. Hast du Begriff, was Taten sind! Trink und sieh zu.

SIGISMUND *fällt nieder*

Sag mir, wer ich bin?

ANTON

Sie werdens dir schon sagen, bald du wo eingetroffen bist! Nur nicht im voraus viel fragen, das macht die Leut aufsässig! Bürst ihn weg, den Trank!

SIGISMUND *weicht zurück*

Ich hab Angst! Ich kenne es seinen Blicken an, daß ich sterben muß, Anton!

JULIAN

Genug geredet. Es ist Zeit, daß wir unsere Reise antreten.

SIGISMUND

Hilf mir, Anton!

ANTON *kniet neben Sigismund nieder*

Nur leben lassen, Euer Gnaden! nur nicht umbringen! ist so ein junges Blut! Man kann ihm einen Maulkorb vors Gesicht hängen, daß er mit niemandem mehr reden kann, nur am Leben lassen, Euer Gnaden!

JULIAN

Sollen dich die Knechte mit Fäusten packen, dich zwingen zu deinem Heil?

SIGISMUND

Kommst du mir so bös noch zuletzt? *Er steht auf und verharrt einen Augenblick in tiefem Sinnen, dann –* Ich trinke. *Nimmt den Becher und trinkt aus, indem er Julian dabei unausgesetzt ansieht; dann gibt er ihm den Becher zurück. Er geht ein paar Schritte nach hinten und setzt sich auf den Boden.*
Anton schneuzt sich. Julian winkt ihn heran, gibt ihm den Becher. Sigismund sitzt auf dem Boden, sein Kopf sinkt gegen die Mauer.

ANTON *läßt den Becher fallen, will hin.*

Ich muß ihm den Kopf halten! er soll nicht sterbender am harten Stein lehnen.

JULIAN *hält ihn*

Schweig, Narr! wer redet vom Sterben! der fängt jetzt
erst zu leben an.

ANTON

Schaun doch Euer Gnaden, wie sanft er ausschaut! *Kniet
bei Sigismund, streichelt ihm die Füße* Sieht denn Euer Gnaden
nicht, er hat einen Heiligenschein überm Gesicht! o du
heiliger verklärter Marterer du!

JULIAN

Nichts sehe ich als die angekündigte Wirkung des Eli-
xiers. Der Trank ist das Honorar wert.
Sigismund schlägt die Augen auf.

ANTON *bei ihm kniend*

Da schaust her! jetzt hat sich der Heilgenschein in ihn
hineingezogen, wie die Fetten in einen Krapfen! —
Das muß ein Gutes sein, der Elixier. Ich möcht wohl
das Becherl ausschlecken.

JULIAN *setzt den Fuß darauf*

Untersteh dich!

SIGISMUND *richtet sich auf, geht gegen vorne*

Welche Versammlung von Gedanken in mir. Mächtig
stehen sie in meiner Brust, wie geharnischte Könige.

ANTON

Jetzt hat der so martialische Gedanken!

SIGISMUND *mit einem lächelnden Ausdruck*

Ich habe geklagt, daß mein Vater verborgen sei. *Er lacht
leise* Mein Vater ist ja bei mir. Der Mensch erkennt
schwer, was ihm nahe ist: er sieht die Mauern, aber er
sieht nicht, wer mit im Zimmer ist. Hier innen *Er kreuzt
die Arme über der Brust* sind die vier Enden der Welt; schneller als der Adler flieg ich von einem zum andern, und
doch bin ich aus einem Stück und dicht wie Ebenholz:
das ist das Geheimnis.

ANTON

Jetzt redet der Bub so schön, wie ausm Büchl!

JULIAN

Schweig und rufe die Knechte!

ANTON *geht gegen die Eisentür, die angelehnt ist*
Sind schon da!
*Sigismund nähert sich den beiden freundlich, aber nicht als ob er sie
erkennte. Zwei vermummte Knechte sind leise eingetreten, halten
sich nahe der Türe.*

SIGISMUND *zu Julian und Anton, aber wie zu Fremden*
Engel und Teufel sind eins: sie haben den gleichen
heimlichen Gedanken. *Er tritt noch einen Schritt vor* Seht ihr
auf meinen Mund, daß ich ihn euch sage? Der Mensch
ist eine einzige Herrlichkeit, und er hat nicht zuviel
Leiden und Schmerzen, sondern ihrer zu wenig. Das
sage ich euch! *Mit veränderter Stimme* Es hebt mich auf.
Ganz weg ist alle Furcht. Nur die Füße werden auf einmal so kalt. Wärm sie mir, Anton.

ANTON *bei ihm*
Erkennst mich denn?

SIGISMUND
Heb sie mir in den feurigen Ofen, darin wandeln sin-
gend die Jünglinge, meine Brüder: Herr Gott, dich loben
wir! Von Angesicht zu Angesicht! Auserlesen! *Er wirft die
Hände nach oben* Vater – jetzt komme ich! *Fällt zusammen.*
Die zwei vermummten Knechte treten vor.

JULIAN
Das fürstliche Gewand bereitgelegt? die Schuh, der
Gürtel, alles? Ihn einkleiden, ehrerbietig!
Die Knechte nehmen Sigismund auf.

JULIAN *hat seinen Mantel über ihn gebreitet, dann zu Anton*
Den Reisewagen anschirren lassen! Die Eskorte soll
bereit sein zum Aufsitzen. Die Wache ins Gewehr tre-
ten. Gibs Zeichen. Vorwärts!
*Anton zieht sein Tüchel heraus, läuft hinaus. Die Knechte tragen
Sigismund hinaus. Julian folgt. Trompetensignal draußen.*

Vorhang.

DER DRITTE AUFZUG

*Das Sterbegemach der Königin, in der Königsburg. Im Hintergrund
ein hohes Fenster. In der rechten Wand ein Alkoven mit dem Bett, durch
einen Vorhang verschließbar. Links vorne ein Oratorium, von welchem*

man in die Kirche hinabsieht. In der Mitte der linken Wand der Ein-
gangstür gegenüber ein Kamin. Aus dem Oratorium führt eine geheime
Tür in einen schmalen Gang, von dem der Anfang noch in der linken
Kulisse sichtbar ist. Hier kann man sich aufhalten und durch ein Fen-
ster des Oratoriums unbemerkt in das Hauptgemach sehen. Das Gemach
ist karmesinrot ausgeschlagen, desgleichen der Alkoven und das Orato-
rium. Die Fensterladen sind zu. Im Alkoven brennt ein ewiges Licht. –
Der Kastellan sperrt von draußen auf und tritt mit zwei Dienern ein,
indem sie nur einen Flügel der Haupttür öffnen. Die Diener öffnen die
Holzladen an dem hohen Fenster im Hintergrund; draußen ist heller
Tag.

KASTELLAN *mit dem großen Schlüsselbund klirrend*

Das Sterbegemach der hochseligen Königin! Unbetreten
durch diesen Haupteingang seit einundzwanzig Jahren.
Die ehrwürdigen Schwestern von der Heimsuchung,
deren zwei hier von Mitternacht bis Morgengrauen im
Gebet verharren, betreten es durch diese kleine Tür,
welche durch eine Wendeltreppe, die im Pfeiler verborgen ist, zur Sakristei hinabführt.

Man hört von unten die Orgel und den Gesang der Nonnen. Der Ka-
stellan tritt an den Alkoven, besprengt das Bett mit Weihwasser aus
einem silbernen Becken am Eingang des Alkovens, schließt dann
ehrerbietig den Vorhang. Man hört draußen die Annäherung von
Menschen. Dann das dreimalige Stoßen einer Hellebarde auf den
Steinboden. Auf einen Wink des Kastellans eilen die Diener hin und
öffnen die Flügeltür sperrangelweit. Der Hof tritt ein: Trabanten,
Stabträger, Pagen mit Wachslichtern. Dann der Träger des Reichs-
banners mit dem silbernen Adler, sodann ein Page, der auf karmesin-
rotem Kissen des Königs Gebetbuch und Handschuhe trägt. Der
König, den krummen Säbel umgehängt, seinen polnischen Hut in
der Hand. Dicht hinter ihm sein Beichtiger. Hofherren paarweise,
zuvorderst Julian allein; hinter den Hofherren vier Kämmerer. Zu-
letzt der Arzt, mit ihm sein Gehilfe – ein junger Mensch mit einer
Brille –, hinter diesem Anton, der ein verdecktes silbernes Becken
trägt. – Der König bleibt in der Mitte des Gemaches stehen,
hält seinen Hut hin. Ein Page springt vor, nimmt den Hut mit ge-
bogenem Knie. Der König nimmt seine Handschuhe von dem knieend
dargereichten Kissen, zieht den linken an, steckt den rechten in den
Gürtel. Die Trabanten und die Stabträger sind rund ums Gemach und
wieder zur Flügeltür hinausgegangen, ebenso der Kastellan und die
Diener. Die Flügeltür wird geschlossen. Zwei Stabträger nehmen an

der Tür innen Stellung. Die Herren stellen sich links, Julian am
äußersten rechten Flügel, vor dem Oratorium auf. Der Arzt und der
Gehilfe stehen nächst der Tür. Der König tritt auf den Alkoven zu.
Ein Kämmerer eilt hin, zieht den Vorhang auf. Ein anderer Käm-
merer reicht dem König den Weihwasserwedel. Der König besprengt
das Bett, kniet dann nieder, verharrt einen Augenblick im Gebet.
Der Beichtiger kniet mit ihm. Der König steht auf, tritt in die Mitte,
Beichtiger seitlich etwas hinter ihm. Der Gesang und die Orgel
haben aufgehört.

KÖNIG *zum Beichtiger*

Ich habe vor dem Sterbebette meiner seligen Gemahlin
für mich gebetet und für ihn. Das kurze Gebet hat
meine Seele wunderbar erfrischt. *Er winkt den Arzt zu sich*
Ihr beharrt darauf, Euch zurückzuziehen?

ARZT

Eure Majestät hat mir diese einzige Bedingung bewilligt:
daß es mir erlassen bleibe, selbst vor das Angesicht des
Prinzen zu treten, wenn sich die Nötigung ergeben sollte, nochmals eine Betäubung vorzunehmen. Mein Gehilfe ist von allem unterrichtet, das heißt von den Hand-
griffen, die nötig werden könnten – nicht von dem Tat-
bestand. *Leiser* Er sieht in dem Prinzen einen geistig
Kranken, an dem Eure Majestät um entfernter Verwandtschaft willen Anteil nehmen. Möge alles – – Ich
habe einen Schwamm getaucht in Essenzen von unfehl-
barer Wirkung. Die Betäubung tritt augenblicklich ein,
wenn der Duft der Essenzen eingeatmet wird, sei es mit
Willen, sei es gezwungener Weise. Der Diener dort
trägt ihn in einer verdeckten Schüssel. Er war dem Gefangenen vertraut, er kann, wenn es notwendig ist, Beistand leisten. – Mögen diese Vorbereitungen sich als
überflüssig erweisen, darum bete ich zu Gott.

KÖNIG

So beten wir unablässig seit neun Tagen und Nächten.
– Ihr seid uns in diesen Tagen sehr nahegekommen.
Wir betrachten Eure illustre Person von Stund an als
die unseres zugeschworenen Leibarztes.
Reicht die Rechte zum Kuß, der Arzt beugt sich über die Hand. Der
Arzt schreitet zur Tür, Stabträger öffnet ihm, der Arzt geht hinaus,
an der Tür verneigt er sich nochmals.

KÖNIG
Stärke mich unaufhörlich mit deinem Rat, ehrwürdiger
Vater. – Ich habe mich von meinen Ratgebern überre-
den lassen. – Ich habe meine weiche menschliche Natur
der höheren Einsicht unterworfen.

BEICHTIGER
Auch die Heilige Schrift – –

KÖNIG
Ich weiß. Auch die Heiden. Selber die Heiden. Es waren
die höchsten Beamten in Rom, Königen vergleichbar.
Sie standen nicht an, den eigenen Sohn –

BEICHTIGER
Zweien Söhnen ließ der Konsul das Haupt an einem Tag
vor die Füße legen.

KÖNIG
Zweien! An einem Tag! Was waren seine Argumente?
Gegenwart der Argumente ist alles.

BEICHTIGER
Damit dem beleidigten Gesetz Genugtuung werde.

KÖNIG
Wie, dem Gesetz? Das Gesetz? Ja – –

BEICHTIGER
Das Gesetz und der Souverän sind eins.

KÖNIG
Vatersgewalt – der Vater ist der Schöpfer – die Gewalt
abgeleitet unmittelbar –

BEICHTIGER
Von der Gewalt des schaffenden Gottes, dem Quell alles
Daseins.

KÖNIG *tritt einen Schritt von den Höflingen weg, zieht den Beichtiger
nach sich*
Und die Absolution, wenn ich mich genötigt sehe, ihn dorthin bringen zu lassen wiederum–meinen leiblichen Sohn
– wiederum hin, wo die Sonne ihn nicht bescheint – ?

BEICHTIGER
Du zweifelst? Zur Verhütung unabsehbaren Übels!
Es hat von draußen an der Tür gescharrt.

270

KÄMMERER *ist hingegangen, spricht mit jemandem durch die halb-*
offene Tür. Tritt dann zum König, mit gebeugtem Knie
Der Stallmeister ist vor der Tür, der den fremden Prinzen auf seinem Ausritt begleitet hat. Er ist auf kürzerem
Wege vorausgeeilt. Der Prinz wird in wenigen Augenblicken in den Burghof einreiten.
König winkt. Stabträger öffnet, läßt den Stallmeister eintreten.
Stallmeister eilt zum König, beugt die Knie. König winkt ihm zu
sprechen.

STALLMEISTER
Euer Majestät zu melden: Dieser fremde Prinz ist ein
schlechter Redner, denn er tut beinahe den Mund nicht
auf, aber das kann ich beschwören, ein geborener Reiter.

KÖNIG
Ei!

STALLMEISTER
Er kam vor das für ihn herausgeführte Pferd – und
stellte sich zuerst an, als hätte er noch nie den Fuß in
einen Bügel gesetzt. Er ließ sich von mir die Zügel in die
Hand legen – dann wollte er aufsteigen und setzte den
rechten Fuß vorauf, – die Stallburschen lachten – der
Fuchs wurde unruhig – da gab uns der Prinz einen Blick
wie kaltes Eisen – und dann schwang er sich ohne Bügel
hinauf und saß im Sattel und hielt die Sprünge des un-
gebärdigen Fuchsen aus, wie der fürstlichste Kavalier unter der Sonne.
König sieht Julian an.

JULIAN
Er ist nie im Leben auf einem Pferde gesessen! Ich war
des strengen Verbotes immer eingedenk.

KÖNIG
Eine Herrschaft über sich selber ohnegleichen! Muß ich
nicht die ungeheure Gewalt der Verstellung fürchten?

JULIAN
Wie, mein gnädiger König?

KÖNIG
Er würdigte die Personen, die wir ihm zum Gefolge gegeben haben, kaum eines Blickes, – welche Sprache ist
von ihm zu erwarten, wenn er vor uns tritt?

JULIAN

Die ehrerbietigste, aber freilich nicht wie sie an einem Hofe gesprochen wird.

KÖNIG

Sondern?

JULIAN

Wie vielleicht die Engel sprechen. Seine Sprache ist Zutagetreten des inwärts Quellenden — wie beim angehauenen Baum, der durch eben seine Wunde einen balsamischen Saft entläßt.

Der Stallmeister zieht sich mit gebeugtem Knie zurück.

KÖNIG *winkt einen der älteren Höflinge zu sich*

Ist der junge Kavalier, der dem Prinzen als Dienstkämmerer beigegeben ist —

HÖFLING

Graf Adam vom Weißen Berge —

KÖNIG

Ist ihm eingeschärft, daß er den Fremden durch geschickte Fragen und Anmutungen aller Art, wie zwischen jungen Leuten üblich — dazu verleitet, unvermerkt seine Beschaffenheit zu enthüllen?

HÖFLING

Der Graf weiß, daß Eure Majestät von verborgener Stelle aus das Gespräch anzuhören geruhen werden, das er scheinbar unter vier Augen mit dem jungen Fürsten führen wird.

KÖNIG *zu Julian, leise*

Der oberste Begriff der Autorität ist diesem Knaben eingeprägt? der Begriff unbedingten Gehorsams?
Er sieht ihn scharf an.

JULIAN *hält den Blick aus*

Mein König bedenke, daß der Jüngling diese Welt nicht kennt, so wenig als seine Stellung in ihr. Er kennt ein Höchstes: er hebt seine Augen zu den Sternen und seine Seele zu Gott.

KÖNIG

Wir wollen hoffen, daß dies genüge. *Sehr hörbar* Denn

die Welt ist außer Rand und Band und wir sind entschlossen, das um sich greifende Feuer zu ersticken, –
und wenn nötig, in Strömen Blutes.
Die Höflinge, die zuhinterst, dem Fenster zunächst stehen, spä-
hen hinab. Die Pagen drängen sich in der Nähe des Fensters zu-
sammen und suchen unter einiger Unruhe hinunterzusehen. König
bemerkt es, sieht hin.

KÄMMERER
Der Prinz steigt vom Pferde. Graf Adam will ihm den
Bügel halten, aber er kommt ihm zuvor. Er wendet sich
gegen das Portal und tritt in die Burg.

KÖNIG *zu Julian, sich mit Mühe beherrschend*
Ich will ihn noch nicht sehen. *Er führt Julian von den Höf-*
lingen weg, nach vorne Ein großer Augenblick, ein furchtbar entscheidender Augenblick.

JULIAN *fällt auf die Knie*
Seine Worte klingen zuweilen heftig und jäh – bedenke
Eure Majestät in ihrer Weisheit und Langmut: das
Wesen hat nie einen Freund gehabt.

KÖNIG
Auch ich habe nie einen Freund um mich gehabt.

JULIAN *auf den Knien*
Sein junger Fuß hat nie einen Schritt getan, ohne eine
schwere hündische Fessel!

KÖNIG
Auch ich, Graf Julian, habe nie einen freien Schritt
getan.

JULIAN *auf den Knien*
Sei langmütig, großer Fürst, mit dem Geprüften!

KÖNIG *sieht ihn an*
Sei du für immer sein Berater, mein weiser Julian, mil-
der ihm, als der meine mir! *Er nimmt eine goldene Kette*
mit dem weißen Adler in Edelsteinen vom Hals und hängt sie ihm
um und spricht dazu Sic nobis placuit *Reicht Julian die Hand zum*
Kusse, hebt ihn auf. Man hört nun wieder die Orgel, aber ohne
Gesang. Auf ein Geräusch an der Tür ist der eine Kämmerer hin-
gegangen und hat währenddem mit dem Draußenstehenden gespro-
chen. Dann steht er und sieht auf den König. König winkt ihn
heran.

KÄMMERER

Der Prinz begehrt in ein inneres Gemach und zu ruhen.

KÖNIG

Was spricht er?

KÄMMERER

Kaum ein Wort, keine Frage. Nur dies sagte er, was ich melde.

König nickt.

BEICHTIGER

Er begehrt in seines Vaters Haus. Ducunt fata volentem.

Die Orgel schwillt etwas an, ohne sehr laut zu werden.

KÖNIG *wirds gewahr*

Was ist dies? Aus der Kirche herauf? Man heiße dies einstellen –

JULIAN

Lasse mein König dies gewähren. – Seine Seele ist für Töne empfänglich, und – bedenken in Gnaden! – er hat nie eine andere Musik gehört als die rauhe Trommel oder die schneidende Trompete!

KÖNIG *winkt einen der Höflinge zu sich*

Versamme den Hof – außen.

Die Stabträger öffnen die Tür, die Pagen laufen ab, die Stabträger treten ab. Die beiden jungen Kämmerer und die Höflinge treten ab. – Der König zu der Gruppe, die geblieben. Der Kastellan ist einge- treten mit den Schlüsseln und übergibt sie dem ältesten unter Ver- neigen, geht wieder ab.

KÖNIG

Ihr meine Vertrautesten, durch heilige Eide gebunden – wartet hier innen. Die anticamera, woselbst der kleine Dienst der Königin sich vor der Messe zu versammeln pflegte – dort haltet euch auf. Was ich mit dem Prinzen zu sprechen habe, verträgt keine Zeugen. Trete ich aber mit meinem jungen Gast auf den Altan und lege ihm als Zeichen des Einvernehmens väterlich den Arm um seine Schulter, dann lasset Posaunen erschallen: denn dann ist für dieses Königreich eine große Stunde herangekommen.

Die Höflinge verneigen sich und gehen. Man sieht sie durch die ge-

heime Tür des Oratoriums in den kleinen Korridor links treten und sich nach links entfernen: außer dem Beichtvater. Ihnen folgt der Gehilfe des Arztes, hinter ihm Anton.

ANTON *im Vorübergehen zu Julian*
Mir hat von schmutzigem Wasser geträumt und von ausgefallene Zähn'! es geht schlecht aus.

KÖNIG *winkt dem Beichtvater zu warten, ruft dann Julian durch einen Wink des Auges*
Jene Worte meines hochseligen Großoheims, Kaiser Karls des Fünften, treten mir vor die Seele, mit denen er seine Krone und Länder seinem einzigen Sohne, Don Philipp, übergab. Wenn Euch mein Tod, sprach er, in den Besitz dieser Länder gesetzt hätte, so würde mir ein so kostbares Vermächtnis schon großen Anspruch auf Eure Dankbarkeit gegeben haben. Aber jetzt, da ich sie Euch aus freier Wahl überlasse, da ich zu sterben eile, um Euch den Genuß derselben zu beschleunigen, jetzt verlange ich von Euch, daß Ihr diesen Völkern bezahlet, was ihr mir dafür schuldig zu sein glaubt. –
Er hat die Augen voller Tränen.

JULIAN *kniet nieder und küßt ihm die Hand*
Möge sich seine Seele dir offenbaren. Erringt nicht der Kristall unter gräßlichem Druck seine edle Gestalt? So ist er, wenn ihn dein Auge recht gewahrt.

KÖNIG
Vielleicht werde auch ich mich für den Rest meiner Tage in ein Kloster zurückziehen – möge ein würdiger Sohn meinen Untertanen bezahlen, was er an Dank mir schuldig zu sein glaubt.
Sein Gesicht verändert sich, er winkt den Beichtiger zu sich, Julian tritt zurück.

KÖNIG *zum Beichtiger*
Wo aber läuft der schmale Grenzrain, dessen Überschreitung – vor Gott und der Welt – die äußerste Strenge rechtfertigen würde? wo? mein Vater? – du schweigst. Wenn er seine Hand gegen mich erhübe?

BEICHTIGER
Das verhüte Gott!

KÖNIG

Welche werden auch dann noch sagen: das Opfer der Staatsräson sei seiner verstörten Sinne nicht mächtig gewesen.

BEICHTIGER

Weise Richter, mein König, haben die Erkenntnis gefällt: ein fünfjähriges Kind wird straffällig und kann durch das Schwert vom Leben zum Tod gebracht werden, wofern es zu wählen versteht, zwischen einem vorgehaltenen Apfel und einem kupfernen Pfennig.

KÖNIG *lächelt*

Ein fünfjähriges Kind! Höchst weise ersonnen! Ein wunderbares Paradigma! ein Prinz, der zu Pferde sitzt wie ein geborener König und ein fürstliches Gefolge vor Stolz keiner Anrede würdigt, ist jedenfalls kein fünfjähriges Kind.

DER EINE KÄMMERER *kommt eilig durch die Tür rechts, meldet knieend*

Sie kommen!

KÖNIG

Wer ist mit ihm?

KÄMMERER

Der Prinz hieß mit einer gebietenden Gebärde die Diensttuenden zurückbleiben. Graf Adam allein ist pflichtschuldig gefolgt und führt ihn die Treppe herauf hierher.

KÖNIG

Fort! Dort hinein. Zu den übrigen. Auch du, ehrwürdiger Vater. *Beichtiger und Kämmerer ab. Zu Julian* Du bleibst! *Man sieht den Beichtiger, hinter ihm den Kämmerer, durch den Korridor abgehen. Dann treten der König und Julian in den Korridor und bleiben sichtbar stehen, indem sie durchs Fenster in das Gemach spähen. Das Gemach bleibt eine Sekunde leer, dann wird der junge Kämmerer, Graf Adam, an der Tür, die aufgeht, sichtbar: er öffnet von außen. Läßt Sigismund eintreten, tritt hinter ihm ein und schließt die Tür. Sigismund ist fürstlich gekleidet, trägt aber keine Waffe im Gürtel. Er tritt herein, sieht sich um. Dann ans Fenster, sieht hinaus; dann wieder in die Mitte des Zimmers.*

GRAF ADAM

Sie haben ruhen wollen, gnädiger Herr. — Dieses Zimmer ist Ihnen zugewiesen vom fürstlichen Gebieter dieses Palastes, dessen Gast Sie sind. *Er zieht den Vorhang am Alkoven auf und deutet mit ehrerbietiger Gebärde auf das Bett. Sigismund tritt hin, sieht das Bett, den Alkoven, das ewige Licht an; ein Schauder überfällt ihn, er tritt zurück.*

GRAF ADAM *mit gespielter Unbefangenheit*

Dies ist nicht das Bett, allerdings, auf dem Sie heute morgen erwacht sind. Sie kamen zu unerwartet früher Stunde. Sie waren im Reisewagen fest eingeschlafen – man trug Sie in das nächste beste Gemach. Indessen wurde dieses würdigere vorbereitet.

Sigismund sieht alles; erblickt sich im Spiegel, der überm Kamin hängt; erschrickt etwas, verbirgt seine Hände unter den Ärmeln. Seine Miene drückt Mißtrauen aus und eine angespannte Wachheit. – Plötzlich läßt er den Kopf sinken. Der Kämmerer springt hin, stellt ihm einen Stuhl hin, der neben dem Kamin stand, Sigismund dankt mit einem schwachen Lächeln und einer kleinen Gebärde, läßt sich auf den Stuhl hin.

KÖNIG *mit Julian außerhalb des Gemaches als Zuschauer sichtbar*

Höchst edel! Fürstlich in jeder Gebärde! *Er stützt sich auf Julian.*

SIGISMUND *vor sich leise*

Mich hungert!

GRAF ADAM

Ich befehle einen Imbiß hierher und reiche Ihnen knieend Brot und einen Becher Weins, aber nicht mehr als dies, zur Stillung des ersten hitzigen Hungers – *Klatscht gegen die Tür in die Hände* he Diener! – denn die Mahlzeit selber, die Freude des festlichen Tages, muß mein erhabener Gebieter mit Ihnen zu teilen das Glück haben – er will Sie zu seiner Rechten sitzen sehen und um Sie stehend die Großen, die seine Diener sind – er als erster will den Blick auffangen *Kniet* mit dem Sie zu erkennen geben, daß Ihre Seele einem ungeheuren Umschwung des Glücks gewachsen ist.

Sigismund mustert ihn von oben bis unten, als wollte er fragen: Wer bist du, daß du mir so nahekommst?

KÖNIG

Meine Frau wie sie leibt und lebt! Gegen jedes Zunahetreten gewappnet mit schierer stummer Unmöglichkeit! *Zu Julian* Hinein! und bereite ihn vor! ganz! sag ihm alles!

JULIAN *leise*
Alles, auch das Letzte?

KÖNIG *von Tränen übermannt*
Auch das Letzte! sag ihm, daß sein Vater hier wartet, ihn an seine Brust zu drücken. Und dann öffne mir die Tür und laß mich allein mit ihm. Geh!
Julian tritt durch die geheime Tür ins Oratorium und von dort ins Gemach. Die Orgel war einen Augenblick stärker hörbar, weiterhin ist sie hie und da sehr leise vernehmlich. Der Kämmerer wird ihn zuerst gewahr, tritt zurück, verneigt sich. Auf einen Wink Julians geht er an die Tür, verneigt sich nochmals tief gegen Sigismund hin und geht hinaus. Sigismund wendet den Kopf, erblickt Julian, steht jäh auf, kehrt Julian den Rücken. Er zittert heftig.

JULIAN *läßt sich hinter Sigismund, drei Schritte von ihm, auf ein Knie nieder. Auch er kann seine Erregung kaum bemeistern. Leise* Prinz Sigismund!
Sigismund hebt die Hände wie flehend abwehrend vor sich hin, aber ohne sich Julian zuzuwenden, mit einem leisen, kaum hörbaren Laut des Schreckens.

JULIAN
Ja, ich. *Eine Stille* Dies war die Reise, die ich dir versprach. Dies Haus ist ihr Ziel.
Sigismund sieht sich hastig um, wendet ihm sogleich wieder den Rücken.

JULIAN
Habe ich dir je gelogen?
Sigismund schüttelt den Kopf, noch ohne sich ihm zuzuwenden.

JULIAN
Hier ist Alles! Was dieses Wort bedeutet, kannst du nicht ermessen – aber indem du es vernimmst, ahndet dir viel. – Du bist weise: du willst die Welt nicht anders als sie ist. Jeden Augenblick nimmst du, wie er ist, möchtest nichts verändern – weil du gelernt hast: zu wissen.
Sigismund kehrt sich allmählich ihm zu.

JULIAN *erhebt sich und spricht aus der gleichen Entfernung*
Du hast dir gesagt, daß es dein Vater ist, der so über dich gebietet, und daß, nun du hier bist, er dir auch nahe ist:

das hast du dir gesagt, Sigismund, denn dein Sinn ist stark und geht auf den Kern der Dinge. Du begreifst, daß deines Vaters Wege dir unerforschlich sein mußten, wie dem Getier deine Wege übers Getier. Du möchtest nicht leben, wenn nicht Höheres über dir wäre, so ist dein Sinn. – Du fragst nicht: Was ist mir geschehen? – *Sigismund schüttelt den Kopf.*

JULIAN
– Noch: Warum ist es mir geschehen? –
Sigismund schüttelt den Kopf.

JULIAN
Denn dein Herz ist uneitel. Du verehrest Gewalt, die über dir ist. Dir ahnt immer das Höhere, weil du selbst von Hohem bist. Und nun bist du bereit?

SIGISMUND
Wohin führst du mich?

JULIAN
Bleibe. Verbirg nicht deine Hände. Zeige sie ohne Scheu. Dies halte fest: ich bin deines Vaters Diener. Ein Mann ist bei jedem Atemzug des Höheren eingedenk.
Sigismund steht in unsäglicher Spannung.

JULIAN *nachdem er sich umgesehen hat*
Sigismund, Kronprinz von Polen, Herzog von Gothland, ich habe dir den Besuch deines königlichen Vaters anzukündigen. *Die Orgel tönt nun stärker, schwillt mächtig an, die vox humana tritt gewaltig hervor.*
Sigismund steht entgeistert. Dann sucht er mit den Augen wo dieser Klang herkomme, er sieht nach oben, zittert heftig. Tränen schießen ihm in die Augen.

JULIAN
So recht. Laß die Orgel dir den Namen: Vater – in die Seele dröhnen. Vater, Schöpfer Himmels und der Erde! Von Angesicht! Fall nieder!

KÖNIG *außerhalb, aber sichtbar, kniet nieder und betet*
Tu ein Wunder, Herr im Himmel! und versöhne ihn mit seinem Schicksal, dessen unschuldiges Werkzeug ich war. Amen. *Sein Gesicht, wie er wieder aufsteht, ist von Tränen überströmt.*

Sigismund fällt auf die Knie, birgt sein Gesicht in den Händen.
Julian eilt hin, öffnet die Tür, läßt den König eintreten. Die Orgel
wird leiser. Der König steht im Gemach. Sigismund liegt noch auf
den Knien, das Gesicht in den Händen, wie sein Vater schon vor
ihm steht. Julian tritt auf den Korridor hinaus, verschwindet nach
links.

KÖNIG *nach einer Pause*

Sprich, mein Sohn. Laß mich deine Stimme hören.
Sigismund auf den Knien, den Kopf zur Erde.

KÖNIG

Sohn, wir haben dir verziehen. Du bist uns heimge-
kehrt. Unsere Arme sind offen. Laß uns dein Antlitz
sehen!
Sigismund zittert, zuckt; wendet sein Gesicht gegen die Wand;
kniet dort nieder, abgewandt. Drückt das Gesicht gegen die
Mauer.

KÖNIG

Nein, es ist an uns. Wir demütigen uns vor dem, der ge-
litten hat. Wir neigen uns. *Er neigt sich ein wenig.*
Sigismund zittert stärker, birgt den Kopf hinterm Sessel.

KÖNIG

Wie Sankt Martin, da er den Bettler fand, den nacken-
den, vor Kälte zitternden – wir schneiden uns einen Teil
unseres Mantels ab! *Er greift ans Schwert* Sieh auf! Sollen
wir unseren königlichen Mantel mit dir teilen? Oder
Er stößt das Schwert wieder in die Scheide kommst du an unser
Herz in seine ungeteilte Wärme? *Er öffnet seine Arme:*
Sigismund sieht auf.

KÖNIG

Steh auf, mein Sohn, und tritt getrost auf deinen Vater zu.
Sigismund steht auf.

KÖNIG

Laß uns deine Stimme hören, junger Fürst! Wir sind
begierig nach ihr. Wir haben ihren Klang zu lange ent-
behrt.
Sigismund redet, aber es dringt kein Laut über seine Lippen.

KÖNIG

Was flüsterst du in dir? Möge es ein guter Geist sein, der

aus dir flüstert!

Sigismund kann nicht reden.

KÖNIG

Rede laut das Wort der gerührten Anerkenntnis. Du
vermagst nicht zu wissen, was du gegen uns verschuldest
hast.

Sigismund qualvoll ringend, stumm.

KÖNIG *einen Schritt näher*

Wir bedürfen eines weisen Sohnes. Wir wollen einen
jungen Fürsten sehen, der großen Dingen gewachsen ist.
Wir wollen uns selber wiedererkennen im Saft und
Glast unserer Jugend. Wir warten.

Sigismund geht zurück.

KÖNIG

Scheue nicht zurück vor unserem Anblick, auch nicht
aus Ehrfurcht. Dein Auge in unseres! Vernimm einmal
für alle Male, Kronprinz von Polen! Wir vermögen nicht
mißzuhandeln als König an dem Untertan, als Vater an
dem Sohn; und hätten wir dir ohne Gericht das Haupt
auf den Block gelegt: so war uns heilige Gewalt verliehen, und da ist niemand, der wider uns klaget. Denn
wir waren vor dir – so bist du in unsere Hand gegeben
von Gott selber.

Sigismund deutet durch ein Zeichen, er habe Furcht vor Gewalt,
Furcht vor des Königs Händen.

KÖNIG *versteht ihn*

Die Hände? Furcht vor unseren königlichen Händen?
Sie sind milde, fruchtspendend, heilen den Kranken,
dem ich sie auflege. Aber Ehrfurcht gebührt ihnen:
recht so, mein kluger Sohn. Eines Königs Hand ist be-
redter als die Zunge des Weisen. Ihr Wink ist Befehl,
und im Befehl ist die Welt eingeschlossen: denn in ihm
liegt die Vorwegnahme des Gehorsams. Indem er befiehlt, gleicht der König seinem Schöpfer. – Wie Gott
befahl: es werde Licht! so befehle ich dir: es werde Licht
in deinem Haupt und Gehorsam in deinem Herzen!
Und dies wird dir leicht sein: denn rege dich, tritt hierher und dahin, und Alles, worauf dein Auge fällt, kommt
von mir!

Sigismund berührt angstvoll den eigenen Leib.

KÖNIG

Alles! Auch dein Leib auf den du deutest. Wir zeugten
dich hier – in diesem selben Gemach – dort auf diesem
selben fürstlichen Lager.
Sigismund stöhnt auf.

KÖNIG *tritt wieder vor ihn hin*

Ist dein Herz überwältigt? Will es dich vor unsere Füße
werfen? zuckst du vor Ehrfurcht? – Ja, du empfängst
viel in einer Stunde.

SIGISMUND

Woher – so viel Gewalt?

KÖNIG *lächelt*

Nur die Fülle der Gewalt frommt: in der wir sitzen, als
der Einzige, einsam. So ists Gewalt des Königs. Alles andere
ist von ihm geliehen und ein Schein.

SIGISMUND *sehr stark*

Woher?

KÖNIG

Von Gott unmittelbar. Vom Vater her, den du kennst. –
Am Tage, da es Gott gefiel, sind wir in unser Recht ge-
treten als Erbe. Ein Heroldsruf erscholl in die vier
Winde. Die Krone berührte das gesalbte Haupt. Dieser
Mantel wurde uns umgetan. So war wieder ein König in
Polen. Denn es stirbt Basilius oder Sigismund, es stirbt
nicht der König. Ahndet dir, wer vor dir steht?

SIGISMUND

Gib schon dein Geheimnis preis! Laß schon dein Gesicht
vor mir aufgehen! Offenbar dich mir! – Ich habe nie
einen Menschen geküßt. Gib mir den Friedenkuß,
mein Vater. Aber zuvor erhöhe mich über dich selber zu
dir! Gib dich mir so, wie du mich genommen hast! Laß
aufgehen dein Gesicht! Zeige mir, wie du mitgebunden
bist worden! mitgeschlagen bist worden! Laß die Wunden aufgehen! Mutter, Vater! Nimm mich zu dir!

KÖNIG

Genug. Ich liebe diese Maske nicht. Komm zu dir, Prinz
von Polen. Besinne dich, von wo ich, dein König, dich
gerufen habe und wohin ich dich erhöht habe.
Sigismund steht ratlos

KÖNIG

Setz dich hier zu meinen Füßen, mein Sohn. *Er setzt sich auf den hohen Stuhl, Sigismund zu seinen Füßen auf den niedrigen. Der König sieht ihm lange ins Gesicht* Du bist ehrgeizig und begierig nach Macht: das lese ich in deinen Zügen. – Man hat dich gelehrt mit gefühlvollen Worten die Herzen zu gewinnen. – Mögen solche Gaben dir nach meinem Tode zugute kommen. – *Er nimmt seine Hand* Mir vertraue und keinem sonst. Eines ist Königen not: daß sie sich ihrer bösen Ratgeber zu erwehren lernen. Sie sind die Schlangen an unserem Busen. Hörst du mich, mein Sohn? Antworte mir.

SIGISMUND

Ich höre, mein Vater.

KÖNIG

Du bist verschlossen, mein Sohn. Du bist schlau und geschickt. Ich sehe, du bist jedem Geschäft gewachsen. Ich übertrage dir das erste und größte. *Er steht auf, Sigismund gleichfalls* Entledige mich dieses arglistigen Dieners. Mache uns frei von der Schlange Julian, die uns beide umstrickt hat.

SIGISMUND *sieht ihn an*

Wie, mein Vater?

KÖNIG

Wie, mein Vater? Wie? in Ketten dich? Unter seiner Peitsche den Erben dreier Kronen? Und mir deine Wildheit vorgespiegelt! Meine Tage vergiftet, meine Nächte ausgehöhlt mit dem Schauermärchen von einem tobenden Knaben mit mörderischen Augen! Mit dem Gespenst eines geborenen Aufrührers! – Begreifst du die Anstalten der satanischen Bosheit? Begreifst du, wie er den Keil treibt mit rastlosen Schlägen zwanzig Jahre lang zwischen Vater und Sohn? – Was ist das für ein allgemeiner Aufruhr, mir dessen Androhung er nun wieder mein argloses Herz bestürmt? In wessen Hand, wenn nicht in der seinen, laufen die Fäden zusammen? – Und zu welchem Ende verknüpft er deinen Namen mit diesen Anstalten? Schwant dirs, mein armer Sohn, zu welchem Ende? Dich an ihn zu ketten durch die Gemeinsamkeit des an mir begangenen Frevels – ihn dir unentbehrlich zu

machen für immer – dich zu erniedern zum Werkzeug
deines Werkzeugs – einen zweiten Basilius aus dir zu
machen – einen zweiten Ignatius aus ihm!

SIGISMUND

Das ist eines Königs Großheit! die ich mir zu ahnen
vermeinte, wenn ich einen Roßknochen schwang überm
Getier! *Er bedeckt sein Gesicht mit den Händen.*

KÖNIG

Ich frage dich nicht! wer schürt seit einem Jahr diesen
Aufruhr in meinen Ländern? Ich verhöre dich nicht.
Ich begehre nicht, daß du mir deinen Lehrer preisgibst.
Ich gebe ihn dir preis. In deinen Händen sei sein Ge-
schick. Ich rede als ein König zu dem mir geborenen Könige. Wer ist wider zwei Könige, wenn sie einig sind? –
Nimm diesen Ring. Steck ihn an deinen Finger. Wer ihn
trägt ist der Herr. Meine Garden gehorchen ihm. Meine
Minister sind die Vollstrecker seiner Befehle. Ich habe
ihn einem gewaltigen Teufel vom Finger genommen.
Du sollst ihn tragen, mein Sohn. *Er steckt Sigismund den
Ring an* Handle du für uns beide. Sei klug, sei stark, sei
kühn. Tritt hervor aus dieser meiner Umarmung und
sei wie ein Blitz. Verhafte diesen Julian und sieh zu, ob
der angezettelte Aufruhr nicht dahinfällt wie ein Bündel
Reisig. Jeder deiner Schritte sei furchtbar, schnell und
entscheidend. Überwältige die Bösgesinnten, ehe sie
sich vom blassen Schreck zu einer rebellischen Besinnung
erholt haben. Treibe Stand gegen Stand, Landschaft gegen Landschaft, die Behausten gegen die Hauslosen, den
Bauer gegen den Edelmann. Der Menschen Schwäche
und Dummheit sind deine Bundesgenossen, riesengroß,
unerschöpflich. – Aber deine erste Tat sei jäh, erschrek-
kend, besinnungsraubend – und wäre sie die Hinrichtung
dieses Julian. Die Prärogative dieses Ringes an deiner
Hand sind unermeßlich. Sie heben den Lauf der Gerichte
auf. Sie legen den Griff des Richtbeils unmittelbar in die
Hand des Trabanten, der dich auf einem nächtlichen
Gang begleitet. Sie machen dich mir gleich, mein Sohn,
damit du handeln könntest für uns beide. Es ist von nun
ab ein König in Polen: aber er wandelt in zwei Gestalten.
Weh unseren Feinden! *Er öffnet seine Arme.*

SIGISMUND *tritt zurück*

Wer bist du Satan, der mir Vater und Mutter unterschlägt? Beglaubige dich? *Er schlägt ihm ins Gesicht.*

KÖNIG

Trabanten! Zu mir! Auf deine Knie, Wahnwitziger!

SIGISMUND *packt ihn*

Was fletschest du? Warum wird dein Gesicht so gemein? – Ich habe schon einmal einen alten Fuchs mit Händen erwürgen müssen! Er hat gerochen wie du! *Stößt ihn von sich.*

KÖNIG

Nieder auf deine Knie, rebellisches Tier! Hört niemand! Wir werden dich züchtigen! Wir werden nicht anstehen, dich im Angesicht des Volkes auf den Richtblock schleifen.

SIGISMUND

Ich bin jetzt da! Alles andere ist Gewölle, wie es die Krähen ausspeien! – Ich bin da! – Ich will! An mir ist nichts vom Weib! Mein Haar ist kurz und sträubt sich. Ich zeige meine Tatzen. Diese Stunde, zu deinem Schrecknis, hat mich geboren.

KÖNIG

Unantastbar! Die Majestät! Zu Hilfe! *Er will nach links, Sigismund vertritt ihm den Weg.*
Eines Pagen Stimme von links Der König ruft!

SIGISMUND *bedrängt den König, reißt ihm das Schwert aus der Scheide, schwingt es*

Ich befehle! Da hinüber! Nieder auf den Boden! Ich will treten auf dich! – Seitdem ich da bin, bin ich König! Wozu riefest du mich sonst?
König stöhnt unter seinem Griff.

SIGISMUND

Röhr doch! Mach Lärm! Ruf! Schrei dich tot! Her den Mantel!
König will entspringen. Julian wird in dem Korridor links sichtbar, stürzt herein und durch die Tür rechts wieder heraus. Sigismund läuft dem König nach mit geschwungenem Schwert. König fällt zusammen. Sigismund reißt ihm den Mantel ab und hängt ihn sich um die Schulter. Pagen, im Korridor links, schreien auf Zu Hilfe!

Etliche Höflinge stürzen herbei, dringen durchs Oratorium ins
Zimmer. Der Korridor füllt sich mit Hofherren, Kämmerern, Pagen.
Alle schreien durcheinander Wer ruft? Was ist geschehen? Da
hinein! Es ist verboten! Der König ist tot! – *Die ins Zimmer*
Eingedrungenen halten sich links.

SIGISMUND *den Blick fest auf ihnen*
Stille! Keinen Blick auf die alte Leiche! Auf die Knie
mit euch! Küsset die Erde vor den Füßen eures neuen
Herren und werfet das alte Fleisch dort in die Grube –
vorwärts hier! Die Vordersten zwei! *Er deutet auf zwei mit*
der Spitze des Schwertes Fort mit dem Erblasser! Packt
an! – Da, ich will das nicht sehen!
Die Höflinge regen sich nicht. Hinter ihnen haben sich mehrere ins
Zimmer geschoben. Die Tür rechts öffnet sich. Julians Kopf er-
scheint. Er sieht nach allen Richtungen, springt dann herein. Er
hat das Reichsbanner an sich gedrückt, wirft sich vor Sigismund
auf die Knie, indem er ihm das Banner überreicht, und ruft Es lebe
der König!

SIGISMUND *ergreift das Banner mit der Linken*
Herein da mit euch! Hier seht euren Herrn! Bereitet
euch! Ich will mit euch hausen wie der Sperber im
Hühnerhof. Mein Tun wird meinem Willen genugtun.
Versteht mich! Meine Gewalt wird so weit reichen als
mein Wille. Auf die Knie mit euch! *Er wirft ihnen das nackte*
Schwert vor die Füße Da! Ich brauche das nicht! Ich bin der
Herr!
Einige der Vordersten knien nieder.

GRAF ADAM *zwischen den Höflingen schreit auf*
Der König lebt! Zu Hilfe seiner Majestät! *Er reißt aus Sigis-*
munds Hand das Panier an sich Es ist nur ein König in Polen!
Vivat Basilius!
Zwei Kämmerer schieben sich an der linken Wand entlang und
kommen Sigismund in den Rücken. Der eine wirft seine Arme von
hinten um Sigismund und bringt ihn zu Fall. Mehrere stürzen sich
nun noch auf ihn. Er wird in den Alkoven halb gerissen, halb ge-
tragen. Die älteren Höflinge und die Pagen eilen zum König,
helfen ihm sich aufrichten. Pagen bringen von hinten den Mantel,
hängen ihn dem König um. Der Beichtiger stützt ihn. Gleichzeitig
eine Stimme aus dem Alkoven Er liegt! *Eine andere Stimme* Her
mit dem Arzt! – *Der Gehilfe des Arztes, Anton mit der verdeckten*

Schüssel neben ihm, sind als letzte aus dem Oratorium getreten. Der Gehilfe geht gegen den Alkoven, von wo man ihm winkt. Er sieht sich nach Anton um. Anton preßt die verdeckte Schüssel gegen sich. Mehrere kommen gelaufen, reißen Anton die Schüssel weg, tragen sie hastig nach dem Alkoven. König hat sich aufgerichtet.

GRAF ADAM *kommt atemlos aus dem Alkoven, wirft sich vor dem König auf die Knie, überreicht den Ring*
Ich habe ihm von hinten die Sehne durchschnitten wie einem Hirsch. Er liegt.

EIN ANDERER JUNGER HÖFLING *ebenso*
Ich habe ihn aufs Bett gerissen.

EIN DRITTER *ebenso*
Wir haben ihm den Schwamm unter die Nüstern gehalten, und jetzt liegt er unschädlich.
Julian kommt nach vorne. Er ist leichenblaß und wie betäubt. Er geht mechanisch bis an die linke Wand und stellt sich dorthin, wo er zu Anfang gestanden hat. Eine Gruppe älterer Höflinge nehmen seitlich hinter ihm Stellung, heften drohende Blicke auf ihn und halten ihre Dolche gezückt. König scheint Julian nicht zu sehen. Julian wird sich plötzlich der Lage bewußt, fällt mit dem Gesicht gegen den König auf die Knie, ohne sich dem König zu nähern. König wendet sich ein wenig, so daß er den knienden Julian nicht mehr vor dem Gesicht hat. Von den Höflingen einige, die nächsten, küssen den Saum von des Königs Rock, dann andere. Beichtiger redet leise und eindringlich auf den König ein.

KÖNIG
Es ist geschehen, wie prophezeit war. Er hat seinen Fuß auf mich gesetzt im Angesicht des Volkes. Jetzt muß er sterben.

BEICHTIGER *dicht bei ihm*
Erhaben, ich weiß es, mein König, war dein Denken im entscheidenden Augenblick. Dein Leib lag im Staub, unterworfen dem Rasenden, aber deine Seele in einem Nu schwang sich auf, und du standest vor Gott, erhöht und nicht erniedrigt.

KÖNIG
Wie prophezeit war! Aber wir sind unserer Krone mächtig geblieben und können über ihn die Strafe verhängen! Ah! Wer hätte das gewagt zu hoffen!

BEICHTIGER

Als du lagest unter dem Schwert des rasenden Sklaven, wie ein verlorener Mann, da war in Wahrheit ein Gedränge von Engeln zwischen der gezückten Schneide und deinem Nacken, und deine Seele lag wie ein Tropfen Tau im Kelch einer Lilie, die im Frühwind schaukelt, und ihre Gedanken, ich weiß es, waren erhaben und ruhig. Was empfandest du, mein heiliger König, im Augenblick, da uns das Blut in den Adern gerann? Welches Bild erfüllte deine Seele erhaben und glanzvoll, wie der Pinsel des begnadeten Malers es schafft auf die Tafeln, zu zieren den Hochaltar?

KÖNIG

Als ich hinschlug auf den Boden, dröhnte in meinem Ohr eine schwere gräßliche Last! Wie von eisernen Stangen und Ketten. Was war das?

BEICHTIGER

Heil dir! Das waren die Ketten, die er tragen soll in der Nacht seines Kerkers! Eingegeben durch Gott dröhnte durch dich das Sinnbild der unblutigen Sühne. Hebe deine weißen Hände zu Gott, barmherziger König, er hat dir eingegeben, deine Hände reinzuhalten von Blutschuld. Dank wollen wir sagen unserem Gott und Herrn! *Die Türe rechts geht auf, Diener bringen einen Trunk. Kämmerer reichen ihn knieend dem König.*

EIN HÖFLING

Der König trinkt!

ALLE

Heil Eurer Majestät!
König gibt den geleerten Becher zurück. Dann wendet er sich, winkt dem Hof ihm zu folgen und geht mit starken Schritten durch die Tür rechts, die vor ihm auffliegt, ab. Alle folgen in Eile. Die Julian zunächst stehen, bespeien ihn. Julian bleibt an seiner Stelle und stöhnt dumpf.

ANTON

Recht so – machen sich Luft – daß sich die Gall nicht inwendig aufs Herz ergießt –
Julian stöhnt.

ANTON

O mein! ist Ihnen so schlecht?

JULIAN

Nicht ich – nicht mich laßt zur Ader – aber das Tier mit
Hörnern, bis es weiß wird und umfällt: den alten Bock
mit einer Krone auf!

ANTON

Die Red ist dunkel, aber sie kommt halt auch aus einem
blauschwarzen Gesicht heraus. Reden nur weiter.
Schaun mich nur nicht so stier an!

JULIAN *verloren*

Was?

ANTON *in Angst*

Natürlich! natürlich! Wie Sie es sagen!
*Die Tür rechts geht auf, einer der Höflinge tritt mit starken Schrit-
ten ein, Pagen mit ihm.*

HÖFLING *vor Julian stehenbleibend*

Mit engelsgleicher Fassung nimmt mein Souverän das
Geschehene hin, daß zu unerforschlicher Prüfung ein
Teufel, die inkarnierte Rebellion, sich verkleidet hat in
höchstsein eigenes Fleisch und Blut, der erhabenen
Dynastie zu höllischem Hohn. Dunkler Ort wird diesem Wesen zum Aufenthalt angewiesen. Als ein Namen-
loser, nie zu Nennender verbleibe er in ewigem Gewahrsam – der Raum, da er seine Glieder rege, soweit eine
Kette gestattet, dreißig Pfund schwer, mit der man seinen satanischen Leib schmiedet an den mittelsten Pfeiler des Gewölbes. Nun zu dir –

ANTON

Bedenken Euer Erlaucht, mein Herr ist nicht recht gesund, lassen mich lieber um den Arzt laufen –

HÖFLING *hebt den Stock gegen Anton, dann zu Julian*

Über dir schwebt unverjährbares Urteil wegen hochver-
räterischer, satanischer Konspiration: aufgeschoben nur
die Vollstreckung, hängt das Richtschwert über dir bei
Tag und Nacht an einem Haar. Dein Tun trotz alledem
und was dich mag getrieben haben in dunkler Brust
deckt die Nachsicht des erhabenen Monarchen mit einem
milden Schleier. Du bleibst nach wie vor sein Wärter.
Deutet auf Sigismund hin Wachst über seinem Leben bei
Tag und Nacht. Du hast ins Angesicht der Majestät ein

vermessenes Wort gewagt: Bestünde, sprachst du, dein Pflegling nicht die Probe, so wären diese Stunden hier zu achten als ein kurzer Traum mitten dumpfem Schlaf. Das mache wahr und friste mit diesem Dienst dein Dasein, es ist dir für unbestimmte Zeit geliehen. Der Ort, da du es fristest, ist der Turm dort, einsam im Gebirg. Wer dich antrifft nur einen Büchsenschuß weit von seinem Gemäuer, er sei ein freier Mann oder leibeigener Sklav, der vollzieht an dir die Acht und Aberacht — gibt dein Blut und Gebein der Erde, dein Auge den Vögeln, deine Zunge den Hunden. — Edelknaben, tut euren Dienst!

Pagen fallen Julian an und entreißen ihm Kette und Siegel. Höfling geht ab, die Pagen mit den Kleinoden vor ihm. Julian stöhnt.

ANTON

Lassen sich hin! legen sich in den Sessel!

Will den Sessel heranrücken, Julian weigert sich zu sitzen. Arzt tritt ein mit Gehilfen und Dienern. Er geht zum Alkoven.

JULIAN

Stehen! Aufrecht hier hinausgehen —

ARZT *am Alkoven*

Verbände an die Füße, dies leichte seidene Tuch über sein Gesicht. — Wesen aus einem einzigen Edelstein, du darfst keine Schmach erleiden!

Er steht einen Augenblick in Gedanken.

ANTON *läuft zum Arzt*

Kommen hierher, unser gnädiger Herr ist der ärgere Patient.

Arzt tritt hin, richtet den Blick auf Julian. Julian tritt ihm einen Schritt entgegen, schwankt dabei.

ARZT *reicht ihm ein Fläschchen aus seiner Tasche*

Trinken der Herr von diesem, es wird Ihnen die Kräfte geben, daß Sie, auf meinen Arm gestützt, bis in mein Zimmer kommen, wo ich Ihnen eine Ader schlagen werde. Jetzt mehr als je hat der Ihnen anvertraute hohe Jüngling Anspruch auf Ihre ganzen Kräfte.

Die Diener unter Aufsicht des Gehilfen heben Sigismund vom Bette und tragen ihn langsam hinaus.

JULIAN

Was wollen Sie von mir? Welche Hoffnung ist noch zurück? Sie sind in Unkenntnis, was über uns verhängt ist?

ARZT

Jede Hoffnung. Denn er lebt und wird leben. Das verbürge ich. So und nicht anders war von jeher den Heiligen gebettet zur Erwachung.

JULIAN

Klafterdicke Mauern um uns! Überm Kopf die Faust des Wärters.

Der Kastellan und die Diener verschließen den Alkoven, sind nun näher gekommen.

ARZT *leiser*

Gewaltig ist die Zeit, die sich erneuern will durch einen Auserwählten. Ketten wird sie brechen wie Stroh, Türme wegblasen wie Staub.

JULIAN

Was bindet deine Seele mit so gewaltigem Glauben an diesen Jüngling? Du hast kaum mit ihm geredet?

ARZT *leise*

Acheronta movebo. Ich werde die Pforten der Hölle aufriegeln und die Unteren zu meinem Werkzeug machen – der Spruch war von Geburt an auf der Tafel Ihrer Seele geschrieben.

JULIAN

Haltet mich! Angst wandelt mich an, zu sterben und nichts hinter mir zu lassen.

Zwei Diener treten von links herein, der eine mit einer Fackel.

ARZT

Man kommt, wir müssen fort von hier.

DER EINE DIENER

Ist hier der Doktor? Seine Gnaden der Graf vom Weißen Berge suchen den Herrn.

ARZT *tritt hervor*

Hier bin ich!

Julian tritt seitwärts ins Dunkel, kehrt das Gesicht gegen die Wand.

GRAF ADAM *an der Tür stehenbleibend*

Euer Hochgelahrt empfangen hiermit den Befehl, mit
dem Kranken erst bei sinkender Nacht die Reise anzu-
treten. Es sind Umstände dazwischen getreten.

ARZT

Welcher Art?

GRAF ADAM

Gebietende für den Augenblick. In das niedere Volk ist
die Hirnwut gefahren. Sie liegen zu Tausenden vor den
Kirchen und beten für einen Bettlerkönig, einen namenlosen Knaben, der ihr Führer sein und in Ketten ein
neues Reich heranbringen soll. – Man wird mit Dra-
gonern und Musketieren die Straßen absperren. Euer
convoi verbleibt ohne jede Gefährdung. *Er nickt ihm zu und
geht. Der Diener hinter ihm.*

ARZT *laut*

Ich bin unbesorgt über den Ausgang.
Wendet sich zu Julian.

JULIAN

Gewaltiger Mann, wie dein Sehstern leuchtet! Bleibe
bei mir, ich werde dich verehren wie einen Engel.

ARZT

Ihr werdet mich kaum wiedersehen. Die Kräfte freizumachen ist unser Amt, über dem Ende waltet ein Höherer.
Sie gehen hinaus.

Vorhang.

DER VIERTE AUFZUG

*Unterirdisches Gewölbe, links eine Wendeltreppe nach oben in den Fels
gehauen. Sigismund auf seinem Bette sitzend. Julian kommt die Wendeltreppe herab, Anton leuchtet ihm mit einer Lampe; er trägt unter dem
linken Arm Kleider in ein Tuch eingeschlagen.*

JULIAN

Weck ihn, Anton!

ANTON

Sigismund! schläfst du? Er hat die Augen offen.

SIGISMUND *sieht Julian an*

Mein Wächter, du bist lange nicht bei mir gewesen.

JULIAN

Ich habe eine Reise tun müssen, heimlich: um deinetwillen. Zu dir zu treten, Ohnmacht zur Ohnmacht, dessen war ich überdrüssig. Nun aber komme ich zurück
als ein Verwandelter. Schüttle den Schlaf ab, völlig, für
immer. – Ich bleibe von jetzt an bei dir, als dein Diener,
Tag und Nacht. – Anton, achte, ob mein Bote nicht
kommt, wir haben nicht Zeit zu verlieren, vor Tag müssen wir weit von hier sein.

ANTON

Hörst dus, Sigismundi! mach deine Ohren auf! Jetzt
kommt eine unverhoffte Neuigkeit!

JULIAN

Ja! Höre nun, höre, mein Sohn! Denn von mir bist du,
deinem Bildner, nicht von dem, der den Klumpen Erde
dazu hergegeben hatte, noch von ihr, die dich unter
Heulen geboren hat, ehe sie dahinfuhr – : ich habe dich
geformt für diese Stunde, nun lasse mich nicht im Stich!

ANTON

Es ist ein Schuß gefallen, Euer Exzellenz, jetzt noch einer,
ganz in der Nähe. Was wär denn das?

JULIAN

Achte auf einen, der oben klopfen wird, sonst auf nichts!
Zu Sigismund Mein Tun, verborgen vor dir, war Ver-
wirklichung; ein Plan, ungeheuer, unter dem allen.
Fassest du mich! Aufruhr, offener Aufruhr schüttelt diese
Nacht seinen Rachen wie der Bär, der auf das Dach des
Schafstalles geklettert ist. Zwinger, solche wie dieser da,
bersten, und die Kerker geben ihre lebenden Eingeweide
von sich, und Wut stürzt auf Wut.
Sigismund hebt abwehrend die Hände.

JULIAN

Noch mehr! höre noch mehr! Ich habe durchgegriffen
bis ans Ende, die Erde selber habe ich wachgekitzelt und
was in ihr wohnt, was aus ihr geboren ist, den Bauer, den
Kloß aus Erde, den fürchterlich starken – ich habe ihm

Atem eingeblasen — das Tier mit Zähnen und Klauen habe ich aufgestört, aus Schweinsschnauze und Fuchsrachen stößt es deinen Namen hervor und erwürgt mit erdigen Händen die Schergen und Büttel. — Jetzt steh auf und komm mit mir dorthin, wo du Legionen der Deinigen so siehst wie der Mond am Jüngsten Tag die Auferstehenden sehen wird, und sein Auge wird nicht groß genug sein, ihre Menge zu fassen — laß dich ankleiden und tritt mit mir hin, dies zu sehen. — Du hast lange genug ins Schwarze gestiert.

SIGISMUND

Wissend: das sind Träume! denn so hast du mich gelehrt zu benennen und zu erkennen, was sich regt vor meinem Auge. — Träume! — so hast du mich es nennen gelehrt.

JULIAN

Träume! Recht so. Das Wort war Weisheit und Schutz gegen dich selber. Sprach ich: dies, was dir widerfuhr, war Wirklichkeit, so stürzte die Welt auf dich und begrub dich unter Trümmern. Darum sprach ich: es träumt dir. Und wiederum: es träumt dir!

SIGISMUND

Bis es fing — dann hatte es mich und keine Hand reißt den Köder aus mir als mit meinen Eingeweiden.

JULIAN

Deine Seele hat leiden müssen um sich zu erheben — und alles andere war eitel!

SIGISMUND

Du hast es mich fassen gelehrt. Eitel ist alles außer der Rede zwischen Geist und Geist.

JULIAN

Deinem Geist gab ich Nahrung; denn ich habe ihn gezeugt in dir! Dich selber gebildet aus dir selber, mein Innerstes eingießend in dich!

SIGISMUND

Aber ich nun, dein Gezeugter, bin über dem Zeugenden. Wenn ich liege, einsam, so geht mein Geist, wohin deiner nicht dringt.

JULIAN

Ja? Erfüllt dich Ahnung? Gewaltige Ahnung deiner selbst? Herrliche Zukunft?

SIGISMUND

Zukunft und Gegenwart zugleich. Fasse ganz, was du selber in mich gelegt hast, wenn du mich hinauftrugest an deiner Brust unter die Sterne, die aufziehen überm Turm – denn so hast du mich erhöht, um meine Seele heil zu erhalten vor der Starrnis der Verzweiflung. Da ich gewaltiger Mensch eins bin mit den Sternen, so lehrtest du mich, darum warten sie wissend auf mein Tun. Aus meiner Brust gebäre ich ihnen die Welt, nach der sie zittern. Ihnen ist alles Gegenwart, die sich gebiert – die Qualen, die dem niedrigen Menschen geschehen mit Harren und Stocken, und daß ihn zermalmen will mit zermalmendem Heranschreiten ein Übergewaltiges – derer sind sie ledig. Ihresgleichen aber, so sprachest du, mein Lehrer, – ihresgleichen in Auserwählung ist eines träumenden Menschen herrliche Brust, die aus sich selber die Welt schafft, genießend ihres innersten Selbst. Wer daliegt im Dunkel und dieses weiß, was bedarf der noch? so sprachst du zu mir: diese Erde kann ihm nichts hinzugeben.

JULIAN

Gepriesener! den kein Königsmantel erhöhen kann. Ich habe dich einmal hinausgeführt aus diesem Turm, angetan mit fürstlichen Gewändern, was aber ist das gegen die Ausfahrt, die ich dir jetzt bereitet habe!

SIGISMUND

Richtig: denn jetzt laufe ich nimmer Gefahr, daß der Wahn als ein Wahn sich ausweist!

JULIAN

Du sprichst es aus, mein Sohn, denn diesmal bist du gesichert.

SIGISMUND

Ja, das bin ich. Herr und König auf immer in diesem festen Turm! *Er schlägt sich auf die Brust.*

JULIAN

Jetzt sind wir die Weissager und die Wahrmacher zugleich!

SIGISMUND

Wahrhaftig, das sind wir! Heil uns, daß wir gewitzig sind!

JULIAN

Taten tun, das ist nunmehr uns vorbehalten! Nur der Gebietende tut – die anderen braucht er nur nach seiner Willkür, wie Geräte!

SIGISMUND

Ha! das haben wir erfahren! als sie uns auf den Wagen warfen, wie ein Kalb mit gebundenen Füßen.

JULIAN

Meine Herrschaft! Mein Reich! Diese beiden Worte presse an dein Herz! Zieh dich an! *Er zieht ein Gewand, einen scharlachnen Leibrock, aus dem Pack* Die kühnen Edelleute nehmen dich in ihre Mitte, fünfzigtausend Bauern sind auf und haben ihre Sensen umgenagelt zu Spießen!

ANTON *nähert sich Julian*

Es zieht sich Lärmen und Schießen immer näher. Jetzt läuten sie Sturm in unserer Kapelle, und es riecht nach Brand. Was wär denn das?

JULIAN

Der lebendige Beweis meines Tuns! Der Adel ist herein. Sie läuten. Sie zünden gewaltige Freudenfeuer an. Sie schießen. Viktoria. Vorwärts! Das Gewand her! den Gürtel!

ANTON *läuft wieder an die Treppe, horcht nach oben*

Ich höre was: es lallt so. Es stöhnt wer. Es kommt wer die Stiege herunter. *Geht sie hinauf.*

JULIAN *packt vollends die Kleider aus und reicht sie Sigismund hin*

Schnell! schnell! Ich habe in deinem Namen die Schlachta aufgeboten! und die Nackigten aus den Erdhöhlen ans Licht gestampft! Nimm! Zieh an! Wir reiten!

SIGISMUND

Ich verstehe, was du willst, aber ich will nicht. Ich stehe fest und du bringst mich nicht von der Stelle. Ich habe mit deinen Anstalten nichts zu schaffen.

ANTON *von der Treppe her, zu Julian, halblaut*

Kommen gleich daher. Der Berittene ist zurück. Er redet was, aber ich versteh ihn nicht.

JULIAN *zu Sigismund*

Jetzt versag mir nicht, denn jetzt ist unsere Stunde gekommen.

SIGISMUND

Was weißt du von mir? Hast du den Zugang zu mir? da
ich unzugänglich bin, wie mit tausend Trabanten verwahrt.

JULIAN

Zieh an das Gewand. Schnall um den Gürtel!

SIGISMUND

Ich tus nicht!

JULIAN

Tust es nicht?

SIGISMUND *wehrts ihm, weicht zurück*

Du hast mich ins Stroh gelegt wie einen Apfel, und ich
bin reif geworden und jetzt weiß ich meinen Platz. Aber
der ist nicht dort, wohin du mich haben willst.

ANTON *bringt den Reiter die Treppe herabgeschleppt, ein Bub kommt
hinter ihm, der Reiter wie der Bub schwarz wie aus dem Morast
gezogen*

Der Reiter wäre da. Aber die Unsrigen haben auf ihn
geschossen. Das hat ihm die Red verschlagen.

JULIAN

Was ist die Botschaft, schnell! Was melden die wohlge-
borenen Herren aus deinem Mund?

REITER *faltet die Hände und murmelt Sprüche*

Quibus, Quabus, Sanctus Hacabus! Jetzt und in der
Stunde unseres Absterbens, Amen.

ANTON

Mit Sprüchemurmeln, sagt der Bub, sind sie durch die
aufrührerischen Bauern durchgekommen.

REITER

Sanctus Hacabus! surgite mortis!

ANTON

Sie tropfen von Schlamm, haben sich im Sumpf verstek-
ken müssen drei Tag und drei Nächte! Darüber hat er
den Verstand verloren!

REITER

Pater nisters! gratibus plenis! Als auch wir vergeben unsern Schuldigern, und erlöse uns von dem Übel, Amen.

JULIAN

Her die Botschaft! Sie werden sie ihm eingenäht haben. Heraus damit!

SIGISMUND

Achte nicht auf diese! Höre meine Weigerung und immer wieder meine Weigerung!
Reiter, unter Zittern, bringt nichts heraus.

BUB

Die Bauern sind auf aus ihren Erdlöchern. Haben Flegel in der Hand, Mistgabeln, Sensen —

JULIAN

Gerufen von mir. Was zitterst du, Narr! Deine Botschaft von den Herren! wo halten die Geschwader? gib Antwort! *Er rüttelt ihn.*

BUB

Die Herren sind alle im Wald, sie gehen nicht heraus. Ihre Füße sind in der Luft, so hoch! *Lacht verwirrt* Die Bauern sind über sie und haben sie in die Bäume gehängt!

JULIAN

Unsere Pferde! Pack diesen dort! Hinauf mit uns! Durch die Furt in den Wald.

BUB *kommt hervor*

Es ist kein Weg frei. Der Olivier, der rebellische Soldat — der verritten war —

JULIAN

Verritten ist der in meinem Auftrag. Rebellisch ist der in meinem Sold. Mit Sendungen und Briefen von mir.

BUB *lacht*

Umgekehrt ist auch gefahren. Zurück selbzwanzig um Mitternacht auf eigene Faust! Er und die Seinigen machen mit Spießen unsere Leut nieder. Man hört schreien bis hier in Keller. Jetzt läuten sie Sturm, daß ihrer noch mehr zusammenlaufen, Räubergesindel, Landlose, Diebsleut, Mörder!

JULIAN

Wo sind die Pferde? *Er schüttelt ihn* Wo sind unsere Pferde?

BUB

Weiß nicht! weiß nicht! es ist alles drunter und drüber. Es geht jeder gegen jeden.
Reiter entweicht nach oben.

JULIAN

Ich habe die Hölle losgelassen, und jetzt ist die Hölle los. So muß ich ihr ins Gesicht schauen. Anton, du wartest hier. Ruf ich, so bringst du mir diesen nach, oder – *Er zieht ein Pistol* du bist dahin. *Er will hinauf.*

BUB *hängt sich an ihn*

Nicht hinaufgehen! Sie erschießen alles was herrisch ist: auch Buben, Pferd, Katzen, Hund.
Julian schüttelt ihn ab, geht hinauf. Bub schleicht ihm nach.

ANTON *vor Angst trippelnd*

Mir wird entrisch! sehr entrisch wird mir! Auf, Sigismundi, jetzt heißts gescheit sein.

SIGISMUND *ganz ruhig*

Was ist dir, Anton? Anton, bring mir frisch Wasser, mich dürstet.

ANTON *will ihm Reitstiefel anziehen*

Ziehn schon an! Ziehn an! wir reiten! hopp! hopp! über Land! Wir müssen uns davonmachen!
Sigismund sinnt etwas, setzt sich aufs Bett.

ANTON

Heraus aus dem Traum! Kennen mich? Es geht ums Leben, Herr Prinz. Wir müssen fort! hinaus!

SIGISMUND

Dank schön, Anton. Geh weg. Nimm die Latern. Ich brauch kein Licht.

ANTON

Heut ist nicht wie alle Tag. Es geschieht was. Es ist was los.

BUB *von der Treppe*

Der Herr schreit nach dir! Sie schießen auf den Herrn.

ANTON

Wer?

BUB

Alle miteinander, Rebellische! Er will reden, aber sie lassen ihn nicht. Sie stechen auf ihn los! *Verschwindet wieder.*

ANTON

Jetzt schwitz ich Blut! – Jetzt bleibt mir ein einziger Ausweg! *Er zieht ein Messer, geht mit gespielter Drohung auf Sigismund los* Gleich folgst du mir, Bub, widerspenstiger! – oder –

SIGISMUND *sieht ihn ruhig an*

Ich will nicht. Wenn ich aber sagen werde: ich will! dann wirst du sehen, wie herrlich ich aus diesem Turm hinausgehe.

ANTON *gewahrt eine Brandröte von oben*

Jesus Maria und Josef!

SIGISMUND *lacht*

Was beißt sich der Anton in die Fäust?

ANTON

Unglückseliger, siehst du nicht den roten Schein? Mord und Brand ist das! *Tumult von draußen* Verkriech dich in Winkel! Jetzt kommts: die Hand an die Gurgel, das Knie auf die Brust! Und das muß mir passieren! mir, einem rekommandierten Herrschaftsdiener aus Wien! Wie bin ich denn in das vermaledeite Land hineingekommen! Ich kann mich auf gar nichts mehr besinnen! *Er läuft nach hinten.*

Sigismund sieht um sich, lächelt.

STIMMEN

Sigismund! Sigismund! Sigismund!

ANTON

Jetzt brüllen die Höllteufel deinen Namen! verkriech dich!

SIGISMUND

Tritt her, weise auf mich und schreie laut: Hier steht er! *Der Fackelschein wird stärker.*

OLIVIER *mit Aufrührern von rechts. Noch im Hintergrund*

Halt! Wer zuerst der Kreatur ansichtig wird, tut die Meldung an mich. Rufet ihn noch einmal bei seinem Namen.

300

VIELE

  Sigismund!

ANTON *laut*

  Lassen ihn! verschonen ihn! Ihm ist nicht richtig. Er ist
  kein vollsinniger Mensch.

OLIVIER

  Bringet ihn ins Licht. *Zwei mit Fackeln treten hin* Sperrt er
  einen Wolfsrachen auf? Wo ist mein Passauersegen?
  Greift unters Wams Gebet ihm zu verstehen, daß er sich
  als unser Alliierter anzusehen hat! Wir wollen zwei
  Schritte ihm entgegen, damit er uns erkenne und seine
  Reverenz erweise, als seinen Retter. *Er trinkt aus einem zin-
  nernen Branntweinkrug, den einer ihm hinhält.*
  Anton grüßt.

JERONIM *tritt vor*

  Sehet her, nackigte Brüder, erstgeborene Söhne Adams!
  Dies ist der, von dem ich euch gesagt habe. Sehet: der
  Königssohn unter der Erde, mit Ketten geschmiedet an
  das fließende Gewölb!
  Immer mehr bewaffnete Bauern hinten herein.

ANTON

  Wie der Herr sagt. Er ist tiefsinnig geworden über dem,
  was sein Vater ihm angetan hat. Es ist über ihn gekommen, wie der Dummkoller beim Roß, wenn der Herr
  das weiß. Nicht einmal Essen freut ihn.

OLIVIER

  Maul halten, Lakai. *Zu Sigismund* Tritt vor, Kreatur. Bist
  du deiner Sinne mächtig und willens, deines Vaters
  Blut aus einem silbernen Humpen zu trinken?
  Sigismund antwortet nicht.

OLIVIER

  Haben sie dir dein Hirn aus dem Schädel kastriert? Ver-
  magst du zu erkennen, was man dir hinhält? Zücket ein
  Waffen gegen ihn!
  Sie tuns. Der Feuerwschein wird stärker.

OLIVIER

  Wo glotzest du hin? Bougre, Larron, écoute.

SIGISMUND *hebt die Hand*

Horch, jetzt, flattern die Dohlen um den Turm und
schreien über ihre Nester, in denen die Brut verbrennt –
aber der Wanderer, der zehn Stunden weit übern Hoch-
paß geht, sieht nur ein kleines, glimmendes Fünkchen.
So bescheiden ist alles!

OLIVIER

Her jetzt mit dem Judas, mit dem malefikantischen Hof-
schranzen, und ob er aus siebenundneunzig Wunden
blute, her mit seiner Exzellenz, lebend oder tot. Denn
dazu sind wir aufgestanden, damit wir allezeit das Rad
der Gerechtigkeit aus dem Sumpf stemmen!
Einige bringen Julian getragen, er ist notdürftig verbunden, er hält
die Augen geschlossen, sie setzen ihn auf das Bett.

JERONIM *verneigt sich*

Königlicher Prinz Sigismund, erkennst du diesen für den
belialischen Judas, deinen Kerkermeister, der dich, unsern
König, an der Kette gehalten hat, ärger wie einen Hund?

SIGISMUND

Er hat mich nicht gehalten, wie ihm befohlen war, sondern: er hat mich gehalten, wie er ausgesonnen hatte:
in der Erfüllung seines geistigen Werkes. Denn es war
der Meister über dem allen. Ich bezeuge, dieser Mann
hat mich die Wahrheit gelehrt, die einzige Wahrheit,
vermöge der meine Seele lebt, denn meine Seele braucht
Wahrheit, wie die Flamme die ausgeht, wenn ihr die
Luft versperrt wird.

OLIVIER

Und was ist das für Wahrheit? Du Erzkreatur, du epilep-
tische?

SIGISMUND *zu ihm*

Wir wissen von keinem Ding, wie es ist, und nichts ist,
von dem wir sagen könnten, daß es anderer Natur sei
als unsere Träume. Aber mißverstehe mich nicht. Was
ich fürchte, ist der Irrtum, als ob ich dadurch anders
sei als du oder dieser oder einer dort unter diesen. Ich
bin wie ihr seid. Aber ich weiß, und ihr seid ohne
Wissen.

JERONIM

Höret alle! er läuft am lichten Tag herum und glaubt daß ihm träumt! wie einer, dem man den Kopf in einen Sack gesteckt hat und den Sack am Hals fest zugebunden hat. Er bezeugt, daß sie ihn närrisch gemacht haben! Dafür werden sie von euren Händen sterben müssen. *Einige seufzen schwer.*

SIGISMUND

Ich sage dir: es ist kein Ding anderer Natur als unsere Träume, — das Wasser, das aus diesem irdenen Quellbrunnen rinnt, *Er zeigt auf seinen Krug* — was ist wirklicher? Aber auch diesem ist das beigemischt — und die Sterne schwimmen wie Fische im Gleichen. Dieses haben sie mich gelehrt.

JERONIM

Hört alle! Volk! Oh! Oh!

SIGISMUND

Sie haben mich hinangeführt, bei Nacht mit verbundenen Augen in meines Vaters Palast und mich wieder zurückgeführt und haben gesagt: du warst nirgends als du bist. Dies und das ist einerlei Ort.

JERONIM

Mit solchen Reden ihrer vermaledeiten, satanischen Zungen, ihr guten Ackersmänner, haben diesen euren armen König um den Verstand gebracht der Scherge da und sein Lakai. Dafür müssen sie sieben Fuß höher hängen, und die Raben müssen ihnen die Zungen aus dem Maul hacken!

ANTON *dicht bei Sigismund*

Jetzt hats g'raten! Jetzt zeig, daß du weißt, wo der Bartel den Most holt!

SIGISMUND

Sei still. — Sie haben zu mir gesagt: du hast geträumt, und immer wieder: du hast geträumt! Dadurch, wie wenn einer einen eisernen Finger unter den Türangel steckt, haben sie mir eine Tür ausgehoben und ich bin hinter eine Wand getreten, von wo ich alles höre, was ihr redet, aber ihr könnt nicht zu mir und ich bin sicher vor euren Händen!

OLIVIER

Verdeutsch ihnen den Galimathias! schrei es aus, Schlaukopf, so daß alle es begreifen, was sie für eine Malefizschandtat an dieser Kreatur verübt haben.

JERONIM *mit schriller Stimme*

Er sagt, sie haben ihn frieren und hungern lassen, und wenn sie vollgesoffen waren, haben sie ihn geprügelt wie einen störrischen Esel.
Volk stöhnt auf.

OLIVIER

Wir wollen sie hängen, ehrwürdiges Volk! aber zuvor will ich ein Einbekenntnis haben und den da zu unseren Füßen um Gnade winseln hören für sein Leben!

ANTON

Jetzt ist Matthäi am letzten! Sag ihnen, daß ich ein fremdländischer Herrschaftsdiener bin und mit der Sache nichts zu tun habe.

OLIVIER

Rede, Ankläger! Vorwärts! Laß Schlauheiten aufsteigen aus deinem Bauch! Bring ihn zum Reden! Er soll wiehern vor Angst! Als einem Geständigen will ich ihn hängen! *Junge Zigeunerin mit dem silbernen Waschbecken und einem schönen Handtuch kommt, ängstlich. Man zeigt ihr den Weg.*

JULIAN *blickt um sich*

Du Gesicht einer Ratte! Du Schweinsstirn mit bösen nach oben schielenden Augen! Du Schnauze eines gierigen Hundes! – – Klumpen ihr, wandelnde! Beim Licht dieser Fackel, die mir eure scheußlichen Gesichter zeigt – – ich will über euch lachen ohne daß ihr mich kitzelt! *Er hebt sich auf* Tut eure Spieße fort! Ha, du Nichts mit tausend Köpfen, steh unter meinem Blick, du Kehricht, das ich zusammengekehrt habe. Solange ich dich mit den Augen bändige, werde ich das Gefühl meines Selbst nicht entbehren.

SIGISMUND

Mein Lehrer, warum sprichst du zu ihnen? Was zu sagen der Mühe wert wäre, dazu ist die Zunge zu dick.

JULIAN *wendet sich ihm zu*

Bist du auch da, mein Geschöpf? – Er ist, wie er da steht,

mein Werk, und erbärmlich. Kehre dich ab von mir, du Kloß aus Lehm, dem ich das unrechte Wort unter die Zunge gelegt habe. Ich will dich nicht sehen.

SIGISMUND

Du hast mir das rechte Wort unter die Zunge gelegt, mein Lehrer, das Wort des Trostes in der Öde dieses Lebens und ich gebe es dir zurück in dieser Stunde.
Julian setzt sich wieder auf sein Bett; er schließt die Augen.

SIGISMUND

Ich lächle dir zu in deine Einsamkeit. – Dein Gebet ist nicht ohne Kraft, wenn du auch die Fäuste ballst anstatt die Hände zu falten.

JULIAN *öffnet die Augen und schließt sie wieder*
Ich habe das Unterste nach oben gebracht, aber es hat nichts gefruchtet!

SIGISMUND

Du quälst dich, daß eine Ader in dir aufgehe, von der du trinken könntest. In mir aber fließt es ohne Stocken, und das ist dein Werk.

JULIAN *öffnet noch einmal die Augen, als wollte er reden, schließt sie dann und sinkt um mit dem einen Wort*
Nichts!

OLIVIER *tritt näher*
Ist er mir echappiert? Denn was hab ich davon, wenn ich einem Toten Spülwasser übern Schädel gieße? Her, daß ich mir die Hände trockne! *Er tuts – – und hängt dort die lakaische Sau an ein Fensterkreuz. Er trinkt Branntwein.*
Einige fassen Anton an.

SIGISMUND *tritt an Julians Bette*
Er ist tot. – Und du *Zu Anton* bleibe bei mir und fürchte dich nicht. Auch der Hund will zuweilen gestreichelt sein, geschweige denn der Mensch. Also lasset diesen in Frieden.

OLIVIER

Du Malefizschindaasvogel mit Teufelsflügeln! Hab ich dich dazu, daß du mir Insubordination prästierst unter meinen Augen?

SIGISMUND *sieht ihn ruhig an*

Du hast mich nicht. Denn ich bin für mich. Du siehst mich nicht einmal, denn du vermagst nicht zu schauen.

OLIVIER

Wirfst du dein Maul auf gegen meine Erlauchtige Person? – So will ich dich demnächst in ein Hundsfell genäht in die Mistgrube fahren lassen. – Aber zuvörderst habe ich dich betreffend anzubefehlen! – Habt acht! *Trommelwirbel* Denn ich brauche seine phantastische Fratze für die Weiber, daß sie mir warm bleiben und sich mit Messern an die Kürassierpferde machen. –

SIGISMUND

Es braucht keine Weiber, denn ihr werdet durchreißen wie der Ostwind, ihr werdet Gefangene zusammenraffen wie Heu, und alle Türme und Festungen werden euch ein Scherz sein!

OLIVIER

Potz Element! Bist du der Prophet Daniel? So sollst du mir auf einem Ochsenwagen immer vor dem mittelsten Haufen herfahren und sollst schreien: Blut über meine Verkäufer! Lasset die Blutfahne wehen!

SIGISMUND

Irre dich nicht, denn bei mir ist kein Ding besser beherbergt als ein anderes.

OLIVIER

Dafür will ich ihn füttern, und er soll auf seinem Wagen so viel zu essen haben, daß ihm der Bauch platzt. – Wofern er aber als ein Narr das Maul gegen unsere Sache aufwirft, so soll getrommelt und geblasen werden in seine Red hinein, daß er sein eigenes Wort nicht hört, indem es ihm aus dem Maul fährt, – – dafür stehst du mir ein, tatarischer Aron, und zu diesem Behuf sollst du mein Stab- und Statthalter übern Troß sein.

JERONIM

Und was, gestrenger Kapitän, wenn wir straßauf straßab die Häuser besetzt haben und mit einem solchen geschliffenen Schlüssel *Er deutet auf eine Axt* die Türen aufgesperrt haben, was soll dann mit den Herrn der Häuser geschehen?

OLIVIER

Herren! Herren! daß dich der Schwarze schänd und dir das Wort in der Kehle abwürgt! Die Herren sollen kopfunter in den Abtritt fahren!

JERONIM

Und die Grundherrn?

OLIVIER

Die sollen in die Erde, von der sie Zins erhoben haben, eingegraben werden.

EIN ANDERER

Und die Herren über Flüsse und Teiche? die Brückenzoll erhoben und armen Leuten das Fischen verwehrt haben?

OLIVIER

Ersäuft sollen sie werden in ihren Gewässern!

JERONIM

Und die Jagdherren?

OLIVIER

In Wolfshäute vernähen und ihre Bluthunde auf sie hetzen!

EIN DRITTER

Und die Pfaffen? Schullehrer? Amtsschreiber? Steuereinnehmer? Lakaien?

OLIVIER

Hinwerden müssen sie wie Fliegen! Die Zucht soll verschwinden! Es sollen hinter uns die Geier und Wölfe kommen, und sie sollen nicht sagen, daß wir halbe Arbeit getan haben. – Jetzt aber bin ich genug inkommodiert und behelligt und es weiß jeder wonach er sich zu achten hat und es ist mir die Kehle trocken. – – Generalmarsch! zu meinem Abgang! schlag auf das Fell, daß dir die Schlegel samt den Fingern abfliegen. *Tambour schlägt den Generalmarsch* Jedermann soll wissen, daß meine Erlauchtige Person sich jetzt zur Mahlzeit begibt. Fackeln voraus! und ihr da rangiert euch hinter meine Durchlauchtige Magnifizenz!

Geht ab mit Gefolge die Treppe hinauf unter Trommelschlag und Vorantritt von Fackeln.

EINER VOM VOLK *zu Sigismund, mit Ehrerbietung*
Wir sind bei dir! Sprich zu uns!

EIN ALTER MIT EINEM STELZBEIN
Das ist der Armeleute-König, und sie werden vor ihm
das Schwert und die Waage tragen.

EIN ANDERER
Sprich zu uns!

EIN DRITTER
Rufet ihn bei seinem Namen!

EIN VIERTER
Die ihn beim Namen genannt haben, denen ist die
Zunge stumm geworden!

EIN GREIS *sich vordrängend*
Sehet ihn an, unseren König, wie er dasteht. Wie in
lebendigem Flußwasser gebadet, so glänzt er von oben
bis unten.

EINER
Er fürchtet sich vor uns!

MEHRERE
Fürchtest du dich Herr?

EINER
Sprich zu uns!

EIN ANDERER
Wenn er schreien wollte, würde uns allen die Seele bersten wie ein Sack. Weckt ihn nicht auf. Er ist scheintot.

EINE ALTE FRAU
Ich sehe ihn!

DER ALTE STELZBEINIGE
Ein Spalt geht auf, und das Reich dieser Welt wird
hineinstürzen.

SIGISMUND
Mutter, komm zu mir.
*Mehrere bringen goldgestickte Gewänder, eine Dalmatika, goldene
Schuhe, — — eine goldene Krone.*

EINER
Sie wollen ihn bekleiden mit goldenen Gewändern!

EINER *mit dem Gewand*
Will unser König gestatten, daß wir ihn bekleiden?

EIN ALTER
Laß dich bekleiden. Wir haben es genommen vom Altar
weg und wollen es dir mit Ehrerbietung umhängen.
Sie bekleiden ihn.

DER STELZBEINIGE
Ein Spalt geht auf, und das Reich dieser Welt wird
hineinstürzen!

EIN ANDERER
Bleib bei uns! Harre aus bei uns!

SIGISMUND *vor sich, halblaut*
Ich aber werde mit euch hinausgehen.

EINER
Er spricht zu uns!

EIN ANDERER
Bleib bei uns!

EIN ANDERER
Daß wir nicht sterben, o Herr!

INDRIK, DER SCHMIED
Machet eine Gasse, damit alle die draußen stehen, ihn
sehen können. Öffnet, damit alle ihn sehen können.
Es geschieht.

SIGISMUND
Tretet bei Seite. — — Ich spüre ein weites offenes Land.
Es riecht nach Erde und Salz. Dort werde ich hingehen.

EIN ANDERER
Wir wollen einen Wagen rüsten und zwölf Paar Ochsen
vorspannen. Auf dem sollst du fahren und eine Glocke
soll läuten auf deinem Wagen als wärest du eine Kirche
auf Rädern.

STIMMEN
Bleib bei uns! Harre aus bei uns!

EIN ANDERER

Daß wir nicht sterben, o Herr!

EINER

Die Weiber wollen herein, seine Füße küssen.

EIN ANDERER

Jagt sie fort, die Stuten! Sie sind es nicht wert, sein Gesicht zu sehen.

Die Weiber draußen schreien auf.

EINER

Hungert dich nicht? Die Weiber schreien, daß wir dich hungern lassen.

ANDERE

Bringet alles! Machet einen Berg vor ihm. Bringet Fleisch, Brot und Milch. Bringet Honig und Rahm. Bringet Geräuchertes und Gebackenes wie für zehn hungrige Männer, die gedroschen haben.

VIELE

Bringet! Bringet! Bringet!

EINIGE

Bleibe bei uns, o Herr!

Sie bringen das Genannte in Körben, auf Blättern, auf Holztellern. Häufen es auf.

EINER *der Sigismund in einem bunten Tüchlein Essen vorhält*

Meinst du jetzt auch noch, daß du träumst? Wenn du von allem diesem gekostet hast, wirst du dann immer noch meinen, daß alles ein Traum ist?

ANTON

Ah, gar kein Denken! Jetzt wacht er gleich auf!

STIMMEN

Wache auf bei uns!

ANDERE

Gehe nicht fort von uns!

SIGISMUND *den Krug an seine Brust drückend*

Wie der Hahn auf dem Hofe rieche ich den grauenden Morgen und die Stunde wo die Sterne von ihrem Wachtposten abtreten. Lasset uns zusammen fortgehen.

Er tut einige Schritte.

ARON *taumelt die Wendeltreppe herab, eine kostbare Decke um*
Wo ist die Kreatur? Wo habt ihr sie hingeschafft?

INDRIK, DER SCHMIED *hebt seinen Hammer*
Hier steht unser König! Was willst du von ihm?
Sigismund wendet sich nach ihm.

ARON
Hinauf mit dir! Her du! Du kommst mit mir! Unser
Generalissimus ist in großer Delektation und will, daß
du ihm aus einem sonderlichen Becher kniend eine
Maß Pfaffenwein kredenzen sollst. Also hinauf mit dir
im Galopp! Es ist befohlen! Kapierst du? *Er taumelt.*

INDRIK *stellt Aron ein Bein und wirft ihn hin*
Da lieg, säuischer Kerl, und verreck, wenn sie die Fak-
keln in die Pulverkammern schmeißen.

SIGISMUND
Laß ihn liegen. Dort wo wir hingehen wird gehorsamt
ehe befohlen war und gemäht ohne Hoffnung aufs
Nachtmahl. Aber du bist rüstig und sollst Vormäher sein.
Indrik kniet hin und küßt den Saum von Sigismunds Kleid.

VIELE
Herr, schütze uns! Harre aus bei uns!
Sigismund geht hinaus, sie folgen ihm.

Vorhang.

DER FÜNFTE AUFZUG

*Das Innere eines Zeltes. Haupteingang in der Mitte. Nebeneingänge je
zwei links und rechts. – Ein gebrochener Stuhl und eine hohe Trommel
als Sitze. Eine eiserne Regimentskasse in der Nähe. – Rechts vorne ein
Haufen Beute: Teppiche, kostbare Gewänder, Sattelzeug, Linnen, alles
auf einen Haufen geworfen. Es ist dunkel, kurz vor Tag. – Signale ab
und zu, wie vom Zeltlager ringsum. Öfters Schießen in der Ferne. –
Ein Tatar bringt die gebundene Zigeunerin an einem Strick geführt.
Der Reiterbub ihm voraus. – Simon sieht sich um; er ist mit dem Durch-
zählen und Aufschreiben der erbeuteten Sachen befaßt. – Indrik steht
auf von einem Schemel, auf dem er gesessen hat. Er ist gewaffnet und
hat einen Streitkolben vom Gurt hängen. – Der Arzt tritt seitwärts aus
dem Dunkel hervor und Graf Adam von einer andern Seite.*

REITERBUB

Das ist die Zigeunerin und der Reiter, der sie einge-
bracht hat. Sie hat blutige Füß, er hat sie hinter dem
Pferd laufen lassen.

*Der Arzt tritt näher hin. Der Tatar tritt ab, der Reiterbub gleich-
falls, nachdem er Graf Adam etwas leise gemeldet.*

ARZT

Es hätte ihr Tod sein können. Sie ist schwanger.

INDRIK *zu Simon:*

Ist das die rechte Olivierische Haupthur? Simon, schau
sie an!

ADAM

Nicht so laut, der König schläft.

ANTON *tritt leise links heraus*

Nein, er ist auf und liest in einem Buch.

SIMON *tritt hin aber nicht nahe*

Wie heißt die Rechte? Zwölf und zwanzig Weiber hat er
hinter ihm drein bei Tag und bei Nacht, aber diese ist
die große Lieblingin von ihm gewesen jederzeit.

Reiterbub tritt wieder ein, sieht Adam an.

ADAM

Eintreten lassen. *Reiterbub ab.*

ADAM

Es gehen die Bannerherren jetzt hier durch. Schafft das
da bei Seite.

INDRIK *zu der Zigeunerin*

Hock nieder. *Er wirft einen Teppich über sie.*

*Reiterbub öffnet den Vorhang am Haupteingang. – Zwei Tataren
treten ein mit Lanzen. Dann eine kleine Schar Herrn von Hof, ohne
Waffen, dann wieder zwei Tataren.*

ADAM

Nehmen die erlauchten Herren hier vorlieb. *Er weist auf
den kleinen Ausgang rechts* Seine Majestät wird Sie bald vor
sich befehlen.

EINER DER HERREN *halblaut*

Es ist uns freies Geleit gesichert. Wir sind ohne Waffen.
Wozu die Tataren uns am Leib?

ADAM
  Eine Ehrenwache, nichts weiter, erlauchter Herr.
  Er führt sie rechts hinüber.

EIN ANDERER HERR *im Gehen halblaut*
  Ihr, Vetter Adam, habt geschwind erraten, wie der Wind
  sich drehen wird. Ich mache Eurer Vorsicht mein Kompliment.

ADAM *öffnet den Vorhang rechts*
  Belieben die gebietenden Herrn hier einzutreten. *Er läßt*
  sie eintreten und folgt ihnen.
  Zwei Tataren bleiben an der Tür rechts; zwei am Haupteingang.

INDRIK *zieht den Teppich weg und reißt die Zigeunerin vom Boden*
  auf gegen das Licht
  Wo ist dein Kerl! dein Gschwuf? Wo zündet er jetzt
  Dörfer an und haut den Kindern die Köpfe ab? Wir sind
  ohne Nachricht von Seiner besoffenen Magnifizenz! Gib
  Antwort oder man wird dich anders fragen!
  Die Zigeunerin preßt die Zähne zusammen. – Anton horcht nach
  links, tritt dann vor den linken Eingang, hebt den Vorhang ehrerbietig.

ADAM
  Der König! *Neigt sich.*
  Simon tritt zurück. – Indrik zieht die Zigeunerin nach hinten.

SIGISMUND *tritt herein, in einem langen Leibrock, ungewaffnet; er*
  geht auf den Tisch zu
  Woher sind die Landkarten? *Er setzt sich.*

INDRIK *tritt vor*
  Aus dem Kloster, das gestern abends rechter Hand unserer Marschlinie gebrannt hat.

SIGISMUND *beim Tisch, ohne aufzusehen*
  Die Tataren sollen sich in acht nehmen. Wenn ich wieder einen roten Himmel sehe, lasse ich ihrer ein Dut-
  zend hängen. *Da er den Blick des Arztes auf sich ruhen fühlt*
  Wundert Ihr Euch, daß ich schnell die Sprache der Welt
  gelernt habe? – Guter Freund, mein Ort ist ein schrek-
  kenvoller Ort, und ich lebe unter den Sternen auch am
  lichten Tage, und nichts ist da oder nicht da: alles, indem es ist, war schon da. *Er winkt Adam heran, zeigt ihm die*
  Karte Eine schöne Darstellung. Da liegt das ganze Land

bis ans Gebirge hin. Schön liegt es da, wie in einem
Korb. Hier seht ihr die Sümpfe südlich.

ADAM

In die wir den Olivier mit Gottes Hilfe werfen werden.

SIGISMUND

Oder er uns mit des Satans Beistand.

ADAM

Bei unseren Tataren hält sich hartnäckig ein Gerücht,
wonach es zwischen ihren Leuten und ihm zu einem für
uns glücklichen Treffen gekommen wäre. –

SIGISMUND

Wir wollen sicherer gehen, denn wir stehen einem starken Teufel gegenüber. Es sind keine Nachrichten herein?
– Deine Kundschafter, Simon?

SIMON *tritt heran*

Es ist keiner zurück. Aber die dort ist mehr wert als ein
Bericht. *Er zeigt auf die Zigeunerin, die dem Tisch den Rücken kehrt.*

SIGISMUND

Ist das eines seiner Weiber?

SIMON *leiser*

Das ist eine große Mitwisserin von allem was er vorhat.

SIGISMUND *zu Indrik*

Sorge, daß du sie zum Reden bringst. Ohne Gewalt! Geh
mit, Simon. Nehmt von dem Zeug da und bestecht ihre
Begehrlichkeit.
*Die Zigeunerin lacht lautlos. – Indrik und Simon ab nach links hin-
ten mit der Zigeunerin.*

SIGISMUND *zum Arzt*

Ich habe im Plutarch die Biographie gelesen, die Ihr mir
aufgeschlagen hattet. Es sind große Bezüge darin auf uns
und unsere Lage trotz der Verschiedenheit der Zeiten.
Ich möchte mich mit Euch darüber unterhalten. Vielleicht findet sich abends eine Stunde.
*Der Arzt neigt sich. – Anton, indessen Sigismund redet, hin zu ihm
und richtet ihm etwas am Schuh.*

SIGISMUND

Fütter dich besser, Anton, ruh mehr aus, laß dir doppelte

Rationen geben. Ich will dein altes ausgepolstertes Gesicht wiedersehen.

Anton küßt ihm die dargereichte Hand.

SIGISMUND *zu Adam, indem er sich wieder an den Tisch setzt*
Ich habe stark schießen hören bei den Feldwachen kurz vor Mitternacht. Was war da?

ADAM *tritt heran*
Darf ich Eurer Majestät melden – die Palatine und Bannerherren, so viele ihrer noch am Leben sind, sind mit einer salva guardia durch die Vorposten herein und warten hier nebenan. – Das Schießen war am Fluß zwischen unseren vorgeschobenen Posten und den Grünen. Sie haben jenseits ein festes Lager geschlagen. Aber sie haben sich neutral erklärt und das Schießen ist eingestellt worden.

SIGISMUND
Die Grünen sind Marodierer, Versprengte von der königlichen Armee, verlaufene Mordbrenner von Oliviers Haufen. Seit wann schlägt solches Lumpenpack ein festes Lager und gibt Neutralitätserklärungen ab?

ADAM
Diese sind ein großes kriegsmäßig geordnetes Korps. Es sind Kinder aus allen drei Ländern und sie haben einen Kinderkönig über sich.

SIGISMUND *sieht auf von der Landkarte*
Was meinst du damit, Adam?

ARZT *näher tretend*
Solche sind überall in den Wäldern seit der vierjährige Krieg unter Basilius die Grenzländer zu einer Wüstenei gemacht hat. Es sind die zusammengelaufenen Waisen aus den Dörfern ohne Häuser. Man hat solches seit Jahren sehen können, wenn man durchs Gebirge geritten ist.
Simon tritt hinten wieder ein, dahinter Indrik mit der Zigeunerin.

ADAM
Es sind ihrer gegen zehntausend. Sie haben besondere Rechte und Bräuche und über sich einen gewählten König, der ein starker und schöner Bursch sein soll und aus den Augen schauen wie ein junger Löwe. Sie pflügen

und leben wieder wie die Menschen vordem. Sie verrichten Handwerk und singen dazu.

SIGISMUND

Ich werde nicht Zehntausend mit einem verschanzten Lager in meiner Flanke lassen. Sie haben einen König, sagst du? Den Burschen will ich sehen — ich lasse ihm freies Geleit anbieten. Schick einen Parlamentär mit einer weißen Fahne in allen Formen. Wir wollen Seiner grünen Majestät nicht nahe treten. *Er wendet den Kopf gegen Simon* Was habt Ihr in Erfahrung gebracht?
Adam gibt den Tataren an den Türen Befehl. Der Reiterbub tritt an die Tür.

SIMON *hintretend*

Sie äußert sich: zu solchem Gelumpe wie wir sind wird sie nicht den Mund auftun. Wenn sie mit Eurer Königlichen Majestät allein wäre. *Leiser* Sie stände Eurer Majestät nicht zum ersten Mal vor Augen.

SIGISMUND *steht auf*

Ich weiß das. Es wird nichts anderes übrig bleiben. Oder *Zum Arzt* wißt Ihr eine andere Methode?

ANTON

Allein unter vier Augen? *Leise* Wenn die canaglia ein Dolchmesser bei sich hat? Verhindern das der Herr Doktor!

ADAM *halblaut*

Man hat sie untersuchen lassen bis auf die Haut. Sie hat weder Schriftliches bei sich noch eine Waffe.

SIGISMUND

Laß indessen den Grafen ein Frühstück vorsetzen — wenn wir etwas haben! *Zum Arzt* Verschaffet durch einen Reitenden das Buch, von dem Ihr gesprochen habt. Des Kaisers Marcus —

ARZT

Marcus Aurelius —
Graf Adam, nach einer Verneigung, ist rechts abgegangen; vorher sind auf seinen Wink die Tataren abgetreten.

SIGISMUND

Betrachtungen, oder wie Ihr es genannt habt. Ein großer

Monarch, – und voll edler Gedanken und weiter Pläne,
die Zukunft Europas auf Jahrhunderte in gewisse Bah-
nen zu lenken. Aber auch er den Umständen unterworfen und stirbt im Gezelt, mitten aus seinen Entwürfen.
– Ich beneide Euch um Euer Wissen. Nein ich liebe Euch
darum. Es wohnt bei Euch nicht zur Miete, sondern im
eigenen Palast. – Verlasset mich nicht, außer wenn
Eurem Körper unsere Lebensweise zu beschwerlich fällt.
Indrik bringt die Zigeunerin näher heran.

SIGISMUND

*wirft einen Blick auf sie und kehrt ihr dann wieder den Rücken,
das Folgende halb für sich, aber doch auch zum Arzt hin sprechend*
Durch zweierlei übt das Olivierische in der Welt seine
satanische Gewalt aus, durch die Leiber und durch die
Sachen. *Er streift mit dem Fuß die aufgehäuften Dinge* – Tu
ihr die Stricke ab. *Zum Arzt, so daß die Zigeunerin es nicht hören kann* Mit ihr werde ich allein sein beim Schein einer
Lampe, wie Olivier, aber zu andern Geschäften, weiß
Gott. –

ANTON *leise zu Indrik*
Laß ihr die Hände gebunden.

SIGISMUND *hats gehört*
Frei die Hände!
Anton zögernd ab. – Indrik tritt ab.

SIGISMUND *setzt sich an den Tisch und blickt in die Karte*
Ich habe eine Meldung, daß der rebellische Haufen, den
dein Mann befehligt, von meinen tatarischen Truppen
ans Gebirge gedrückt und aufgerieben ist. Was sagst du
dazu, Wahrsagerin?

DIE ZIGEUNERIN

Wer? der General? *Lacht rauh.* Wer erdruckt den? – Ihr
erdruckt vielleicht ein ungeborenes Kind, Ihr! Das trau
ich Euch zu!

SIGISMUND *sieht auf*
So trägst du ein ungeborenes Kind in dir?

DIE ZIGEUNERIN *schweigt und zieht im Dunkel mit den Fingern Kreise*
Womit ich trächtig bin, das sollst du sehen!

SIGISMUND

Was murmelst du?

DIE ZIGEUNERIN *schnell auf einen Kreis gehend*

Svahah! angah! – Ellio mellio! – Selo, elvo, delvo, helvo!

SIGISMUND *ohne hinzusehen*

Du kannst gehen, wenn du nicht reden willst. Lauf. Melde deinem Herrn: ich war eine ungeschickte Botin!

DIE ZIGEUNERIN *in einem sonderbaren tanzartigen Schritt auf ihn zu; ihr Haar knistert*

Blutige Füß – schlechte Boten! Kommen weit her – laufen welche mit? *Sie wirft sich hin, legt's Ohr an die Erde* Viele! eine Armee! *Sie schlägt mit den flachen Händen leicht auf den Boden, sogleich erfüllt sich die Luft mit dem Geräusch von vielen trippelnden und schleifenden Tritten.*

SIGISMUND *sieht auf, geht zu ihr*

Sind wir so weit?

DIE ZIGEUNERIN *wirft den Kopf zurück*

Wir sind so weit! Aus der Erde! aus der Gruft! – Aus dem Abtritt! aus der Luft!
Ein Pfeifen und Trippeln von Ratten und anderem Getier: huschende Schatten überall.

SIGISMUND

Wo wimmeln die Kellerasseln her? Was wollen die Mäus und Ratten, groß wie die Katzen? *Er lacht.*

DIE ZIGEUNERIN

Auf, ihr! auf, ihr! – wir sind viele – er ist einer! Groß wird klein, und klein wird groß! alles springt aus einem Schoß!

SIGISMUND

Du kannst nichts aus deinem Schoß schütteln, schwarzer Engel, womit ich nicht auf du und du wäre! Versteh mich, kleine Friedenstaube. Ich bin begierig nach einer Botschaft von deinem Herrn Gemahl. Sie brennt dir auf der Zunge; denn du hast dich absichtlich fangen lassen. Wie die Ziege dem Melker, bist du mir zugelaufen. – Also tu den Mund auf, bevor ich dich meinen Tataren in die Arme lege!

DIE ZIGEUNERIN

Deinen Tataren? dir folgt ja niemand! du hast ja keine
Armee! das sind ja lauter Lügengeister! die haben alle
Teufelsnamen, deine Tataren! Die machst du ja aus
Dunst! aus gelbem giftigen Nachtnebel machst du die! –
Wie kämen sie denn so lautlos über einen wenn man
marschiert! Wie könnten sie denn ohne Schrei die Wa-
chen erwürgen? – Und doch hast du mit solchem Blend-
werk den leibhaftigen Herrgott in den Sumpf getrieben,
Judas, verfluchter!

SIGISMUND

Ist der rote Satan tot? Ah! sassa! Ich – du lügst? du willst
mich fangen? – Ich will seinen Leichnam sehen!

DIE ZIGEUNERIN

Freßt ihm die Augen aus, ihr Toten! – Erde, schüttel
den Bauch aus!
*Brandröte, Sturm, daß die Zeltpflöcke schüttern. Große Knochen ras-
seln aus der Erde.*

SIGISMUND

Das ist er! So wahr ich – Er stinkt nach Brand und Blut
wie der Brunfthirsch! – Bei meiner Überkraft! So wahr
ich dich hergezogen an dem tiefsten Strang, den ich in
der Hand habe!

DIE ZIGEUNERIN *niedergekauert, wimmert*

Helft mir, Geziefer! Nagt den Strang ab! Er reißt mich!

SIGISMUND

Her vor mich! den Leichnam!
Immer stärkere Brandröte.

DIE ZIGEUNERIN *fährt mit der Hand in dem Haufen Knochen herum.
Ein Fuchs bellt heiser und wühlt sich unter den Knochen hervor mit
glühenden Augen*

Fürcht dich nicht, mein alter Buhl. Er ist an der Kette. –
Was? fletscht er die Zähne gegen dich? Dein leiblicher
Sohn, auferstanden aus der Senkgrube. Beiß ihn, hussa,
hetz! Ich schmeiß dich auf ihn. *Sie nimmt den Fuchs in die
Arme; plötzlich hat sie statt seiner den König Basilius in den Armen,
der mit halbem Leib aus der Erde ragt.*

SIGISMUND

Hinweg! Das ist vorbei. Das liegt in dem Bauch der Erde.

Basilius lacht, streckt seine Zunge gegen Sigismund und fällt zusammen als gekrümmter Fuchs, dem die Zunge aus dem Maul geht.

DIE ZIGEUNERIN

Was liegt, steht auf gegen dich. Jetzt geht alles um.
Ein Mann, mit schrecklicher fremder Miene, wälzt sich unterm Zeltvorhang hervor.

SIGISMUND

Ich bin gefeit gegen euch. Erde auf euch!

DIE ZIGEUNERIN

Erd folgt dir nicht. Ausgestoßen von der Erd. Ausge-spien von der Luft! Alraun!

SIGISMUND

Wer bist denn du, alter Nachtwandler? Solche wie du hab ich in meinem Kofen immer um mich sitzen ge-habt.

DER MANN AUF DER ERDE *reißt sich sein unkenntliches Gesicht ab und enthüllt sich als der tote Julian. Er sitzt auf der Erde und winkt Sigismund mit seiner grünen Hand*

Hör mich. Ich hab wenig Zeit. – Sigismund. – Ich hab dich nicht die rechte Sprache gelehrt. Hier wo ich wohne, ahne ich erst die neue Sprache: die sagt das Obere und Untere zugleich.

SIGISMUND

Sie kommt schon auf acht Füßen zu mir. Aber ich habe keine Zeit. Ich bin ein General in seinem Zelt und muß nach zwei Fronten schlagen. Laß mich!
Der Mann verschwindet. Auch der tote Fuchs ist verschwunden. Der Sturm wird wieder stärker. Ein Krachen wie von einer eingebroche-nen Tür.

DIE ZIGEUNERIN *in den Sturm hinein*

Herbei du Starker! Herbei du Großer! Hol ihn dir!
Die Lampe erlischt, der Feuerschein mitten im Zelt wird stark. In ihm steht Oliviers Gestalt, aber undeutlich wie aus Glas.

SIGISMUND

Antworte mir! Zeig dich mir an! Ich will es. Ich befehle.
Oliviers Gestalt wird deutlicher.

DIE ZIGEUNERIN

Reckst du gebietend deine Hand gegen deinen Herrn? Du Krott! Du Natternbub! Deine Hand wird man dir lähmen.

Olivier steht und starrt. Er hat einen zerhauenen Schädel.

DIE ZIGEUNERIN

Brüll ihn an, daß ihm die Eingeweide aus dem Leib fallen. – Ah, wie er schaut. Wie er die armen Zähne bleckt. Wie er die blutigen Haare sträubt. Herr! Herr! Herr!

SIGISMUND

Du hast meinen Blick niemals ausgehalten wie du noch im Fleische warst. Sonach fort mit dir. Aber nicht wie du selbst willst, sondern wie ich will. So wie dein letzter Augenblick war, so fährst du dahin vor meinen Augen.

DIE ZIGEUNERIN *indem er noch da ist*

Was? wer? welche Waffen für dich? – Straf mich nicht, ich din da. Deine Sklavin ist da. Dein Geschöpf ist da.

Olivier will auf Sigismund los. Er hebt den Stumpf eines Schwertes und will auf ihn hauen. Aber seine Tritte sind unsicher wie auf Sumpfboden. – Jeronim und Aron, von Morast triefend, reißen sich links und rechts zu ihm empor und hängen sich an ihn. Er brüllt auf und versinkt mit ihnen. Nach seinem Versinken im Augenblick fast völlige Dunkelheit. – Die Zigeunerin ist in diesem Augenblick Sigismund sehr nahe.

SIGISMUND *stark*

Lichter her, und schafft das Weib weg!

Ein Lichtschein von links. – Die Zigeunerin greift in die Luft und fällt zusammen. – Adam kommt eilig von rechts mit einem Licht, ebenso von links der Arzt und Anton, sowie mehrere Diener. – Es dringt indessen von draußen auch das grauende Tageslicht durch die Zeltwände ein.

SIGISMUND *Adam entgegen*

Olivier ist tot. – Versteht ihr mich? Olivier ist tot.

ARZT

Ist das möglich?

ADAM

Verläßliche Nachricht? Handgreifliche Beweise?

321

SIGISMUND *sehr lebhaft*

Er hat mir soeben die Überzeugung davon beigebracht!

ARZT

Wie denn?

Indrik tritt von hinten herein.

ADAM

Wo ist das Weib hingekommen, Indrik?

INDRIK

Hier liegt sie.

ADAM

Tot?

INDRIK

Ich weiß nicht.

Man trägt die Zigeunerin fort.

SIGISMUND

Freunde, ich bin Herr im eigenen Haus. Gebt mir ein Tuch. —

Anton reicht ihms, er wischt sich die Stirn.

SIGISMUND *sehr lebhaft*

Es ist nicht Angstschweiß, sondern ein kalter Tau, der sich vom Anhauch der untern Welt angesetzt hat. Ein Ding sicher zu wissen, lohnt ein bißchen kalten Schweiß. Ja, Doktor, es war jemand da. Aber in anderer Weise als Ihr und ich. — Hier stand es. Es ging ein Wind davon aus, der das Licht löschte und das Fleisch ein wenig kräuseln machte. — Es geschahen dabei nicht viel Reden. Ich schrie das Ding an und es verschwand. — Es sieht aus, als ob wir zu höheren Dingen bestimmt wären.

ARZT

Eure Majestät bluten ja! *Er greift nach der Verbandstasche, die er um hat.*

SIGISMUND

Was denn? — *Zu Adam gewandt* Adam, es sind blutige Zeiten. Wo blute ich?

ARZT

Hier an der Hand. Wie kommen Eure Majestät zu der Wunde? Es ist ein scharfer Schnitt quer über die ganze Palme hin und senkrecht durch die Lebenslinie.

SIGISMUND

Was weiß ich! Ja: ich habe etwas gespürt. Das Weib war mir nahe.

ARZT

Das Weib! da sei Gott vor!

ANTON *sucht am Boden, hebt ein winziges Dolchmesser auf*

Da! kann es das sein!? Ein Messer nicht größer als eine Haarnadel.

ARZT

Sehr wahrscheinlich. *Zu Anton* Einen großen Becher vom stärksten Branntwein! sofort!

Anton ab.

SIGISMUND *zum Arzt*

Hier stand das Ding. Vor einer Minute hätte ich es Euch zu erklären vermocht – bild ich mir ein – *Er geht zum Tisch und sieht in die Karte* Jetzt kann mein Vortrab einschwenken. Die zwei Haufen ohne Führer sind im voraus verloren. Nun, warum verbindet ihr mich nicht?

ARZT *indessen Sigismund über der Karte steht*

Graf Adam!

ADAM *bei ihm*

Was macht ihr für ein fürchterliches Gesicht! Gift?

ARZT

Es ist mehr als möglich.

INDRIK *hats gehört, stürzt hin, nimmt Sigismunds Hand, indem er vor ihm kniet*

Laßt mich die Wunde aussaugen!

ANTON *mit dem Becher, zitternd*

Herr Doktor, was ist denn da geschehen?

ARZT

Ruhe! – *Zu Indrik* Laßt gehen, der Schnitt ist dafür zu tief.

ADAM

Wie fühlen sich Eure Majestät!

SIGISMUND

Wie immer. Was seht ihr mich so an? Wie? Was habt ihr alle? Bin ich vergiftet?

ARZT

Leeren Eure Majestät für jeden Fall diesen Becher. Die Zigeuner, weiß ich, gebrauchen das Gift der Viper. Dies ist das einzige Gegenmittel, das mir zur Hand ist.

SIGISMUND

Mir ist ganz wohl, und Ihr wißt, mir widerstrebt der Branntwein.

ARZT

Er wird Eurer Majestät jetzt nicht widerstehen. Ich bitte darum. Und dann eine kleine Ruhe. Das Herz bedarf vielleicht jetzt seiner Kräfte, um sich zu wehren. *Er verbindet ihm die Hand.*

SIGISMUND *trinkt den Becher aus*

Wir müssen unsere Geschäfte erledigen und können vorläufig die Stunde nicht wählen. – *Zu Adam* Die Grafen wollen eintreten. Wir können diesen zweideutigen Großen jetzt mit freierem Blut entgegentreten als vor einer Stunde.

ARZT

Das gebe Gott!

SIGISMUND *zu Adam*

Es gibt keine Olivierische Armee mehr, die mir entgegenstünde, und sie sind nicht mehr das Zünglein an der Waage, das sie sich zu sein dünken. Vorwärts – aber halt sie im Ungewissen über den Empfang, den ich ihnen bereiten werde. Und wart noch! laß ihnen ihre Schwerter zurückgeben: sie sollen nicht wie Köche und Stallmeister vor mich treten.

Adam tritt rechts ab. – Der Arzt hat sich von Anton den Becher abermals gefüllt bringen lassen und tritt damit auf Sigismund zu.

SIGISMUND

Wozu das noch? mir fehlt nichts.

ARZT

Ich bitte inständig.

SIGISMUND

Ich bin völlig wohl, bis auf – *Er streicht sich übers Knie.*

ARZT

Bis auf –?

SIGISMUND

Wir sind auch drei Tage und Nächte kaum aus dem Sattel gekommen. *Er setzt sich, nimmt die Karte zur Hand.*

Anton sieht angstvoll auf Sigismund und macht ein verzweifeltes Gesicht und beißt sich in die Fäuste. – Der Arzt tritt zu Sigismund und drängt ihm den Branntwein auf. – Der Vorhang an dem Haupteingang wird auf ein Zeichen Adams aufgehoben. Es treten ein: ein Offizier, der die Reichsstandarte trägt, ein gewappneter Bauer mit der Aufrührerstandarte: eine schwarze Stange, woran oben ein Bündel zerrissener Ketten befestigt ist, und ein tatarischer Hauptmann mit einer Standarte, bestehend aus vergoldetem Halbmond und Roßschweif. Die drei Standartenträger stellen sich an der linken Schmalwand des Zeltes auf. Indrik tritt hin und ergreift die Standarte mit den zerrissenen Ketten. – Von links treten die Bannerherren herein, denen Adam vorantritt. Eingetreten knien sie sogleich Sigismund gegenüber nieder. Gleichzeitig treten durch den Haupteingang Sigismunds Feldhauptleute ein, fünf oder sechs geharnischte Männer aus den niedrigen Ständen, und nehmen links rückwärts nahe dem Eingang Stellung. – Adam, wieder eingetreten, ergreift das ihm von einem Knaben gereichte Reichsschwert in einer samtenen Scheide und stellt sich links hinter Sigismund.

SIGISMUND *bei dem Tisch auf der Trommel sitzend, betrachtet jeden einzelnen der Knieenden sehr aufmerksam, dann*

Stehen die Herren auf – wir sind im Feldlager, nicht am Hof. – Aber ich bin gewärtig, meine Vasallen, eurer einträchtigen Huldigung, endlich!

DER ÄLTESTE BANNERHERR *knieend*

Erlauchtester! Großmächtigster! Unüberwindlichster! – Erhabene Majestät! Unser aller souveräner König und Herr!

SIGISMUND

So stehet auf, Vettern! Stehet!

DER ÄLTESTE BANNERHERR *stehend, sowie alle andern gleichfalls aufstehen*

Wie der Morgenstrahl die Schiffbrüchigen nach grausiger Sturmnacht, trifft uns die milde Anrede unseres gnädigen Königs. Heil uns Geprüften! und Heil nach welcher Nacht des Grauens. Welches Menschen Mund spricht aus, was in diesen Zeiten geschehen ist! – Die Städte von der Erde weggekehrt mit einem Besen, die

Burgen und Klöster starrende Brandstatt, die Felder Blutmoore, die Überlebenden in hohlen Bäumen oder in Klüften unter der Erde. Aber unser angestammter König redet uns huldvoll an, und mit dem männlichen Auge, in dem keine Träne zittert als die der ehrfürchtigen Rührung, erschauen wir in diesem Siegerzelte aufgepflanzt unseres alten Reiches hochehrwürdiges Banner – und blicken auf dieses allein, das da rausche früh und spät überm Scheitel unseres rechtmäßigen Königs.

SIGISMUND

Ihr möget auf alle drei blicken, Herren, sie flattern und klirren einträchtig im Winde, wo wir reiten. Sprecht weiter, Palatin.

DER ÄLTESTE BANNERHERR

Furchtbar ohne Maßen war das Dräuen der Zeit, aber furchtbarer war der Zwiespalt, der unser Herz zerriß. Gewalt und Gesetz, diese beiden, auf denen die Welt ruht, vor unsern Augen in ungeheurem Widerstreit! Der Sohn gegen den Vater, Herrschaft gegen Herrschaft, Gewalt gegen Gewalt wie Wasser gegen Feuer, aber ein drittes gegen beide, wie wenn am Tage des Gerichtes die Erde sich auftut und Wasser und Feuer verschlingt: mit den Narren und Verbrechern, den Gottesfeinden und Schwarmgeistern, den Gleichmachern und Selbsthelfern brach Asien herein und wollte Herr sein in unserem Hause wie in grausigen Tagen der Väter. Furchtbar über dem Chaos schwang in Eines Gewaltigen Hand das Banner der zerrissenen Ketten, daß es klang über unsern gebeugten Häuptern wie Gottes Geißel. – Wie konnten wir in dieser Hand die Hand unseres gebenedeiten Königs erkennen? – Der niederwarf geheiligte Vatersgewalt, entblößte die Städte der schützenden Mauern, die Burgen schleifte, nicht wehrte dem Brand der Kirchen und dem Hinfall der Klöster! Dem zitternd um ihr Leben die Hauslosen auf zerstampfter Heerstraße entgegenzogen und das Brot ihm darboten, gesalzen mit den eigenen Tränen – aber er war es!

SIGISMUND

Er war es. Er ist es. Euer König und Herr aus der Kraft und der Notwendigkeit, hier bin ich. –

INDRIK

Du hast uns gezeigt: Gewalt, unwiderstehliche, und
über der Gewalt ein Höheres, davon wir den Namen
nicht wissen, und so bist du unser Herr geworden, der
Eine, der Einzige, ein Heiligtum, unzugänglich.

DER ERSTE BANNERHERR

Ja, es erhob sich aus dem brennenden Nest ein Phönix,
und da er sich aufschwang, erkannten wir die Brut unserer Könige und den gewaltigen Flug deiner nordischen
Ahnen, und jetzt hat der Alptraum ein Ende und die
Wüste unseres Lebens wird wieder wegsam vor unseren
Augen. – Herr, laß uns einen großen König sehen, der
der schwärmerischen Unkraft der Zeit den Pol der männlichen Gewalt entgegensetzt: gerecht und groß, milde
und mächtig.

SIGISMUND *steht auf*

Der will ich sein.

DIE HERREN

Es lebe der König!

SIGISMUND *tritt einen Schritt auf sie zu*

Aber daß wir uns recht verstehen! Ich nehme mir heraus, daß ich beides in diesem Dasein vereine: zu ordnen
und aus der alten Ordnung herauszutreten. Und dazu
bedarf ich euer: Einwilligung ist das Teil, das ich von
euch verlange, Einwilligung, die da mehr ist als Unter-
werfung!

DIE HERREN

Ordne, Herr! Gib uns Frieden! Lasse Gerechtigkeit walten!

SIGISMUND

Was ihr Friede nennet, das ist eure Gewalt über die
Bauern und die Erde. Was ihr Gerechtigkeit rufet, damit
meinet ihr eure Gerechtsame und daß die Wölfe anstatt
der Hunde sein sollen. Könnet ihr diese Begier nicht abtun? Wisset ihr nichts als zu sitzen im Besitz und zu
trachten nach Vorrang! – Ich trage den Sinn des Be-
gründens in mir und nicht den Sinn des Besitzens, und
die Ordnung die ich verstehe, ist gefestigt auf der Hingabe und der Bescheidung. Denn ich will nicht dies oder
das ändern, sondern das Ganze mit einem Mal, und dann

wollen wir alle zusammen die Bürger des Neuen sein. *Er geht einmal auf und nieder, wobei der Arzt gespannt auf ihn sieht, und tritt dann wieder auf die Herren zu* Vettern, ihr glaubet, euer Geschick lasse sich noch eingrenzen wie ein Bauerngut durch eine Hürde: aber dem ist nicht so – denn die Welt will sich erneuern, und wenn die Berge sich gegeneinander bewegen, achten sie nicht eines alten Kirchturmes in ihrer Flanke. Was lange aufrecht war, liegt danieder: der Deutsche Orden ist dahingefallen gegen die Krämerstädte, auf dem moskowitischen Throne sitzt ein erwürgtes Kind und es ist niemand gewaltig in der Mitte dieser Erde als dieser, der Großherr, *Er zeigt auf die Tataren* mein Verbündeter, und ich. Er hat das große Ostreich aufgerichtet: die Kraft Asiens faßt er zusammen unterm schwellenden Mond und dem wehenden Roßschweif, und er zählt nicht die Völker, die ihm gehorchen, und zwischen sich und mir hat er den Fluß dort unten gesetzt, Borysthenes oder Oglu, wie sie ihn heißen, und seine breiten Wellen spiegeln das Lächeln unserer Eintracht, und vielleicht werde ich ihm durch meine Einwilligung Konstantinopel dahingeben als ein Pfand: denn es ist Zeit, daß die Großen einander in großer Weise begegnen. – Eure kleinen Reiche aber, eure Häuser, die ihr gegeneinander baut, und euren Glauben, den ihr gegeneinander habt, die achte ich nicht und verwische eure Grenzen: ich will euch kleine Völker neu mischen in einem großen Mischgefäß.

DER ÄLTESTE BANNERHERR

Gut und Blut dir, o unser König und Herr! aber laß dich erkennen von deinen Getreuen! Nicht neben deinem heiligen Panier wehe der Roßschweif der Heiden! und laß in die Erde vergraben das Banner der zerrissenen Ketten: denn was soll das Zeichen der Empörung, wo du doch der Herr bist! – Sondern die heilsame Krone berühre dein Haupt und schaffe es unverletzlich und heilig! Mach einen Bund mit uns, die wir deine Vasallen sind, und gewähre, daß wir dich krönen mit der Krone deiner Väter!

INDRIK

Seine Stirn trägt das Zeichen der Herrschaft für alle und er braucht nicht eure alte Krone. Keinen Bund zwischen ihm und euch!

DIE HERREN

Gewähre die Krönung! Gewähre, o Herr! – Es lebe unser gekrönter König!

SIGISMUND

Halt! Ich will nicht Herr sein in den Formen, die euch gewohn und genehm sind, sondern in denen, die euch erstaunen. Es ist noch die Zeit nicht, daß ihr mein sanftes Gesicht sehet, sondern das kommt später. – Wenn das was ich schaffen werde nicht dauern kann, so werft mich auf den Schindanger zu Attila und Pyrrhus, den Königen, die nichts begründet haben. Wenn aber ja, dann wollen wir Kronen aufsetzen und lächeln. Die Göttin Zeit, meine Freundin aus dem Kerker, möge uns günstig sein! – Warum wird es mit einmal so finster? *Er taumelt* Öffnet! lasset doch Licht herein! *Er sinkt dem herbeispringenden Anton in die Arme.*

Der Vorhang des Zeltes wird aufgezogen. Draußen steht das Volk, viele gewaffnet, alle barhäuptig. Inmitten des Lagers erhebt sich ein gewaltiger Mast mit einem Bündel zerrissener Ketten.

ARZT

Treten die Herren zurück. Der König ist unwohl.

Anton und Adam, der dem einen der Feldhauptleute das Reichsschwert abgibt, springen hin und betten Sigismund rechts im Vordergrund auf ein Lager aus den Kleidern und Teppichen, die dort aufgehäuft liegen. – Die Herren treten beiseite.

EINER DER HERREN *leise*

Was ist das? Hat er die fallende Sucht wie sein Vater?

EIN ANDERER

Sehet wie bleich sein Gesicht ist. Was gebt ihr für unser Leben, Herren, wenn er die Augen nicht wieder aufschlägt?

ANTON *bei Sigismund knieend*

Geben ein Zeichen, großmächtige Majestät! Geben ein kleines Zeichen dem Anton! Nur einen kleinen Wink mit dem Finger.

ARZT *zu den Feldhauptleuten, die herangetreten sind*

Zurück da, daß die Luft und das Licht hereindringt! Der König ist sehr krank. Zurück, ich bitte!

Die Volksmenge draußen vermehrt sich, aber in lautloser Stille.

SIGISMUND *schlägt die Augen auf*

Wer ist der Magere da? Er sieht meinem alten Anton
ähnlich. *Anton weint* Und was ist dort der große steigende
Brand? Hängt die Tataren, daß sie wieder diesen Turm
angezündet haben!

ARZT

Die steigende Sonne blendet Seine Majestät! Haltet
einen Schild vor! *Es geschieht*

SIGISMUND

Sehet nicht scheu, Vettern. Habe ich euch eine strenge
Miene gezeigt? – Es ist etwas Scharfes in unser Blut gekommen, ohne das man Schlachten nicht gewinnen kann
– aber wir haben auch ein wenig Geist gewonnen: aus
dem Mark unserer Knochen und der Vermählung unseres Innern mit der Notwendigkeit. – Ich frage euch:
so wahr ihr Männer seid – ob nicht etwas in euch ist, das
ja sagt zu mir trotz allem? *Er hebt sich auf, sieht sie an und
läßt sich dann wieder hinsinken.*
Etliche küssen ihm die Hände und den Saum des Gewandes.

DIE HERREN *knien um sein Lager*

Empfange, Herr, den Treuschwur deiner Vasallen! –
Gewähre, daß wir dich krönen! – Das heilige Salböl treffe
deine Glieder, und sie werden heil sein!
Der Arzt beugt sich über Sigismund.

SIGISMUND *schlägt die Augen auf und schließt sie gleich wieder;
leise aber deutlich*

Ich werde gleich sterben.

EINER DER JÜNGEREN BANNERHERREN *Sigismund zunächst*

Du wirst leben, Herr, und die Salbung empfangen mit
dem heiligen Öle. Wunderbar ist das smaragdene Gefäß
heil geblieben im Gewölbe unter der Brandstatt.

EIN ANDERER

Wunderbar ist der Greis am Leben geblieben, und seine
Hände werden die Krone auf dein gesalbtes Haupt setzen;
dazu hat das Geschick ihn aufgespart.

SIGISMUND *richtet sich auf*

Ah! wo war ich! noch einmal im Turm? In der Schwärze!
ah! ah! erschlagt den Alten! zerschmeißt den Turm!
zerbrecht die Ketten! Ich bin da! ich will nicht sterben!

Entblößt das Schwert! mir! Ich will es halten! *Er versuchts*
Es ist niemand da außer mir! — *Er reißt sich ganz auf*
Alle zu mir! Mit dem Schwert brechen wir die Tür in
die Zeit auf! Her! her! — Ich reiße euch alle mit mir
herein — in das — in die Sonne — Gift und Licht — und —
dennoch! dennoch! *Er fällt zusammen.*

DAS VOLK *schreit auf*
Ah!

ADAM
Ist unser König ohne Abschied von uns gegangen?

ARZT *hält Sigismunds herabhängende Hand*
Er lebt, er ist nicht tot. Sein Puls geht klein und schnell
wie bei einem kleinen Vogel.
Sigismund schlägt die Augen auf.

ARZT
Wie fühlt sich Eure Majestät? Ich schöpfe Hoffnung.

SIGISMUND
Laßt das sein. Mir ist viel zu wohl zum Hoffen. *Eine Stille.*
Er liegt mit offenen Augen.
Die Herren flüstern miteinander und horchen. Man hört ein Glöck-
chen, wie das Glöckchen des Knaben vor dem Priester. Es nähert sich.

EINER DER HERREN
Im voraus stärkt dich das Salböl, das auf einem Wagen
herannaht.

EIN ANDERER DER HERREN
Höre die Fanfare! höre das Glöckchen! Sie bringen den
Bruder Ignatius getragen, der dich krönen wird.
Das Kriegsvolk außen gibt eine Gasse frei.

DER REITERBUB *kommt, eine weiße Fahne in der Hand*
Sie kommen! Nicht nur der junge König kommt jetzt,
den unser König geladen hat durch diese Fahne, sondern
viele von den Seinigen sind mitgekommen, alle ohne
Waffen und in weißen Gewändern! Sie sind schon zwischen den Unsrigen, und niemand hält sie ab.
Zwei Knaben, in weißen Gewändern mit nackten Füßen. Der eine
hält ein Glöckchen, der andere einen weißgeschälten Zweig.

DER KINDERKÖNIG *ist durch die offene Gasse etwas hinter den beiden*
Knaben herangetreten. Er trägt ein weißes Gewand und auf dem

Kopf einen gekrönten Helm. Er bleibt in der Mitte stehen
Ich bleibe hier, und diese, die das Wasser und das Erz
spüren, werden mir sagen, ob der Ort geheuer ist.
Sigismund liegt regungslos. – Der Arzt sieht unverwandt auf ihn.

DER KINDERKÖNIG
Mir geziemt nicht, das Übel zu sehen.

DER ERSTE KNABE *zu denen, die um Sigismund gedrängt sind*
Tretet zurück und lasset diesen frei liegen.

ADAM
Wer befiehlt hier?

DER KINDERKÖNIG
Ich! denn die leben werden, haben mich über sich ge-
setzt.
Die Herren machen Miene, ihre Schwerter zu ziehen.

DER KINDERKÖNIG
Schämt euch vor unseren ungewappneten Händen und
steckt die Schwerter ein.

ARZT *zu dem ihm zunächst stehenden Knaben*
Habt ihr keine Heilkräuter? Ist kein weiser Schäfer unter euch? Wir brauchen um Christi willen ein herzstär-
kendes Antidot!

DER ZWEITE KNABE
Wir sind Heilkräuter selber. Wir sind im Gebirge groß
geworden. *Er wendet sich von ihm ab.*
*Die beiden Knaben stellen sich in einer gemessenen Entfernung vor
Sigismund auf. Alle sind zurückgetreten, ihnen Platz zu machen.*

DER ERSTE KNABE *nachdem er mit erhobenem Kopf die Luft in sich
gesogen hat, singt*
Das Licht ist sanft, und ich höre die Sichel gehen im
Gras und die Schwaden über die Sense fallen.

DER ZWEITE KNABE *singt*
Gewaltig! die Lerche ist gewaltig! und die Sonne zeigt
ihr herrliches Haus und alles deutet auf einen Punkt.

DER ERSTE *singt*
Gewaltig ist die Erde und gewaltiger der Mensch. Es ist
sonst nichts da! Er ist ein Maß und wird gemessen.

DER ZWEITE *singt*

Hier ist der Fels, aus dem der Quell fließt, Milch und Honig.

BEIDE *zusammen*

Hier ist alles gereinigt! und keine Furcht ist nahe. *Sie knien nieder, gegen Sigismund gewandt.*

SIGISMUND *schlägt die Augen auf*

Was weckt mich noch einmal!
Der Kinderkönig tritt einen Schritt näher.

SIGISMUND *für sich*

Jemand. *Er richtet seinen Blick auf den Kinderkönig. Sie betrachten einander.*

DER KINDERKÖNIG *noch zwei Schritte nähertretend*

Ich weiß deinen Namen und ehre dich nach deinen Taten. Meine blutende Mutter hat ihn mir gesagt, ehe sie mich hieß in den Brunnen steigen, damit ich am Leben bleibe.

SIGISMUND *lächelt*

Wer bist du?

DER KINDERKÖNIG

Ein König! *Er neigt sich zu ihm* Weißt du, es ist das in mir, wovon eine geringe Gabe die Menschen störrisch macht, eine große aber zahm und folgsam wie Hunde. Du sollst mir Schwert und Waage geben: denn du bist nur ein Zwischenkönig gewesen. – Wir haben Hütten gebaut und halten Feuer auf der Esse und schmieden die Schwerter zu Pflugscharen um. Wir haben neue Gesetze gegeben, denn die Gesetze müssen immer von den Jungen kommen. Und bei den Toten stellen wir Lichter auf.
Sigismund sieht ihn an, lächelt.

DER KINDERKÖNIG

Tretet alle zurück und lasset mich allein mit meinem Bruder.
Die beiden Knaben stehen auf und treten nebeneinander hinter den Kinderkönig. – Der Kinderkönig tritt ganz nahe zu Sigismund hin. Sigismund schließt die Augen.

DER KINDERKÖNIG

Mit einem in der Welt war es mir bestimmt, Blutbrüderschaft zu schließen – und jetzt – *Er kniet zu Sigismund hin* erschrick nicht. Das was du nicht sagen kannst, das allein frage ich dich.

Alle knien nieder, sowohl die im Zelt als das Volk draußen. Das Volk draußen seufzt tief.

EINIGE AUS DEM VOLK
Wir können nicht seinen Kopf sehen! Höre uns! Wir rufen dich! wir! wir! Du unser Haupt! Rede nicht mit dem Fremden!

Sigismund schlägt die Augen auf und reckt die rechte Hand empor, damit alle sie sehen können. – Das Volk weint.

DER KINDERKÖNIG *leise*
Dein Gesicht! Wer ist dieses Göttliche, das jetzt auf die Schwelle tritt?

SIGISMUND *sieht ihn an*
Das zergeht bald. Leiste mir Freundschaft, solange ich da bin. – Die Wahrsagerin hat es gesagt, daß für mich kein Platz in der Zeit ist.

ANTON *zu Sigismunds Füßen knieend*
Uns haben der Herr König nichts zu sagen?

SIGISMUND *sieht um sich, dann mit klarer Stimme, den Arzt ansehend*
Gebet Zeugnis: ich war da. Wenngleich mich niemand gekannt hat.

DAS VOLK
Verlasse uns nicht! Harre aus bei uns!

DIE BEIDEN KNABEN
Lasset ihn sterben! – Freude!

SIGISMUND *mit ganz heller Stimme, sich ein wenig aufrichtend*
Hier bin ich, Julian! *Er fällt zurück, tut einen tiefen Atemzug und stirbt.*

Der Kinderkönig steht auf und hebt die rechte Hand. – Alle erheben sich und recken, wie er, die rechte Hand empor. – Die drei Bannerträger senken die Banner zu Sigismunds Füßen.

DAS VOLK
Zerreißet unsere Standarten!

DER KINDERKÖNIG

Ruhe, ihr! – In der Zeit könnet ihr diesen nicht messen:
aber außer ihr, wie ein Sternbild.

DAS VOLK

Sigismund! bleibe dein Name bei uns!

KNABEN *zwischen dem Kriegsvolk hervorgetreten, singen mit heller
Stimme*

Mitte spiritum tuum, et creabuntur et renovabis faciem
terrae!

DER KINDERKÖNIG *indem er das in der Scheide geborgene Reichsschwert ergreift.*

Hebet ihn auf. Wir brauchen sein Grab, unsern Wohn-
sitz zu heiligen.

Knaben heben Sigismunds Leiche auf.

DER KINDERKÖNIG

Vorwärts, und folget mit mir diesem Toten.

Trompeten.

Vorhang.

JEDERMANN

Das Spiel vom Sterben des reichen Mannes

erneuert

DRAMATIS PERSONAE

GOTT DER HERR

ERZENGEL MICHAEL

TOD

TEUFEL

JEDERMANN

JEDERMANNS MUTTER

JEDERMANNS GUTER GESELL

DER HAUSVOGT

DER KOCH

EIN ARMER NACHBAR

EIN SCHULDKNECHT

DES SCHULDKNECHTS WEIB

BUHLSCHAFT

DICKER VETTER

DÜNNER VETTER

Etliche junge Fräulein

Etliche von Jedermanns Tischgesellen

BÜTTEL

Knechte

Spielleute

Buben

MAMMON

WERKE

GLAUBE

MÖNCH

ENGEL

SPIELANSAGER *tritt vor und sagt das Spiel an*
Jetzt habet allsamt Achtung, Leut,
Und hört was wir vorstellen heut!
Ist als ein geistlich Spiel bewandt,
Vorladung Jedermanns ist es zubenannt.
Darin euch wird gewiesen werden,
Wie unsere Tag und Werk auf Erden
Vergänglich sind und hinfällig gar.
Der Hergang ist recht schön und klar,
Der Stoff ist kostbar von dem Spiel,
Dahinter aber liegt noch viel,
Das müßt ihr zu Gemüt führen
Und aus dem Inhalt die Lehr ausspüren.

GOTT DER HERR *wird sichtbar auf seinem Thron und spricht*
Fürwahr mag länger das nit ertragen,
Daß alle Kreatur gegen mich
Ihr Herz verhärtet böslich,
Daß sie ohn einige Furcht vor mir
Schmählicher hinleben als das Getier.
Des geistlichen Auges sind sie erblindt,
In Sünd ersoffen, das ist was sie sind,
Und kennen mich nit für ihren Gott,
Ihr Trachten geht auf irdisch Gut allein,
Und was darüber, das ist ihr Spott,
Und wie ich sie mir anschau zur Stund
So han sie rein vergessen den Bund,
Den ich mit ihnen aufgericht hab,
Da ich am Holz mein Blut hingab.
Auf daß sie sollten das Leben erlangen,
Bin ich am Marterholz gehangen.
Hab ihnen die Dörn aus dem Fuß getan
Und auf meinem Haupt sie getragen als Kron.
So viel ich vermocht, hab ich vollbracht,
Und nun wird meiner schlecht geacht.
Darum will ich in rechter Eil
Gerichtstag halten über sie
Und Jedermann richten nach seinem Teil.
Wo bist du Tod, mein starker Bot? Tritt vor mich hin.

TOD
Allmächtiger Gott, hier sieh mich stehn,

Nach deinem Befehl werd ich botengehn.

GOTT

Geh du zu Jedermann und zeig in meinem Namen ihm an:
Er muß eine Pilgerschaft antreten
Mit dieser Stund und heutigem Tag,
Der er sich nicht entziehen mag.
Und heiß ihn mitbringen sein Rechenbuch
Und daß er nicht Aufschub, noch Zögerung such.

TOD

Herr, ich will die ganze Welt abrennen
Und sie heimsuchen Groß und Klein,
Die Gottes Gesetze nit erkennen
Und unter das Vieh gefallen sein.
Der sein Herz hat auf irdisch Gut geworfen,
Den will ich mit einem Streich treffen,
Daß seine Augen brechen
Und er nit findt die Himmelspforten,
Es sei denn, daß Almosen und Mildtätigkeit
Befreundt ihm wären und hilfsbereit.

Jedermann tritt aus seinem Haus hervor, ein Knecht hinter ihm.

JEDERMANN

Spring du um meinen Hausvogt schnell,
Muß ihm aufgeben einen Befehl.
Der Knecht geht hinein
Mein Haus hat ein gutes Ansehn, das ist wahr,
Steht stattlich da, vornehm und reich,
Kommt in der Stadt kein andres gleich.
Hab drin köstlichen Hausrat die Meng,
Viele Truhen, viele Spind,
Dazu ein großes Hausgesind,
Einen schönen Schatz von gutem Geld
Und vor den Toren manch Stück Feld,
Auch Landsitz, Meierhöf voll Vieh,
Von denen ich Zins und Renten zieh,
Daß ich mir wahrlich machen mag
So heut wie morgen fröhliche Tag.
Hausvogt tritt auf.

JEDERMANN

Vogt, bringt einen Säckel Geldes straff,

Den hab ich vergessen in Gürtel zu tun,
Und merk, was ich dir noch anschaff:
Für morgen wird ein Frühmahl gericht,
Das muß bereit't sein aufs allerbest.
Kommen Verwandte und fremde Gäst.
Der Tisch muß prächtig sein bestellt,
Schick her den Koch, du geh ums Geld.
Vogt geht hinein, Koch tritt sogleich auf.

JEDERMANN
Ein köstlich Frühmahl befehl ich an
Für morgen.

KOCH   Ja, und soll ich dann
Einen jeden Gang bereiten frisch?

JEDERMANN
Daß dich das Fieber rüttel, frisch!
Kein Überbleibsel auf meinen Tisch.

KOCH
Es wär von gestern geblieben die Meng
Zumindest für zwei kalte Gäng.

JEDERMANN
Du Esels-Koch bist so vermessen,
Soll ich eine Bettlermahlzeit essen?
Der Koch geht ab. Der Vogt ist herausgekommen mit einem Beutel.
Jedermann nimmt den Beutel.

JEDERMANN
Acht du auf meine Mägd und Knecht,
Gefallen mir allermaßen nit recht.
Der arme Nachbar wird in der Ferne sichtbar, nähert sich ängstlich.
Jedermanns Geselle kommt zugleich raschen Schrittes die Straße
hergegangen.

JEDERMANN *zum Hausvogt*
Dafür stehst du an der obersten Stell,
Daß du auf sie – Da kommt mein Gesell.
Hausvogt geht ins Haus.
Hätt beinah müssen auf dich warten,
Wir wollen jetzt vors Stadttor gehen
Und uns dort das Grundstück ansehen,
Obs tauglich ist für einen Lustgarten.

GESELL

Hast Fortunati Säckel in der Hand,
Dann ist die Sach schon recht bewandt.
Ja, bei dir gilts: gewünscht ist schon getan,
Du hasts danach, drum steht dirs an.

ARMER NACHBAR

Das ist des reichen Jedermanns Haus.
O Herr, dich bitt ich überaus,
Wollest dich hilfreich meiner erbarmen,
Mildtätig beistehn einem Armen.

GESELL *zu Jedermann*

Ja, wie gesprochen, wir müssen eilen,
Dürfen uns gar nit länger verweilen.

ARMER NACHBAR *hebt bittend die Hände*
O Jedermann, erbarm dich mein.

GESELL

Kennst du leicht das Gesicht?

JEDERMANN   Ich? Wer solls sein?

ARMER NACHBAR

O Jedermann, zu dir heb ich die Hand,
Hab auch einst bessre Tag gekannt.
War einst dein Nachbar, Haus bei Haus,
Dann hab ich müssen weichen draus.

JEDERMANN *gibt ihm eine Münze aus dem Gürtel*
Schon gut!

ARMER NACHBAR *nimmts nicht*
                     Das ist eine Gabe gering.

JEDERMANN

Meinst du? Gottsblut! So reut mich doch das Ding.

ARMER NACHBAR *weist auf den Beutel*
Davon mein nachbarlich Bruderteil,
So wär ich wieder gesund und heil.

JEDERMANN

Davon?

ARMER NACHBAR

                     Es ist an dem, ich knie vor dir,
Nur diesen Beutel teil mit mir.

JEDERMANN *lacht*

Nur?

GESELL

Selbig ist besessen alls!
Hättst tausend Bettler auf dem Hals.
Was tausend, hunderttausend gleich!

ARMER NACHBAR

Bist allermaßen mächtig reich.
Teilst du den Beutel auf gleich und gleich,
Dir bleiben die Truhen voll im Haus,
Dir fließen Zins und Renten zu.

JEDERMANN

Mann, wer heißt dich, mein Schrank und Truh,
Mein Zins und Rent in Mund nehmen?

GESELL

Ich tät mich allerwegen schämen.

JEDERMANN

Laß! – Mann, da bist du in der Irr,
Wenn du meinst, ich könnt ohnweilen
Den Beutel Geld da mit dir teilen.
Das Geld ist gar nit länger mein,
Muß heut noch abgeliefert sein
Als Kaufschilling für einen Lustgarten.
Ich steh dem Verkäufer dafür im Wort,
Er will aufs Geld nit länger warten.

ARMER NACHBAR

Wenn dieses Geld für den Garten ist,
So brauchts für dich nur einen Wink,
Für einen Beutel hast du zehn,
Heiß einen andern bringen flink,
Den teil mit mir, bist du ein Christ.

JEDERMANN

Der nächste, brächt man ihn herbei,
Der Beutel, der wär auch nit frei.
Mein Geld muß für mich werken und laufen,
Mit Tod und Teufel hart sich raufen,
Weit reisen und auf Zins ausliegen,
Damit ich soll, was mir zusteht, kriegen.

Auch kosten mich meine Häuser gar viel,
Pferd halten, Hund und Hausgesind
Und was die andern Dinge sind,
Die alleweil zu der Sach gehören,
Lustgärten, Fischteich, Jagdgeheg.
Das braucht mehr Pfleg als ein klein Kind,
Muß stets daran gebessert sein,
Kost' alls viel Geld, muß noch viel Geld hinein.
»Ein reicher Mann« ist schnell gesagt,
Doch unsereins ist hart geplagt
Und allerwegen hergenommen,
Das ist dir nicht zu Sinn kommen!
Da läufts einher von weit und breit
Mit Anspruch und Bedürftigkeit.
Tät unsereins nit der Schritte drei
Von hier bis an die nächste Wand
Ohn eine allzeit offne Hand.
Ist alls schon recht, muß nur dafür
Ein Fug und ein Gesetz auch walten
Und jeglich Teil daran sich halten.
Und achten gnau was ihm gebühr:
Dawider hast du dich verfehlt,
Wär all mein Geld und Gut gezählt
Und ausgeteilt auf jeglichen Christ,
Der Almosen bedürftig ist,
Es käm mein Seel nit mehr auf dich
Als dieser Schilling sicherlich,
Drum empfang ihn unverweil,
Ist dein gebührend richtig Teil.
Nachbar nimmt den Schilling und geht.

GESELL

Dem hast dus geben recht mit Fug,
Ja, das weiß Gott, viel Geld macht klug.

JEDERMANN

Nun wollen wir gehen, es dustert schon.
*Schuldknecht kommt, von zwei Bütteln geführt, hinter ihm sein Weib
und seine Kinder in Lumpen.*

GESELL

Was ist das für einer Mutter Sohn,
Den sie da bringen hergeführt,

Die Arme kreuzweis aufgeschnürt?
Mich dünkt, das geht an ein Schuldturmwerfen,
Hätt sich auch mehr in acht nehmen derfen.
Jetzt muß ers bei Wasser und Brot bedenken
Oder sich an einen Nagel henken.
Ja, Mann, du hast halt ein Reimspiel trieben
Und Schulden auf Gulden, die reimen gar gut.

SCHULDKNECHT
Hat mancher sein Schuldbuch nit in der Hut
Und ist drin vieles in Übel geschrieben.

JEDERMANN
Auf wen geht das?

SCHULDKNECHT   Auf den, der fragt allweil.

JEDERMANN
Bins nit bewußt für meinen Teil,
Weiß nit, für wen du mich willst nehmen.

SCHULDKNECHT
In deiner Haut wollt ich mich schämen.

JEDERMANN
Gibst harte Wort mir ohn Gebühr.
Dir gehts nit wohl, was kann ich dafür?

SCHULDKNECHT
Für harte Stöß sind sanft meine Wort.

JEDERMANN
Wer stößt dich?

SCHULDKNECHT   Du, an einen harten Ort.

JEDERMANN
Ich kenn dich auch vom Ansehen nit.

SCHULDKNECHT
Ist doch dein Fuß, der auf mich tritt.

JEDERMANN
Das wär mir seltsam, daß ich so tät
Und nichts davon in Wissen hätt.

SCHULDKNECHT

Dein Nam steht auf einem Schuldschein,
Der bringt mich in diesen Kerker hinein.

JEDERMANN

Bei meinem Patron, was gehts mich an?

SCHULDKNECHT

Bist doch der selbige Jedermann,
In dessen Namen und Antrag
Beschehn ist wider mich die Klag!
Daß ich in einen Turm werd bracht,
Geschieht allein durch deine Vollmacht.

JEDERMANN *tritt hinter sich*

Ich wasch in Unschuld meine Händ
Als einer, der diese Sach nit kennt.

SCHULDKNECHT

Deine Helfers-Helfer und Werkzeug halt,
Die tun mir Leibes- und Lebensgewalt.
Der Hintermann bist du von der Sach,
Das bring dir zeitlich und ewig Schmach.
In Grund und Boden sollst dich schämen.

JEDERMANN

Wer hieß dich Geld auf Zinsen nehmen?
Nun hast du den gerechten Lohn.
Mein Geld weiß nit von dir noch mir
Und kennt kein Ansehen der Person.
Verstrichne Zeit, verfallner Tag,
Gegen die bring deine Klag.

SCHULDKNECHT

Er höhnt und spottet meiner Not!
Da seht ihr einen reichen Mann.
Sein Herz weiß nichts von Gotts Gebot,
Hat tausend Schuldbrief in seinem Schrein
Und läßt uns Arme in Not und Pein.

SCHULDKNECHTS WEIB

Kannst du dich nicht erbarmen hier,
Zerreißen ein verflucht Papier,
Anstatt daß meinen Kindern da
Der Vater wird in Turm geschmissen,

Von dem dir nie kein Leid geschah!
Hast du kein Ehr und kein Gewissen,
Trägst du mit Ruh der Waisen Fluch
Und denkst nit an dein eigen Schuldbuch,
Das du mußt vor den Richter bringen,
Wenns kommt zu den vier letzten Dingen?

JEDERMANN

Weib, du sprichst was du schlecht verstehst,
Es ist aus Bosheit nit gewest,
Man hat sich voll und recht bedacht,
Eh man die scharfe Klag einbracht.
Geld ist wie eine andere War.
Da sind Verträg und Rechte klar.

GESELL

Wär schimpflich um die Welt bestellt,
Wenns anders herging in der Welt.

SCHULDKNECHTS WEIB

Geld ist ein Pfennig, den eins leiht
Dem Nächsten um Gottes Barmherzigkeit.

SCHULDKNECHT

Geld ist nicht so wie andre War,
Ist ein verflucht und zaubrisch Wesen,
Wer seine Hand ausreckt darnach,
Nimmt an der Seele Schaden und Schmach,
Davon er nimmer wird genesen.
Des Satans Fangnetz in der Welt
Hat keinen andern Nam als Geld.

JEDERMANN

Du lästerst als ein rechter Narr,
Weiß nicht, wozu ich hier verharr,
Gibst vor, du achtest das Geld gering,
Und war dir schier ein göttlich Ding!
Nun möchtest ihm sein Ansehen rauben,
Bist wie der Fuchs mit sauern Trauben.
Doch wer so hinterm Rücken schmäht,
Der findt keinen Glauben für seine Red.

SCHULDKNECHT

Aus meinen Leiden hab ich Gewinn,
Daß ich vermag in meinem Sinn

Des Teufels Fallstrick zu erkennen
Und meine Seel vom Geld abtrennen.

GESELL

Geld ist längst abgetrennt von dir,
Drum hast dort im Turm Quartier.

JEDERMANN

Nimm die Belehrung von mir an:
Das war ein weiser und hoher Mann,
Der uns das Geld ersonnen hat
An niederen Tauschens und Kramens statt.
Dadurch ist unsere ganze Welt
In ein höher Ansehen gestellt
Und jeder Mensch in seinem Bereich
Schier einer kleinen Gottheit gleich,
Daß er in seinem Machtbezirk
Gar viel hervorbring und bewirk.
Gar vieles zieht er sich herbei
Und ohn viel Aufsehen und Geschrei
Beherrscht er abertausend Händ,
Ist allerwegen ein Regent.
Da ist kein Ding zu hoch noch fest,
Das sich um Geld nicht kaufen läßt.
Du kaufst das Land mitsamt dem Knecht,
Ja, von des Kaisers verbrieftem Recht,
Das alle Zeit unschätzbar ist
Und eingesetzt von Jesu Christ,
Davon ist ein gerechtsam Teil
Für Geld halt allerwegen feil,
Darüber weiß ich keine Gewalt,
Vor der muß jeglicher sich neigen
Und muß die Reverenz bezeigen
Dem, was ich da in Händen halt.

SCHULDKNECHTS WEIB

Du bist in Teufels Lob nit faul,
Wie zu der Predigt geht dein Maul.
Gibst da dem Mammonsbeutel Ehr,
Als obs das Tabernakel wär.

JEDERMANN

Ich gebe Ehr, wem Ehr gebühr,
Und läster nicht wo ich die Macht verspür.

SCHULDKNECHT *indem ihn die Büttel fortschleppen*
Was hilft dein Weinen, liebe Frau,
Der Mammon hat mich in der Klau.
Warum hab ich mich ihm ergeben!
Nun ists vorbei mit diesem Leben.
Sie führen ihn ab.

SCHULDKNECHTS WEIB
Kannst du das sehn und stehst wie Stein?
Wo bett ich heut die Kinder mein?
Geht ihm nach.

JEDERMANN *zum Gesellen*
Tu mirs zulieb, geh da hint nach
Und sieh im stillen zu der Sach.
Der Mann kommt in Turm, da mag nichts frommen,
Dem Weib gewähr ich ein Unterkommen,
Und was sie nötig hat zum Leben
Zusamt den Kindern, das will ich ihr geben.
Mein Hausvogt soll mir darnach sehn
Und ihr freimachen eine Kammer.
Doch will ich Plärrens ledig gehn,
Ihre Not nicht wissen, noch Gejammer.
Das ist ein erzverdrießlich Sach,
Man lebt geruhig vor sich hin,
Hat wahrlich Böses nit im Sinn
Und wird am allerschönsten Tag
Hineingezogen und weiß nit wie
In Hader, Bitternis und Klag
Und aufgescheucht aus seiner Ruh.
Ich frag dich, wie komm ich dazu:
Was geht mich an dem Kerl sein Taglauf?
Er hats halt angelegt darauf,
Nun steckt er drin, schreit ach und weh,
Das folgt halt wie aufs A das B.
Ein Häusel baun mit fremdem Geld,
Wer also haust, um den ists so bestellt.
Das ist seit Adams Zeit der Lauf,
Ist nit erst kürzlich kommen auf.
Zum Schluß aber tät ers in d' Schuh schieben
Dem, so er Haufen Geldes schuldig blieben.
Des Langmut und Geduld arg viel
Hat müssen herhalten zu dem Spiel,

Der selbig erbarmungsvolle Mann,
Der wär ihm gar ein Teufel dann.
Jetzt aber, daß ich es ehrlich sag,
Steht mir der Sinn nit mehr darnach,
Daß ich einen Lustgarten anschau,
Auch wird es duster schon und grau.
Tu mir die Lieb, mein guter Gesell,
Wenn du das andre besorgt hast schnell,
Trag den Kaufschilling da zurecht,
Weil die Versäumnis mir Ärgernis brächt.
Der Garten zusamt dem Lusthaus drein
Soll alls für meine Freundin sein
Auf einen Jahrtag ein Angebind.

GESELL

Bei der ich dich doch heut Abend find?
Ich bring dir den Kaufbrief gleich dahin,
Ausgefertigt nach deinem Sinn.

JEDERMANN

Hab vielen Dank, du guter Gesell,
Mich drängts, daß ich dort hinkomm schnell.
Ist doch der einzige Ort in der Welt,
Wo nichts mir meine Lust vergällt.
Ist recht ein paradiesisch Gut,
Was ihre Lieb mir bereiten tut.
Darum hab ich im Willen dies Ding,
Daß ich ein Angebind ihr bring,
Darin ich wie in einem Gleichnis und Spiegel
Ihr meine Dankbarkeit besiegel.

GESELL

Wie willst das tun, in welcher Weis?

JEDERMANN

Dazu richt ich den Garten mit Fleiß
Und stell inmitten ein Lusthaus hin,
Das bau ich recht nach meinem Sinn
Als einen offenen Altan
Mit schönen steinernen Säulen daran,
Auch springende Wasser und erzene Bild,
Die sollen nicht fehlen zur vollen Zier.
Und dann ich die Anlag also führ,
Daß unter dem Morgen- und Abendwind

Ein Ruch von Blumen mancher Art
Daherstreich allezeit gelind
Von Lilien, Rosen und Nelken zart.
Auch führ ich jederseits Gäng und Bogen
Von Buschwerk, alls so dicht gezogen,
Daß eines noch zu hellem Mittag
Sich Kühl und Frieden finden mag
Und einen ungequälten Ort,
Der von der Sonne niemals dorrt.
Desgleichen an einer verborgenen Stätte
Recht wie der Nymphe quillend Bette
Laß ich aus kühlem, glattem Stein
Eine fließende Badstub errichtet sein.

GESELL

Das wird ein köstlich Gärtlein, fürwahr,
Und seinesgleichen nit leicht zu finden.

JEDERMANN

Das will ich meiner Liebsten einbinden
Und nehm sie dann an beide Händ
Und führ sie hinein, damit sie erkennt
In diesem Gärtlein köstlich und mild
Ihr eigen abgespiegelt Bild.
Die allzeit liebreich mich ergetzt,
Mit Hitz und Schattenkühl mich letzt
Und einem verschlossenen Gärtlein gleich
Den Gärtner selig macht und reich.

GESELL

Da seh ich deine Frau Mutter kommen,
Wird dir jetzt die Begegnung frommen?

JEDERMANN

Drück mich nicht gern vor ihr beiseit.
Hab aber wahrlich nit viel Zeit.
Geh du, bring mir zurecht die Ding.
Indessen ich meinen Gruß darbring.

JEDERMANNS MUTTER

Bin froh, mein Sohn, daß ich dich seh.
Geschieht mir so im Herzen weh,
Daß über weltlich Geschäftigkeit
Dir bleibt für mich geringe Zeit.

JEDERMANN

    Die Abendluft ist übler Art
    Und deine Gesundheit gebrechlich und zart,
    Kann dich mit Sorgen nur hier sehn.
    Möchtest nit ins Haus eingehn?

JEDERMANNS MUTTER

    Gehst du dann mit und bleibst daheim?

JEDERMANN

    Für diesen Abend kanns nit wohl sein.

JEDERMANNS MUTTER

    So darfst dich nit verdrießen lassen,
    Daß ich dich halt hier auf der Gassen.

JEDERMANN

    Ist mir gar sehr um deine Gesund.
    Vielleicht wir könnten zu anderer Stund –

JEDERMANNS MUTTER

    Um meine Gesundheit kein Sorg nit hab,
    Ich steh mit einem Fuß im Grab.
    Mir gehts nit um mein zeitlich Teil.
    Doch dester mehr ums ewig Heil.
    Verziehst du dein Gesicht, mein Sohn,
    Wenn ich die Red anheb davon?
    Und wird die Frag dich recht beschweren,
    Wenn ich dich mahn, ob deine Seel
    Zu Gott gekehrt ist, ihrem Herrn?
    Trittst hinter dich vor Ungeduld
    Und mehrest lieber Sündenschuld,
    Als in dich gehen ohne Spott
    Und recht betrachten deinen Gott?
    Da doch von heut auf morgen leicht
    Eine Botschaft dich von ihm erreicht,
    Du sollest vor seinen Gerichtstuhl gehen
    Und von deinem ganzen Erdenleben
    Eine klare Rechnung vor ihm geben.

JEDERMANN

    Frau Mutter, spotten ist mir fern,
    Doch weiß ich, die Pfaffen drohen halt gern.
    Das ist nun einmal ihr Sach in der Welt.
    Ist abgesehen auf unser Geld.

Damit sies bringen auf ihre Seit,
Sie wissens zu fädeln gar gescheit.
Doch kränkts mich, wie sie Alten und Kranken
In Kopf nichts bringen als finstre Gedanken.

JEDERMANNS MUTTER

Die Finsternis ist wo anders dicht,
Doch solche Gedanken sind hell und licht.
Wer recht in seinem Leben tut,
Den überkommt ein starker Mut
Und ihn erfreut des Todes Stund,
Darin ihm Seligkeit wird kund.
Oh, wem die Stunde des Tods allweg
Recht wohl betrachtet am Herzen läg,
Um den braucht einer Mutter Herz
Nit Sorgen tragen und üblen Schmerz.

JEDERMANN

Wir sind gute Christen und hören Predig,
Geben Almosen und sind ledig.

JEDERMANNS MUTTER

Wie aber, wenn beim Posaunenschall
Du von deinen Reichtümern all
Ihm sollst eine klare Rechnung geben
Um ewigen Tod oder ewiges Leben?
Mein Sohn, es ist ein arg Ding zu sterben,
Doch ärger noch auf ewig verderben.

JEDERMANN

Auf vierzig Jahre bin ich kaum alt,
Mich wird eins halt nit mit Gewalt
Von meinen irdischen Freuden schrecken.

JEDERMANNS MUTTER

Willst du den Kopf in den Sand stecken
Und siehst den Tod nit, Jedermann,
Der mag allstund dich treten an?

JEDERMANN

Bin jung im Herzen und wohl gesund
Und will mich freuen meine Stund,
Es wird die andere Zeit schon kommen,
Wo Buß und Einkehr mir wird frommen.

JEDERMANNS MUTTER

    Das Leben flieht wie Sand dahin,
    Doch schwer umkehret sich der Sinn.

JEDERMANN

    Frau Mutter, mir ist das Reden leid,
    Hab schon gesagt, hab heut nit Zeit.

JEDERMANNS MUTTER

    Mein lieber Sohn!

JEDERMANN   Bin sonst allzeit
    Gehorsam gern und dienstbereit.

JEDERMANNS MUTTER

    Meine Red ist dir verdrießlich sehr,
    Das macht mich doppelt kummerschwer.
    Mein guter Sohn, ich hab ein Ahnen,
    Ich werd dich nimmer lang ermahnen.
    Fall dir zur Last noch kurze Zeit,
    Weil ich von hier mich bald abscheid.
    Doch du bleibst dann allein dahint
    Und bist mein unberaten Kind.
    So sag ich dir halt nur ein Wort,
    Das dich mit langer Red nit kränk:
    Sei deines Herrn Gotts eingedenk.
    Und auch seiner großen Gnadenspend,
    Der sieben heiligen Sakrament,
    Davon ein jegliches uns frommt
    Und unserer Schwäch zu Hilfe kommt,
    Ein jegliches in besonderer Weis
    Uns stärket auf dieser Lebensreis.

JEDERMANN

    Was soll —

JEDERMANNS MUTTER

          Du bist ein stattlicher Mann
    Und Frauenlieb steht dir wohl an.
    Und hat denn unser Erlöser nicht,
    Der weiß, woran es uns gebricht,
    Und alles auf dieser Erden kennt
    Und alls zu unserem Segen wendt,
    Ein Sakrament nit eingesetzt,
    Wodurch, was also dich ergetzt,

Verwandelt wird und kehret sich um
Aus Wollust in ein Heiligtum!
Willst stets in arger Zucht umtreiben
Und fremd die heilige Eh dir bleiben?

JEDERMANN

Frau Mutter, die Red ist mir bekannt.

JEDERMANNS MUTTER

Hat doch dein Herz nit umgewandt.

JEDERMANN

Ist halt noch allweil die Zeit nicht da.

JEDERMANNS MUTTER

Und doch der Tod schon gar so nah.

JEDERMANN

Ich sag nit ja, sag auch nit nein.

JEDERMANNS MUTTER

So muß ich allweg in Ängsten sein.

JEDERMANN

Auch morgen ist halt noch ein Tag.

JEDERMANNS MUTTER

Wer weiß, wer den noch sehen mag.

JEDERMANN

Macht euch nit unnütze Beschwerden,
Ihr seht mich sicher noch ehlich werden.

JEDERMANNS MUTTER

Mein guter Sohn, für dieses Wort
Will ich dich segnen immerfort,
Sei viel bedankt, daß mir dein Mund
So schönen Vorsatz machet kund.

JEDERMANN

Hab nit von heut noch morgen geredt.

JEDERMANNS MUTTER

Wenn nur dein Wille dagegen nit steht.
Einer Mutter Herz ist wohlgestellt,
Wo nur ein gutes Wörtlein hinfällt.
Dein Vorsatz ist noch klein und schwach,
Zielt doch auf eine heilige Sach,

Und daß du so geantwort' hast,
Nimmt von der Brust mir schwere Last.

JEDERMANN

Viel gute Nacht, Frau Mutter, nun,
Ich wünsch, du mögest sänftlich ruhn.

JEDERMANNS MUTTER

So will ich, mein lieber guter Sohn,
Und ist mir doch als ob ein Ton
Gar schön wie Flöten und Schalmein
In deine Worte tön herein!
An solchen Zeichen und Gesicht
Mirs dieser Tage nit gebricht.
Ich nehm sie als eine Vermahnung hin,
Daß bald ich eine Sterbende bin.
Geht.

JEDERMANN

Nun hör ich auch ein solch Getön,
Sollt also seltsam dies zugehn?
O nein, das geschieht natürlicher Weis,
Wiewohl ichs noch nit zu deuten weiß.
Nun aber gehts nit bloß ins Ohr,
Tritt auch den Augen was hervor. –
*Buhlschaft kommt heran, von Spielleuten und Buben, die Wind-
lichter tragen, begleitet.*

JEDERMANN

Das ist ja meine Buhle wert,
Nach der mein Herz schon hart begehrt.
Hat Spielleut mit eine ganze Schar
Und kommt mich abzuholen gar.

BUHLSCHAFT

Wer alls lang auf sich warten läßt
Und ist der wertest aller Gäst,
Den muß man mit Zimbeln und Windlicht
Abholen und führen zu seiner Pflicht.

JEDERMANN

Du schlägst die Lichter mit eigenem Scheine,
Deine Red ist süßer als Schalmein,
Ist alls für mich zu dieser Stund
Wie Balsam für die offne Wund.

BUHLSCHAFT

War mir doch, eh ich zu dir trat,
Als ob dir jemand nahe tat
Und wär dein helle Stirn und Wangen
Von einer Trübnis überhangen.

JEDERMANN

Wie, gelt ich also viel vor dir,
Daß du solch Ding erspähst an mir?
So bin ich dir wahrhaftig dann
Kein ältlich, unbequemer Mann?

BUHLSCHAFT

Mit dieser Red geschieht mir weh,
Des ich zu dir mich nit verseh.
Steh nit auf grüne Buben an,
Du bist mein Buhl und lieber Mann.

JEDERMANN

Fühl mich wahrhaftig herzensjung
Und selber bubenhaft genung,
Und wenn ich alls kein Bub mehr bin,
So zärtlicher ist drum mein Sinn.

BUHLSCHAFT

Ein Bub liebt frech und ohne Art,
Ein Mann ist großzügig und zart.
Hat milde Händ und steten Sinn,
Das zieht zu ihm die Frauen hin.

JEDERMANN

Wenn eins gemahnt wär an den Tod
Und hätt Melancholie und Not,
Und säh auf deine Lieblichkeit,
Dem tät sein trübes Denken leid.

BUHLSCHAFT

Das Wort allein macht mir schon bang,
Der Tod ist wie die böse Schlang,
Die unter Blumen liegt verdeckt,
Darf niemals werden aufgeweckt.

JEDERMANN

Du Süße, schaff ich dir noch Sorgen?
Wir lassen sie unter Blumen verborgen

Und wissen nirgend nichts von Schlangen,
Als zweien, die gar hold umfangen.

BUHLSCHAFT

Wie, wären die mir auch bekannt,
Wie werden diese denn genannt?

JEDERMANN

Das sind die lieben Arme dein,
In diese sehn ich mich hinein.

*Sie küßt ihn und setzt ihm einen bunten Blumenkranz auf, den ein
Bub darreicht.*

*Ein Teil der Buben läuft hinauf, streuen Blumen und wohlriechende
Kräuter. Ein Tisch kommt aus dem Boden empor, reich gedeckt und
mit Lichtern. Jedermann und Buhlschaft treten jedes an eine Seite
der Treppe, die zum obern Gerüst emporführt. Die Gäste, zehn
Junggesellen und zehn Fräulein, kommen hinein von beiden Seiten,
tanzend und singend.*

VORSÄNGER

Ein Freund hat uns beschieden,
Er heißet Jedermann,
Der Mann ist guter Art,
Hat eine Freundin zart,
Drum blieb er ungemieden,
Und hat er uns beschieden,
So treten wir heran.

ALLE

Wohlauf, antreten
In fröhlichem Tanz,
Schalmeien, Drommeten,
Wir sein hier gebeten
Zu Fackeln und Glanz
Und kommen mit Tanz.

Wir waren mit Blicken
Nit zaghaft und bang.
Nun gehts an ein Drücken
Recht nah und gedrang,
Wir wollen uns verstricken
Und schlingen den Kranz,
So wollen wir vorrücken,
Das ehret den Tanz.

Ein jeder erwähle
Mit liebendem Sinn
Und keiner verhehle
Seiner Freuden Gewinn.
Wir wollen uns umstricken,
Das wärmet das Blut,
So wollen wir vorrücken
Mit fröhlichem Mut.

JEDERMANN
Seid allesamt willkommen sehr,
Erweist mir heut die letzte Ehr.

EIN FRÄULEIN
Das ist ein sonderlicher Gruß.

DICKER VETTER
Potz Maus, mein Vetter Jedermann,
Wie grüßt Ihr uns, was ficht Euch an?

BUHLSCHAFT
Was ist dir, was schafft dir Verdruß?

JEDERMANN
Ist unversehens zu Mund so kommen,
Ich heiß euch alle recht schön willkommen!

BUHLSCHAFT
Nehmt, wie der Sinn euch steht, die Plätz!
Ihr Buben, reicht Handwasser jetzt!
Was stehst du da und siehst so fremd?
Sie setzen sich.

JEDERMANN
Sie sitzen ja alle im Totenhemd!

BUHLSCHAFT
Was ficht dich an, bist du mir krank?

JEDERMANN
Haha! ein ungereimter Gedank!
Ich trink jetzt einen Becher Wein,
Der macht das Hirn von Dämpfen rein.

BUHLSCHAFT
Sitz! red zu ihnen ein freundlich Wort!

JEDERMANN

Ihr Leute, seid ihr auch recht am Ort?
Ihr sehet mächtig fremd mir aus.
Ein Schweigen.

MAGERER VETTER

Potz Velten, Vetter Jedermann,
Wollt Ihr uns wiedrum treiben fort?

DICKER VETTER

Das schafft Ihr nicht so leicht, Potz Maus,
Dazu ist Euer Koch zu gut,
Auch geht der Wein recht warm ins Blut,
Freu mich, daß ich hier seßhaft bin.

JEDERMANN

Jawohl... nur bloß... mir steht zu Sinn,
Wie ihr da seid hereingelaufen,
So könnte ich euch alle kaufen
Und wiederum verkaufen auch,
Daß es mir nit so naheging
Als eines Fingernagels Bruch.

EIN GAST

Was soll uns dieser grobe Spruch?

EIN FRÄULEIN

Was meint er nur mit diesem Ding?

DICKER VETTER

Die Reden sind sonst nit sein Brauch.

BUHLSCHAFT

Geht die Red gleicherweis auf mich?
Jedermann sieht sie an.

EIN GAST

Ist recht eines reichen Mannes Red,
Gar überfrech und aufgebläht.

BUHLSCHAFT

Dein Blick ist starr und fürchterlich,
Für was willst du mich strafen, sprich.

JEDERMANN

Dich strafen, Süße, ist mir fern,
Lieb dich gleich meinem Augenstern,

Hab müssen denken von ungefähr,
Wie deine Miene beschaffen wär,
Wenn dir auf eins zukäm die Kund,
Daß ich müßt sterben zu dieser Stund.

BUHLSCHAFT
Um Christi Willen, was ficht dich an,
Mein Buhle traut, mein lieber Mann,
Ich bin bei dir, sieh doch auf mich,
Dein bin ich heut und ewiglich.

JEDERMANN
Wenn ich dann spräch: Bleibst du bei mir?
Willst dort bei mir sein so wie hier?
Willst mich geleiten nach der Stätte
Und teilen mein eiskaltes Bette?
Fielest ohnmächtig mir zu Füßen,
So hätte ich meine Frag zu büßen!
Wollt ich trotzdem des Wegs dich locken,
Tät dir das Blut in den Adern stocken,
Wäre mir gedoppelt Marterqual
Und Gall und Essig allzumal,
Wenn ich müßt sehen mit eigenen Augen,
Wie deine süßen Schwür nit taugen
Und wie du lösest deine Händ
Aus meinen Händen gar am End
Und deinen Mund von meinem Mund
Abtrennest in der letzten Stund.
O weh.
Er seufzt.

BUHLSCHAFT
          Ihr lieben Vettern und Leut,
Mein Liebster ist besonders heut,
Weiß nit, wes ich mich soll versehn,
Könnt ihr mit Rat mir nit beistehn?
Jedermann starrt vor sich und tut sich den Kranz aus dem Haar
Er sitzt nit fröhlich und gepaart
Und redt von Dingen aus der Art,
Hab nie zuvor ihn so gesehn,
Weiß nit, was ihm mag sein beschehn!

MAGERER VETTER
Potz Velten, Vetter Jedemann,

Habt Ihr leicht die Melancholie?
Wenn nit, was sonsten ficht Euch an?

DICKER VETTER
Kenn das, sitzt hinterwärts der Stirn,
Ist eine Trockenheit im Hirn,
Ist mir von meinem Herrn Vater bekannt,
Mit ihm wars öfter so bewandt.
Mußt brav eines trinken, mit Vergunst,
Daß dir der Wein das Hirn aufdunst.

EIN FRÄULEIN
Gehört ein Absud in den Wein
Von Nieswurz, Veilchen oder Hanf.

DICKER VETTER
Hier, Buben, machet heiß den Wein,
Daß er fast glühender aufdampf,
Und tut ein Zimmet und Ingwer ein.
Sie machen hinten den Wein glühend auf einer Pfanne.

EIN ANDERES FRÄULEIN
Hab sagen hören, es gibt einen Stein,
Den trägt die Schwalbe in ihrem Bauch,
Den haben die großen Ärzt im Brauch,
Heißt Chelidonius.

MAGERER VETTER   Nein, Calcedon!
Hab öfter reden hören davon.
Ist mächtig gegen die Melancholie.

EIN DRITTES FRÄULEIN
Ich mein, er müßt mit der Sympathie
Kuriert sein. Ist giftiger Hauch
Im Spiel hier oder böser Blick.
Wär mir mein Liebster also krank,
Ich täts probieren ohne Wank.

DIE ZWEITE
Was tätst probieren?

DIE DRITTE   Ist geheim!
Darf in gemeinem Mund nit sein,
Verliert sonst seine verborgene Kraft.

DIE ZWEITE
Von wo hast du die Wissenschaft?

DIE DRITTE

Habs halt einmal und gebs nit preis.
Sags aber ihr ins Ohren leis.
Steht auf, flüstert Buhlschaft ins Ohr. Gleichzeitig reden mehrere
unten am Tisch das Folgende.

EIN GAST

Wenn eins halt allzeit lebt zu gut,
Das schafft ihm ein verdicktes Blut,
Einen armen und beschwerten Mann
Käm die Melancholie nit an.

EIN FRÄULEIN

Was heißen sie denn die Spielleut nit
Anheben mit Blasen und Geigenstreichen,
Davor muß immer der Trübsinn weichen.

EIN ANDERES FRÄULEIN

Wir wollen anheben zu singen was,
Davon schon öfter einer genas.

EIN GAST

Darf aber ein züchtig Lied nur sein.

EIN ANDERER

Sie singt nit anders als zart und fein.

DER EINE GAST

Kennt ihr das Lied, das anhebt so:
»In süßen Freuden geht die Zeit«?
Davon, so dünkt mich, müßt einer zur Stund,
Wenn er es anhört, werden gesund.

DAS EINE FRÄULEIN

Nein, lasset doch, sind wir denn Pfaffen?
Was soll ein geistlich Lied uns schaffen?

EIN GAST

Ist nie und nimmer kein Pfaffenlied.
Der Türmer singts, wenn die Sonn aufzieht.

DAS EINE FRÄULEIN

Ich weiß ein anderes, singen wir das.

DAS ANDERE FRÄULEIN

Ei was?

DER EINE GAST *indem er sie küßt*
Ei was, wenns regnet, ists naß.

DAS ANDERE FRÄULEIN
»Floret silva undique,
Um meinen Gesellen ist mir weh.«

DER EINE GAST *spottet ihr nach*
»Floret silva undique,
Um ihren Gesellen ist ihr weh.«

DAS GLEICHE FRÄULEIN
»Er ist geritten von hinnen.
O weh, wer soll mich minnen!«

EIN ANDERER GAST *fällt ein*
»Steht auch der Wald voll grünen Schoß,
Wohin doch ist mein Traugenoß?«
*Jedermann hat indes den Becher Glühwein ausgetrunken und sieht
mit fröhlicher Miene umher.*

JEDERMANN
Seid fröhlich, Vettern und liebe Gäst,
Mir ist nit just recht wohl gewest.
Ein Trunk hat mich gemacht gesund.
Nun grüß ich erst meine Tafelrund.
War mir, als läg was auf der Brust,
Nun hab ich doppelt Lebenslust.
Bin froh, daß wir beisammen sein,
Ist mir ein rechter Freudenwein.
Schwillt mir das Herz so übervoll,
Weiß gar nit, wie ichs sagen soll.
Sind köstlich Ding doch auf der Welt,
Ist herrlich gar um uns bestellt.
Ja Lieb und Freundschaft, die zwei sind viel wert.
Wer die hat, des Herz nit mehr begehrt.
Kommt Wein dazu und Saitenspiel,
So ists schon über Maßen viel.
Ich hab euch recht lieb, ihr lieben Gäst,
Ich bitt euch, nützt die Stund aufs best.
Laßt eure Kehl nit untätig sein,
Ein Lied geht aus, wo eingeht der Wein.
Verschränket eure Stimmen aufs best
Und haltet sänftlich die Liebste fest.

Genützt sei eine schöne Stund
Mit Hand und Aug und Herz und Mund!
Ja laßt Euch nit lang gebeten sein,
Und sing uns eins, lieber Vetter mein.

DER DICKE VETTER

Mein dünner Vetter, o weh o weh,
Nun kommt sein Lied vom kalten Schnee.
Sie singen lachend.

DER DÜNNE VETTER *singt*

O weh o weh, Frau Minne, mir ist weh,
Frau Minne!
Greif her, wie sehr ich brinne,
O weh!
Ein kalter kalter Schnee,
Er müßt vor Glut zerrinnen,
Darin das Herz erstickt!
Wollt helfen mir Frau Minnen,
Des wär ich hochbeglückt.
Alle singen mit. Man hört darein ein dumpfes Glockenläuten.
Jedermann stößt sein Glas von sich.

JEDERMANN

Was ist das für ein Glockenläuten!
Mich dünkt, es kann nichts Guts bedeuten,
Der Schall ist laut und todesbang,
Schafft mir im Herzen Qual und Drang.
Was läuten Glocken zu dieser Zeit?

EIN GAST

Ist nichts zu hören weit und breit.

EIN ANDERER

Hat einer läuten hören Glocken?

EIN FRÄULEIN

Was Glocken, was wird von Glocken geredt?

EIN ANDERER

Wär eins zu früh zur Morgenmett!

BUHLSCHAFT

Ich bitt euch, laßt das Singen nit stocken.

EIN GAST

Hat einer von euch was läuten hören?

EIN ANDERER *lachend*

Nit läuten, meiner Seel, noch schlagen.

BUHLSCHAFT

Laßt euch im Singen doch nit stören.

JEDERMANN

Ich bitt euch, hat alls nichts zu sagen,
Jetzt hör ichs nimmer, ist alls schon gut.

DICKER VETTER

Kommt alls von einem trägen Blut.
Ich laß Euch wärmen ein Becherlein.

JEDERMANN

Vielen Dank, guter Vetter, laßt nur sein.
Er setzt sich wieder, Buhlschaft schmiegt sich an ihn.
Die am untern Ende des Tisches singen »Floret silva undique«
und so fort als Kanon.
Indes sie singen, kommt Jedermanns guter Gesell und nimmt den
leeren Platz am Tische ein. Indem der Gesang leiser wird, hört man
viele Stimmen rufen.

STIMMEN

Jedermann! Jedermann! Jedermann!
Jedermann springt angstvoll auf.

JEDERMANN

Mein Gott, wer ruft da so nach mir?
Von wo werd ich gerufen so?
Des werd ich im Leben nimmer froh.

GESELL

Ei, Jedermann, ich bin zur Stell.

BUHLSCHAFT

Sieh, Jedermann, doch, dein lieber Gesell.

JEDERMANN

Ihr liebe Freundschaft, sagt mir an,
Wer ruft so gräßlich »Jedermann«?

DÜNNER VETTER

Hat müssen grad ins Ohr dir dringen
Ein Widerhall von ihrem Singen.

JEDERMANN

Nein, nein! in fürchterlicher Weis

Und laut und mächtiglich, nit leis.
So: »Jedermann!« und »Jedermann!«
Doch anderster als ich es schaffen kann.
Gar fremd und doch bekannt zugleich.
Aus welchem höllischen Bereich
Hats müssen also nach mir schreien.
Des kann ich mich nimmer getrösten, nein!
Jetzt, jetzt! aufs neu, so hört doch an,
Wie streng sie rufen »Jedermann«!
Man hört das gleiche Rufen wie vordem.

BUHLSCHAFT
Ich hör keinen Laut.

DER DICKE VETTER   Ich hör keinen Schall.

DER DÜNNE VETTER
Auch nit einen leisen Widerhall.
Gesell tritt zu Jedermann.

GESELL
Ist Ohrentrug, siehst nit wohl aus,
Soll ich geleiten dich nach Haus?

JEDERMANN
Wie ich auf euch die Augen heft,
So kommen mir zurück die Kräft.
Ich mein, es könnt ein solches Schrein
Kein zweites Mal sich hier anheben.
Tut mir recht wohl der Lichterschein.
Sitz nieder, mein Gesell, hierneben,
Und mögen alle lieben Gäst
Zulangen und sich ergetzen aufs best.
Will morgen zu gelegner Zeit
Mit einem Arzten Beratung pflegen,
Daß solche Zufäll allerwegen
Er wohlbedacht mir hält hintan.

BUHLSCHAFT
Mußt mirs versprechen, lieber Mann!
Müßt ja vor Angst und Sorg vergehn,
Sollt ich dich öftern also sehn.
Sie essen alle weiter und sind zärtlich miteinander. Jedermann hebt sich angstvoll.

JEDERMANN

Nun aber sag um Gott, mein Lieb,
Was brennen die Lichter also trüb?
Und wer kommt hinter mir heran?
Auf Erden schreitet so kein Mann.
Der Tod steht da in einiger Entfernung. Alle Gäste auf.

TOD

Ei Jedermann! ist so fröhlich dein Mut?
Hast deinen Schöpfer ganz vergessen?

JEDERMANN

Was fragst um das zu dieser Stund?
Bekümmerts dich? wer bist? was solls?

TOD

Von deines Schöpfers Majestät
Bin ich nach dir ausgesandt,
Und das in Eil: drum steh ich da.

JEDERMANN

Wie, ausgesandt nach mir?
Greift nach seinem Herzen
Dem möchte wohl so sein. Ei ja.

TOD

Denn ob du ihm gibst wenig Ehr,
In der himmlischen Sphär denkt er dein.
In welcher Weis, das soll dir gleich gemeldet sein.

JEDERMANN *die Augen gesenkt, tritt hinter sich*
Was will mein Gott von mir?

TOD

Das will ich dich weisen.
Abrechnung will er halten mit dir. Unverweilt!

JEDERMANN

Ganz und gar bin ich unbereit
Für solch ein Rechnunglegen.
Müßt ich das tun, da käm ich in Not.
Auch kenn ich dich nit, was bist du für ein Bot?

TOD

Ich bin der Tod, ich scheu keinen Mann,
Tret jeglichen an und verschone keinen.
Es flüchten viele.

JEDERMANN

Was? keine Frist willst du mir geben,
Und überfällst eins ungewarnt
Gar mitten drin im besten Leben,
Gotts Blut! das ist kein ehrlich Spiel,
Damit erwirbst dir Ruhm nit viel,
Denn daß ichs nur sag, bin nit bereit,
Mein Schuldbuch auch ist nit so weit.
Hätt ich für mich so zehn, zwölf Jahr,
Ich wollt es in der Ordnung han,
Daß keine Furcht mich ginget' an.
Das wollt ich, so steh Gott mir bei.
Drum aus Gotts Gnaden laß mich hier,
Daß ich das Ding zur Ordnung führ.

TOD

Hie hilft kein Weinen und kein Beten.
Die Reis mußt alsbald antreten.

JEDERMANN

O Gott der Gnaden auf himmlischem Thron,
Erbarm dich meiner schweren Not.
Wird mir zum Gefährten für diesen Weg
Kein anderer als du bestellt?
Soll ich aus dieser Erdenwelt
Hinaus, und kein Geleite haben?
Und war doch hier niemals allein,
Mußt allerwegen gesellig sein.

TOD

Nun ist Geselligkeit am End.
Ring nit vergebner Weis die Händ,
Schleun dich, jetzt gehts vor Gottes Thron.
Dort empfängest deinen Lohn.
Wie, hat dich Narren wollen bedünken,
Das Erdengut und dies dein Leben
Wär dir alles zu Eigen gegeben?

JEDERMANN

So war ich vermeinend, wahrhaftig und ja.

TOD

Nichts da, war alls dir nur geliehen.
Bist du dahin, erbts einen andern,

Und über eine Weil schlägt dem seine Stund
Und er muß alles hier lassen und wandern.
Ich komm halt schnell.

JEDERMANN   Nur einen Tag!
Nur diese Nacht bis Sonnaufgehn,
Daß ich mit Reu mög in mich gehn
Und hören auf des Priesters Lehr
Und bessern mich nach deinem Begehr.

TOD
Dergleichen wird von mir nit erbeten.
Wo ich einen Mann tu antreten,
Den schlag ich auf sein Herz mit Macht.
Wird vorher kein Anzeig beigebracht.

JEDERMANN
O weh! Nun ist wohl Weinens Zeit!

TOD
Mit Weinen wird nur Zeit vertan.

JEDERMANN
Weh über mich, was heb ich an?
Hätt ich ein ledig Stündlein Zeit,
Mir zu gewinnen ein Geleit.
Daß ich nicht mutterkindallein
Vor meinem Richter müßte sein.

TOD
Meinst du, daß solches dir gewinnst?
Ich sag, sie weigern dir den Dienst.

JEDERMANN
Nur nit allein vor das Gericht!
Nur Redens und Ratens ein Stündlein Zeit
Um Christi Gotts Barmherzigkeit!

TOD
Meinshalb, ich tret dir aus dem Gesicht,
Nur merk, vertu nit diese Frist
Und nütz sie klüglich als ein Christ.
Geht hinauf, wird unsichtbar.

JEDERMANN *tritt zu seinem Gesellen*
Mein guter Gesell, du weißts —

GESELL   Ich weiß.

War nit fünf Schritt weit, Jedermann,
Wie dich der Tod hat treten an!
Und hab euch reden hören alls.
Schlägt mir das Herz bis an den Hals!
Ein froher Mann und kerngesund,
Das warst du bis zu dieser Stund.
Nun kommt mich schier das Weinen an,
Wenn ich dich anschau, Jedermann.

JEDERMANN

Hab vielen Dank, mein guter Gesell.

GESELL

Was dir noch Not tut, sag du schnell.

JEDERMANN

Du bist mir wahrhaft ein guter Freund,
Dich hab ich allzeit treu befunden.

GESELL

Und sollst mich finden zu allen Stunden.
Denn glaub du mir, ging' deine Reis
Geradewegs hinab zur Höll,
Hie fändest du den Gefährten zur Stell.

JEDERMANN

Gott steh mir bei, du lieber Mann,
Daß ichs um dich verdienen kann.

GESELL

Ist von Verdienen nit die Sprach,
Wär mir die allergrößte Schmach,
Wollt ichs mit dem Mund mich unterwinden
Und sollt man in Taten mich lässig finden.

JEDERMANN

Mein Freund!

GESELL   Sprich frei, tu auf den Mund,

Muß alls mir werden offenbart.
Ich steh bei dir bis zur letzten Stund
Recht nach guter Gesellen Art.
Jedermann will den Mund auftun.

GESELL

Dein Jammer geht mir mächtig nah.

Soll alles, was aufs Herz dir druckt,
Von diesem ganzen Erdenwesen
Von mir getreulich sein verwesen.
Sag, ist dir von etlichen Leids getan?
Sie sollen ihre Strafe han
Von meiner Hand mit scharfem Eisen,
Und müßt ich darüber ins Gras beißen!

JEDERMANN
Ist nit um dies mir, bei Gotts Blut!

GESELL
Es geht dir um dein Geld und Gut.
Das schafft dir große Sorgenlast,
Daß keine Leibeserben hast.

JEDERMANN
Nein, Lieber, nein!

GESELL   Braucht nit viel Wort,
Bei mir ist dein Vertraun am Ort.
Der Kaufbrief da ist wohl verwahrt.
Dir ist um deine Freundin zart,
Daß deines Reichtums auf sie komm
Soviel, als ihr auf immer fromm'.

JEDERMANN
Nein, Lieber, Guter, hör mich an.

GESELL
Spar dir die Reden, Jedermann.
Bist ohne viel von mir verstanden.

JEDERMANN
Ach! ganz was anders schafft mir Qual,
Viel näheres, mein guter Gesell!

GESELL
Heraus damit, laß hören schnell.
Merk, Freundes Mund tröst allemal.

JEDERMANN
Ja, du mein Freund!

GESELL   Willst mich nit weisen?
Könnt sein, dir blieb' sonst nit die Zeit.

JEDERMANN

O weh, das wär mir bitter leid.

GESELL

Sag deine Sach! Frisch, Jedermann!
Wo bliebe unsre Freundschaft dann?

JEDERMANN

Wenn ich dir tät mein Herz aufschließen
Und du, du kehrtest den Rücken mir
Und ließest dich meine Red verdrießen,
Des hätte ich wohl zehnfach Gram und Weh!

GESELL

Herr, wie ich zu Euch gesprochen eh,
So will ich tun.

JEDERMANN   So dankt dir Gott.

Mir ist befohlen, mich fortzuheben.
Der Weg ist weit und voll Beschwer,
Und was dann kommt, noch weit mehr,
Denn ich soll eine Rechnung geben
Von meinem Reichtum und all meinem Leben
Vor meinem Schöpfer und höchsten Richter!
Drum also komm mit, mein guter Gesell,
Wie dus versprochen hast zur Stell.

GESELL

Ei ja das ist schon eine Sach.
Versprechen und brechen, das wär mir Schmach.
Daran nur denken macht mir heiß.

JEDERMANN

O du!

GESELL   Doch sollt ich antreten die Reis,
Da heißt es sich beraten und gut.

JEDERMANN

Was? sprachest doch, auf jeglicher Straßen
Wolltest nicht lebend noch tot mich verlassen,
Und wär es geraden Wegs zur Höll.

GESELL

Richtig, so war meine Red, Hand aufs Herz!
Aber die Wahrheit zu vermelden,
Ist jetzo nicht Zeit für dergleichen Scherz.

Ist fast bereits ernsthaft die Sachlag.
Und dann, wenn wir die Reis wollten antreten,
Wann kämen wir wiederum hierher?
Ei, gib doch Antwort.

JEDERMANN   Nimmermehr.
Nimmermehr bis an den Jüngsten Tag.

GESELL

Dann, bei Gotts Tod, bleib ich hintan.
Wenn in dem Sinn die Meldung beschah.
Dann stehts, daß ich die Reis nit tu.

JEDERMANN

Nit tust?

GESELL   Nein, alsdann bleib ich am Ort.
Ich sag dir, wie mir ist zu Sinn,
Du weißt, daß ich freimütig bin.
Itzt stehts, daß ich die Reis nit tu,
Um keiner lebenden Seel fürwahr,
Auch nit um meines Herrn Vaters Lieb,
Gott schenk ihm ansonsten die ewige Ruh.

JEDERMANN

Um Gott! Hast mir was anders versprochen!

GESELL

Weiß wohl. Und ist recht in Treuen beschehn.
Und so du wolltest was anders begehn,
Mit Frauen was Gutes in Kumpanei
Oder was es sonsten sei,
Solltest an deiner Seiten mich sehn
Solange Gott läßt einen hellen Tag sein
Und auch des Nachts bei Fackelschein.
Das sag ich in Treuen!
Schickt sich an zu gehen.

JEDERMANN

O deiner bedarf ich jetzt gar sehr.
Jetzt heißt es: Gesell, gedenke mein.

GESELL

Ob wir Genossen waren, ob nit,
Hinfort tu ich mit dir keinen Schritt.

JEDERMANN

So bitt ich dich, nimm soviel auf dich
Um Christi Gotts Barmherzigkeit,
Und gib mir tröstliches Geleit
Bis vor die Stadt.

GESELL *reißt sich los*

Ich tu dirs nit,
Setz einen Fuß nit vor den andern,
Nit um ein neues Feierkleid.
Ließest du dir ein wenig Zeit,
So wollt ich dich nit allein lassen stehn.
Nun aber kann ich nit harren bei dir.
Über die Schulter zurück
So geb dir Gott eine schleunige Fahrt
Dahin recht sänftlich in guter Art.
Muß eilends jetzt meines Weges gehn.

JEDERMANN *einen Schritt ihm nach*

Wohin, Gesell? Willst mich verlassen ganz und gar?

GESELL

Wohl, wohl. Gott nehm deiner Seelen wahr.

JEDERMANN

Leb wohl, mein Freund, um dich wird mir mein Herz
arg schwer,
Leb immer wohl, dich seh ich nun auch nimmermehr.

GESELL

Leb wohl auch, Jedermann, leb wohl am End, gib mir
die Hand,
Ja, Scheiden tut recht weh, das hab ich jetzt erkannt.
Er geht.

JEDERMANN

O weh, wohin soll ich nun um Hilf in der Welt.
War mein Gesell, solang ich fröhlich war.
Nun trägt er wenig Leid um mich ganz unverstellt.
Hab eh und immer was reden hören,
Das ging mir aber gar nit nah
Bis heute, da mir das geschah.
Es hieß: Solang einer im Glück ist,
Der hat Freunde die Menge,

Doch wenn ihm das Glück den Rücken kehrt,
Dann verläuft sich das Gedränge.
O weh, so siehet das nun aus,
Schnürt mir die Kehl vor Angst und Graus.
Er wird die Vettern gewahr, die noch beiseite stehen, und sein
Gesicht hellt sich auf
Da stehen meine Blutsfreunde ja,
Vielliebe Vettern, bleibt mir nah.
Ihr seid wahrhaftig recht am Ort,
Weiß auf der Welt kein schöner Wort
Als dieses: Art läßt nicht von Art,
Das wird von euch heut recht gewahrt,
Da ihr in dieser schweren Stund
Mein Beiständ seid mit Hand und Mund.

DICKER VETTER
Geruhig Blut, mein Vetter Jedermann,
Nur ruhig Blut, das ist alls was ich sagen kann.

JEDERMANN
Ihr lasset mich auch nit —

DICKER VETTER   Nur ruhig Blut.
Ist gar von Lassen nit die Sprach,
Im Stich Euch lassen, das wär uns Schmach.

DÜNNER VETTER
Euch widerfahr so Liebes wie Leides,
Mit Euch zu teilen begehren wir beides.

DICKER VETTER
Ja, wie gesagt — — ei freilich ja!
Ihr seht, wir stehen Euch treulich nah.

JEDERMANN
O vielen Dank, ihr Blutsfreunde mein.

DICKER VETTER
Da wir doch Anverwandte sein!

JEDERMANN
Ihr habt gesehn, es kam ein Bot,
Der kam auf hohen Königs Gebot.

DICKER VETTER
Ja, — — ich weiß, Vetter Jedermann — —

Die Sach ist ebenso bewandt,
Daß ich in der nichts machen kann.

JEDERMANN
Er hieß einer Fahrt mich unterwinden.

DICKER VETTER
Ja, wie gesagt –

JEDERMANN Von dieser Fahrt – –

DICKER VETTER
Nun, wie gesprochen, Art läßt nicht von Art!

JEDERMANN
Von dieser Fahrt, das weiß ich wohl,
Werd ich nimmer zurücke finden.

DICKER VETTER
Ei nimmer! Ja, wo halt nichts ist,
Da hat der Kaiser 's Recht verloren!

JEDERMANN
Mein Vetter, höret Ihr, was ich sprach?

DICKER VETTER
Ihr redet nit zu tauben Ohren.

DÜNNER VETTER
Ei, nein, wahrhaftig nit, Gotts Not.

JEDERMANN
Ich werd da nimmer zurücke finden.

DICKER VETTER
Habt Ihr auch richtig verstanden den Bot?

JEDERMANN
Ich ihn?

DICKER VETTER
Die Red und den Verstand,
Habt Ihr das richtig wohl gefaßt?

JEDERMANN
Ob ich –?

DICKER VETTER
Das war schon, daß ich sag –

Ein recht ein ungebetner Gast.
Hm, Vetter.

DÜNNER VETTER

Ja, ich mein, Gott seis geklagt –

DICKER VETTER

So meint Ihr auch wie ich? Ja, wie gesagt,
Ja, Gott befohlen, Vetter Jedermann,
Da habt Ihr alles, was ich sagen kann.

JEDERMANN

Ihr Vettern, bleibet, hört mich an!

DÜNNER VETTER

Hast du vielleicht noch ein Begehr?
Sprich kühnlich, Vetter Jedermann.

JEDERMANN

Ich muß dort eine Rechnung legen
Und hab einen Feind, der allerwegen
Mir will in meinen Weg treten,
O hört mich an! mit großer Stärken.

DICKER VETTER

Was denn für Rechnung, sagt doch an.

JEDERMANN

Von all meinen irdischen Werken:
Wie ich meine Tag hab hinbracht,
Und was ich Arges hab getan
Die Jahr all bei Tag und Nacht.
Drum seid um Christi willen gebeten
Und helft mir meine Sach vertreten.

DÜNNER VETTER

Was, dorthin? Geht es Euch auf das!
Nein, Jedermann, da geh ich nit.
Kannst mich nit zum Geleiter kriegen!
Wollt lieber in einm finstern Gelaß
Bei Wasser und Brot zehn Jahre liegen.

JEDERMANN

Oh, daß ich nit geboren wär.
Nun werd ich fröhlich nimmermehr,
Wenn ihr mich da verlasset dann.

DICKER VETTER

Ei Mann! Was denn! Sei du fröhlich, Mann!
Nimm dich und fang nit Jammerns an!
Nur eins mußt dir gesagt sein lassen:
Mich bringst einmal nit in die Gassen.
Er geht.

JEDERMANN *zum dünnen Vetter*

Mein Vetter willst nit mit mir gehen?

DÜNNER VETTER

Hab jetzt, Gotts Tod, Krampf in den Zehen.
Ist ein arg Übel, Jedermann,
Das fällt mich unversehens an.

DICKER VETTER *bleibt nochmal stehen und spricht über die Schulter zurück*

Uns wirst nit verführen, das laß nur sein.
Doch hab ich ein schön gut Kind daheim,
Die mächtig gern auf Reisen geht.
Wenn die dir zu Gesichte steht,
Die geb ich dir in guter Art,
Leicht, daß sie mit dir geht auf deine Fahrt.

JEDERMANN

Nein, zeig mir an, wes Sinnes du bist.
Ob ich in meiner ärgsten Pein
Von dir soll drangegeben sein,
Ob du willst mit mir gehn oder dahinten bleiben.
Das ist alles was ich wissen muß.

DICKER VETTER

Dahinten bleiben und ein' schönen Gruß.
Auf Wiedersehen ein andermal.
Sie gehen.

JEDERMANN

Ach Jesus, ist das aller Dinge End,
Versprochen haben sie mir gar viel,
Vom Halten lassen sie ihre Händ.

DÜNNER VETTER *wendet sich und tritt nochmals an Jedermann heran*

Es ist nicht üblich, in solcher Weis
Die Leut zu beschicken zu einer Reis.
Dergleichen Anmutung ist nit zart

Und hat mir keine rechte Art.
Hast deiner leibeignen Knecht genug.
Die magst dazu aufbieten mit Fug.
Aber die lieben Verwandten dein
Sollten da zu wert dir sein.
Geht.

JEDERMANN

Leibeigene Knecht, was sollen mir die,
Wenn ich die mitnähm, das wär ein Ding,
Davon ich Hilfe hätt gering.
Er sieht sich um
Ist alls zu End das Freudenmahl,
Und alle fort aus meinem Saal?
*Er geht hinauf zu dem Tisch. Etliche, die dort noch saßen und
tranken, werden ihn gewahr, springen auf und flüchten. Der Tisch
versinkt.*
Bleibt mir keine andere Hilfe dann,
Bin ich denn ein verlorner Mann
Und ganz alleinig auf der Welt?
Ist es schon so um mich bestellt,
Hat mich *Der* schon dazu gemacht,
Ganz nackend und ohn alle Macht,
Als läg ich schon in meinem Grab,
Wo ich doch mein warm Blut noch hab
Und Knecht mir noch gehorsam sein
Und Häuser viel und Schätze mein.
Auf! schlagt die Feuerglocken drein!
Ihr Knecht, nit lungert in dem Haus
Kommt allesamt zu mir heraus.
Hausvogt mit etlichen Knechten kommen eilig.

JEDERMANN

Ich muß schnell eine Reise tun
Und das zu Fuß und nit zu Wagen,
Gesamte Knecht, die sollen mit
Und meine großen Geldtruhen,
Die sollen sie herbeitragen.
Die Reis wird wie ein Kriegszug scharf,
Daß ich der Schätze sehr bedarf.

HAUSVOGT

Die schwere Truhn, die drinnen steht?

JEDERMANN

Ja, eilig, ohne viel Gered.
Mehrere Knechte sammeln sich, ihrer acht bringen die schwere
Truhe getragen.
Hab euch berufen für eine Reis,
Daß jeder mir gehorsam erweis.
Die Reis ist seltsam und recht weit
Und fordert zuverlässige Leut,
Daß sie in aller Still gescheh,
Des ich zu euch mich wohl verseh.

KNECHT

Die Truhen, die ist marterschwer.

HAUSVOGT

Ihr tut, was anbefiehlt der Herr.

JEDERMANN

Nun wollen wir die Reis angehen,
Ganz in der Still, heimlicher Weis.
Tod tritt in etlicher Entfernung hervor.

ERSTER KNECHT

Dort steht ein Teufel und winkt uns Halt.

HAUSVOGT

Nein, ist der Tod grausamer Gstalt,
Er kommt auf uns zu mit Gewalt.
Knechte lassen die Truhen stehen und fliehen, Hausvogt desgleichen.

TOD

Du Narr, bald ist die Stund vertan,
Nimmst immer noch Vernunft nit an.
Weißt nit ein recht Geleit zu suchen,
Bald wirst verzweifeln und dir fluchen.
Verschwindet.

JEDERMANN

Ach Gott, wie graust mir vor dem Tod,
Der Angstschweiß bricht mir aus vor Not.
Kann der die Seel im Leib uns morden?
Was ist denn gählings aus mir worden?
Hab immer doch in bösen Stunden
Mir irgend einen Trost ausg'funden.

War nie verlassen ganz und gar,
Nie kein erbärmlich armer Narr.
War immer wo doch noch ein Halt
Und habs gewendet mit Gewalt.
Sind all denn meine Kräft dahin,
Und alls verworren schon mein Sinn,
Daß mich kaum mehr besinnen kann,
Wer bin ich denn: der Jedermann,
Der reiche Jedermann allzeit.
Das ist mein Hand, das ist mein Kleid,
Und was da steht auf diesem Platz,
Das ist mein Geld, das ist mein Schatz,
Durch den ich jederzeit mit Macht
Hab alles spielend vor mich bracht.
Nun wird mir wohl, daß ich den seh
Recht bei der Hand in meiner Näh.
Wenn ich bei dem verharren kann,
Geht mich kein Graus und Ängsten an.
Weh aber, ich muß ja dorthin,
Das kommt mir jählings in den Sinn.
Der Bot war da, die Ladung ist beschehn,
Nun heißt es auf und dorthin gehn.
Wirft sich auf die Truhe
Nit ohne dich, du mußt mit mir,
Laß dich um alles nit hinter mir.
Du mußt jetzt in ein andres Haus,
Drum auf mit dir und schnell heraus.
Die Truhe springt auf, Mammon richtet sich auf. Groß.

MAMMON
Ei Jedermann, was ist mit dir?
Du bist ja grausamlich in Eil
Und bleich wie Kreiden all die Weil.

JEDERMANN
Wer bist denn du?

MAMMOM   Kennst vom Gesicht mich nit
Und willst mich dorthin zerren mit?
Dein Reichtum bin ich halt, dein Geld,
Dein eins und alles auf der Welt.

JEDERMANN *sieht ihn an*
Dein Antlitz dünkt mir nit so gut,

Gibt mir nicht rechten Freudenmut.
Das ist gleichviel, du mußt mitgehen.

MAMMON

Was solls – kann alls von hier geschehen,
Weißt wohl, was ich in Mächten hab,
Sag was dich drückt, dem helf ich ab.

JEDERMANN

Die Sach ist anderster bewandt.
Es ist von wo um mich gesandt.

MAMMON

Von –

JEDERMANN *schlägt die Augen nieder*

  Ja, es war ein Bot bei mir.

MAMMON

Ist es an dem, du mußt von hier?!
Ei was, na ja, gehab dich wohl.
Ein Bot war da, daß er ihn hol
Dorthin, das ist ja schleunig kommen.
Hab vordem nichts derart vernommen.

JEDERMANN

Und du gehst mit, es ist an dem.

MAMMON

Nit einen Schritt, bin hier bequem.

JEDERMANN

Bist mein, mein Eigentum, mein Sach.

MAMMON

Dein Eigen, ha, daß ich nit lach.

JEDERMANN

Willst aufrebellen, du Verflucht! du Ding!

MAMMON *stößt ihn weg*

Du, trau mir nit, dein Wut acht ich gering,
Wird umkehrt wohl beschaffen sein.
Ich steh gar groß, du zwergisch klein.
Du Kleiner wirst wohl sein der Knecht.
Und dünkts dich, anders wärs gewesen,
Das war ein Trug und Narrenwesen.

JEDERMANN
Hab dich gehabt zu meim Befehl.

MAMMON
Und ich regiert in deiner Seel.

JEDERMANN
Warst mir zu Diensten in Haus und Gassen.

MAMMON
Ja, dich am Schnürl tanzen lassen.

JEDERMANN
Warst mein leibeigner Knecht und Sklav.

MAMMON
Nein, du mein Hampelmann recht brav.

JEDERMANN
Hab dich allein gedurft anrühren.

MAMMON
Und ich alleinig dich nasführen.
Du Laff, du ungebrannter Narr,
Erznarr du, Jedermann, sieh zu.
Ich bleib dahier und wo bleibst du?
Was ich in dich hab eingelegt,
Darnach hast du dich halt geregt.
Das war ein Pracht und ein Ansehen,
Ein Hoffart und ein Aufblähen
Und ein verflucht wollüstig Rasen,
War alls durch mich ihm eingeblasen,
Und was ihn itzt noch aufrechthält,
Daß er nit platt an Boden fällt
Und alle Viere von sich streckt,
Und hält ihn noch emporgestreckt,
Das ist allein sein Geld und Gut.
Dahier springt all dein Lebensmut.
Hebt eine Handvoll Geld aus der Truhe und läßt es wieder fallen
Fällt aber in die Truhen zurück
Und damit ist zu End dein Glück.
Bald werden dir die Sinn vergehen
Und mich wirst nimmer wiedersehen.
War dir geliehen für irdische Täg
Und geh nit mit auf deinen Weg,

Geh nit, bleib hier, laß dich allein
Ganz bloß und nackt in Not und Pein.
Ist alls um nichts dein Handausrecken
Und hilft kein Knirschen und Zähneblecken,
Fährst in die Gruben nackt und bloß,
So wie du kamst aus Mutter Schoß.

Bückt sich, die Truhe springt zu. Jedermann ohne Sprache, eine lange
Stille. Werke wird sichtbar, einer Kranken gleich, auf einem elenden
Lager gebettet, richtet sich halb auf und ruft mit schwacher Stimme.

WERKE
Jedermann!

Jedermann hört nicht.

WERKE   Jedermann, hörst mich nicht?

JEDERMANN *vor sich*
Ist als wenn eins gerufen hätt,
Die Stimme war schwach und doch recht klar,
Hilf Gott, daß es nit meine Mutter war.
Ist gar ein alt, gebrechlich Weib,
Möcht, daß der Anblick erspart ihr bleib.
O nur so viel erbarm dich mein,
Laß das nit meine Mutter sein!

WERKE
Jedermann!

JEDERMANN
Seis wer da will, hab itzt nit Muß
Für irdisch Händel und Verdruß.

WERKE
Hörst mich nit, Jedermann?

JEDERMANN   Ist ein krank Weib,
Was kümmerts mich, soll sehen wo sie bleib.

WERKE
Mein Jedermann, ich gehör zu dir,
Um deinetwillen lieg ich hier.

JEDERMANN
Wie soll denn das bewendet sein?

WERKE *richtet sich halb auf*
Sieh, ich bin all die Werke dein.

JEDERMANN

Ich will kein Spott, ich sterb allweg.

WERKE

Komm doch zu mir den kleinen Weg.
Sinkt zurück.

JEDERMANN

Das wird mit Willen nit geschehen,
Meine Werke will ich jetzt nit sehen.
Ist nit der Anblick, nach dem mich verlangt.

WERKE

Bin schmählich schwach, muß liegen hier,
Wär ichs imstand, ich lief zu dir.

JEDERMANN

Brauch nit ein fremd Gebrest dahier,
Liegt Angst und Marter gnug auf mir.

WERKE

Mich brauchst, der Weg ist schreckbar weit,
Bist annoch ohne ein Geleit.

JEDERMANN

Des Weges muß ich jetzt allein –

WERKE

Nein, ich will mit, denn ich bin dein.
Jedermann sieht hin.

WERKE

Auf mir liegt viel Gebrest und Last,
Indem du mein gedacht nit hast.
Ohn dich könnt ich mich flink bewegen,
Lief' dir zu Seit auf allen Wegen.

JEDERMANN *geht zu ihr*

O Werke mein, mit mir stehts schlecht.
Ist mir gar sehr um guten Rat
Und daß mir eines Hilfe brächt!

WERKE *richtet sich mühselig an ihren Krücken auf*

Jedermann, ich hab wohl vernommen,
Du bist entboten zu deinem Erlöser,
Vor ein höchst Gericht zu kommen!
Willst du nit gehen verloren, Mann,

Tritt nit allein die Wanderung an,
Das sag ich dir!

JEDERMANN   Willst du mit mir?

WERKE
Ob ich mit dir den Weg will gehn?
Fragst du mich das, mein Jedermann?

JEDERMANN *sieht ihr in die Augen*
Wie du mich sehnlich siehest an,
Ist mir, als hätt in meinem Leben
Nit Freund, noch Liebste, nit Weib noch Mann
Mir keinen solchen Blick gegeben!

WERKE
O Jedermann, daß du so später Stund
Dich kehrest zu meinem Aug und Mund!

JEDERMANN
Hast ein Gesicht verhärmt und bleich
Und dünkt mich doch an Schönheit reich.
Mir ist, je mehr ich dich anseh,
So mehr wird mir im Herzen weh,
Und sänftlich auch, vermischter Weis,
Daß ich mich nit zu nehmen weiß.
Mir ist, könnt deiner Augen Schein
Durch meine Augen dringen ein,
Ein großes Heil und Segen dann
Geschäh an einem armen Mann.
Doch weiß ich, dies ist nun versäumt,
Und jetzt ist alls nur wie geträumt!

WERKE
Hättest erkannt in deinem Sinn,
Daß ich nit völlig häßlich bin,
Wärest bei mir verblieben viel
Und fern der Welt und bösem Spiel!
Komm näher, meine Stimm ist leis −:
Bei Armen wärest eingegangen
Recht als ihr Bruder, heiliger Weis,
Und göttlich Leid und irdischen Schmerz,
Die hättest zu lieben angefangen
Und aufgegangen wäre dein Herz.
Und ich, wie ich gebrechlich bin,

Ich wär, verklärt vor deinem Sinn,
Dir worden ein göttliches Gefäß,
Ein Kelch der überströmenden Gnaden,
Dazu deine Lippen waren geladen.

JEDERMANN

Und dich hab ich mögen erkennen nicht!
War so verblendet mein Gesicht!
O weh, was sind wir für Wesen dann,
Wenn solches uns geschehen kann!

WERKE

Ich war ein Kelch, der vor dir stand,
Gefüllt vom Himmel bis an den Rand,
Von Irdischen war darin kein Ding,
Drum schien ich deinen Augen gering.

JEDERMANN

O könnt ich sie ausreißen beid,
Mir wär im Dunkeln nit so bang,
Als da sie mich zu bittrem Leid
Falsch han geführt mein Leben lang!

WERKE

O weh, nun müssen die Lippen dein
Auf ewig ungetränket sein!
Hast wollen dich tränken an der Welt,
Da ward der Kelch dir weggestellt!

JEDERMANN

Des fühl ich ein wütendes Dürsten schon
Durch alle meine Adern rinnen
Und Raserei in allen Sinnen!
Da hab ich meines Lebens Lohn!

WERKE

Das ist die bitter brennend Reu,
Das sind deine ungelittenen Leiden!
O könnten dein Herz sie schaffen neu,
Wie selig wäre das uns beiden!

JEDERMANN *wirft sich auf den Boden*

So wollt ich ganz zernichtet sein,
Wie an dem ganzen Wesen mein
Nit eine Fiber jetzt nit schreit

Vor tiefer Reu und wildem Leid!
Zurück! und kann nit! Noch einmal!
Und kommt nit wieder! Graus und Qual!
Hie wird kein zweites Mal gelebt!
Nun weiß die aufgerißne Brust,
Als sie es nie zuvor gewußt,
Was dieses Wort bedeuten mag:
Lieg hin und stirb, hie ist dein Tag!

WERKE *auf ihren Knien*
Mag diese Reu, so brennend groß,
Mich nit vom Boden winden los,
Weh, mag ich nit auf Füßen stehn!
Und ihm die Stund zur Seiten gehn!
Sie sinkt an den Boden
Bin ich so elend schwach und krank!

JEDERMANN
Für jedes Ding kommt halt der Dank!
Werke, um alles! laß mich nit im Stich!
Bin sonst verloren sicherlich!
Hilf du mir, Rechenschaft zu geben
Vor dem, der ist Herr über Tod und Leben
Und König in der Ewigkeit,
Sonst bin ich verloren für alle Zeit!

WERKE
O Jedermann!

JEDERMANN   Laß mich nit ohne Rat!

WERKE
Ich hab eine Schwester, Glaube genannt,
Wenn die wollt sich erbitten lassen,
Daß sie mit dir zög deine Straßen
Und trät mit dir vor Gotts Gericht!

JEDERMANN
Ruf die um alls! die Zeit entfliecht!

WERKE
Mag sein, sie kehrt von dir sich ab,
Dann mußt du ungetröst ins Grab.
Wirst du recht mit ihr reden können,
Wird sie dir ihre Hilf vergönnen.

JEDERMANN

Wenn einer keine Zungen hätt,
Die Angst und Not macht' ihn beredt!
Glaube kommt gegangen.

WERKE

War nit von Nöten laut Geschrei,
Ich fühl, die Schwester kommt herbei!
Lieb Schwester, der Mann ist schwer in Not.
Willst ihm beistehn bei seinem Tod?
Mir fehlt die Kraft, hin allzuschwach,
Kann nit vertreten seine Sach.
Sinkt hin.

GLAUBE *zu Jedermann*

Hast mich dein Leben lang verlacht
Und Gottes Wort für nichts geacht,
Geht nun in deiner Todesstund
Ein ander Red aus deinem Mund?

JEDERMANN

Ich glaub – ich glaub –

GLAUBE   Die Red ist arm!

JEDERMANN

Oh, daß sich meiner Gott erbarm!
Ich glaub die zwölf Artikel mit Fleiß,
Die ich von Kindschulzeiten weiß:
Was sie vorstellen ganz und gar,
Nehm ich für heilig hin und wahr.

GLAUBE

Das ist des Glaubens ein ärmlich Teil.
Baut dir hinüber keine Brück.
Weißt du nit besseres unverweil?

JEDERMANN

Ich glaub – an Gottes Langmut,
Wenn einer bei Zeiten Buß tut.
Aber ich bin in Sünden zu weit,
Dahin reicht keine Barmherzigkeit.

GLAUBE *tut einen Schritt auf ihn zu*

Bist ganz in Wollust denn ertrunken,

In Lastern völlig gar versunken,
Daß dir nit auf die Lippen kommt,
Was ewig deiner Seelen frommt?
Neigt sich zu ihm.

JEDERMANN
  Ich glaub —

GLAUBE   Glaubst du an Jesu Christ
  Der von dem Vater kommen ist,
  Ein Mensch und unsersgleichen worden,
  Von einem irdischen Weibe geboren,
  Und hat in Marterqual sein Leben
  Um deinetwillen hingegeben,
  Und ist erstanden von dem Tod,
  Daß du versöhnet seist mit Gott?

JEDERMANN
  Ja! Ich glaub: Solches hat er vollbracht,
  Des Vaters Zorn zunicht gemacht,
  Der Menschheit ewig Heil erworben
  Und ist dafür am Kreuz verstorben.
  Doch weiß ich, solches kommt zugut
  Nur dem der heilig ist und gut:
  Durch gute Werk und Frommheit eben
  Erkauft er sich ein ewig Leben.
  Da sieh, so stehts um meine Werk:
  Von Sünden hab ich einen Berg
  So überschwer auf mich geladen,
  Daß mich Gott gar nit kann begnaden,
  Als er der Höchstgerechte ist.

GLAUBE
  Bist du ein solcher Zweifelchrist
  Und weißt nit Gotts Barmherzigkeit?

JEDERMANN
  Gott straft erschrecklich!

GLAUBE   Gott verzeiht!
  Ohn Maßen!

JEDERMANN   Schlug den Pharao,
  Schlug Sodom und Gomora, schlug,
  Schlug!

GLAUBE   Nein, gab hin den eignen Sohn
In Erdenqual vom Strahlenthron,
Daß als ein Mensch er werd geboren
Und keiner ginge mehr verloren,
Nit einer, nit der letzte, nein,
Er finde denn das ewige Leben.
»Um der Sünder willen bin ich kommen,
Der Gsund bedarf keines Arztes dann«,
Die Red ist aus dem Munde kommen,
Der keine Lügen reden kann.
Glaubst du daran in diesem Leben,
So ist dir deine Sünd vergeben
Und ist gestillet Gottes Zorn.

JEDERMANN
Oh, deine Worte sind gelind,
Mir ist, als wär ich neugeboren.
Ich glaube: Solange ich atme auf Erden,
Mag ich durch Christentum gerettet werden.

GLAUBE
Es ist an dem, nun geh hinein,
Von deinen Sünden wasch dich rein.

JEDERMANN
Wo wär ein solcher heiliger Quell,
Daß ich zu ihm mich hintrüg schnell?
Mönch wird oben sichtbar.

GLAUBE
Ein guter Helfer wartet dein,
Bei ihm wird deine Seele rein.
Kehr wieder in einem weißen Gewand,
Dann ziehest hin an meiner Hand,
Und mitzugehen deine Werk
Gewinnen mächtig Kraft und Stärk.

JEDERMANN *auf den Knien*
O ewiger Gott! O göttliches Gesicht!
O rechter Weg! O himmlisches Licht!
Hier schrei ich zu dir in letzter Stund,
Ein Klageruf geht aus meinem Mund.
O mein Erlöser, den Schöpfer erbitt,
Daß er beim Ende mir gnädig sei,

Wenn der höllische Feind sich drängt herbei
Und der Tod mir grausam die Kehle zuschnürt,
Daß er meine Seel dann hinaufführt.
Und, Heiland, mach durch deine Fürbitt,
Daß ich zu seiner Rechten hintritt,
In seine Glorie mit ihm zu gehn.
Laß dir dies mein Gebet anstehn,
Um willen, daß du am Kreuz bist gestorben
Und hast all unsere Seelen erworben.
Er liegt im tiefen Gebet auf seinem Angesicht. Die Orgel tönt stärker.
Indessen geht unten, im Dunklen, Jedermanns Mutter querüber,
als wie auf dem Weg zur Frühmette, vor ihr ein Knecht, der die
Leuchte trägt.

KNECHT

Was bleibt Ihr stehen, Frau, zur Stund?
Wie ist Euch? seid Ihr nit gesund?
Wollt Ihr leicht heim in Euer Bett
Statt nächtlings zu der Morgenmett?

JEDERMANNS MUTTER

Sind wir denn so verspät't alsdann
Und hebt sich schon die Frühmett an?
Ich hör ein also herrlich Klingen,
Als täten alle Engel singen!

KNECHT

Verspätet sind wir keinerweis,
Auch hör ich nichts, nit laut noch leis.

JEDERMANNS MUTTER

Ich hörs und weiß im Herzen mein,
Das sind die himmlischen Schalmein.
So singen sie vor Gottes Thron:
Das geht auf meinen lieben Sohn.
Ich spür, zu dieser nächtigen Stund
Ist seine Seele worden gesund.
Er ist versöhnet Gott dem Herrn,
Des sterb ich freudiglich und gern.
Erhört ist meine große Bitt,
Und weiß, daß ich einmal hintritt
Vor Gottes meines Schöpfers Thron
Und find dort meinen lieben Sohn.
Bald lässest deine Dienerin

In deinen Frieden fahren hin.
Amen.

KNECHT   Wollt Ihr nit kommen, Frau?
Die Zeit vergeht, es wird schon grau.
Sie gehen vorbei.

GLAUBE
Jedermann, so sei Gott mit dir,
Als wie ich dich nun hier
In deines Erlösers Hand befehl,
So sei deine Rechenschaft ohn Fehl.
Werke hat ihre Krücken von sich geworfen und tritt zu ihnen.

GLAUBE
Nun faß dir einen fröhlichen Mut,
Nun kommen deine Werke gut,
Sind ledig all ihrer Beschwer
Und treten starken Schrittes einher.

WERKE
Jedermann, ich bins, deine Freundin,
Ich segne dich in meinem Sinn,
Du hast mich geschaffen von Schmerzen frei,
Nun geh ich mit dir, wohin es auch sei.

JEDERMANN
O meine Werke, wie ich eure Stimme hör,
Muß ich vor Freuden weinen sehr.

GLAUBE
Nun sollst du weinen und trauern nimmermehr,
Nein, freuen dich und fassen einen frohen Mut,
Gott sieht dich von seinem Thron recht gut!

JEDERMANN
Dann ich nit Zögerung noch Aufschub such.
Ihr Freunde, ich mein, wir gehen selbdritt,
Von euch will ich mich scheiden nit.
*Er geht hinauf und folgt dem Mönche nach. Werke und Glaube ver-
harren betend.*

TEUFEL *kommt angesprungen, schreit und winkt von weitem*
Halt, Jedermann! Aufhalten, Jedermann!
Aufhalten! He! Hieher, Gesell!

Ich komm dich holen, bin zur Stell!
He Jedermann, er ist hinein!
Muß taub auf beiden Ohren sein!
Was geht er denn in dieses Haus?
Da hol ihn dieser und jener heraus!
Ich warte derweilen an der Tür,
Faß ihn, und meines Wegs ihn führ.
Kann sein, er läßt mich warten lang,
Mag er, ist mir um ihn nit bang.
Ist mir verfallen mit Haut und Haar
Und sicher, wie lang schon keiner war.

GLAUBE

Halt da!

TEUFEL *hat nichts gehört*
    Muß hier vorbei.

GLAUBE
               Hie nit!

TEUFEL

Ganz unbedingt, hab dort zu tun.

GLAUBE

Hie ist kein Weg für deinesgleichen.

TEUFEL

Ein zänkisch Weib. Ich kann ausweichen.
Will rings herum.

GLAUBE *tritt ihm aufs neue in den Weg*
Hier ist kein Weg!

TEUFEL

Ich hab zu warten dort an der Tür
In Amtsgeschäften, damit ich einen,
Der dort herauskommt, dann mit mir
Eines gewissen Weges führ.

GLAUBE

Ich führe Zwiesprach nit mit dir.

TEUFEL

Ich auch nit, geh halt da vorbei.

WERKE

Hie ist kein Weg für dich.

394

TEUFEL *hält sich die Ohren zu*   Geschrei!
  Gespiel! Belästigung!

WERKE *tritt ihm aufs neue in den Weg*
                     Kein Weg!

TEUFEL
  Kein Weg! Kein Weg! Ist hier kein Weg?
  Kein Boden? Nichts worauf mein Fuß
  Mag stehen, hüpfen springen! Nein?
  Hier wird sogleich ein Weg mir sein!
  Will durch mit Gewalt.

GLAUBE *hinzutretend*
  Willst dus mit deinen Fäusten richten
  Und stören unser fromm Gebet?
  Sieh, wer zu unsrer Hilf dasteht!
  Engel treten oben hervor.

TEUFEL
  Sind die Gesellen auch im Spiel
  Und wissen bessres nit zu schaffen
  Als hier zu lümmeln und zu gaffen
  So abends spät wie morgens früh,
  Wenn andre Leut mit saurer Müh
  Nachgehen ihren Amtsgeschäften
  Mit schuldigem Eifer und besten Kräften!
  Werke und Glaube achten seiner nicht und beten mit gefalteten
  Händen.

TEUFEL *setzt sich auf den Boden*
  Ich frage, sind hier Zweifel im Spiel,
  Ist hier ein Handel in der Schweb?
  Nichts davon, nichts, so wahr ich leb.
  Sitzt einer hier unter euch allen,
  Der ins Gesicht mir tät bestreiten,
  Daß dieser Mensch mir ist verfallen!
  Ein prächtig Schwelger und Weinzecher,
  Ein Buhl, Verführer und Ehebrecher,
  Ungläubig als ein finstrer Heide,
  In Wort und Taten frech vermessen
  Und seines Gottes so vergessen
  Wie nicht das Tier auf seiner Weide,
  Witwen und Waisen Gutsverprasser,

Ein Unterdrücker, Neider, Hasser!
Er springt auf
Mir fehlen, ihn zu malen, die Wort!
Und diesen will man mir verwehren,
Daß ich ihm auf die Kappen geh,
Ihm jählings das Genick umdreh,
Ihm zuschrei: Duck dich, Fleisch, und stirb!
Und seine Seel für uns erwirb.
Verharrt ihr drauf mit kaltem Blut
Und bangt euch nit vor meiner Wut
Und Zähn gefletscht und Fäust geballt?
Und, daß Recht und Gerechtigkeit
Gewappnet stehen auf meiner Seit?

GLAUBE

Auf deiner Seiten steht nit viel,
Hast schon verloren in dem Spiel.
Gott hat geworfen in die Schal
Sein Opfertod und Marterqual
Und Jedermannes Schuldigkeit
Vorausbezahlt in Ewigkeit.

TEUFEL

Seit wann? seit wo? wie geht das zu?
Geschiehet das in einem Nu?
Wenn eins sein Leben brav sich regt
Und nur auf uns sein Tun anlegt,
Recht weislich, fest und wohlbedacht,
Recht Stein auf Stein und Tag auf Nacht,
Wird solch ein wohlbeständig Ding
In einem Augenzwinkern neu?
Schmeißt ihr das um mit einem Wink?

GLAUBE

Ja, solches wirkt die tiefe Reu,
Die hat eine lohende Feuerskraft,
Da sie von Grund die Seel umschafft.

TEUFEL

Ha! Weiberred und Gaukelei!
Wasch mir den Pelz und mach ihn nit naß!
Ein Wischiwasch! Salbaderei!
Zum Speien ich dergleichen haß!

Beweis! Gib eine einzig Red,
Die vor Gericht zu Recht besteht!

GLAUBE
Vor dem Gericht, vor das er tritt,
Bestehen deine Rechte nit,
Die sind auf Schein und Trug gestellt,
Auf Hie und Nun und diese Welt,
Die ist gefangen in der Zeit
Und bleibt in solchen Schranken stocken,
Wo aber tönet diese Glocken,
Man hört von innen das Sterbeglöcklein, Glaube und Werke fallen
auf die Knie
Hat angehoben Ewigkeit.

TEUFEL *hält sich die Ohren zu*
Ich geb es auf, ich kehr mich um,
Ich laß ihn, füttert ihn euch aus,
Mich ekelts hier, ich geh nach Haus.
Glaube und Werke haben sich erhoben.

TEUFEL
Ein schöner Fall, ganz sonnenklar,
Und in der Suppe doch ein Haar!
Tret arglos her, vergnügt im Sinn,
Und mein, zu melden mich als Erben.
Ja Vetter, ja, da liegen die Scherben!
»Hie ist kein Weg, hie ist kein Weg!«
Ah! Weiber! Fastensupp und Schläg,
Das ist, wie ich sie halten tät!
Ein Anspruch, der zu Recht besteht
Vor Türken, Mohren und Chinesen,
Ff! Da ist Anspruch und Recht gewesen!
Bläst ihn mir weg! »Hie führt kein Weg!«
Ich wollt, daß er im Feuer läg.
Und kommt in einem weißen Hemd
Erzheuchlerisch und ganz verschämt.
Die Welt ist dumm, gemein und schlecht,
Und geht Gewalt allzeit vor Recht,
Ist einer redlich treu und klug,
Ihn meistern Arglist und Betrug.
Geht ab.

Jedermann tritt oben hervor in einem weißen langen Hemde, einen

Pilgerstab in der Hand, sein Angesicht ist totenbleich aber verklärt,
er geht auf die beiden zu.

WERKE

Fühl ich nit kommen Jedermann?
Er ist es, ja, und tritt herbei,
Mir ahnte wohl, daß er es sei.
Er hat seinem Herrn getan genug.
Des fühl ich an meinen Gliedern all
Die Kraft zu einem hohen Flug!

JEDERMANN

Nun gebet mir treulich eure Händ,
Ich hab empfangen das Sakrament.
Gesegnet sei, der mich das hieß tun
Und also guten Rat mir sprach.
Nun seid bedankt, daß ihr auf mich
Geharret habet sorglich
Mit andächtigem Beten.
Und nun laß uns die Reis antreten.
Leg jeder die Hand an diesen Stab
Und folge mir zu meinem Grab.

WERKE

Ich heb vom Stab nit meine Händ,
Zuvor die Reis kam an ihr End.

GLAUBE

Ich steh bei dir, so wie ich eh
Stand hielt bei Judas Makkabee!
Sie gehen hinauf.
Der Tod ist hervorgetreten und geht hinter ihnen einher. Sie stehen
beim Grab.

JEDERMANN *schließt die Augen*

Nun muß ich ins Grab, das ist schwarz wie die Nacht,
Erbarm dich meiner in deiner Allmacht.

GLAUBE

Ich steh dir nah und seh dich an.

WERKE

Und ich geh mit, mein Jedermann.

JEDERMANN

O Herr und Heiland, steh mir bei.
Zu Gott ich um Erbarmen schrei.

WERKE *hilft ihm ins Grab, steigt dann zu ihm hinein*
Herr, laß das Ende sanft uns sein,
Wir gehen in deine Freuden ein.

JEDERMANN *im Grab, nur Haupt und Schultern sind noch sichtbar*
Wie du mich hast zurückgekauft,
So wahre jetzt der Seele mein,
Daß sie nit mög verloren sein
Und daß sie am Jüngsten Tag auffahr
Zu dir mit der geretteten Schar.
Er sinkt.

GLAUBE
Nun hat er vollendet das Menschenlos,
Tritt vor den Richter nackt und bloß,
Und seine Werke allein,
Die werden ihm Beistand und Fürsprech sein.
Heil ihm, mich dünkt, es ist an dem,
Daß ich der Engel Stimmen vernehm,
Wie sie in ihren himmlischen Reihn
Die arme Seele lassen ein.

Engel singen.

Ende

DER SCHWIERIGE

Lustspiel in drei Akten

PERSONEN

HANS KARL BÜHL

CRESCENCE, *seine Schwester*

STANI, *ihr Sohn*

HELENE ALTENWYL

ALTENWYL

ANTOINETTE HECHINGEN

HECHINGEN

NEUHOFF

EDINE ⎫

NANNI ⎬ *Antoinettes Freundinnen*

HUBERTA ⎭

AGATHE, *Kammerjungfer*

NEUGEBAUER, *Sekretär*

LUKAS, *erster Diener bei Hans Karl*

VINZENZ, *ein neuer Diener*

EIN BERÜHMTER MANN

Bühlsche und Altenwylsche Diener

Mittelgroßer Raum eines Wiener älteren Stadtpalais,
als Arbeitszimmer des Hausherrn eingerichtet.

Erste Szene

Lukas herein mit Vinzenz

LUKAS

Hier ist das sogenannte Arbeitszimmer. Verwandtschaft
und sehr gute Freunde werden hier hereingeführt, oder
nur wenn speziell gesagt wird, in den grünen Salon.

VINZENZ *tritt ein*

Was arbeitet er? Majoratsverwaltung? Oder was? Poli-
tische Sachen?

LUKAS

Durch diese Spalettür kommt der Sekretär herein.

VINZENZ

Privatsekretär hat er auch? Das sind doch Hungerleider!
Verfehlte Existenzen! Hat er bei ihm was zu sagen?

LUKAS

Hier gehts durch ins Toilettenzimmer. Dort werden wir
jetzt hineingehen und Smoking und Frack herrichten
zur Auswahl je nachdem, weil nichts Spezielles angeordnet ist.

VINZENZ *schnüffelt an allen Möbeln herum*

Also was? Sie wollen mir jetzt den Dienst zeigen? Es
hätte Zeit gehabt bis morgen früh, und wir hätten uns
jetzt kollegial unterhalten können. Was eine Herren-
bedienung ist, das ist mir seit vielen Jahren zum Bewußt-
sein gekommen, also beschränken Sie sich auf das Nöti-
ge; damit meine ich die Besonderheiten. Also was? Fangen
Sie schon an!

LUKAS *richtet ein Bild, das nicht ganz gerade hängt*

Er kann kein Bild und keinen Spiegel schief hängen
sehen. Wenn er anfängt, alle Laden aufzusperren oder
einen verlegten Schlüssel zu suchen, dann ist er sehr
schlechter Laune.

VINZENZ

Lassen Sie jetzt solche Lappalien. Sie haben mir doch gesagt, daß die Schwester und der Neffe, die hier im Hause wohnen, auch jedesmal angemeldet werden müssen.

LUKAS *putzt mit dem Taschentuch an einem Spiegel*

Genau wie jeder Besuch. Darauf hält er sehr streng.

VINZENZ

Was steckt da dahinter? Da will er sie sich vom Leibe halten. Warum läßt er sie dann hier wohnen? Er wird doch mehrere Häuser haben? Das sind doch seine Erben. Die wünschen doch seinen Tod.

LUKAS

Die Frau Gräfin Crescence und der Graf Stani? Ja, da sei Gott vor! Ich weiß nicht, wie Sie mir vorkommen!

VINZENZ

Lassen Sie Ihre Ansichten. Was bezweckt er also, wenn er die im Haus hat? Das interessiert mich. Nämlich: es wirft ein Licht auf gewisse Absichten. Die muß ich kennen, bevor ich mich mit ihm einlasse.

LUKAS

Auf was für gewisse Absichten?

VINZENZ

Wiederholen Sie nicht meine Worte! Für mich ist das eine ernste Sache. Konvenierendenfalls ist das hier eine Unterbringung für mein Leben. Wenn Sie sich zurückgezogen haben als Verwalter, werde ich hier alles in die Hand nehmen. Das Haus paßt mir eventuell soweit nach allem, was ich höre. Aber ich will wissen, woran ich bin. Wenn er sich die Verwandten da ins Haus setzt, heißt das soviel als: er will ein neues Leben anfangen. Bei seinem Alter und nach der Kriegszeit ist das ganz erklärlich. Wenn man einmal die geschlagene Vierzig auf dem Rücken hat. —

LUKAS

Der Erlaucht vierzigste Geburtstag ist kommendes Jahr.

VINZENZ

Kurz und gut, er will ein Ende machen mit den Weibergeschichten. Er hat genug von den Spanponaden.

LUKAS

Ich verstehe Ihr Gewäsch nicht.

VINZENZ

Aber natürlich verstehen Sie mich ganz gut, Sie Herr
Schätz. – Es stimmt das insofern mit dem überein, was
mir die Portierin erzählt hat. Jetzt kommt alles darauf
an: geht er mit der Absicht um, zu heiraten? In diesem
Fall kommt eine legitime Weiberwirtschaft ins Haus,
was hab ich da zu suchen? – Oder er will sein Leben als
Junggeselle mit mir beschließen! Äußern Sie mir also
darüber ihre Vermutungen. Das ist der Punkt, der für
mich der Hauptpunkt ist, nämlich.

Lukas räuspert sich.

VINZENZ

Was erschrecken Sie mich?

LUKAS

Er steht manchmal im Zimmer, ohne daß man ihn
gehen hört.

VINZENZ

Was bezweckt er damit? Will er einen hineinlegen? Ist
er überhaupt so heimtückisch?

LUKAS

In diesem Fall haben Sie lautlos zu verschwinden.

VINZENZ

Das sind mir ekelhafte Gewohnheiten. Die werde ich
ihm zeitig abgewöhnen.

Zweite Szene

HANS KARL *ist leise eingetreten*

Bleiben Sie nur, Lukas. Sind Sies, Neugebauer?

Vinzenz steht seitwärts im Dunkeln.

LUKAS

Erlaucht melde untertänigst, das ist der neue Diener,
der vier Jahre beim Durchlaucht Fürst Palm war.

HANS KARL

Machen Sie nur weiter mit ihm. Der Herr Neugebauer soll herüberkommen mit den Akten, betreffend Hohenbühl. Im übrigen bin ich für niemand zu Hause.

Man hört eine Glocke.

LUKAS

Das ist die Glocke vom kleinen Vorzimmer.

Geht. Vinzenz bleibt. Hans Karl ist an den Schreibtisch getreten.

Dritte Szene

LUKAS *tritt ein und meldet*

Frau Gräfin Freudenberg.

Crescence ist gleich nach ihm eingetreten. Lukas tritt ab, Vinzenz ebenfalls.

CRESCENCE

Stört man dich, Kari? Pardon –

HANS KARL

Aber, meine gute Crescence.

CRESCENCE

Ich geh hinauf, mich anziehen – für die Soiree.

HANS KARL

Bei Altenwyls?

CRESCENCE

Du erscheinst doch auch? Oder nicht? Ich möchte nur wissen, mein Lieber.

HANS KARL

Wenns dir gleich gewesen wäre, hätte ich mich eventuell später entschlossen und vom Kasino aus eventuell abtelephoniert. Du weißt, ich binde mich so ungern.

CRESCENCE

Ah ja.

HANS KARL

Aber wenn du auf mich gezählt hättest –

CRESCENCE

Mein lieber Kari, ich bin alt genug, um allein nach

Hause zu fahren – überdies kommt der Stani hin und holt mich ab. Also du kommst nicht?

HANS KARL

Ich hätt mirs gern noch überlegt.

CRESCENCE

Eine Soiree wird nicht attraktiver, wenn man über sie nachdenkt, mein Lieber. Und dann hab ich geglaubt, du hast dir draußen das viele Nachdenken ein bißl abgewöhnt.

Setzt sich zu ihm, der beim Schreibtisch steht

Sei Er gut, Kari, hab Er das nicht mehr, dieses Unleidliche, Sprunghafte, Entschlußlose, daß man sich hat aufs Messer streiten müssen mit Seinen Freunden, weil der eine Ihn einen Hypochonder nennt, der andere einen Spielverderber, der dritte einen Menschen, auf den man sich nicht verlassen kann. – Du bist in einer so ausgezeichneten Verfassung zurückgekommen, jetzt bist du wieder so, wie du mit zweiundzwanzig Jahren warst, wo ich beinah verliebt war in meinen Bruder.

HANS KARL

Meine gute Crescence, machst du mir Komplimente?

CRESCENCE

Aber nein, ich sags, wie's ist: da ist der Stani ein unbestechlicher Richter; er findet dich einfach den ersten Herrn in der großen Welt, bei ihm heißts jetzt Onkel Kari hin, Onkel Kari her, man kann ihm kein größeres Kompliment machen, als daß er dir ähnlich sieht, und das tut er ja auch – in den Bewegungen ist er ja dein zweites Selbst –, er kennt nichts Eleganteres als die Art, wie du die Menschen behandelst, das große air, die distance, die du allen Leuten gibst – dabei die komplette Gleichmäßigkeit und Bonhomie auch gegen den Niedrigsten – aber er hat natürlich, wie ich auch, deine Schwächen heraus; er adoriert den Entschluß, die Kraft, das Definitive, er haßt den Wiegel-Wagel, darin ist er wie ich!

HANS KARL

Ich gratulier dir zu deinem Sohn, Crescence. Ich bin sicher, daß du immer viel Freud an ihm erleben wirst.

CRESCENCE

Aber – pour revenir à nos moutons, Herr Gott, wenn man durchgemacht hat, was du durchgemacht hast, und sich dabei benommen hat, als wenn es nichts wäre –

HANS KARL *geniert*

Das hat doch jeder getan!

CRESCENCE

Ah, pardon, jeder nicht. Aber da hätte ich doch geglaubt, daß man seine Hypochondrien überwunden haben könnte!

HANS KARL

Die vor den Leuten in einem Salon hab ich halt noch immer. Eine Soiree ist mir ein Graus, ich kann mir halt nicht helfen. Ich begreife noch allenfalls, daß sich Leute finden, die ein Haus machen, aber nicht, daß es welche gibt, die hingehen.

CRESCENCE

Also wovor fürchtest du dich? Das muß sich doch diskutieren lassen. Langweilen dich die alten Leut?

HANS KARL

Ah, die sind ja charmant, die sind so artig.

CRESCENCE

Oder gehen dir die Jungen auf die Nerven?

HANS KARL

Gegen die hab ich gar nichts. Aber die Sache selber ist mir halt so eine horreur, weißt du, das Ganze – das Ganze ist so ein unentwirrbarer Knäuel von Mißverständnissen. Ah, diese chronischen Mißverständnisse!

CRESCENCE

Nach allem, was du draußen durchgemacht hast, ist mir das eben unbegreiflich, daß man da nicht abgehärtet ist.

HANS KARL

Crescence, das macht einen ja nicht weniger empfindlich, sondern mehr. Wieso verstehst du das nicht? Mir können über eine Dummheit die Tränen in die Augen kommen – oder es wird mir heiß vor gêne über eine ganze Kleinigkeit, über eine Nuance, die kein Mensch merkt, oder es passiert mir, daß ich ganz laut sag, was ich mir denk – das sind doch unmögliche Zuständ, um unter Leut zu gehen. Ich kann dir gar nicht definieren, aber es ist stärker als ich. Aufrichtig gestanden: ich habe vor zwei Stunden Auftrag gegeben, bei Altenwyls abzusagen. Vielleicht eine andere Soiree, nächstens, aber die nicht.

CRESCENCE
Die nicht. Also warum grad die nicht?

HANS KARL
Es ist stärker als ich, so ganz im allgemeinen.

CRESCENCE
Wenn du sagst, im allgemeinen, so meinst du was Spezielles.

HANS KARL
Nicht die Spur, Crescence.

CRESCENCE
Natürlich. Aha. Also, in diesem Punkt kann ich dich beruhigen.

HANS KARL
In welchem Punkt?

CRESCENCE
Was die Helen betrifft.

HANS KARL
Wie kommst du auf die Helen?

CRESCENCE
Mein Lieber, ich bin weder taub noch blind, und daß die Helen von ihrem fünfzehnten Lebensjahr an bis vor kurzem, na, sagen wir, bis ins zweite Kriegsjahr, in dich verliebt war bis über die Ohren, dafür hab ich meine Indizien, erstens, zweitens und drittens.

HANS KARL
Aber Crescence, da redest du dir etwas ein –

CRESCENCE
Weißt du, daß ich mir früher, so vor drei, vier Jahren, wie sie eine ganz junge Debütantin war, eingebildet hab,

das wär die eine Person auf der Welt, die dich fixieren könnt, die deine Frau werden könnt. Aber ich bin zu Tode froh, daß es nicht so gekommen ist. Zwei so komplizierte Menschen, das tut kein gut.

HANS KARL

Du tust mir zuviel Ehre an. Ich bin der unkomplizierteste Mensch von der Welt.

Er hat eine Lade am Schreibtisch herausgezogen

Aber ich weiß gar nicht, wie du auf die Idee – ich bin der Helen attachiert, sie ist doch eine Art von Kusine, ich hab sie so klein gekannt – sie könnte meine Tochter sein.

Sucht in der Lade nach etwas.

CRESCENCE

Meine schon eher. Aber ich möcht sie nicht als Tochter. Und ich möcht erst recht nicht diesen Baron Neuhoff als Schwiegersohn.

HANS KARL

Den Neuhoff? Ist das so eine ernste Geschichte?

CRESCENCE

Sie wird ihn heiraten.

Hans Karl stößt die Lade zu.

CRESCENCE

Ich betrachte es als vollzogene Tatsache, dem zu Trotz, daß er ein wildfremder Mensch ist, dahergeschneit aus irgendeiner Ostseeprovinz, wo sich die Wölf gute Nacht sagen –

HANS KARL

Geographie war nie deine Stärke. Crescence, die Neuhoffs sind eine holsteinische Familie.

CRESCENCE

Aber das ist doch ganz gleich. Kurz, wildfremde Leut.

HANS KARL

Übrigens eine ganz erste Familie. So gut alliiert, als man überhaupt sein kann.

CRESCENCE

Aber, ich bitt dich, das steht im Gotha. Wer kann denn das von hier aus kontrollieren?

HANS KARL
Du bist aber sehr acharniert gegen den Menschen.

CRESCENCE
Es ist aber auch danach! Wenn eins der ersten Mädeln,
wie die Helen, sich auf einem wildfremden Menschen
entêtiert, dem zu Trotz, daß er hier in seinem Leben
keine Position haben wird –

HANS KARL
Glaubst du?

CRESCENCE
In seinem Leben! dem zu Trotz, daß sie sich aus seiner
Suada nichts macht, kurz, sich und der Welt zu Trotz –
Eine kleine Pause.
Hans Karl zieht mit einiger Heftigkeit eine andere Lade heraus.

CRESCENCE
Kann ich dir suchen helfen? Du enervierst dich.

HANS KARL
Ich dank dir tausendmal, ich such eigentlich gar nichts,
ich hab den falschen Schlüssel hineingesteckt.

SEKRETÄR *erscheint an der kleinen Tür*
Oh, ich bitte untertänigst um Verzeihung.

HANS KARL
Ein bissel später bin ich frei, lieber Neugebauer.
Sekretär zieht sich zurück.

CRESCENCE *tritt an den Tisch*
Kari, wenn dir nur ein ganz kleiner Gefallen damit geschieht, so hintertreib ich diese Geschichte.

HANS KARL
Was für eine Geschichte?

CRESCENCE
Die, von der wir sprechen: Helen-Neuhoff. Ich hintertreib sie von heut auf morgen.

HANS KARL
Was?

CRESCENCE
Ich nehm Gift darauf, daß sie heute noch genau so ver-

liebt in dich ist wie vor sechs Jahren, und daß es nur ein Wort, nur den Schatten einer Andeutung braucht –

HANS KARL

Die ich dich um Gottes willen nicht zu machen bitte –

CRESCENCE

Ah so, bitte sehr. Auch gut.

HANS KARL

Meine Liebe, allen Respekt vor deiner energischen Art, aber so einfach sind doch gottlob die Menschen nicht.

CRESCENCE

Mein Lieber, die Menschen sind gottlob sehr einfach, wenn man sie einfach nimmt. Ich seh also, daß diese Nachricht kein großer Schlag für dich ist. Um so besser – du hast dich von der Helen desinteressiert, ich nehm das zur Kenntnis.

HANS KARL *aufstehend*

Aber ich weiß nicht, wie du nur auf den Gedanken kommst, daß ich es nötig gehabt hätt, mich zu desinteressieren. Haben denn andere Personen auch diese bizarren Gedanken?

CRESCENCE

Sehr wahrscheinlich.

HANS KARL

Weißt du, daß mir das direkt Lust macht, hinzugehen?

CRESCENCE

Um dem Theophil deinen Segen zu geben? Er wird entzückt sein. Er wird die größten Bassessen machen, um deine Intimität zu erwerben.

HANS KARL

Findest du nicht, daß es sehr richtig gewesen wäre, wenn ich mich unter diesen Umständen schon längst bei Altenwyls gezeigt hätte? Es tut mir außerordentlich leid, daß ich abgesagt habe.

CRESCENCE

Also laß wieder anrufen: es war ein Mißverständnis durch einen neuen Diener und du wirst kommen.
Lukas tritt ein.

HANS KARL *zu Crescence*

Weißt du, ich möchte es doch noch überlegen.

LUKAS

Ich hätte für später untertänigst jemanden anzumelden.

CRESCENCE *zu Lukas*

Ich geh. Telephonieren Sie schnell zum Grafen Altenwyl, Seine Erlaucht würde heut abend dort erscheinen.
Es war ein Mißverständnis.

Lukas sieht Hans Karl an.

HANS KARL *ohne Lukas anzusehen*

Da müßt er allerdings auch noch vorher ins Kasino telephonieren, ich laß den Grafen Hechingen bitten, zum
Diner und auch nachher nicht auf mich zu warten.

CRESCENCE

Natürlich, das macht er gleich. Aber zuerst zum Grafen
Altenwyl, damit die Leut wissen, woran sie sind.

Lukas ab.

CRESCENCE *steht auf*

So, und jetzt laß ich dich deinen Geschäften.

Im Gehen

Mit welchem Hechingen warst du besprochen? Mit dem
Nandi?

HANS KARL

Nein, mit dem Adolf.

CRESCENCE *kommt zurück*

Der Antoinette ihrem Mann? Ist er nicht ein kompletter
Dummkopf?

HANS KARL

Weißt du, Crescence, darüber hab ich gar kein Urteil.
Mir kommt bei Konversationen auf die Länge alles sogenannte Gescheite dumm und noch eher das Dumme gescheit vor –

CRESCENCE

Und ich bin von vornherein überzeugt, daß an ihm mehr
ist als an ihr.

HANS KARL

Weißt du, ich hab ihn ja früher gar nicht gekannt, oder –

Er hat sich gegen die Wand gewendet und richtet an einem Bild,
das nicht gerade hängt
nur als Mann seiner Frau – und dann draußen, da haben
wir uns miteinander angefreundet. Weißt du, er ist ein so
völlig anständiger Mensch. Wir waren miteinander, im
Winter Fünfzehn, zwanzig Wochen in der Stellung in den
Waldkarpaten, ich mit meinen Schützen und er mit seinen Pionieren, und wir haben das letzte Stückl Brot miteinander geteilt. Ich hab sehr viel Respekt vor ihm bekommen. Brave Menschen hats draußen viele gegeben, aber
ich habe nie einen gesehen, der vis-a-vis dem Tod sich eine
solche Ruhe bewahrt hätte, beinahe eine Art Behag-
lichkeit.

CRESCENCE
Wenn dich seine Verwandten reden hören könnten, die
würden dich umarmen. So geh hin zu dieser Närrin und
versöhn sie mit dem Menschen, du machst zwei Familien
glücklich. Diese ewig in der Luft hängende Idee einer
Scheidung oder Trennung, g'hupft wie g'sprungen, geht
ja allen auf die Nerven. Und außerdem wär es für dich
selbst gut, wenn die Geschichte in eine Form käme.

HANS KARL
Inwiefern das?

CRESCENCE
Also, damit ich dirs sage: es gibt Leut, die den unge-
reimten Gedanken aussprechen, wenn die Ehe annulliert werden könnt, du würdest sie heiraten.
Hans Karl schweigt.

CRESCENCE
Ich sag ja nicht, daß es seriöse Leut sind, die diesen bei
den Haaren herbeigezogenen Unsinn zusammenreden.
Hans Karl schweigt.

CRESCENCE
Hast du sie schon besucht, seit du aus dem Feld zurück
bist?

HANS KARL
Nein, ich sollte natürlich.

CRESCENCE *nach der Seite sehend*
So besuch sie doch morgen und red ihr ins Gewissen.

HANS KARL *bückt sich, wie um etwas aufzuheben*

Ich weiß wirklich nicht, ob ich gerade der richtige Mensch dafür wäre.

CRESCENCE

Du tust sogar direkt ein gutes Werk. Dadurch gibst du ihr deutlich zu verstehen, daß sie auf dem Holzweg war, wie sie mit aller Gewalt sich hat vor zwei Jahren mit dir affichieren wollen.

HANS KARL *ohne sie anzusehen*

Das ist eine Idee von dir.

CRESCENCE

Ganz genau so, wie sie es heut auf den Stani abgesehen hat.

HANS KARL *erstaunt*

Deinen Stani?

CRESCENCE

Seit dem Frühjahr.

Sie war bis zur Tür gegangen, kehrt wieder um, kommt bis zum Schreibtisch

Er könnte mir da einen großen Gefallen tun, Kari —

HANS KARL

Aber ich bitte doch um Gottes willen, so sag Sie doch!

Er bietet ihr Platz an, sie bleibt stehen.

CRESCENCE

Ich schick Ihm den Stani auf einen Moment herunter. Mach Er ihm den Standpunkt klar. Sag Er ihm, daß die Antoinette — eine Frau ist, die einen unnötig kompromittiert. Kurz und gut, verleid Er sie ihm.

HANS KARL

Ja, wie stellst du dir denn das vor? Wenn er verliebt in sie ist?

CRESCENCE

Aber Männer sind doch nie so verliebt, und du bist doch das Orakel für den Stani. Wenn du die Konversation benützen wolltest — versprichst du mirs?

HANS KARL

Ja, weißt du — wenn sich ein zwangloser Übergang findet —

CRESCENCE *ist wieder bis zur Tür gegangen, spricht von dort aus*
Du wirst schon das Richtige finden. Du machst dir keine
Idee, was du für eine Autorität für ihn bist.
*Im Begriff hinauszugehen, macht sie wiederum kehrt, kommt bis an
den Schreibtisch vor*
Sag ihm, daß du sie unelegant findest – und daß du dich
nie mit ihr eingelassen hättest. Dann läßt er sie von
morgen an stehen.
Sie geht wieder zur Tür, das gleiche Spiel
Weißt du, sags ihm nicht zu scharf, aber auch nicht gar
zu leicht. Nicht gar so sous-entendu. Und daß er ja keinen Verdacht hat, daß es von mir kommt – er hat die
fixe Idee, ich will ihn verheiraten, natürlich will ich, aber
– er darfs nicht merken: darin ist er ja so ähnlich mit
dir: die bloße Idee, daß man ihn beeinflussen möcht –!
Noch einmal das gleiche Spiel
Weißt du, mir liegt sehr viel daran, daß es heute noch
gesagt wird, wozu einen Abend verlieren? Auf die Weise
hast du auch dein Programm: du machst der Antoinette
klar, wie du das Ganze mißbilligst – du bringst sie auf
ihre Ehe – du singst dem Adolf sein Lob – so hast du eine
Mission, und der ganze Abend hat einen Sinn für dich.
Sie geht.

Vierte Szene

VINZENZ *ist von rechts hereingekommen, sieht sich zuerst um, ob Crescence
fort ist, dann*
Ich weiß nicht, ob der erste Diener gemeldet hat, es ist
draußen eine jüngere Person, eine Kammerfrau oder so
etwas –

HANS KARL
Um was handelt sichs?

VINZENZ
Sie kommt von der Frau Gräfin Hechingen nämlich. Sie
scheint so eine Vertrauensperson zu sein.
Nochmals näher tretend
Eine verschämte Arme ist es nicht.

HANS KARL
Ich werde das alles selbst sehen, führen Sie sie herein.
Vinzenz rechts ab.

Fünfte Szene

LUKAS *schnell herein durch die Mitte*

Ist untertänigst Euer Erlaucht gemeldet worden? Von Frau Gräfin Hechingen die Kammerfrau, die Agathe. Ich habe gesagt: Ich weiß durchaus nicht, ob Erlaucht zu Hause sind.

HANS KARL

Gut. Ich habe sagen lassen, ich bin da. Haben Sie zum Grafen Altenwyl telephoniert?

LUKAS

Ich bitte Erlaucht untertänigst um Vergebung. Ich habe bemerkt, Erlaucht wünschen nicht, daß telephoniert wird, wünschen aber auch nicht, der Frau Gräfin zu widersprechen – so habe ich vorläufig nichts telephoniert.

HANS KARL *lächelnd*

Gut, Lukas.
Lukas geht bis an die Tür.

HANS KARL

Lukas, wie finden Sie den neuen Diener?

LUKAS *zögernd*

Man wird vielleicht sehen, wie er sich macht.

HANS KARL

Unmöglicher Mann. Auszahlen. Wegexpedieren!

LUKAS

Sehr wohl, Euer Erlaucht. So hab ich mir gedacht.

HANS KARL

Heute abend nichts erwähnen.

Sechste Szene

Vinzenz führt Agathe herein. Beide Diener ab.

HANS KARL

Guten Abend, Agathe.

AGATHE

Daß ich Sie sehe, Euer Gnaden Erlaucht! Ich zittre ja.

HANS KARL

Wollen Sie sich nicht setzen?

AGATHE *stehend*

Oh, Euer Gnaden, seien nur nicht ungehalten darüber,
daß ich gekommen bin, statt dem Brandstätter.

HANS KARL

Aber liebe Agathe, wir sind ja doch alte Bekannte. Was
bringt Sie denn zu mir?

AGATHE

Mein Gott, das wissen doch Erlaucht. Ich komm wegen
der Briefe.
Hans Karl ist betroffen.

AGATHE

O Verzeihung, o Gott, es ist ja nicht zum Ausdenken,
wie mir meine Frau Gräfin eingeschärft hat, durch mein
Betragen nichts zu verderben.

HANS KARL *zögernd*

Die Frau Gräfin hat mir allerdings geschrieben, daß gewisse in meiner Hand befindliche, ihr gehörige Briefe,
würden von einem Herrn Brandstätter am Fünfzehnten
abgeholt werden. Heute ist der Zwölfte, aber ich kann
natürlich die Briefe auch Ihnen übergeben. Sofort, wenn
es der Wunsch der Frau Gräfin ist. Ich weiß ja, Sie sind
der Frau Gräfin sehr ergeben.

AGATHE

Gewisse Briefe – wie Sie das sagen, Erlaucht. Ich weiß
ja doch, was das für Briefe sind.

HANS KARL *kühl*

Ich werde sofort den Auftrag geben.

AGATHE

Wenn sie uns so beisammen sehen könnte, meine Frau
Gräfin. Das wäre ihr eine Beruhigung, eine kleine Lin-
derung.
Hans Karl fängt an, in der Lade zu suchen.

AGATHE

Nach diesen entsetzlichen sieben Wochen, seitdem wir
wissen, daß unser Herr Graf aus dem Felde zurück ist
und wir kein Lebenszeichen von ihm haben –

HANS KARL *sieht auf*
Sie haben vom Grafen Hechingen kein Lebenszeichen?

AGATHE
Von dem! Wenn ich sage »unser Herr Graf«, das heißt
in unserer Sprache Sie, Erlaucht! Vom Grafen Hechingen sagen wir nicht »unser Herr Graf«!

HANS KARL *sehr geniert*
Ah, pardon, das konnte ich nicht wissen.

AGATHE *schüchtern*
Bis heute nachmittag haben wir ja geglaubt, daß heute
bei der gräflich Altenwylschen Soiree das Wiedersehen
sein wird. Da telephoniert mir die Jungfer von der Komtesse Altenwyl: Er hat abgesagt!
Hans Karl steht auf.

AGATHE
Er hat abgesagt, Agathe, ruft die Frau Gräfin, abgesagt,
weil er gehört hat, daß ich hinkomme! Dann ist doch
alles vorbei, und dabei schaut sie mich an mit einem
Blick, der einen Stein erweichen könnte.

HANS KARL *sehr höflich, aber mit dem Wunsche, ein Ende zu machen*
Ich fürchte, ich habe die gewünschten Briefe nicht hier
in meinem Schreibtisch ich werde gleich meinen Sekretär rufen.

AGATHE
O Gott, in der Hand eines Sekretärs sind diese Briefe!
Das dürfte meine Frau Gräfin nie erfahren!

HANS KARL
Die Briefe sind natürlich eingesiegelt.

AGATHE
Eingesiegelt! So weit ist es schon gekommen?

HANS KARL *spricht ins Telephon*
Lieber Neugebauer, wenn Sie für einen Augenblick
herüberkommen würden! Ja, ich bin jetzt frei – Aber
ohne die Akten – es handelt sich um etwas anderes.
Augenblicklich? Nein, rechnen Sie nur zu Ende. In drei
Minuten, das genügt.

AGATHE

Er darf mich nicht sehen, er kennt mich von früher!

HANS KARL

Sie können in die Bibliothek treten, ich mach Ihnen Licht.

AGATHE

Wie hätten wir uns denn das denken können, daß alles auf einmal vorbei ist.

HANS KARL *im Begriff, sie hinüberzuführen, bleibt stehen, runzelt die Stirn*

Liebe Agathe, da Sie ja von allem informiert sind – ich verstehe nicht ganz, ich habe ja doch der Frau Gräfin aus dem Feldspital einen langen Brief geschrieben, dieses Frühjahr.

AGATHE

Ja, den abscheulichen Brief.

HANS KARL

Ich verstehe Sie nicht. Es war ein sehr freundschaftlicher Brief.

AGATHE

Das war ein perfider Brief. So gezittert haben wir, als wir ihn gelesen haben, diesen Brief. Erbittert waren wir und gedemütigt!

HANS KARL

Ja, worüber denn, ich bitt Sie um alles!

AGATHE *sieht ihn an*

Darüber, daß Sie darin den Grafen Hechingen so herausgestrichen haben – und gesagt haben, auf die Letzt ist ein Mann wie der andere, und ein jeder kann zum Ersatz für einen jeden genommen werden.

HANS KARL

Aber so habe ich mich doch gar nicht ausgedrückt. Das waren doch niemals meine Gedanken!

AGATHE

Aber das war der Sinn davon. Ah, wir haben den Brief oft und oft gelesen! Das, hat meine Frau Gräfin ausgerufen, das ist also das Resultat der Sternennächte

und des einsamen Nachdenkens, dieser Brief, wo er mir
mit dürren Worten sagt: ein Mann ist wie der andere,
unsere Liebe war nur eine Einbildung, vergiß mich,
nimm wieder den Hechingen –

HANS KARL
Aber nichts von all diesen Worten ist in dem Brief gestanden.

AGATHE
Auf die Worte kommts nicht an. Aber den Sinn haben
wir gut herausbekommen. Diesen demütigenden Sinn,
diese erniedrigenden Folgerungen. Oh, das wissen wir
genau. Dieses Sichselbsterniedrigen ist eine perfide
Kunst. Wo der Mann sich anklagt in einer Liebschaft,
da klagt er die Liebschaft an. Und im Handumdrehen
sind wir die Angeklagten.
Hans Karl schweigt.

AGATHE *einen Schritt näher tretend*
Ich habe gekämpft für unseren Herrn Grafen, wie meine
Frau Gräfin gesagt hat: Agathe, du wirst es sehen, er will
die Komtesse Altenwyl heiraten, und nur darum will er
meine Ehe wieder zusammenleimen.

HANS KARL
Das hat die Frau Gräfin mir zugemutet?

AGATHE
Das waren ihre bösesten Stunden, wenn sie über dem
gegrübelt hat. Dann ist wieder ein Hoffnungsstrahl gekommen. Nein, vor der Helen, hat sie dann gerufen,
nein, vor der fürcht ich mich nicht – denn die lauft ihm
nach; und wenn dem Kari eine nachlauft, die ist bei
ihm schon verloren, und sie verdient ihn auch nicht,
denn sie hat kein Herz.

HANS KARL *richtet etwas*
Wenn ich Sie überzeugen könnte –

AGATHE
Aber dann plötzlich wieder die Angst –

HANS KARL
Wie fern mir das alles liegt –

AGATHE

O Gott, ruft sie aus, er war noch nirgends! Wenn das bedeutungsvoll sein sollte –

HANS KARL

Wie fern mir das liegt!

AGATHE

Wenn er vor meinen Augen sich mit ihr verlobt –

HANS KARL

Wie kann nur die Frau Gräfin –

AGATHE

Oh, so etwas tun Männer, aber Sie tuns nicht, nicht wahr, Erlaucht?

HANS KARL

Es liegt mir nichts in der Welt ferner, meine liebe Agathe.

AGATHE

Oh, küß die Hände, Erlaucht!
Küßt ihm schnell die Hand.

HANS KARL *entzieht ihr die Hand*

Ich höre meinen Sekretär kommen.

AGATHE

Denn wir wissen ja, wir Frauen, daß so etwas Schönes nicht für die Ewigkeit ist. Aber, daß es deswegen auf einmal plötzlich aufhören soll, in das können wir uns nicht hineinfinden!

HANS KARL

Sie sehen mich dann. Ich gebe Ihnen selbst die Briefe und – Herein! Kommen Sie nur, Neugebauer.
Agathe rechts ab.

Siebente Szene

NEUGEBAUER *tritt ein*

Euer Erlaucht haben befohlen.

HANS KARL

Wenn Sie die Freundlichkeit hätten, meinem Gedächtnis etwas zu Hilfe zu kommen. Ich suche ein Paket Briefe–es sind private Briefe, versiegelt – ungefähr zwei Finger dick.

NEUGEBAUER

Mit einem von Euer Erlaucht darauf geschriebenen Datum? Juni 15 bis 22. Oktober 16?

HANS KARL

Ganz richtig. Sie wissen –

NEUGEBAUER

Ich habe dieses Konvolut unter den Händen gehabt, aber ich kann mich im Moment nicht besinnen. Im Drang der Geschäfte unter so verschiedenartigen Agenden, die täglich zunehmen –

HANS KARL *ganz ohne Vorwurf*

Es ist mir unbegreiflich, wie diese ganz privaten Briefe unter die Akten geraten sein könnten –

NEUGEBAUER

Wenn ich befürchten müßte, daß Euer Erlaucht den leisesten Zweifel in meine Diskretion setzen –

HANS KARL

Aber das ist mir ja gar nicht eingefallen.

NEUGEBAUER

Ich bitte, mich sofort nachsuchen zu lassen; ich werde alle meine Kräfte daransetzen, dieses höchst bedauerliche Vorkommnis aufzuklären.

HANS KARL

Mein lieber Neugebauer, Sie legen dem ganzen Vorfall viel zu viel Gewicht bei.

NEUGEBAUER

Ich habe schon seit einiger Zeit die Bemerkung gemacht, daß etwas an mir neuerdings Euer Erlaucht zur Ungeduld reizt. Allerdings war mein Bildungsgang ganz auf das Innere gerichtet, und wenn ich dabei vielleicht keine tadellosen Salonmanieren erworben habe, so wird dieser Mangel vielleicht in den Augen eines wohlwollenden Beurteilers aufgewogen werden können durch Qualitäten, die persönlich hervorheben zu müssen meinem Charakter allerdings nicht leicht fallen würde.

HANS KARL

Ich zweifle keinen Augenblick, lieber Neugebauer. Sie machen mir den Eindruck, überanstrengt zu sein. Ich

möchte Sie bitten, sich abends etwas früher freizumachen.
Machen Sie doch jeden Abend einen Spaziergang mit
Ihrer Braut.

Neugebauer schweigt.

HANS KARL
Falls es private Sorgen sind, die Sie irritieren, vielleicht
könnte ich in irgendeiner Beziehung erleichternd ein-
greifen.

NEUGEBAUER
Euer Erlaucht nehmen an, daß es sich bei unsereinem
ausschließlich um das Materielle handeln könnte.

HANS KARL
Ich habe gar nicht solches sagen wollen. Ich weiß, Sie
sind Bräutigam, also gewiß glücklich –

NEUGEBAUER
Ich weiß nicht, ob Euer Erlaucht auf die Beschließerin
von Schloß Hohenbühl anspielen?

HANS KARL
Ja, mit der Sie doch seit fünf Jahren verlobt sind.

NEUGEBAUER
Meine gegenwärtige Verlobte ist die Tochter eines höheren Beamten. Sie war die Braut meines besten Freundes,
der vor einem halben Jahr gefallen ist. Schon bei Leb-
zeiten ihres Verlobten bin ich ihrem Herzen nahege-
standen – und ich habe es als ein heiliges Vermächtnis
des Gefallenen betrachtet, diesem jungen Mädchen eine
Stütze fürs Leben zu bieten.

HANS KARL *zögernd*
Und die frühere langjährige Beziehung?

NEUGEBAUER
Die habe ich natürlich gelöst. Selbstverständlich in der
vornehmsten und gewissenhaftesten Weise.

HANS KARL
Ah!

NEUGEBAUER
Ich werde natürlich allen nach dieser Seite hin einge-
gangenen Verpflichtungen nachkommen und diese Last

schon in die junge Ehe mitbringen. Allerdings keine Kleinigkeit.

Hans Karl schweigt.

NEUGEBAUER

Vielleicht ermessen Euer Erlaucht doch nicht zur Genüge, mit welchem bitteren, sittlichen Ernst das Leben in unsern glanzlosen Sphären behaftet ist, und wie es sich hier nur darum handeln kann, für schwere Aufgaben noch schwerere einzutauschen.

HANS KARL

Ich habe gemeint, wenn man heiratet, so freut man sich darauf.

NEUGEBAUER

Der persönliche Standpunkt kann in unserer bescheidenen Welt nicht maßgebend sein.

HANS KARL

Gewiß, gewiß. Also Sie werden mir die Briefe möglichst finden.

NEUGEBAUER

Ich werde nachforschen, und wenn es sein müßte, bis Mitternacht. *Ab.*

HANS KARL *vor sich*

Was ich nur an mir habe, daß alle Menschen so tentiert sind, mir eine Lektion zu erteilen, und daß ich nie ganz bestimmt weiß, ob sie nicht das Recht dazu haben.

Achte Szene

STANI *steht in der Mitteltür, im Frack*

Pardon, nur um dir guten Abend zu sagen, Onkel Kari, wenn man dich nicht stört.

HANS KARL *war nach rechts gegangen, bleibt jedoch stehen*

Aber gar nicht.

Bietet ihm Platz an und eine Zigarette.

STANI *nimmt die Zigarette*

Aber natürlich chipotiers dich, wenn man unangemeldet hereinkommt. Darin bist du ganz wie ich. Ich haß es

auch, wenn man mir die Tür einrennt. Ich will immer
zuerst meine Ideen ein bißl ordnen.

HANS KARL
Ich bitte, genier dich nicht, du bist doch zu Hause.

STANI
O pardon, ich bin bei dir –

HANS KARL
Setz dich doch.

STANI
Nein wirklich, ich hätte nie gewagt, wenn ich nicht so
deutlich die krähende Stimm vom Neugebauer –

HANS KARL
Er ist im Moment gegangen.

STANI
Sonst wäre ich ja nie – Nämlich der neue Diener läuft
mir vor fünf Minuten im Korridor nach und meldet mir,
notabene ungefragt, du hättest die Jungfer von der An-
tionette Hechingen bei dir und wärest schwerlich zu
sprechen.

HANS KARL *halblaut*
Ah, das hat er dir – ein reizender Mann!

STANI
Da wäre ich ja natürlich unter keinen Umständen –

HANS KARL
Sie hat ein paar Bücher zurückgebracht.

STANI
Die Toinette Hechingen liest Bücher?

HANS KARL
Es scheint. Ein paar alte französische Sachen.

STANI
Aus dem Dixhuitieme. Das paßt zu ihren Möbeln.
Hans Karl schweigt.

STANI
Das Boudoir ist charmant. Die kleine Chaiselongue! Sie
ist signiert.

HANS KARL
  Ja, die kleine Chaiselongue. Riesener.

STANI
  Ja, Riesener. Was du für ein Namengedächtnis hast!
  Unten ist die Signatur.

HANS KARL
  Ja, unten am Fußende.

STANI
  Sie verliert immer ihre kleinen Kämme aus den Haaren,
  und wenn man sich dann bückt, um die zusammen-
  zusuchen, dann sieht man die Inschrift.
  Hans Karl geht nach rechts hinüber und schließt die Tür nach der
  Bibliothek.

STANI
  Ziehts dir, bist du empfindlich?

HANS KARL
  Ja, meine Schützen und ich, wir sind da draußen rheu-
  matisch geworden wie die alten Jagdhunde.

STANI
  Weißt du, sie spricht charmant von dir, die Antoinette.

HANS KARL *raucht*
  Ah! –

STANI
  Nein, ohne Vergleich. Ich verdanke den Anfang meiner
  Chance bei ihr ganz gewiß dem Umstand, daß sie mich
  so fabelhaft ähnlich mit dir findet. Zum Beispiel unsere
  Hände. Sie ist in Ekstase vor deinen Händen.
  Er sieht seine eigene Hand an
  Aber bitte, erwähn nichts von allem gegen die Mamu.
  Es ist halt ein weitgehender Flirt, aber deswegen doch
  keine Bandelei. Aber die Mamu übertreibt sich alles.

HANS KARL
  Aber mein guter Stani, wie käme ich denn auf das Thema?

STANI
  Allmählich ist sie natürlich auch auf die Unterschiede
  zwischen uns gekommen. Ça va sans dire.

HANS KARL

Die Antoinette?

STANI

Sie hat mir geschildert, wie der Anfang eurer Freundschaft war.

HANS KARL

Ich kenne sie ja ewig lang.

STANI

Nein, aber das vor zwei Jahren. Im zweiten Kriegsjahr.
Wie du nach der ersten Verwundung auf Urlaub warst,
die paar Tage in der Grünleiten.

HANS KARL

Datiert sie von daher unsere Freundschaft?

STANI

Natürlich. Seit damals bist du ihr großer Freund. Als
Ratgeber, als Vertrauter, als was du willst, einfach hors
ligne. Du hättest dich benommen wie ein Engel.

HANS KARL

Sie übertreibt sehr leicht, die gute Antoinette.

STANI

Aber sie hat mir ja haarklein erzählt, wie sie aus Angst
vor dem Alleinsein in der Grünleiten mit ihrem Mann,
der gerade auch auf Urlaub war, sich den Feri Uhlfeldt,
der damals wie der Teufel hinter ihr her war, auf den
nächsten Tag hinausbestellt, wie sie dann dich am Abend
vorher im Theater sieht und es wie eine Inspiration
über sie kommt, sie dich bittet, du solltest noch abends
mit ihr hinausfahren und den Abend mit ihr und dem
Adolf zu dritt verbringen.

HANS KARL

Damals hab ich ihn noch kaum gekannt.

STANI

Ja, das entre parenthèse, das begreift sie gar nicht! Daß
du dich später mit ihm hast so einlassen können. Mit
diesem öden Dummkopf, diesem Pedanten.

HANS KARL

Da tut sie ihrem Mann unrecht, sehr!

STANI

Na, da will ich mich nicht einmischen. Aber sie erzählt das reizend.

HANS KARL

Das ist ja ihre Stärke, diese kleinen Konfidenzen.

STANI

Ja, damit fangt sie an. Diesen ganzen Abend, ich sehe ihn vor mir, wie sie dann nach dem Souper dir den Garten zeigt, die reizenden Terrassen am Fluß, wie der Mond aufgeht —

HANS KARL

Ah, so genau hat sie dir das erzählt.

STANI

Und wie du in der einen nächtlichen Konversation die Kraft gehabt hast, ihr den Feri Uhlfeldt vollkommen auszureden.
Hans Karl raucht und schweigt.

STANI

Das bewundere ich ja so an dir: du redest wenig, bist so zerstreut und wirkst so stark. Deswegen find ich auch ganz natürlich, worüber sich so viele Leut den Mund zerreißen: daß du im Herrenhaus seit anderthalb Jahren deinen Sitz eingenommen hast, aber nie das Wort ergreifst. Vollkommen in der Ordnung ist das für einen Herrn wie du bist! Ein solcher Herr spricht eben durch seine Person! Oh, ich studier dich. In ein paar Jahren hab ich das. Jetzt hab ich noch zuviel Passion in mir. Du gehst nie auf die Sache aus und hast so gar keine Suada, das ist gerade das Elegante an dir. Jeder andere wäre in dieser Situation ihr Liebhaber geworden.

HANS KARL *mit einem nur in den Augen merklichen Lächeln*
Glaubst du?

STANI

Unbedingt. Aber ich versteh natürlich sehr gut: in deinen Jahren bist du zu serios dafür. Es tentiert dich nicht mehr: so leg ich mirs zurecht. Weißt du, das liegt so in mir: ich denk über alles nach. Wenn ich Zeit gehabt hätt, auf der Universität zu bleiben — für mich: Wissen-

schaft, das wäre mein Fach gewesen. Ich wäre auf
Sachen, auf Probleme gekommen, auf Fragestellungen,
an die andere Menschen gar nicht streifen. Für mich ist
das Leben ohne Nachdenken kein Leben. Zum Beispiel:
Weiß man das auf einmal, so auf einen Ruck: Jetzt bin
ich kein junger Herr mehr? – Das muß ein sehr unange-
nehmer Moment sein.

HANS KARL
Weißt du, ich glaub, es kommt ganz allmählich. Wenn
einem auf einmal der andere bei der Tür vorausgehen
läßt und du merkst dann: ja, natürlich, er ist viel jünger,
obwohl er auch schon ein erwachsener Mensch ist.

STANI
Sehr interessant. Wie du das alles beobachtest. Darin
bist du ganz wie ich. Und dann wirds einem so zur Gewohnheit, das Ältersein?

HANS KARL
Ja, es gibt immer noch gewisse Momente, die einen
frappieren. Zum Beispiel, wenn man sich plötzlich klar
wird, daß man nicht mehr glaubt, daß es Leute gibt, die
einem alles erklären könnten.

STANI
Eines versteh ich aber doch nicht, Onkel Kari, daß du
mit dieser Reife und konserviert wie du bist nicht hei-
ratest.

HANS KARL
Jetzt.

STANI
Ja, eben jetzt. Denn der Mann, der kleine Abenteur
sucht, bist du doch nicht mehr. Weißt du, ich würde
natürlich sofort begreifen, daß sich jede Frau heut noch
für dich interessiert. Aber die Toinette hat mir erklärt,
warum ein Interesse für dich nie serios wird.

HANS KARL
Ah!

STANI
Ja, sie hat viel darüber nachgedacht. Sie sagt: du fixierst
nicht, weil du nicht genug Herz hast.

HANS KARL
Ah!

STANI
Ja, dir fehlt das Eigentliche. Das, sagt sie, ist der enorme Unterschied zwischen dir und mir. Sie sagt: du hast das Handgelenk immer geschmeidig, um loszulassen, das spürt eine Frau, und wenn sie selbst im Begriff gewesen wäre, sich in dich zu verlieben, so verhindert das die Kristallisation.

HANS KARL
Ah, so drückt sie sich aus?

STANI
Das ist ja ihr großer Charme, daß sie eine Konversation hat. Weißt du, das brauch ich absolut: eine Frau die mich fixieren soll, die muß außer ihrer absoluten Hingebung auch eine Konversation haben.

HANS KARL
Darin ist sie delizios.

STANI
Absolut. Das hat sie: Charme, Geist und Temperament, so wie sie etwas anderes nicht hat: nämlich Rasse.

HANS KARL
Du findest?

STANI
Weißt du, Onkel Kari, ich bin ja so gerecht; eine Frau kann hundertmal das Äußerste an gutem Willen für mich gehabt haben – ich geb ihr, was sie hat, und ich sehe unerbittlich, was sie nicht hat. Du verstehst mich: Ich denk über alles nach, und mach mir immer zwei Kategorien. Also die Frauen teile ich in zwei große Kategorien: die Geliebte, und die Frau, die man heiratet. Die Antoinette gehört in die erste Kategorie, sie kann hundertmal die Frau vom Adolf Hechingen sein, für mich ist sie keine Frau, sondern – das andere.

HANS KARL
Das ist ihr Genre, natürlich. Wenn man die Menschen so einteilen will.

STANI

Absolut. Darum ist es, in Parenthese, die größte Dummheit, sie mit ihrem Mann versöhnen zu wollen.

HANS KARL

Wenn er aber doch einmal ihr Mann ist? Verzeih, das ist vielleicht ein sehr spießbürgerlicher Gedanke.

STANI

Weißt du, verzeih mir, ich mache mir meine Kategorien, und da bin ich dann absolut darin, ebenso über die Galanterie, ebenso über die Ehe. Die Ehe ist kein Experiment. Sie ist das Resultat eines richtigen Entschlusses.

HANS KARL

Von dem du natürlich weit entfernt bist.

STANI

Aber gar nicht. Augenblicklich bereit, ihn zu fassen.

HANS KARL

Im jetzigen Moment?

STANI

Ich finde mich außerordentlich geeignet, eine Frau glücklich zu machen, aber bitte, sag das der Mamu nicht, ich will mir ja in allen Dingen meine volle Freiheit bewahren. Darin bin ich ja haarklein wie du. Ich vertrage nicht, daß man mich beengt.

Hans Karl raucht.

STANI

Der Entschluß muß aus dem Moment hervorgehen. Gleich oder gar nicht, das ist meine Devise!

HANS KARL

Mich interessiert nichts auf der Welt so sehr, als wie man von einer Sache zur andern kommt. Du würdest also nie einen Entschluß vor dich hinschieben?

STANI

Nie, das ist die absolute Schwäche.

HANS KARL

Aber es gibt doch Komplikationen?

STANI

Die negiere ich.

HANS KARL

Beispielsweise sich kreuzende widersprechende Verpflichtungen.

STANI

Von denen hat man die Wahl, welche man lösen will.

HANS KARL

Aber man ist doch in dieser Wahl bisweilen sehr behindert.

STANI

Wieso?

HANS KARL

Sagen wir durch Selbstvorwürfe.

STANI

Das sind Hypochondrien. Ich bin vollkommen gesund. Ich war im Feld nicht einen Tag krank.

HANS KARL

Ah, du bist mit deinem Benehmen immer absolut zufrieden?

STANI

Ja, wenn ich das nicht wäre, so hätte ich mich doch anders benommen.

HANS KARL

Pardon, ich spreche nicht von Unkorrektheiten – aber du läßt mit einem Wort den Zufall, oder nennen wirs das Schicksal, unbedenklich walten?

STANI

Wieso? Ich behalte immer alles in der Hand.

HANS KARL

Zeitweise ist man aber halt doch versucht, bei solchen Entscheidungen einen bizarren Begriff einzuschieben: den der höheren Notwendigkeit.

STANI

Was ich tue, ist eben notwendig, sonst würde ich es nicht tun.

HANS KARL *interessiert*

Verzeih, wenn ich aus der aktuellen Wirklichkeit heraus exemplifiziere – das schickt sich ja eigentlich nicht –

STANI

Aber bitte –

HANS KARL

Eine Situation würde dir, sagen wir, den Entschluß zur Heirat nahelegen.

STANI

Heute oder morgen.

HANS KARL

Nun bist du mit der Antoinette in dieser Weise immerhin befreundet.

STANI

Ich brouillier mich mit ihr, von heut auf morgen!

HANS KARL

Ah! Ohne jeden Anlaß?

STANI

Aber der Anlaß liegt doch immer in der Luft. Bitte. Unsere Beziehung dauert seit dem Frühjahr. Seit sechs, sieben Wochen ist irgend etwas an der Antoinette, ich kann nicht sagen, was – ein Verdacht wäre schon zuviel – aber die bloße Idee, daß sie sich außer mit mir noch mit jemandem andern beschäftigen könnte, weißt du, darin bin ich absolut.

HANS KARL

Ah, ja.

STANI

Weißt du, das ist stärker als ich. Ich möchte es gar nicht Eifersucht nennen, es ist ein derartiges Nichtbegreifen-können, daß eine Frau, der ich mich attachiert habe, zugleich mit einem andern – begreifst du?

HANS KARL

Aber die Antoinette ist doch so unschuldig, wenn sie etwas anstellt. Sie hat dann fast noch mehr Charme.

STANI

Da verstehe ich dich nicht.

NEUGEBAUER *ist leise eingetreten*
Hier sind die Briefe, Euer Erlaucht. Ich habe sie auf den ersten Griff —

HANS KARL
Danke. Bitte, geben Sie mir sie.
Neugebauer gibt ihm die Briefe.

HANS KARL
Danke.

Neugebauer ab.

Zehnte Szene

HANS KARL *nach einer kleinen Pause*
Weißt du, wen ich für den geborenen Ehemann halte?

STANI
Nun?

HANS KARL
Den Adolf Hechingen.

STANI
Der Antoinette ihren Mann? Hahaha! —

HANS KARL
Ich red ganz im Ernst.

STANI
Aber Onkel Kari.

HANS KARL
In seinem Attachement an diese Frau ist eine höhere Notwendigkeit.

STANI
Der prädestinierte — ich will nicht sagen was!

HANS KARL
Sein Schicksal geht mir nah.

STANI
Für mich gehört er in eine Kategorie: der instinktlose Mensch. Weißt du, an wen er sich anhängt, wenn du

nicht im Klub bist? An mich. Ausgerechnet an mich! Er
hat einen Flair!

HANS KARL

Ich habe ihn gern.

STANI

Aber er ist doch unelegant bis über die Ohren.

HANS KARL

Aber ein innerlich vornehmer Mensch.

STANI

Ein uneleganter, schwerfälliger Kerl.

HANS KARL

Er braucht eine Flasche Champagner ins Blut.

STANI

Sag das nie vor ihm, er nimmts wörtlich. Ein uneleganter Mensch ist mir ein Greuel, wenn er getrunken hat.

HANS KARL

Ich hab ihn gern.

STANI

Er nimmt alles wörtlich, auch deine Freundschaft für
ihn.

HANS KARL

Aber er darf sie wörtlich nehmen.

STANI

Pardon, Onkel Kari, bei dir darf man nichts wörtlich
nehmen, wenn man das tut, gehört man in die Kategorie: Instinktlos.

HANS KARL

Aber er ist ein so guter, vortrefflicher Mensch.

STANI

Meinetwegen, wenn du das von ihm sagst, aber das ist
noch gar kein Grund, daß er immer von deiner Güte
spricht. Das geht mir auf die Nerven. Ein eleganter
Mensch hat Bonhomie, aber er ist kein guter Mensch.
Pardon, sag ich, der Onkel Kari ist ein großer Herr und
darum auch ein großer Egoist, selbstverständlich. Du
verzeihst.

HANS KARL

Es nützt nichts, ich hab ihn gern.

STANI

Das ist eine Bizarrerie von dir! Du hast es doch nicht
notwendig, bizarr zu sein! Du hast doch das Wunderbare, daß du mühelos das vorstellst, was du bist: ein großer Herr! Mühelos! Das ist der große Punkt. Der Mensch
zweiter Kategorie bemüht sich unablässig. Bitte, da ist
dieser Theophil Neuhoff, den man seit einem Jahr überall sieht. Was ist eine solche Existenz anderes als eine
fortgesetzte jämmerliche Bemühung, ein Genre zu ko-
pieren, das eben nicht sein Genre ist.

Elfte Szene

LUKAS *kommt eilig*

Darf ich fragen — haben Euer Erlaucht Befehl gegeben,
daß fremder Besuch vorgelassen wird?

HANS KARL

Aber absolut nicht. Was ist denn das?

LUKAS

Da muß der neue Diener eine Konfusion gemacht haben. Eben wird vom Portier herauftelephoniert, daß
Herr Baron Neuhoff auf der Treppe ist. Bitte zu befehlen, was mit ihm geschehen soll.

STANI

Also, im Moment, wo wir von ihm sprechen. Das ist
kein Zufall. Onkel Kari, dieser Mensch ist mein guignon,
und ich beschwöre sein Kommen herauf. Vor einer
Woche bei der Helen, ich will ihr eben meine Absicht
über den Herrn von Neuhoff sagen, im Moment steht
der Neuhoff auf der Schwelle. Vor drei Tagen, ich geh
von der Antoinette weg — im Vorzimmer steht der Herr
von Neuhoff. Gestern früh bei meiner Mutter, ich wollte
dringend etwas mit ihr besprechen, im Vorzimmer find
ich den Herrn Neuhoff.

VINZENZ *tritt ein, meldet*

Herr Baron Neuhoff sind im Vorzimmer.

HANS KARL

Jetzt muß ich ihn natürlich empfangen.

Lukas winkt: Eintreten lassen. Vinzenz öffnet die Flügeltür,
läßt eintreten.

Zwölfte Szene

NEUHOFF *tritt ein*

Guten Abend, Graf Bühl. Ich war so unbescheiden, nach-
zusehen, ob Sie zu Hause wären.

HANS KARL

Sie kennen meinen Neffen Freudenberg?

STANI

Wir haben uns getroffen.

Sie setzen sich.

NEUHOFF

Ich sollte die Freude haben, Ihnen diesen Abend im
Altenwylschen Hause zu begegnen. Gräfin Helene hatte
sich ein wenig darauf gefreut, uns zusammenzuführen.
Um so schmerzlicher war mein Bedauern, als ich durch
Gräfin Helene diesen Nachmittag erfahren mußte, Sie
hätten abgesagt.

HANS KARL

Sie kennen meine Kusine seit dem letzten Winter?

NEUHOFF

Kennen – wenn man das Wort von einem solchen Wesen
brauchen darf. In gewissen Augenblicken gewahrt man
erst, wie doppelsinnig das Wort ist: es bezeichnet das
Oberflächlichste von der Welt und zugleich das tiefste
Geheimnis des Daseins zwischen Mensch und Mensch.

Hans Karl und Stani wechseln einen Blick.

NEUHOFF

Ich habe das Glück, Gräfin Helene nicht selten zu sehen
und ihr in Verehrung anzugehören.

Eine kleine, etwas genierte Pause.

NEUHOFF

Heute nachmittag – wir waren zusammen im Atelier
von Bohuslawsky – Bohuslawsky macht mein Porträt,

das heißt, er quält sich unverhältnismäßig, den Ausdruck meiner Augen festzuhalten: er spricht von einem gewissen Etwas darin, das nur in seltenen Momenten sichtbar wird – und es war seine Bitte, daß die Gräfin Helene einmal dieses Bild ansehen und ihm über diese Augen ihre Kritik geben möchte – da sagt sie mir: Graf Bühl kommt nicht, gehen Sie zu ihm. Besuchen Sie ihn, ganz einfach. Es ist ein Mann, bei dem die Natur, die Wahrheit alles erreicht und die Absicht nichts. Ein wunderbarer Mann in unserer absichtsvollen Welt, war meine Antwort – aber so hab ich mir ihn gedacht, so hab ich ihn erraten, bei der ersten Begegnung.

STANI

Sie sind meinem Onkel im Felde begegnet?

NEUHOFF

Bei einem Stab.

HANS KARL

Nicht in der sympatischsten Gesellschaft.

NEUHOFF

Das merkte man Ihnen an, Sie sprachen unendlich wenig.

HANS KARL *lächelnd*

Ich bin kein großer Causeur, nicht wahr, Stani?

STANI

In der Intimität schon!

NEUHOFF

Sie sprechen es aus, Graf Freudenberg, Ihr Onkel liebt es, in Gold zu zahlen; er hat sich an das Papiergeld des täglichen Verkehrs nicht gewöhnen wollen. Er kann mit seiner Rede nur seine Intimität vergeben, und die ist unschätzbar.

HANS KARL

Sie sind äußerst freundlich, Baron Neuhoff.

NEUHOFF

Sie müßten sich von Bohuslawsky malen lassen, Graf Bühl. Sie würde er in drei Sitzungen treffen. Sie wissen, daß seine Stärke das Kinderporträt ist. Ihr Lächeln ist genau die Andeutung eines Kinderlachens. Mißverstehen

Sie mich nicht. Warum ist denn Würde so ganz unachahmlich? Weil ein Etwas von Kindlichkeit in ihr steckt. Auf dem Umweg über die Kindlichkeit würde Bohuslawsky vermögen, einem Bilde von Ihnen das zu geben, was in unserer Welt das Seltenste ist und was Ihre Erscheinung in hohem Maße auszeichnet: Würde. Denn wir leben in einer würdelosen Welt.

HANS KARL

Ich weiß nicht, von welcher Welt Sie sprechen: uns allen ist draußen soviel Würde entgegengetreten –

NEUHOFF

Deswegen war ein Mann wie Sie draußen so in seinem Element. Was haben Sie geleistet, Graf Bühl! Ich erinnere mich des Unteroffiziers im Spital, der mit Ihnen und den dreißig Schützen verschüttet war.

HANS KARL

Mein braver Zugführer, der Hütter Franz! Meine Kusine hat Ihnen davon erzählt?

NEUHOFF

Sie hat mir erlaubt, sie bei diesem Besuch ins Spital zu begleiten. Ich werde nie das Gesicht und die Rede dieses Sterbenden vergessen.

Hans Karl sagt nichts.

NEUHOFF

Er sprach ausschließlich von Ihnen. Und in welchem Ton! Er wußte, daß sie eine Verwandte seines Hauptmanns war, mit der er sprach.

HANS KARL

Der arme Hütter Franz!

NEUHOFF

Vielleicht wollte mir die Gräfin Helene eine Idee von Ihrem Wesen geben, wie tausend Begegnungen im Salon sie nicht vermitteln können.

STANI *etwas scharf*

Vielleicht hat sie vor allem den Mann selbst sehen und von Onkel Kari hören wollen.

NEUHOFF

In einer solchen Situation wird ein Wesen wie Helene

Altenwyl erst ganz sie selbst. Unter dieser vollkommenen Einfachheit, diesem Stolz der guten Rasse verbirgt sich ein Strömen der Liebe, eine alle Poren durchdringende Sympathie: es gibt von ihr zu einem Wesen, das sie sehr liebt und achtet, namenlose Verbindungen, die nichts lösen könnte, und an die nichts rühren darf. Wehe dem Gatten, der nicht verstünde, diese namenlose Verbundenheit bei ihr zu achten, der engherzig genug wäre, alle diese verteilten Sympathien auf sich vereinigen zu wollen.

Eine kleine Pause. Hans Karl raucht.

NEUHOFF

Sie ist wie Sie: eines der Wesen, um die man nicht werben kann: die sich einem schenken müssen.

Abermals eine kleine Pause.

NEUHOFF *mit einer großen, vielleicht nicht ganz echten Sicherheit*

In bin ein Wanderer, meine Neugierde hat mich um die halbe Welt getrieben. Das, was schwierig zu kennen ist, fasziniert mich; was sich verbirgt, zieht mich an. Ich möchte ein stolzes, kostbares Wesen, wie Gräfin Helene, in Ihrer Gesellschaft sehen, Graf Bühl. Sie würde eine andere werden, sie würde aufblühen: denn ich kenne niemanden, der so sensibel ist für menschliche Qualität.

HANS KARL

Das sind wir hier ja alle ein bißchen. Vielleicht ist das gar nichts so Besonderes an meiner Kusine.

NEUHOFF

Ich denke mir die Gesellschaft, die ein Wesen wie Helene Altenwyl umgeben müßte, aus Männern Ihrer Art bestehend. Jede Kultur hat ihre Blüten: Gehalt ohne Prätention, Vornehmheit gemildert durch eine unendliche Grazie, so ist die Blüte dieser alten Gesellschaft beschaffen, der es gelungen ist, was die Ruinen von Luxor und die Wälder des Kaukasus nicht vermochten, einen Unstäten, wie mich, in ihrem Bannkreis festzuhalten. Aber, erklären Sie mir eins, Graf Bühl. Gerade die Männer Ihres Schlages, von denen die Gesellschaft ihr eigentliches Gepräge empfängt, begegnet man allzu selten in ihr. Sie scheinen ihr auszuweichen.

STANI

Aber gar nicht, Sie werden den Onkel Kari gleich heute abend bei Altenwyls sehen, und ich fürchte sogar, so gemütlich dieser kleine Plausch hier ist, so müssen wir ihm bald Gelegenheit geben, sich umzuziehen.

Er ist aufgestanden.

NEUHOFF

Müssen wir das, so sag ich Ihnen für jetzt adieu, Graf Bühl. Wenn Sie jemals, sei es in welcher Lage immer, eines fahrenden Ritters bedürfen sollten,

Schon im Gehen

der dort, wo er das Edle, das Hohe ahnt, ihm unbedingt und ehrfürchtig zu dienen gewillt ist, so rufen Sie mich.

Hans Karl, dahinter Stani, begleiten ihn. Wie sie an der Tür sind, klingelt das Telephon.

NEUHOFF

Bitte, bleiben Sie, der Apparat begehrt nach Ihnen.

STANI

Darf ich Sie bis an die Stiege begleiten?

HANS KARL *an der Tür*

Ich danke Ihnen sehr für Ihren guten Besuch, Baron Neuhoff.

Neuhoff und Stani ab.

HANS KARL

allein mit dem heftig klingelnden Apparat, geht an die Wand und drückt an den Zimmertelegraph, rufend

Lukas, abstellen! Ich mag diese indiskrete Maschine nicht! Lukas!

Das Klingeln hört auf.

Dreizehnte Szene

STANI *kommt zurück*

Nur für eine Sekunde, Onkel Kari, wenn du mir verzeihst. Ich hab müssen dein Urteil über diesen Herrn hören!

HANS KARL

Das deinige scheint ja fix und fertig zu sein.

STANI

Ah, ich find ihn einfach unmöglich. Ich verstehe einfach eine solche Figur nicht. Und dabei ist der Mensch ganz gut geboren!

HANS KARL

Und du findest ihn so unannehmbar?

STANI

Aber ich bitte: so viel Taktlosigkeiten als Worte.

HANS KARL

Er will sehr freundlich sein, er will für sich gewinnen.

STANI

Aber man hat doch eine assurance, man kriecht wildfremden Leuten noch nicht in die Westentasche.

HANS KARL

Und er glaubt allerdings, daß man etwas aus sich machen kann – das würde ich als eine Naivität ansehen oder als Erziehungsfehler.

STANI *geht aufgeregt auf und ab*
Diese Tiraden über die Helen!

HANS KARL

Daß ein Mädel wie die Helen mit ihm Konversation über unsereinen führt, macht mir auch keinen Spaß.

STANI

Daran ist gewiß kein wahres Wort. Ein Kerl, der kalt und warm aus einem Munde blast.

HANS KARL

Es wird alles sehr ähnlich gewesen sein, wie er sagt. Aber es gibt Leute, in deren Mund sich alle Nuancen verändern, unwillkürlich.

STANI

Du bist von einer Toleranz!

HANS KARL

Ich bin halt sehr alt, Stani.

STANI

Ich ärgere mich jedenfalls rasend, das ganze Genre

bringt mich auf, diese falsche Sicherheit, diese ölige Suada, dieses Kokettieren mit einem odiosen Spitzbart.

HANS KARL

Er hat Geist, aber es wird einem nicht wohl dabei.

STANI

Diese namenlosen Indiskretionen. Ich frage: was geht ihn dein Gesicht an?

HANS KARL

Au fond ist man vielleicht ein bedauernswerter Mensch, wenn man so ist.

STANI

Ich nenne ihn einen odiosen Kerl. Jetzt muß ich aber zur Mamu hinauf. Ich seh dich jedenfalls in der Nacht im Klub, Onkel Kari.

Agathe sieht leise bei der Tür rechts herein, sie glaubt Hans Karl allein.

Stani kommt noch einmal nach vorne. Hans Karl winkt Agathe, zu verschwinden.

STANI

Weißt du, ich kann mich nicht beruhigen. Erstens die Bassesse, einem Herrn wie dir ins Gesicht zu schmeicheln.

HANS KARL

Das war nicht sehr elegant.

STANI

Zweitens das Affichieren einer weiß Gott wie dicken Freundschaft mit der Helen. Drittens die Spionage, ob du dich für sie interessierst.

HANS KARL *lächelnd*

Meinst du, er hat ein bißl das Terrain sondieren wollen?

STANI

Viertens diese maßlos indiskrete Anspielung auf seine künftige Situation. Er hat sich uns ja geradezu als ihren Zukünftigen vorgestellt. Fünftens dieses odiose Perorieren, das es einem unmöglich macht, auch nur einmal die Replik zu geben. Sechstens dieser unmögliche Abgang. Das war ja ein Geburtstagswunsch, ein Leitartikel. Aber ich halt dich auf, Onkel Kari.

Agathe ist wieder in der Tür erschienen, gleiches Spiel wie früher.

STANI *war schon im Verschwinden, kommt wieder nach vorne*
Darf ich noch einmal? Das eine kann ich nicht begreifen,
daß dir die Sache wegen der Helen nicht nähergeht!

HANS KARL
Inwiefern mir?

STANI
Pardon, mir steht die Helen zu nahe, als daß ich diese
unmögliche Phrase von »Verehrung« und »Angehören«
goutieren könnt. Wenn man die Helen von klein auf
kennt, wie eine Schwester!

HANS KARL
Es kommt ein Moment, wo die Schwestern sich von den
Brüdern trennen.

STANI
Aber nicht für einen Neuhoff. Ah, ah!

HANS KARL
Eine kleine Dosis von Unwahrheit ist den Frauen sehr
sympathisch.

STANI
So ein Kerl dürfte nicht in die Nähe von der Helen.

HANS KARL
Wir werden es nicht hindern können.

STANI
Ah, das möcht ich sehen. Nicht in die Nähe!

HANS KARL
Er hat uns die kommende Verwandtschaft angekündigt.

STANI
In welchem Zustand muß die Helen sein, wenn sie sich
mit diesem Menschen einläßt.

HANS KARL
Weißt du, ich habe mir abgewöhnt, aus irgendeiner
Handlung von Frauen Folgerungen auf ihren Zustand
zu ziehen.

STANI
Nicht, daß ich eifersüchtig wäre, aber mir eine Person
wie die Helen – als Frau dieses Neuhoff zu denken, das

ist für mich eine derartige Unbegreiflichkeit – die Idee
ist mir einfach unfaßlich – ich muß sofort mit der Mamu
davon sprechen.

HANS KARL *lächelnd*
Ja, tu das, Stani. –

Stani ab.

Vierzehnte Szene

LUKAS *tritt ein*
Ich fürchte, das Telephon war hereingestellt.

HANS KARL
Ich will das nicht.

LUKAS
Sehr wohl Euer Erlaucht. Der neue Diener muß es
umgestellt haben, ohne daß ichs bemerkt habe. Er hat
überall die Hände und die Ohren, wo er sie nicht haben
soll.

HANS KARL
Morgen um sieben Uhr früh expedieren.

LUKAS
Sehr wohl. Der Diener vom Herrn Grafen Hechingen
war am Telephon. Der Herr Graf möchten selbst gern
sprechen wegen heute abend: ob Erlaucht in die Soiree
zu Graf Altenwyl gehen oder nicht. Nämlich, weil die
Frau Gräfin auch dort sein wird.

HANS KARL
Rufen Sie jetzt bei Graf Altenwyl an und sagen Sie, ich
habe mich freigemacht, lasse um Erlaubnis bitten, trotz
meiner Absage doch zu erscheinen. Und dann verbinden
Sie mich mit dem Grafen Hechingen, ich werde selbst
sprechen. Und bitten Sie indes die Kammerfrau, herein-
zukommen.

LUKAS
Sehr wohl.

Geht ab. Agathe herein.

HANS KARL *nimmt das Paket mit den Briefen*
Hier sind die Briefe. Sagen Sie der Frau Gräfin, daß ich
mich von diesen Briefen darum trennen kann, weil die
Erinnerung an das Schöne für mich unzerstörbar ist: ich
werde sie nicht in einem Brief finden, sondern überall.

AGATHE
Oh, ich küß die Hand! Ich bin ja so glücklich. Jetzt weiß
ich, daß meine Frau Gräfin unsern Herrn Grafen bald
wiedersehen wird.

HANS KARL
Sie wird mich heut abend sehen. Ich werde auf die
Soiree kommen.

AGATHE
Und dürften wir hoffen, daß sie – daß derjenige, der ihr
entgegentritt der gleiche sein wird, wie immer?

HANS KARL
Sie hat keinen besseren Freund.

AGATHE
Oh, ich küß die Hand.

HANS KARL
Sie hat nur zwei wahre Freunde auf der Welt: mich und
ihren Mann.

AGATHE
Oh, mein Gott, das will ich nicht hören. O Gott, o Gott,
das Unglück, daß sich unser Herr Graf mit dem Grafen
Hechingen befreundet hat. Meiner Frau Gräfin bleibt
wirklich nichts erspart.

HANS KARL *geht nervös ein paar Schritte von ihr weg*
Ja, ahnen denn die Frauen so wenig, was ein Mann ist?!
Und wer sie wirklich liebhat!

AGATHE
Oh, nur das nicht. Wir lassen uns ja von Eurer Erlaucht
alles einreden, aber das nicht, das ist zuviel!

HANS KARL *auf und ab*
Also nicht. Nicht helfen können! Nicht *so* viel!
Pause

AGATHE *schüchtern und an ihn herantretend*
Oder versuchen Sies doch. Aber nicht durch mich: für
eine solche Botschaft bin ich zu ungebildet. Da hätte ich
nicht die richtigen Ausdrücke. Und auch nicht brieflich.
Das gibt nur Mißverständnisse. Aber Aug in Aug: ja,
gewiß! Da werden Sie schon was ausrichten! Was sollen
Sie bei meiner Frau Gräfin nicht ausrichten! Nicht vielleicht beim erstenmal. Aber wiederholt – wenn Sie ihr
recht eindringlich ins Gewissen reden – wie sollte sie
Ihnen denn da widerstehen können?
Das Telefon läutet wieder.

HANS KARL *geht ans Telephon und spricht hinein*
Ja, ich bin es selbst. Hier. Ja, ich bin am Apparat. Ich
bleibe. Graf Bühl. Ja, selbst.

AGATHE
Ich küß die Hand.
Geht schnell ab, durch die Mitteltür.

HANS KARL *am Telephon*
Hechingen, guten Abend! Ja, ich habs mir überlegt. Ich
habe zugesagt. Ich werde Gelegenheit nehmen. Gewiß.
Ja, das hat mich bewogen, hinzugehen. Gerade auf einer
Soiree, da ich nicht Bridge spiele und deine Frau, wie ich
glaube, auch nicht. Kein Anlaß. Auch dazu ist kein Anlaß. Zu deinem Pessimismus. Zu deinem Pessimismus!
Du verstehst nicht? Zu deiner Traurigkeit ist kein Anlaß. Absolut bekämpfen! Allein? Also die berühmte Flasche Champagner. Ich bringe bestimmt das Resultat vor
Mitternacht. Übertriebene Hoffnungen natürlich auch
nicht. Du weißt, daß ich das Mögliche versuchen werde.
Es entspricht doch auch meiner Empfindung. Es entspricht meiner Empfindung! Wie? Gestört? Ich habe
gesagt: Es entspricht meiner Empfindung. Empfindung!
Eine ganz gleichgültige Phrase! Keine Frage, eine
Phrase! Ich habe eine gleichgültige Phrase gesagt! Welche? Es entspricht meiner Empfindung. Nein, ich nenne
es nur eine gleichgültige Phrase, weil du es so lange nicht
verstanden hast. Ja. Ja. Ja! Adieu. Schluß!
Läutet
Es gibt Menschen, mit denen sich alles kompliziert, und
dabei ist das so ein exzellenter Kerl!

STANI *aufs neue in der Mitteltür*
Ist es sehr unbescheiden, Onkel Kari?

HANS KARL
Aber bitte, ich bin zur Verfügung.

STANI *vorne bei ihm*
Ich muß dir melden, Onkel Kari, daß ich inzwischen
eine Konversation mit der Mamu gehabt habe und zu
einem Resultat gekommen bin.
Hans Karl sieht ihn an.

STANI
Ich werde mich mit der Helen Altenwyl verloben.

HANS KARL
Du wirst dich —

STANI
Ja, ich bin entschlossen, die Helen zu heiraten. Nicht
heute und nicht morgen, aber in der allernächsten Zeit.
Ich habe alles durchgedacht. Auf der Stiege von hier bis
in den zweiten Stock hinauf. Wie ich zur Mamu in den
zweiten Stock gekommen bin, war alles fix und fertig.
Weißt du, die Idee ist mir plötzlich gekommen, wie ich
bemerkt hab, du interessierst dich nicht für die Helen.

HANS KARL
Aha.

STANI
Begreifst du? Es war so eine Idee von der Mamu. Sie
behauptet, man weiß nie, woran man mit dir ist — am
Ende hättest du doch daran gedacht, die Helen zu nehmen — und du bist doch für die Mamu immer der Fami-
lienchef, ihr Herz ist halt ganz Bühlisch.

HANS KARL *halb abgewandt*
Die gute Crescence!

STANI
Aber ich hab immer widersprochen. Ich verstehe ja jede
Nuance von dir. Ich hab von jeher gefühlt, daß von
einem Interesse für die Helen bei dir nicht die Idee sein
kann.

HANS KARL *dreht sich plötzlich zu ihm um*
Und deine Mutter?

STANI
Die Mamu?

HANS KARL
Ja, wie hat sie es aufgefaßt?

STANI
Feuer und Flamme natürlich. Sie hat ein ganz rotes
Gesicht bekommen vor Freude. Wundert dich das, Onkel
Kari?

HANS KARL
Nur ein bißl, nur eine Idee – ich hab immer den Eindruck gehabt, daß deine Mutter einen bestimmten Gedanken hat in bezug auf die Helen.

STANI
Eine Aversion?

HANS KARL
Gar nicht. Nur eine Ansicht. Eine Vermutung.

STANI
Früher, die früheren Jahre?

HANS KARL
Nein, vor einer halben Stunde.

STANI
In welcher Richtung? Aber die Mamu ist ja so eine
Windfahn! Das vergißt sie ja im Moment. Vor einem
Entschluß von mir, da ist sie sofort auf den Knien. Da
spürt sie den Mann. Sie adoriert das fait accompli.

HANS KARL
Also, du hast dich entschlossen?

STANI
Ja, ich bin entschlossen.

HANS KARL
So auf eins, zwei!

STANI
Das ist doch genau das, worauf es ankommt. Das impo-

niert ja den Frauen so enorm an mir. Dadurch eben behalte ich immer die Führung in der Hand.

Hans Karl raucht.

STANI

Siehst du, du hast vielleicht früher auch einmal daran gedacht, die Helen zu heiraten –

HANS KARL

Gott, vor Jahren vielleicht. In irgendeinem Moment, wie man an tausend Sachen denkt.

STANI

Begreifst du? Ich hab nie daran gedacht! Aber im Augenblick, wo ich es denke, bring ich es auch zu Ende. – Du bist verstimmt?

HANS KARL

Ich habe ganz unwillkürlich einen Moment an die Antoinette denken müssen.

STANI

Aber jede Sache auf der Welt muß doch ihr Ende haben.

HANS KARL

Natürlich. Und das beschäftigt dich gar nicht, ob die Helen frei ist? Sie scheint doch zum Beispiel diesem Neuhoff Hoffnungen gegeben zu haben.

STANI

Das ist ja genau mein Kalkul. Über Hoffnungen, die sich der Herr von Neuhoff macht, gehe ich einfach hinweg. Und daß für die Helen ein Theophil Neuhoff überhaupt in Frage kommen kann, das beweist doch gerade, daß eine ernste Okkupation bei ihr nicht vorhanden ist. Solche Komplikationen statuier ich nicht. Das sind Launen, oder sagen wir das Wort: Verirrungen.

HANS KARL

Sie ist schwer zu kennen.

STANI

Aber ich kenn doch ihr Genre. In letzter Linie kann die sich für keinen Typ von Männern interessieren als für den unsrigen; alles andere ist eine Verirrung. Du bist so still, hast du dein Kopfweh?

HANS KARL

Aber gar nicht. Ich bewundere deinen Mut.

STANI

Du und Mut und bewundern?

HANS KARL

Das ist eine andere Art von Mut als der im Graben.

STANI

Ja, ich versteh dich ja so gut, Onkel Kari. Du denkst an
die Chancen, die ich sonst noch im Leben gehabt hätte.
Du hast das Gefühl, daß ich mich vielleicht zu billig
weggeb. Aber siehst du, da bin ich wieder ganz anders:
ich liebe das Vernünftige und Definitive. Du, Onkel
Kari, bist au fond, verzeih, daß ich es heraussage, ein
Idealist: deine Gedanken gehen auf das Absolute, auf
das Vollkommene. Das ist ja sehr elegant gedacht, aber
unrealisierbar. Au fond bist du da wie die Mamu; der ist
nichts gut genug für mich. Ich habe die Sache durchgedacht, wie sie ist. Die Helen ist ein Jahr jünger wie ich.

HANS KARL

Ein Jahr?

STANI

Sie ist ausgezeichnet geboren.

HANS KARL

Man kann nicht besser sein.

STANI

Sie ist elegant.

HANS KARL

Sehr elegant.

STANI

Sie ist reich.

HANS KARL

Und vor allem so hübsch.

STANI

Sie hat Rasse.

HANS KARL

Ohne Vergleich.

STANI

Bitte, vor allem in den zwei Punkten, auf die in der Ehe alles ankommt. Primo: sie kann nicht lügen, secundo: sie hat die besten Manieren von der Welt.

HANS KARL

Sie ist so delizios artig, wie sonst nur alte Frauen sind.

STANI

Sie ist gescheit wie der Tag.

HANS KARL

Wem sagst du das? Ich hab ihre Konversation so gern.

STANI

Und sie wird mich mit der Zeit adorieren.

HANS KARL *vor sich, unwillkürlich*

Auch das ist möglich.

STANI

Aber nicht möglich. Ganz bestimmt. Bei diesem Genre von Frauen bringt das die Ehe mit sich. In der Liaison hängt alles von Umständen ab, da sind Bizarrerien möglich, Täuschungen, Gott weiß was. In der Ehe beruht alles auf der Dauer; auf die Dauer nimmt jeder die Qualität des andern derart in sich auf, daß von einer wirklichen Differenz nicht mehr die Rede sein kann: unter der einen Voraussetzung, daß die Ehe aus dem richtigen Entschluß hervorgeht. Das ist der Sinn der Ehe.

Siebzehnte Szene

LUKAS *eintretend*

Frau Gräfin Freudenberg.

CRESCENCE *an Lukas vorbei, tritt schnell ein*

Also, was sagt Er mir zu dem Buben, Kari? Ich bin ja überglücklich. Gratulier Er mir doch!

HANS KARL *ein wenig abwesend*

Meine gute Crescence. Ich wünsch den allergrößten Erfolg.
Stani empfiehlt sich stumm.

CRESCENCE

Schick Er mir das Auto retour.

STANI

Bitte zu verfügen. Ich gehe zu Fuß.

Geht.

Achtzehnte Szene

CRESCENCE

Der Erfolg wird sehr stark von dir abhängen.

HANS KARL

Von mir? Ihm stehts doch auf der Stirne geschrieben, daß er erreicht, was er sich vornimmt.

CRESCENCE

Für die Helen ist dein Urteil alles.

HANS KARL

Wieso, Crescence, inwiefern?

CRESCENCE

Für den Vater Altenwyl natürlich noch mehr. Der Stani ist eine sehr nette Partie, aber nicht epatant. Darüber mach ich mir keine Illusionen. Aber wenn Er ihn appuyiert, Kari, ein Wort vom Ihm hat gerade für die alten Leut so viel Gewicht. Ich weiß gar nicht, woran das liegt.

HANS KARL

Ich gehör halt selbst schon bald zu ihnen.

CRESCENCE

Kokettier Er nicht mit seinem Alter. Wir zwei sind nicht alt und nicht jung. Aber ich hasse schiefe Positionen. Ich möcht schon lieber mit grauem Haar und einer Hornbrille dasitzen.

HANS KARL

Darum legt Sie sich zeitig aufs Heiratstiften.

CRESCENCE

Ich habe immer für Ihn tun wollen, Kari, schon vor zwölf Jahren. Aber Er hat immer diesen stillen obstinaten Widerspruch in sich gehabt.

HANS KARL

Meine gute Crescence!

CRESCENCE

Hundertmal hab ich Ihm gesagt: sag Er mir, was Er erreichen will, und ich nehms in die Hand.

HANS KARL

Ja, das hat Sie mir oft gesagt, weiß Gott, Crescence.

CRESCENCE

Aber man hat ja bei ihm nicht gewußt, woran man ist! *Hans Karl nickt.*

CRESCENCE

Und jetzt macht halt der Stani, was Er nicht hat machen wollen. Ich kann gar nicht erwarten, daß wieder kleine Kinder in Hohenbühl und in Göllersdorf herumlaufen.

HANS KARL

Und in den Schloßteich fallen! Weiß Sie noch, wie sie mich halbtot herausgezogen haben? Weiß Sie – ich hab manchmal die Idee, daß gar nichts Neues auf der Welt passiert.

CRESCENCE

Wie meint Er das?

HANS KARL

Daß alles schon längst irgendwo fertig dasteht und nur auf einmal erst sichtbar wird. Weißt du, wie im Hohenbühler Teich, wenn man im Herbst das Wasser abgelassen hat, auf einmal die Karpfen und die Schweife von den steinernen Tritonen da waren, die man früher kaum gesehen hat? Eine burleske Idee, was!

CRESCENCE

Ist Er denn auf einmal schlecht aufgelegt, Kari?

HANS KARL *gibt sich einen Ruck*

Im Gegenteil, Crescence. Ich danke euch so sehr als ich nur kann, Ihr und dem Stani, für das gute Tempo, das ihr mir gebt mit eurer Frische und eurer Entschiedenheit.
Er küßt ihr die Hand.

454

CRESCENCE

Findet Er, daß Ihm das gut tut, uns in der Nähe zu haben?

HANS KARL

Ich hab jetzt einen sehr guten Abend vor mir. Zuerst eine ernste Konversation mit der Toinette –

CRESCENCE

Aber das brauchen wir ja jetzt gar nicht!

HANS KARL

Ah, ich red doch mit ihr, jetzt hab ich es mir einmal vorgenommen, und dann soll ich also als Onkel vom Stani die gewissen seriosen Unterhaltungen anknüpfen.

CRESCENCE

Das Wichtigste ist, daß du ihn bei der Helen ins richtige Licht stellst.

HANS KARL

Da hab ich also ein richtiges Programm. Sieht Sie, wie Sie mich reformiert? Aber weiß Sie, vorher – ich hab eine Idee – vorher geh ich für eine Stunde in den Zirkus, da haben sie jetzt einen Clown – eine Art von dummen August –

CRESCENCE

Der Furlani, über den ist die Nanni ganz verrückt. Ich hab gar keinen Sinn für diese Späße.

HANS KARL

Ich find ihn delizios. Mich unterhält er viel mehr als die gescheiteste Konversation von Gott weiß wem. Ich freu mich rasend. Ich gehe in den Zirkus, dann esse ich einen Bissen in einem Restaurant, und dann komm ich sehr munter in die Soiree und absolvier mein Programm.

CRESCENCE

Ja, Er kommt und richtet dem Stani die Helen in die Hand, so was kann Er ja so gut. Er wäre doch ein so wunderbarer Botschafter geworden, wenn Er hätt wollen in der Karriere bleiben.

HANS KARL

Dazu ist es halt auch zu spät.

CRESCENCE

Also, amüsier Er sich gut und komme Er bald nach.

Hans Karl begleitet sie bis an die Tür, Crescence geht.

Neunzehnte Szene

Hans Karl kommt nach vorn.
Lukas ist mit ihm hereingetreten.

HANS KARL

Ich ziehe den Frack an. Ich werde gleich läuten.

LUKAS

Sehr wohl, Eure Erlaucht.

Hans Karl links ab.

Zwanzigste Szene

VINZENZ *tritt von rechts ein*

Was machen Sie da?

LUKAS

Ich warte auf das Glockenzeichen vom Toilettenzimmer, dann geh ich hinein helfen.

VINZENZ

Ich werde mit hineingehen. Es ist ganz gut, wenn ich mich an ihn gewöhne.

LUKAS

Es ist nicht befohlen, also bleiben Sie draußen.

VINZENZ *nimmt sich eine Zigarre*

Sie, das ist doch ganz ein einfacher, umgänglicher Mensch, die Verwandten machen ja mit ihm, was sie wollen. In einem Monat wickel ich ihn um den Finger.

Lukas schließt die Zigarren ein. Man hört eine Klingel. Lukas beeilt sich.

VINZENZ

Bleiben Sie nur noch. Er soll zweimal läuten.

Setzt sich in einen Fauteuil. Lukas ab in seinem Rücken.

VINZENZ *vor sich*

Liebesbriefe stellt er zurück, den Neffen verheiratet er, und er selber hat sich entschlossen, als ältlicher Junggeselle so dahinzuleben mit mir. Das ist genau, wie ich mirs vorgestellt habe.

Über die Schulter nach rückwärts, ohne sich umzudrehen

Sie, Herr Schätz, ich bin ganz zufrieden, da bleib ich!

Der Vorhang fällt.

ZWEITER AKT

Bei Altenwyls. Kleiner Salon im Geschmack des achtzehnten Jahrhunderts. Türen links, rechts und in der Mitte. Altenwyl mit Hans Karl eintretend von rechts. Crescence mit Helene und Neuhoff stehen links im Gespräch.

Erste Szene

ALTENWYL

Mein lieber Kari, ich rechne dir dein Kommen doppelt hoch an, weil du nicht Bridge spielst und also mit den bescheidenen Fragmenten von Unterhaltung vorliebnehmen willst, die einem heutzutag in einem Salon noch geboten werden. Du findest bekanntlich bei mir immer nur die paar alten Gesichter, keine Künstler und sonstige Zelebritäten – die Edine Merenberg ist ja außerordentlich unzufrieden mit dieser altmodischen Hausführung, aber weder meine Helen noch ich goutieren das Genre von Geselligkeit, was der Edine ihr Höchstes ist: wo sie beim ersten Löffel Suppe ihren Tischnachbar interpelliert, ob er an die Seelenwanderung glaubt, oder ob er schon einmal mit einem Fakir Bruderschaft getrunken hat.

CRESCENCE

Ich muß Sie dementieren, Graf Altenwyl, ich hab drüben an meinem Bridgetisch ein ganz neues Gesicht, und wie die Mariette Stradonitz mir zugewispelt hat, ist es ein weltberühmter Gelehrter, von dem wir noch nie was gehört haben, weil wir halt alle Analphabeten sind.

ALTENWYL

Der Professor Brücke ist in seinem Fach eine große Zele-

brität und mir ein lieber politischer Kollege. Er genießt
es außerordentlich, in einem Salon zu sein, wo er keinen
Kollegen aus der gelehrten Welt findet, sozusagen als der
einzige Vertreter des Geistes in einem rein sozialen
Milieu, und da ihm mein Haus diese bescheidene An-
nehmlichkeit bieten kann –

CRESCENCE
Ist er verheiratet?

ALTENWYL
Ich habe jedenfalls nie die Ehre gehabt, Madame Brücke
zu Gesicht zu bekommen.

CRESCENCE
Ich find die berühmten Männer odios, aber ihre Fraun
noch ärger. Darin bin ich mit dem Kari einer Meinung.
Wir schwärmen für triviale Menschen und triviale
Unterhaltungen, nicht, Kari?

ALTENWYL
Ich hab darüber meine altmodische Auffassung, die
Helen kennt sie.

CRESCENCE
Der Kari soll sagen, daß er mir recht gibt. Ich find,
neun Zehntel von dem, was unter der Marke von Geist
geht, ist nichts als Geschwätz.

NEUHOFF *zu Helene*
Sind Sie auch so streng, Gräfin Helene?

HELENE
Wir haben alle Ursache, wir jüngeren Menschen, wenn
uns vor etwas auf der Welt grausen muß, so davor: daß
es etwas gibt wie Konversation: Worte, die alles Wirkliche verflachen und im Geschwätz beruhigen.

CRESCENCE
Sag, daß du mir recht gibst, Kari!

HANS KARL
Ich bitte um Nachsicht. Der Furlani ist keine Vorberei-
tung darauf, etwas Gescheites zu sagen.

ALTENWYL
In meinen Augen ist Konversation das, was jetzt kein

Mensch mehr kennt: nicht selbst perorieren, wie ein Wasserfall, sondern dem andern das Stichwort bringen. Zu meiner Zeit hat man gesagt: wer zu mir kommt, mit dem muß ich die Konversation so führen, daß er, wenn er die Türschnallen in der Hand hat, sich gescheit vorkommt, dann wird er auf der Stiegen mich gescheit finden. — Heutzutag hat aber keiner, pardon für die Grobheit, den Verstand zum Konversationmachen und keiner den Verstand, seinen Mund zu halten — ah, erlaub, daß ich dich mit Baron Neuhoff bekannt mache, mein Vetter Graf Bühl.

NEUHOFF
Ich habe die Ehre, von Graf Bühl gekannt zu sein.

CRESCENCE *zu Altenwyl*
Alle diese gescheiten Sachen müßten Sie der Edine sagen — bei der geht der Kultus für die bedeutenden Menschen und die gedruckten Bücher ins Uferlose. Mir ist schon das Wort odios: bedeutende Menschen — es liegt so eine Präpotenz darin!

ALTENWYL
Die Edine ist eine sehr gescheite Frau, aber sie will immer zwei Fliegen auf einen Schlag erwischen: ihre Bildung vermehren und etwas für ihre Wohltätigkeitsgeschichten herausschlagen.

HELENE
Pardon, Papa, sie ist keine gescheite Frau, sie ist eine dumme Frau, die sich fürs Leben gern mit gescheiten Leuten umgeben möchte, aber dabei immer die falschen erwischt.

CRESCENCE
Ich wundere mich, daß sie bei ihrer rasenden Zerstreutheit nicht mehr Konfusionen anstellt.

ALTENWYL
Solche Wesen haben einen Schutzengel.

EDINE *tritt dazu durch die Mitteltür*
Ich seh, ihr sprechts von mir, sprechts nur weiter, geniert euch nicht.

CRESCENCE
Na, Edine, hast du den berühmten Mann schon kennengelernt?

EDINE

Ich bin wütend, Graf Altenwyl, daß Sie ihn ihr als Partner gegeben haben und nicht mir.

Setzt sich zu Crescence

Ihr habts keine Idee, wie ich mich für ihn interessier. Ich les doch die Bücher von die Leut. Von diesem Brückner hab ich erst vor ein paar Wochen ein dickes Buch gelesen.

NEUHOFF

Er heißt Brücke. Er ist der zweite Präsident der Akademie der Wissenschaften.

EDINE

In Paris?

NEUHOFF

Nein, hier in Wien.

EDINE

Auf dem Buch ist gestanden: Brückner.

CRESCENCE

Vielleicht war das ein Druckfehler.

EDINE

Es hat geheißen: Über den Ursprung aller Religionen. Da ist eine Bildung drin, und eine Tiefe! Und so ein schöner Stil!

HELENE

Ich werd ihn dir bringen, Tant Edine.

NEUHOFF

Wenn Sie erlauben, werde ich ihn suchen und ihn herbringen, sobald er pausiert.

EDINE

Ja, tun Sie das, Baron Neuhoff. Sagen Sie ihm, daß ich seit Jahren nach ihm fahnde.

Neuhoff geht links ab.

CRESCENCE

Er wird sich nichts Besseres verlangen, mir scheint, er ist ein ziemlicher —

EDINE

Sagts nicht immer gleich »snob«, der Goethe ist auch

vor jeder Fürstin und Gräfin – ich hätt bald was gsagt.

CRESCENCE
Jetzt ist sie schon wieder beim Goethe, die Edine!
Sieht sich nach Hans Karl um, der mit Helene nach rechts getreten ist.

HELENE *zu Hans Karl*
Sie haben ihn so gern, den Furlani?

HANS KARL
Für mich ist ein solcher Mensch eine wahre Rekreation.

HELENE
Macht er so geschickte Tricks?
*Sie setzt sich rechts, Hans Karl neben ihr. Crescence geht durch die
Mitte weg, Altenwyl und Edine haben sich links gesetzt.*

HANS KARL
Er macht gar keine Tricks. Er ist doch der dumme August!

HELENE
Also ein Wurstel?

HANS KARL
Nein, das wäre ja outriert! Er outriert nie, er karikiert
auch nie. Er spielt seine Rolle: er ist der, der alle begreifen, der allen helfen möchte und dabei alles in die größte
Konfusion bringt. Er macht die dümmsten Lazzi, die
Galerie kugelt sich vor Lachen, und dabei behält er eine
élégance, eine Diskretion, man merkt, daß er sich selbst
und alles, was auf der Welt ist, respektiert. Er bringt
alles durcheinander, wie Kraut und Rüben; wo er hin-
geht, geht alles drunter und drüber, und dabei möchte
man rufen: »Er hat ja recht!«

EDINE *zu Altenwyl*
Das Geistige gibt uns Frauen doch viel mehr Halt! Das
geht der Antoinette zum Beispiel ganz ab. Ich sag ihr
immer: sie soll ihren Geist kultivieren, das bringt einen
auf andere Gedanken.

ALTENWYL
Zu meiner Zeit hat man einen ganz anderen Maßstab an
die Konversation angelegt. Man hat doch etwas auf eine
schöne Replik gegeben, man hat sich ins Zeug gelegt,
um brillant zu sein.

EDINE

Ich sag: wenn ich Konversation mach, will ich doch
woanders hingeführt werden. Ich will doch heraus aus
der Banalität. Ich will doch wohintransportiert werden!

HANS KARL *zu Helene, in seiner Konversation fortfahrend*

Sehen Sie, Helen, alle diese Sachen sind ja schwer: die
Tricks von den Equilibristen und Jongleurs und alles —
zu allem gehört ja ein fabelhaft angespannter Wille und
direkt Geist. Ich glaube, mehr Geist, als zu den meisten
Konversationen. —

HELENE

Ah, das schon sicher.

HANS KARL

Absolut. Aber das, was der Furlani macht, ist noch um
eine ganze Stufe höher, als was alle andern tun. Alle
andern lassen sich von einer Absicht leiten und schauen
nicht rechts und nicht links, ja, sie atmen kaum, bis sie
ihre Absicht erreicht haben: darin besteht eben ihr
Trick. Er aber tut scheinbar nichts mit Absicht — er geht
immer auf die Absicht der anderen ein. Er möchte alles
mittun, was die andern tun, soviel guten Willen hat er,
so fasziniert ist er von jedem einzelnen Stückl, was
irgendeiner vormacht: wenn er einen Blumentopf auf
der Nase balanciert, so balanciert er ihn auch, sozusagen
aus Höflichkeit.

HELENE

Aber er wirft ihn hinunter?

HANS KARL

Aber wie er ihn hinunterwirft, darin liegts! Er wirft ihn
hinunter aus purer Begeisterung und Seligkeit darüber,
daß er ihn so schön balancieren kann! Er glaubt, wenn
mans ganz schön machen tät, müßts von selber gehen.

HELENE *vor sich*

Und das hält der Blumentopf gewöhnlich nicht aus und
fällt hinunter.

ALTENWYL *zu Edine*

Dieser Geschäftston heutzutage! Und ich bitte dich, auch
zwischen Männern und Frauen: dieses gewisse Zielbewußte in der Unterhaltung!

EDINE

Ja, das ist mir auch eine horreur! Man will doch ein bißl eine schöne Art, ein Versteckspielen —

ALTENWYL

Die jungen Leut wissen ja gar nicht mehr, daß die Sauce mehr wert ist als der Braten — da herrscht ja eine Direktheit!

EDINE

Weil die Leut zu wenig gelesen haben! Weil sie ihren Geist zu wenig kultivieren!
Sie sind im Reden aufgestanden und entfernen sich nach links.

HANS KARL *zu Helene*

Wenn man dem Furlani zuschaut, kommen einem die geschicktesten Clowns vulgär vor. Er ist förmlich schön vor lauter Nonchalance — aber natürlich gehört zu dieser Nonchalance genau das Doppelte wie zu den andern ihrer Anspannung.

HELENE

Ich begreif, daß Ihnen der Mensch sympathisch ist. Ich find auch alles, wo man eine Absicht merkt, die dahintersteckt, ein bißl vulgär.

HANS KARL

Oho, heute bin ich selber mit Absichten geladen, und diese Absichten beziehen sich auf Sie, Gräfin Helene.

HELENE *mit einem Zusammenziehen der Augenbrauen*

Oh, Gräfin Helene! Sie sagen »Gräfin Helene« zu mir?
Huberta erscheint in der Mitteltür und streift Hans Karl und Helene mit einem kurzen, aber indiskreten Blick.

HANS KARL *ohne Huberta zu bemerken*

Nein, im Ernst, ich muß Sie um fünf Minuten Konversation bitten — dann später, irgendwann — wir spielen ja beide nicht.

HELENE *etwas unruhig, aber sehr beherrscht*

Sie machen mir angst. Was können Sie mit mir zu reden haben? Das kann nichts Gutes sein.

HANS KARL

Wenn Sies präokkupiert, dann um Gottes willen nicht!
Huberta ist verschwunden.

HELENE *nach einer kleinen Pause*

Wann Sie wollen, aber später. Ich seh die Huberta, die sich langweilt. Ich muß zu ihr gehen.

Steht auf.

HANS KARL

Sie sind so delizios artig.

Ist auch aufgestanden.

HELENE

Sie müssen jetzt der Antoinette und den paar andern Frauen guten Abend sagen.

Sie geht von ihm fort, bleibt in der Mitteltür noch stehen

Ich bin nicht artig: ich spür nur, was in den Leuten vorgeht, und das belästigt mich — und da reagier ich dagegen mit égards, die ich für die Leut hab. Meine Manieren sind nur eine Art von Nervosität, mir die Leut vom Hals zu halten.

Sie geht. Hans Karl geht langsam ihr nach.

Zweite Szene

Neuhoff und der berühmte Mann sind gleichzeitig in der Tür links erschienen.

DER BERÜHMTE MANN *in der Mitte des Zimmers angelangt, durch die Tür rechts blickend*

Dort in der Gruppe am Kamin befindet sich jetzt die Dame, um deren Namen ich Sie fragen wollte.

NEUHOFF

Dort in Grau? Das ist die Fürstin Pergen.

DER BERÜHMTE MANN

Nein, die kenne ich seit langem. Die Dame in Schwarz.

NEUHOFF

Die spanische Botschafterin. Sind Sie ihr vorgestellt? Oder darf ich —

DER BERÜHMTE MANN

Ich wünsche sehr, ihr vorgestellt zu werden. Aber wir wollen es vielleicht in folgender Weise einrichten —

NEUHOFF *mit kaum merklicher Ironie*

Ganz wie Sie befehlen.

464

DER BERÜHMTE MANN
Wenn Sie vielleicht die Güte haben, der Dame zuerst
von mir zu sprechen, ihr, da sie eine Fremde ist, meine
Bedeutung, meinen Rang in der wissenschaftlichen Welt
und in der Gesellschaft klarzulegen — so würde ich mich
dann sofort nachher durch den Grafen Altenwyl ihr vorstellen lassen.

NEUHOFF
Aber mit dem größten Vergnügen.

DER BERÜHMTE MANN
Es handelt sich für einen Gelehrten meines Ranges nicht
darum, seine Bekanntschaften zu vermehren, sondern
in der richtigen Weise gekannt und aufgenommen zu
werden.

NEUHOFF
Ohne jeden Zweifel. Hier kommt die Gräfin Merenberg,
die sich besonders darauf gefreut hat, Sie kennenzulernen. Darf ich —

EDINE *kommt*
Ich freue mich enorm. Einen Mann dieses Ranges bitte
ich nicht mir vorzustellen, Baron Neuhoff, sondern mich
ihm zu präsentieren.

DER BERÜHMTE MANN *verneigt sich*
Ich bin sehr glücklich, Frau Gräfin.

EDINE
Es hieße Eulen nach Athen tragen, wenn ich Ihnen
sagen wollte, daß ich zu den eifrigsten Leserinnen Ihrer
berühmten Werke gehöre. Ich bis jedesmal hingerissen
von dieser philosophischen Tiefe, dieser immensen Bildung und diesem schönen Prosastil.

DER BERÜHMTE MANN
Ich staune, Frau Gräfin. Meine Arbeiten sind keine
leichte Lektüre. Sie wenden sich wohl nicht ausschließlich an ein Publikum von Fachgelehrten, aber sie setzen
Leser von nicht gewöhnlicher Verinnerlichung voraus.

EDINE
Aber gar nicht! Jede Frau sollte so schöne tiefsinnige

Bücher lesen, damit sie sich selbst in eine höhere Sphäre bringt: das sag ich früh und spät der Toinette Hechingen.

DER BERÜHMTE MANN

Dürfte ich fragen, welche meiner Arbeiten den Vorzug gehabt hat, Ihre Aufmerksamkeit zu erwecken?

EDINE

Aber natürlich das wunderbare Werk »Über den Ursprung aller Religionen«. Das hat ja eine Tiefe, und eine erhebende Belehrung schöpft man da heraus –

DER BERÜHMTE MANN *eisig*

Hm. Das ist allerdings ein Werk, von dem viel geredet wird.

EDINE

Aber noch lange nicht genug. Ich sag gerade zur Toinette, das müßte jede von uns auf ihrem Nachtkastl liegen haben.

DER BERÜHMTE MANN

Besonders die Presse hat ja für dieses Opus eine zügellose Reklame zu inszenieren gewußt.

EDINE

Wie können Sie das sagen! Ein solches Werk ist ja doch das Grandioseste –

DER BERÜHMTE MANN

Es hat mich sehr interessiert, Frau Gräfin, Sie gleichfalls unter den Lobrednern dieses Produktes zu sehen. Mir selbst ist das Buch allerdings unbekannt, und ich dürfte mich auch schwerlich entschließen, den Leserkreis dieses Elaborates zu vermehren.

EDINE

Wie? Sie sind nicht der Verfasser?

DER BERÜHMTE MANN

Der Verfasser dieser journalistischen Kompilation ist mein Fakultätsgenosse Brückner. Es besteht allerdings eine fatale Namensähnlichkeit, aber diese ist auch die einzige.

EDINE

Das sollte auch nicht sein, daß zwei berühmte Philosophen so ähnliche Namen haben.

DER BERÜHMTE MANN

Das ist allerdings bedauerlich, besonders für mich. Herr Brückner ist übrigens nichts weniger als Philosoph. Er ist Philologe, ich würde sagen, Salonphilologe, oder noch besser: philologischer Feuilletonist.

EDINE

Es tut mir enorm leid, daß ich da eine Konfusion gemacht habe. Aber ich hab sicher auch von Ihren berühmten Werken was zu Haus, Herr Professor. Ich les ja alles, was einen ein bißl vorwärtsbringt. Jetzt hab ich gerad ein sehr interessantes Buch über den »Semipelagianismus« und eines über die »Seele des Radiums« zu Hause liegen. Wenn Sie mich einmal in der Heugasse besuchen –

DER BERÜHMTE MANN *kühl*

Es wird mir eine Ehre sein, Frau Gräfin. Allerdings bin ich sehr in Anspruch genommen.

EDINE *wollte gehen, bleibt nochmals stehen*

Aber das tut mir ewig leid, daß Sie nicht der Verfasser sind! Jetzt kann ich Ihnen auch meine Frage nicht vorlegen! Und ich wäre jede Wette eingegangen, daß Sie der Einzige sind, der sie so beantworten könnte, daß ich meine Beruhigung fände.

NEUHOFF

Wollen Sie dem Herrn Professor nicht doch Ihre Frage vorlegen?

EDINE

Sie sind ja gewiß ein Mann von noch profunderer Bildung als der andere Herr.
Zu Neuhoff
Soll ich wirklich? Es liegt mir ungeheuer viel an der Auskunft. Ich würde fürs Leben gern eine Beruhigung finden.

DER BERÜHMTE MANN

Wollen sich Frau Gräfin nicht setzen?

EDINE

sich ängstlich umsehend, ob niemand hereintritt, dann schnell
Wie stellen Sie sich das Nirwana vor?

DER BERÜHMTE MANN
Hm. Diese Frage aus dem Stegreif zu beantworten, dürfte
allerdings Herr Brückner der richtige Mann sein.
Eine kleine Pause.

EDINE
Und jetzt muß ich auch zu meinem Bridge zurück. Auf
Wiedersehen, Herr Professor.
Ab.

DER BERÜHMTE MANN *sichtlich verstimmt*
Hm. –

NEUHOFF
Die arme gute Gräfin Edine! Sie dürfen ihr nichts übel-
nehmen.

DER BERÜHMTE MANN *kalt*
Es ist nicht das erste Mal, daß ich im Laienpublikum
ähnlichen Verwechslungen begegne. Ich bin nicht weit
davon, zu glauben, daß dieser Scharlatan Brückner mit
Absicht auf dergleichen hinarbeitet. Sie können kaum
ermessen, welche peinliche Erinnerung eine groteske
und schiefe Situation, wie die, in der wir uns soeben befunden haben, in meinem Innern hinterläßt. Das erbärmliche Scheinwissen, von den Trompetenstößen
einer bübischen Presse begleitet, auf den breiten Wellen
der Popularität hinsegeln zu sehen – sich mit dem kon-
fundiert zu sehen, wogegen man sich mit dem eisigen
Schweigen der Nichtachtung unverbrüchlich gewappnet
glaubte –

NEUHOFF
Aber wem sagen Sie das alles, mein verehrter Professor!
Bis in die kleine Nuance fühle ich Ihnen nach. Sich verkannt zu sehen in seinem Besten, früh und spät – das
ist das Schicksal –

DER BERÜHMTE MANN
In seinem Besten.

NEUHOFF
Genau die Seite verkannt zu sehen, auf die alles ankommt –

DER BERÜHMTE MANN
Sein Lebenswerk mit einem journalistischen –

NEUHOFF
Das ist das Schicksal –

DER BERÜHMTE MANN
Die in einer bübischen Presse –

NEUHOFF
– des ungewöhnlichen Menschen, sobald er sich der bana-
len Menschheit ausliefert, den Frauen, die im Grunde
zwischen einer leeren Larve und einem Mann von Bedeutung nicht zu unterscheiden wissen!

DER BERÜHMTE MANN
Den verhaßten Spuren der Pöbelherrschaft bis in den
Salon zu begegnen –

NEUHOFF
Erregen Sie sich nicht. Wie kann ein Mann Ihres Ranges – Nichts, was eine Edine Merenberg und tutti quanti
vorbringen, reicht nur entfernt an Sie heran.

DER BERÜHMTE MANN
Das ist die Presse, dieser Hexenbrei aus allem und allem!
Aber hier hätte ich mich davor sicher gehalten. Ich sehe,
ich habe die Exklusivität dieser Kreise überschätzt,
wenigstens was das geistige Leben anlangt.

NEUHOFF
Geist und diese Menschen! Das Leben – und diese Menschen! Alle diese Menschen, die Ihnen hier begegnen,
existieren ja in Wirklichkeit gar nicht mehr. Das sind
ja alles nur mehr Schatten. Niemand, der sich in diesen
Salons bewegt, gehört zu der wirklichen Welt, in der die
geistigen Krisen des Jahrhunderts sich entscheiden.
Sehen Sie doch um sich: eine Erscheinung wie die Figur
dort im nächsten Zimmer, vom Scheitel bis zur Sohle
sich balancierend in der Selbstsicherheit der unbegrenz-
ten Trivialität – von Frauen und Mädchen umlagert –
Kari Bühl.

DER BERÜHMTE MANN
Ist das Graf Bühl?

NEUHOFF
Er selbst, der berühmte Kari.

DER BERÜHMTE MANN

Ich habe bis jetzt keine Gelegenheit gehabt, ihn kennenzulernen. Sind Sie befreundet mit Ihm?

NEUHOFF

Nicht allzusehr, aber hinlänglich, um ihn Ihnen in zwei
Worten erschöpfend zu charakterisieren: absolutes, an-
maßendes Nichts.

DER BERÜHMTE MANN

Er hat einen außerordentlichen Rang innerhalb der
ersten Gesellschaft. Er gilt für eine Persönlichkeit.

NEUHOFF

Es ist nichts an ihm, das der Prüfung standhielte. Rein
gesellschaftlich goutiere ich ihn halb aus Gewohnheit;
aber Sie haben weniger als nichts verloren, wenn Sie ihn
nicht kennenlernen.

DER BERÜHMTE MANN *sieht unverwandt hin*

Ich würde mich sehr interessieren, seine Bekanntschaft
zu machen. Glauben Sie, daß ich mir etwas vergebe,
wenn ich mich ihm nähere?

NEUHOFF

Sie werden Ihre Zeit mit ihm verlieren, wie mit allen
diesen Menschen hier.

DER BERÜHMTE MANN

Ich würde großes Gewicht darauf legen, mit Graf Bühl
in einer wirkungsvollen Weise bekannt gemacht zu
werden, etwa durch einen seiner vertrauten Freunde.

NEUHOFF

Zu diesen wünsche ich nicht gezählt zu werden, aber
ich werde Ihnen das besorgen.

DER BERÜHMTE MANN

Sie sind sehr liebenswürdig. Oder meinen Sie, daß ich
mir nichts vergeben würde, wenn ich mich ihm spontan
nähern würde?

NEUHOF

Sie erweisen dem guten Kari in jedem Fall zuviel Ehre,
wenn Sie ihn so ernst nehmen.

DER BERÜHMTE MANN

Ich verhehle nicht, daß ich großes Gewicht darauf lege,

das feine und unbestechliche Votum der großen Welt den Huldigungen beizufügen, die meinem Wissen im breiten internationalen Laienpublikum zuteil geworden sind, und in denen ich die Abendröte einer nicht alltäglichen Gelehrtenlaufbahn erblicken darf.

Sie gehen ab.

Dritte Szene

Antoinette mit Edine, Nanni und Huberta sind indessen in der Mitteltür erschienen und kommen nach vorne.

ANTOINETTE

So sagts mir doch was, so gebts mir doch einen Rat, wenn ihr sehts, daß ich so aufgeregt bin. Da mach ich doch die irreparablen Dummheiten, wenn man mir nicht beisteht.

EDINE

Ich bin dafür, daß wir sie lassen. Sie muß wie zufällig ihm begegnen. Wenn wir sie alle convoyieren, so verscheuchen wir ihn ja geradezu.

HUBERTA

Er geniert sich nicht. Wenn er mit ihr allein reden wollt, da wären wir Luft für ihn.

ANTOINETTE

So setzen wir uns daher. Bleibts alle bei mir, aber nicht auffällig.

Sie haben sich gesetzt.

NANNI

Wir plauschen hier ganz unbefangen: vor allem darfs nicht ausschauen, als ob du ihm nachlaufen tätest.

ANTOINETTE

Wenn man nur das Raffinement von der Helen hätt, die lauft ihm nach auf Schritt und Tritt, und dabei schauts aus, als ob sie ihm aus dem Weg ging'.

EDINE

Ich wär dafür, daß wir sie lassen, und daß sie ganz wie wenn nichts wär auf ihn zuging'.

471

HUBERTA

In dem Zustand wie sie ist, kann sie doch nicht auf ihn zugehen wie wenn nichts wär.

ANTOINETTE *dem Weinen nah*

Sagts mir doch nicht, daß ich in einem Zustand bin! Lenkts mich doch ab von mir! Sonst verlier ich ja meine ganze Contenance. Wenn ich nur wen zum Flirten da hätt!

NANNI *will aufstehen*

Ich hol ihr den Stani her.

ANTOINETTE

Der Stani tät mir nicht *so* viel nützen. Sobald ich weiß, daß der Kari wo in einer Wohnung ist, existieren die andern nicht mehr für mich.

HUBERTA

Der Feri Uhlfeldt tät vielleicht doch noch existieren.

ANTOINETTE

Wenn die Helen in meiner Situation wär, die wüßt sich zu helfen, Sie macht sich mit der größten Unverfrorenheit einen Paravent aus dem Theophil, und dahinter operiert sie.

HUBERTA

Aber sie schaut ja den Theophil gar nicht an, sie is ja die ganze Zeit hinterm Kari her.

ANTOINETTE

Sag mir das noch, damit mir die Farb ganz aus'm G'sicht geht.
Steht auf
Redt er denn mit ihr?

HUBERTA

Natürlich redt er mit ihr.

ANTOINETTE

Immerfort?

HUBERTA

Sooft ich hingschaut hab.

ANTOINETTE

O mein Gott, wenn du mir lauter unangenehme Sachen sagst, so werd ich ja so häßlich werden!
Sie setzt sich wieder.

NANNI *will aufstehen*
Wenn dir deine drei Freundinnen zuviel sind, so laß
uns fort, ich spiel ja auch sehr gern.

ANTOINETTE
So bleibts doch hier, so gebts mir doch einen Rat, so sagts
mir doch, was ich tun soll.

HUBERTA
Wenn sie ihm vor einer Stunde die Jungfer ins Haus geschickt hat, so kann sie jetzt nicht die Hochmütige spielen.

NANNI
Umgekehrt sag ich. Sie muß tun, als ob er ihr egal wär.
Das weiß ich vom Kartenspielen: wenn man die Karten
leichtsinnig in die Hand nimmt, dann kommt's Glück.
Man muß sich immer die innere Überlegenheit mena-
gieren.

ANTOINETTE
Mir is grad zumut, wie wenn ich die Überlegene wär!

HUBERTA
Du behandelst ihn aber ganz falsch, wenn du dich so aus
der Hand gibst.

EDINE
Wenn sie sich nur eine Direktive geben ließ'! Ich kenn
doch den Männern ihren Charakter.

HUBERTA
Weißt Edine, die Männer haben recht verschiedene
Charaktere.

ANTOINETTE
Das Gescheiteste wär, ich fahr nach Haus.

NANNI
Wer wird denn die Karten wegschmeißen, solang er noch
eine Chance in der Hand hat.

EDINE
Wenn sie sich nur ein vernünftiges Wort sagen ließe.
Ich hab ja einen solchen Instinkt für solche psychologi-
sche Sachen. Es wär ja absolut zu machen, daß die Ehe
annulliert wird, sie ist eben unter einem moralischen
Zwang gestanden die ganzen Jahre, und dann, wenn sie

473

annulliert ist, so heirat' sie ja der Kari, wenn die Sache
halbwegs richtig eingefädelt wird.

HUBERTA *die nach rechts gesehen hat*
Pst!

ANTOINETTE *fährt auf*
Kommt er? Mein Gott, wie mir die Knie zittern.

HUBERTA
Die Crescence kommt. Nimm dich zusammen.

ANTOINETTE *vor sich*
Lieber Gott, ich kann sie nicht ausstehen, sie mich auch
nicht, aber ich will jede Bassesse machen, weil sie ja
seine Schwester is.

Vierte Szene

CRESCENCE *kommt von rechts*
Grüß euch Gott, was machts ihr denn? Die Toinette
schaut ja ganz zerbeutelt aus. Sprechts ihr denn nicht?
So viele junge Frauen! Da hätt der Stani halt nicht in
den Klub gehen dürfen, wie?

ANTOINETTE *mühsam*
Wir unterhalten uns vorläufig ohne Herren sehr gut.

CRESCENCE *ohne sich zu setzen*
Was sagts ihr, wie famos die Helen heut ausschaut? Die
wird doch als junge Frau eine allure haben, daß überhaupt niemand gegen sie aufkommt!

HUBERTA
Is die Helen auf einmal so in der Gnad bei dir?

CRESCENCE
Ihr seids auch herzig. Die Antoinette soll sich ein bißl
schonen. Sie schaut ja aus, als ob sie drei Nächt nicht
geschlafen hätt.
Im Gehen
Ich muß dem Poldo Altenwyl sagen, wie brillant ich die
Helen heut find.

Ab.

Fünfte Szene

ANTOINETTE
Herr Gott, jetzt hab ichs ja schriftlich, daß der Kari die Helen heiraten will.

EDINE
Wieso denn?

ANTOINETTE
Spürts ihrs denn nicht,wie sie für die zukünftige Schwägerin ins Zeug geht?

NANNI
Aber geh, bring dich nicht um nichts und wieder nichts hinein in die Verzweiflung. Er wird gleich bei der Tür hereinkommen.

ANTOINETTE
Wenn er in so einem Moment hereinkommt, bin ich ja ganz —
Bringt ihr kleines Tuch vor die Augen
— verloren. —

HUBERTA
So gehen wir. Inzwischen beruhigt sie sich.

ANTOINETTE
Nein, gehts ihr zwei und schauts, ob er wieder mit der Helen redt, und störts ihn dabei. Ihr habts mich ja oft genug gestört, wenn ich so gern mit ihm allein gewesen wär. Und die Edine bleibt bei mir.
Alle sind aufgestanden, Huberta und Nanni gehen ab.

Sechste Szene

Antoinette und Edine setzen sich links rückwärts.

EDINE
Mein liebes Kind, du hast diese ganze Geschichte mit dem Kari vom ersten Moment falsch angepackt.

ANTOINETTE
Woher weißt denn du das?

EDINE

Das weiß ich von der Mademoiselle Feydeau, die hat mir haarklein alles erzählt, wie du die ganze Situation in der Grünleiten schon verfahren hast.

ANTOINETTE

Diese mißgünstige Tratschen, was weiß denn die!

EDINE

Aber sie kann doch nichts dafür, wenn sie dich hat mit die nackten Füß über die Stiegen runterlaufen gehört, und gesehen mit offene Haar im Mondschein mit ihm spazierengehn. — Du hast eben die ganze Gschicht von Anfang an viel zu terre à terre angepackt. Die Männer sind ja natürlich sehr terre à terre, aber deswegen muß eben von unserer Seiten etwas Höheres hineingebracht werden. Ein Mann wie der Kari Bühl aber ist sein Leben lang keiner Person begegnet, die ein bißl einen Idealismus in ihn hineingebracht hätte. Und darum ist er selbst nicht imstand, in eine Liebschaft was Höheres hineinzubringen, und so geht das vice versa. Wenn du mich in der ersten Zeit ein bißl um Rat gefragt hättest, wenn du dir hättest ein paar Direktiven geben lassen, ein paar Bücher empfehlen lassen — so wärst du heut seine Frau!

ANTOINETTE

Geh, ich bitt dich, Edine, agacier mich nicht.

Siebente Szene

HUBERTA *erscheint in der Tür*

Also: der Kari kommt. Er sucht dich.

ANTOINETTE

Jesus Maria!
Sie sind aufgestanden.

NANNI *die rechts hinausgeschaut hat*

Da kommt die Helen aus dem andern Salon.

ANTOINETTE

Mein Gott, gerade in dem Moment, auf den alles ankommt, muß sie daherkommen und mir alles verderben.

So tuts doch was dagegen. So gehts ihr doch entgegen.
So halts sie doch weg, vom Zimmer da!

HUBERTA
Bewahr doch ein bißchen deine Contenance.

NANNI
Wir gehen einfach unauffällig dort hinüber.

Achte Szene

HELENE *tritt ein von rechts*
Ihr schauts ja aus, als ob ihr gerade von mir gesprochen
hättets.
Stille
Unterhalts ihr euch? Soll ich euch Herren hereinschik-
ken?

ANTOINETTE *auf sie zu, fast ohne Selbstkontrolle*
Wir unterhalten uns famos, und du bist ein Engel, mein
Schatz, daß du dich um uns umschaust. Ich hab dir noch
gar nicht guten Abend gesagt. Du schaust schöner aus
als je.
Küßt sie
Aber laß uns nur und geh wieder.

HELENE
Stör ich euch? So geh ich halt wieder.
Geht.

Neunte Szene

ANTOINETTE *streicht sich über die Wange, als wollte sie den Kuß
abstreifen*
Was mach ich denn? Was laß ich mich denn von ihr
küssen? Von dieser Viper, dieser falschen!

HUBERTA
So nimm dich ein bißl zusammen.

Zehnte Szene

Hans Karl ist von rechts eingetreten.

ANTOINETTE *nach einem kurzen Stummsein, Sichducken, rasch auf ihn zu, ganz dicht an ihn*

Ich habe die Briefe genommen und verbrannt. Ich bin keine sentimentale Gans, als die mich meine Agathe hinstellt, daß ich mich über alte Briefe totweinen könnt. Ich hab einmal nur das, was ich im Moment hab, und was ich nicht hab, will ich vergessen. Ich leb nicht in der Vergangenheit, dazu bin ich nicht alt genug.

HANS KARL

Wollen wir uns nicht setzen?

Führt sie zu den Fauteuils.

ANTOINETTE

Ich bin halt nicht schlau. Wenn man nicht raffiniert ist, dann hat man nicht die Kraft, einen Menschen zu halten, wie Sie einer sind. Denn Sie sind *ein* Genre mit Ihrem Vetter Stani. Das möchte ich Ihnen sagen, damit Sie es wissen. Ich kenn euch. Monstros selbstsüchtig und grenzenlos unzart.

Nach einer kleinen Pause

So sagen Sie doch was!

HANS KARL

Wenn Sie erlauben würden, so möchte ich versuchen, Sie an damals zu erinnern —

ANTOINETTE

Ah, ich laß mich nicht malträtieren. — Auch nicht von jemandem, der mir früher einmal nicht gleichgültig war.

HANS KARL

Sie waren damals, ich meine vor zwei Jahren, Ihrem Mann momentan entfremdet. Sie waren in der großen Gefahr, in die Hände von einem Unwürdigen zu fallen. Da ist jemand gekommen — der war — zufällig ich. Ich wollte Sie — beruhigen — das war mein einziger Gedanke — Sie der Gefahr entziehen — von der ich Sie bedroht gewußt — oder gespürt hab. Das war eine Verkettung

478

von Zufällen – eine Ungeschicklichkeit – ich weiß nicht,
wie ich es nennen soll –

ANTOINETTE
Diese paar Tage damals in der Grünleiten sind das einzige wirklich Schöne in meinem ganzen Leben. Die laß
ich nicht – Die Erinnerung daran laß ich mir nicht
heruntersetzen.
Steht auf.

HANS KARL *leise*
Aber ich hab ja alles so lieb. Es war ja so schön.
Antoinette setzt sich, mit einem ängstlichen Blick auf ihn.

HANS KARL
Es war ja so schön!

ANTOINETTE
»Das war zufällig ich.« Damit wollen Sie mich insultieren. Sie sind draußen zynisch geworden. Ein zyni-
scher Mensch, das ist das richtige Wort. Sie haben die
Nuance verloren für das Mögliche und das Unmögliche.
Wie haben Sie gesagt? Es war eine»Ungeschicklichkeit«
von Ihnen? Sie insultieren mich ja in einem fort.

HANS KARL
Es ist draußen viel für mich anders geworden. Aber
zynisch bin ich nicht geworden. Das Gegenteil, Antoinette. Wenn ich an unsern Anfang denke, so ist mir das
etwas so Zartes, so Mysterioses, ich getraue mich kaum,
es vor mir selbst zu denken. Ich möchte mich fragen:
Wie komm ich denn dazu? Hab ich denn dürfen? Aber
Sehr leise
ich bereu nichts.

ANTOINETTE *senkt die Augen*
Aller Anfang ist schön.

HANS KARL
In jedem Anfang liegt die Ewigkeit.

ANTOINETTE *ohne ihn anzusehen*
Sie halten au fond alles für möglich und alles für erlaubt.
Sie wollen nicht sehen, wie hilflos ein Wesen ist, über
das Sie hinweggehen – wie preisgegeben, denn das würde
vielleicht Ihr Gewissen aufwecken.

HANS KARL

Ich habe keins.

Antoinette sieht ihn an.

HANS KARL

Nicht in bezug auf uns.

ANTOINETTE

Jetzt war ich das und das von Ihnen – und weiß in diesem
Augenblick so wenig, woran ich mit Ihnen bin, als wenn
nie was zwischen uns gewesen wär. Sie sind ja fürchterlich.

HANS KARL

Nichts ist bös. Der Augenblick ist nicht bös, nur das Fest-
halten-Wollen ist unerlaubt. Nur das Sich-Festkrampeln
an das, was sich nicht halten läßt –

ANTOINETTE

Ja, wir leben halt nicht nur wie die gewissen Fliegen
vom Morgen bis zur Nacht. Wir sind halt am nächsten
Tag auch noch da. Das paßt euch halt schlecht, solchen
wie du einer bist.

HANS KARL

Alles was geschieht, das macht der Zufall. Es ist nicht
zum Ausdenken, wie zufällig wir alle sind, und wie uns
der Zufall zueinanderjagt und auseinanderjagt, und
wie jeder mit jedem hausen könnte, wenn der Zufall es
wollte.

ANTOINETTE

Ich will nicht –

HANS KARL *spricht weiter, ohne ihren Widerstand zu respektieren*

Darin ist aber so ein Grausen, daß der Mensch etwas hat
finden müssen, um sich aus diesem Sumpf herauszu-
ziehen, bei seinem eigenen Schopf. Und so hat er das
Institut gefunden, das aus dem Zufälligen und Unreinen
das Notwendige, das Bleibende und das Gültige macht:
die Ehe.

ANTOINETTE

Ich spür, du willst mich verkuppeln mit meinem Mann.
Es war nicht ein Augenblick, seitdem du hiersitzt, wo
ich hätte mich foppen lassen und es nicht gespürt hätte.
Du nimmst dir wirklich alles heraus, du meinst schon,

daß du alles darfst, zuerst verführen, dann noch beleidigen.

HANS KARL

Ich bin kein Verführer, Toinette, ich bin kein Frauenjäger.

ANTOINETTE

Ja, das ist dein Kunststückl, damit hast du mich herumgekriegt, daß du kein Verführer bist, kein Mann für Frauen, daß du nur ein Freund bist, aber ein wirklicher Freund.Damit kokettierst du, so wie du mit allem kokettierst, was du hast, und mit allem, was dir fehlt. Man müßte, wenns nach dir ging', nicht nur verliebt in dich sein, sondern dich noch liebhaben über die Vernunft hinaus, und um deiner selbst willen, und nicht einmal nur als Mann – sondern – ich weiß ja gar nicht, wie ich sagen soll, o mein Gott, warum muß ein und derselbe Mensch so charmant sein und zugleich so monstros eitel und selbstsüchtig und herzlos!

HANS KARL

Weiß Sie, Toinette, was Herz ist, weiß Sie das? Daß ein Mann Herz für eine Frau hat, das kann er nur durch eins zeigen, nur durch ein einziges auf der Welt: durch die Dauer, durch die Beständigkeit. Nur dadurch: das ist die Probe, die einzige.

ANTOINETTE

Laß mich mit dem Ado – ich kann mit dem Ado nicht leben –

HANS KARL

Der hat dich lieb. Einmal und für alle Male. Der hat dich gewählt unter allen Frauen auf der Welt, und er hat dich liebbehalten und wird dich liebhaben für immer, weißt du, was das heißt? Für immer, gescheh dir, was da will. Einen Freund haben, der dein ganzes Wesen liebhat, für den du immer ganz schön bist, nicht nur heut und morgen, auch später, viel später, für den seine Augen der Schleier, den die Jahre, oder was kommen kann, über dein Gesicht werfen – für seine Augen ist das nicht da, du bist immer die du bist, die Schönste, die Liebste, die Eine, die Einzige.

ANTOINETTE

So hat er mich nicht gewählt. Geheiratet hat er mich halt. Von dem andern weiß ich nichts.

HANS KARL

Aber er weiß davon.

ANTOINETTE

Das, was Sie da reden, das gibts alles nicht. Das redet er sich ein – das redet er Ihnen ein – Ihr seids einer wie der andere, ihr Männer, Sie und der Ado und der Stani, ihr seids alle aus einem Holz geschnitzt, und darum versteht ihr euch so gut und könnts euch so gut in die Hände spielen.

HANS KARL

Das redt er mir nicht ein, das weiß ich, Toinette. Das ist eine heilige Wahrheit, die weiß ich – ich muß sie immer schon gewußt haben, aber draußen ist sie erst ganz deutlich für mich geworden: es gibt einen Zufall, der macht scheinbar alles mit uns, wie er will – aber mitten in dem Hierhin- und Dorthingeworfenwerden und der Stumpfheit und Todesangst, da spüren wir und wissen es auch, es gibt halt auch eine Notwendigkeit, die wählt uns von Augenblick zu Augenblick, die geht ganz leise, ganz dicht am Herzen vorbei und doch so schneidend scharf wie ein Schwert. Ohne die wäre da draußen kein Leben mehr gewesen, sondern nur ein tierisches Dahintaumeln. Und die gleiche Notwendigkeit gibts halt auch zwischen Männern und Frauen – wo die ist, da ist ein Zueinandermüssen und Verzeihung und Versöhnung und Beieinanderbleiben. Und da dürfen Kinder sein, und da ist eine Ehe und ein Heiligtum, trotz allem und allem –

ANTOINETTE *steht auf*

Alles was du redst, das heißt ja garnichts anderes, als daß du heiraten willst, daß du demnächst die Helen heiraten wirst.

HANS KARL *bleibt sitzen, hält sie*

Aber ich denk doch nicht an die Helen! Ich red doch von dir. Ich schwör dir, daß ich von dir red.

ANTOINETTE

Aber dein ganzes Denken dreht sich um die Helen.

482

HANS KARL

Ich schwör dir: ich hab einen Auftrag an die Helen.
Ganz einen andern als du dir denkst. Ich sag ihr noch
heute –

ANTOINETTE

Was sagst du ihr noch heute – ein Geheimnis?

HANS KARL

Keines, das mich betrifft.

ANTOINETTE

Aber etwas, das dich mit ihr verbindet?

HANS KARL

Aber das Gegenteil!

ANTOINETTE

Das Gegenteil! Ein Adieu – du sagst ihr, was ein Adieu
ist zwischen dir und ihr?

HANS KARL

Zu einem Adieu ist kein Anlaß, denn es war ja nie etwas
zwischen mir und ihr. Aber wenns Ihr Freud macht,
Toinette, so kommts beinah auf ein Adieu hinaus.

ANTOINETTE

Ein Adieu fürs Leben?

HANS KARL

Ja, fürs Leben, Toinette.

ANTOINETTE *sieht ihn ganz an*

Fürs Leben?

Nachdenklich

Ja, sie ist so eine Heimliche und tut nichts zweimal und
redt nichts zweimal. Sie nimmt nichts zurück – sie hat
sich in der Hand: ein Wort muß für sie entscheidend
sein. Wenn du ihr sagst: Adieu – dann wirds für sie ein
Adieu und auf immer. Für sie wohl.

Nach einer kleinen Pause

Ich laß mir von dir den Ado nicht einreden. Ich mag
seine Hand nicht. Sein Gesicht nicht. Seine Ohren nicht.

Sehr leise

Deine Hände hab ich lieb. – Was bist denn du? Ja,wer

483

bist denn du? Du bist ein Zyniker, ein Egoist, ein Teufel bist du! Mich sitzenlassen ist dir zu gewöhnlich. Mich behalten, dazu bist du zu herzlos. Mich hergeben, dazu bist du zu raffiniert. So willst du mich zugleich loswerden und doch in deiner Macht haben, und dazu ist dir der Ado der Richtige. – Geh hin und heirat die Helen. Heirat, wenn du willst! Ich hab mit deiner Verliebtheit was anzufangen, mit deinen guten Ratschlägen aber gar nix. *Will gehen. Hans Karl tut einen Schritt auf sie zu.*

ANTOINETTE

Laß Er mich gehen.

Sie geht ein paar Schritte, dann halb zu ihm gewendet

Was soll denn jetzt aus mir werden? Red Er mir nur den Feri Uhlfeld aus, der hat so viel Kraft, wenn er was will. Ich hab gesagt, ich mag ihn nicht, er hat gesagt, ich kann nicht wissen, wie er als Freund ist, weil ich ihn noch nicht als Freund gehabt hab. Solche Reden verwirren einen so.

Halb unter Tränen, zart

Jetzt wird Er an allem schuld sein, was mir passiert.

HANS KARL

Sie braucht eins in der Welt: einen Freund. Einen guten Freund.

Er küßt ihr die Hände

Sei Sie gut mit dem Ado.

ANTOINETTE

Mit dem kann ich nicht gut sein.

HANS KARL

Sie kann mit jedem.

ANTOINETTE *sanft*

Kari, insultier Er mich doch nicht.

HANS KARL

Versteh Sie doch, wie ich meine.

ANTOINETTE

Ich versteh Ihn ja sonst immer gut.

HANS KARL

Könnt Sies nicht versuchen?

ANTOINETTE
Ihm zulieb könnt ichs versuchen. Aber Er müßt dabei sein und mir helfen.

HANS KARL
Jetzt hat Sie mir ein halbes Versprechen gegeben.

Elfte Szene

Der berühmte Mann ist von rechts eingetreten, sucht sich Hans Karl zu nähern, die beiden bemerken ihn nicht.

ANTOINETTE
Er hat mir was versprochen.

HANS KARL
Für die erste Zeit.

ANTOINETTE *dicht bei ihm*
Mich liebhaben!

DER BERÜHMTE MANN
Pardon, ich störe wohl.
Schnell ab.

HANS KARL *dicht bei ihr*
Das tu ich ja.

ANTOINETTE
Sag Er mir sehr was Liebes: nur für den Moment. Der Moment ist ja alles. Ich kann nur im Moment leben. Ich hab so ein schlechtes Gedächtnis.

HANS KARL
Ich bin nicht verliebt in Sie, aber ich hab Sie lieb.

ANTOINETTE
Und das, was Er der Helen sagen wird, ist ein Adieu?

HANS KARL
Ein Adieu.

ANTOINETTE
So verhandelt Er mich, so verkauft Er mich.

HANS KARL
Aber Sie war mir doch noch nie so nahe!

ANTOINETTE

Er wird oft zu mir kommen, mir zureden? Er kann mir
ja alles einreden.

Hans Karl küßt sie auf die Stirn, fast ohne es zu wissen.

ANTOINETTE

Dank schön.

Läuft weg durch die Mitte.

HANS KARL *steht verwirrt, sammelt sich*

Arme, kleine Antoinette.

Zwölfte Szene

CRESCENCE *kommt durch die Mitte, sehr rasch*

Also brillant hast du das gemacht. Das ist ja erste Klasse,
wie du so was deichselst.

HANS KARL

Wie? Aber du weißt doch gar nicht.

CRESCENCE

Was brauch ich noch zu wissen. Ich weiß alles. Die Antoinette hat die Augen voller Tränen, sie stürzt an mir
vorbei, sowie sie merkt, daß ichs bin, fällt sie mir um
den Hals und ist wieder dahin wie der Wind, das sagt
mir doch alles. Du hast ihr ins Gewissen geredet, du hast
ihr besseres Selbst aufgeweckt, du hast ihr klargemacht,
daß sie sich auf den Stani keine Hoffnungen mehr
machen darf, und du hast ihr den einzigen Ausweg aus
der verfahrenen Situation gezeigt, daß sie zu ihrem Mann
zurück soll und trachten soll, ein anständiges, ruhiges
Leben zu führen.

HANS KARL

Ja, so ungefähr. Aber es hat sich im Detail nicht so ab-
gespielt. Ich hab nicht deine zielbewußte Art. Ich komm
leicht von meiner Linie ab, das muß ich schon gestehen.

CRESCENCE

Aber das ist doch ganz egal. Wenn du in so einem Tempo
ein so brillantes Resultat erzielst, jetzt, wo du in dem
Tempo drin bist, kann ich gar nicht erwarten, daß du die
zwei Konversationen mit der Helen und mit dem Poldo

Altenwyl absolvierst. Ich bitte dich, geh sie nur an, ich halt dir die Daumen, denk doch nur, daß dem Stani sein Lebensglück von deiner Suada abhängt.

HANS KARL

Sei außer Sorg, Crescence, ich hab jetzt grad während dem Reden mit der Antoinette Hechingen so die Hauptlinien gesehen für meine Konversation mit der Helen. Ich bin ganz in der Stimmung. Weißt du, das ist ja meine Schwäche, daß ich so selten das Definitive vor mir sehe: aber diesmal seh ichs.

CRESCENCE

Siehst du, das ist das Gute, wenn man ein Programm hat. Da kommt ein Zusammenhang in die ganze Geschichte. Also komm nur: wir suchen zusammen die Helen, sie muß ja in einem von den Salons sein, und sowie wir sie finden, laß ich dich allein mit ihr. Und sobald wir ein Resultat haben, stürz ich ans Telephon und depeschier den Stani hierher.

Dreizehnte Szene

Crescence und Hans Karl gehen links hinaus.
Helene mit Neuhoff treten rechts herein. Man hört eine gedämpfte Musik aus einem entfernten Salon

NEUHOFF *hinter ihr*

Bleiben Sie stehen. Diese nichtsnutzige, leere, süße Musik und dieses Halbdunkel modellieren Sie wunderbar.

HELENE *ist stehengeblieben, geht aber jetzt weiter auf die Fauteuils links zu*

Ich stehe nicht gern Modell, Baron Neuhoff.

NEUHOFF

Auch nicht, wenn ich die Augen schließe?
Helene sagt nichts, sie steht links.

NEUHOFF

Ihr Wesen, Helene! Wie niemand je war, sind Sie. Ihre Einfachheit ist das Resultat einer ungeheuren Anspannung. Regungslos wie eine Statue vibrieren Sie in sich,

niemand ahnt es, der es aber ahnt, der vibriert mit Ihnen.
Helene sieht ihn an, setzt sich.

NEUHOFF *nicht ganz nahe*
Wundervoll ist alles an Ihnen. Und dabei, wie alles
Hohe, fast erschreckend selbstverständlich.

HELENE
Ist Ihnen das Hohe selbstverständlich? Das war ein nobler Gedanke.

NEUHOFF
Vielleicht könnte man seine Frau werden – das war es,
was Ihre Lippen sagen wollten, Helene!

HELENE
Lesen Sie von den Lippen wie die Taubstummen?

NEUHOFF *einen Schritt näher*
Sie werden mich heiraten, weil Sie meinen Willen
spüren in einer willenlosen Welt.

HELENE *vor sich*
Muß man? Ist es ein Gebot, dem eine Frau sich fügen
muß: wenn sie gewählt und gewollt wird?

NEUHOFF
Es gibt Wünsche, die nicht weither sind. Die darf man
unter seine schönen rassigen Füße treten. Der meine ist
weither. Er ist gewandert um die halbe Welt. Hier fand
er sein Ziel. Sie wurden gefunden, Helene Altenwyl,
vom stärksten Willen, auf dem weitesten Umweg, in der
kraftlosesten aller Welten.

HELENE
Ich bin aus ihr und bin nicht kraftlos.

NEUHOFF
Ihr habt dem schönen Schein alles geopfert, auch die
Kraft. Wir, dort in unserm nordischen Winkel, wo uns
die Jahrhunderte vergessen, wir haben die Kraft behalten. So stehen wir gleich zu gleich und doch ungleich zu
ungleich, und aus dieser Ungleichheit ist mir mein Recht
über Sie erwachsen.

HELENE
Ihr Recht?

488

NEUHOFF

Das Recht des geistig Stärksten über die Frau, die er zu vergeistigen vermag.

HELENE

Ich mag nicht diese mystischen Redensarten.

NEUHOFF

Es waltet etwas Mystik zwischen zwei Menschen, die sich auf den ersten Blick erkannt haben. Ihr Stolz soll es nicht verneinen.

HELENE, *sie ist aufgestanden*

Er verneint es immer wieder.

NEUHOFF

Helene, bei Ihnen wäre meine Rettung – meine Zusammenfassung, meine Ermöglichung!

HELENE

Ich will von niemand wissen, der sein Leben unter solche Bedingungen stellt!
Sie tut ein paar Schritte an ihm vorbei; ihr Blick haftet an der offenen Tür rechts, wo sie eingetreten ist.

NEUHOFF

Wie Ihr Gesicht sich verändert! Was ist das, Helene?
Helene schweigt, sieht nach rechts.

NEUHOFF *ist hinter sie getreten, folgt ihrem Blick*

Oh! Graf Bühl erscheint auf der Bildfläche!
Er tritt zurück von der Tür

Sie fühlen magnetisch seine Nähe – ja spüren Sie denn nicht, unbegreifliches Geschöpf, daß Sie für ihn nicht da sind?

HELENE

Ich bin schon da für ihn, irgendwie bin ich schon da!

NEUHOFF

Verschwenderin! Sie leihen ihm alles, auch noch die Kraft, mit der er Sie hält.

HELENE

Die Kraft, mit der ein Mensch einen hält – die hat ihm wohl Gott gegeben.

NEUHOFF

Ich staune. Womit übt ein Kari Bühl diese Faszination über Sie? Ohne Verdienst, sogar ohne Bemühung, ohne Willen, ohne Würde –

HELENE

Ohne Würde!

NEUHOFF

Der schlaffe zweideutige Mensch hat keine Würde.

HELENE

Was für Worte gebrauchen Sie da?

NEUHOFF

Mein nördlicher Jargon klingt etwas scharf in Ihre schöngeformten Ohren. Aber ich vertrete seine Schärfe. Zweideutig nenne ich den Mann, der sich halb verschenkt und sich halb zurückbehält – der Reserven in allem und jedem hält – in allem und jedem Berechnungen –

HELENE

Berechnung und Kari Bühl! Ja, sehen Sie ihn denn wirklich so wenig! Freilich ist es unmöglich, sein letztes Wort zu finden, das bei andern so leicht zu finden ist. Die Ungeschicklichkeit, die ihn so liebenswürdig macht, der timide Hochmut, seine Herablassung, freilich ist alles ein Versteckspiel, freilich läßt es sich mit plumpen Händen nicht fassen. – Die Eitelkeit erstarrt ihn ja nicht, durch die alle andern steif und hölzern werden – die Vernunft erniedrigt ihn ja nicht, die aus den meisten so etwas Gewöhnliches macht – er gehört nur sich selber – niemand kennt ihn, da ist es kein Wunder, daß Sie ihn nicht kennen!

NEUHOFF

So habe ich Sie nie zuvor gesehen, Helene. Ich genieße diesen unvergleichlichen Augenblick! Einmal sehe ich Sie, wie Gott Sie geschaffen hat, Leib und Seele. Ein Schauspiel für Götter. Pfui über die Weichheit bei Männern wie bei Frauen! Aber Strenge, die weich wird, ist herrlich über alles!
Helene schweigt.

NEUHOFF

Gestehen Sie mir zu, es zeugt von etwas Superiorität, wenn ein Mann es an einer Frau genießen kann, wie sie einen andern bewundert. Aber ich vermag es: denn ich bagatellisiere Ihre Bewunderung für Kari Bühl.

HELENE

Sie verwechseln die Nuancen. Sie sind aigriert, wo es nicht am Platz ist.

NEUHOFF

Über was ich hinweggehe, das aigriert mich nicht.

HELENE

Sie kennen ihn nicht! Sie haben ihn kaum gesprochen.

NEUHOFF

Ich habe ihn besucht –
Helene sieht ihn an.

NEUHOFF

Es ist nicht zu sagen, wie dieser Mensch Sie preisgibt – Sie bedeuten ihm nichts. Sie sind es, über die er hinweggeht.

HELENE *ruhig*

Nein.

NEUHOFF

Es war ein Zweikampf zwischen mir und ihm, ein Zweikampf um Sie – und ich bin nicht unterlegen.

HELENE

Nein, es war kein Zweikampf. Es verdient keinen so heroischen Namen. Sie sind hingegangen, um dasselbe zu tun, was ich in diesem Augenblick tu!
Lacht
Ich gebe mir alle Mühe, den Grafen Bühl zu sehen, ohne daß er mich sieht. Aber ich tue es ohne Hintergedanken.

NEUHOFF

Helene!

HELENE

Ich denke nicht, dabei etwas wegzutragen, das mir nützen könnte!

NEUHOFF

Sie treten mich ja in den Staub, Helene – und ich lasse
mich treten!

Helene schweigt.

NEUHOFF

Und nichts bringt mich näher?

HELENE

Nichts.

Sie geht einen Schritt auf die Tütr rechts zu.

NEUHOFF

Alles an Ihnen ist schön, Helene. Wenn Sie sich nieder-
setzen, ist es, als ob sie ausruhen müßten von einem
großen Schmerz – und wenn Sie quer durchs Zimmer
gehen, ist es, als ob Sie einer ewigen Entscheidung ent-
gegengingen.

Hans Karl ist in der Tür rechts erschienen.

Helene gibt Neuhoff keine Antwort. Sie geht lautlos langsam auf
die Tür rechts zu. Neuhoff geht schnell links hinaus.

Vierzehnte Szene

HANS KARL

Ja, ich habe mit Ihnen zu reden.

HELENE

Is es etwas sehr Ernstes?

HANS KARL

Es kommt vor, daß es einem zugemutet wird. Durchs
Reden kommt ja alles auf der Welt zustande. Allerdings,
es ist ein bißl lächerlich, wenn man sich einbildet, durch
wohlgesetzte Wörter eine weiß Gott wie große Wirkung
auszuüben, in einem Leben, wo doch schließlich alles
auf das Letzte, Unaussprechliche ankommt. Das Reden
basiert auf einer indezenten Selbstüberschätzung.

HELENE

Wenn alle Menschen wüßten, wie unwichtig sie sind,
würde keiner den Mund aufmachen.

HANS KARL

Sie haben einen so klaren Verstand, Helene. Sie wissen immer in jedem Moment so sehr, worauf es ankommt.

HELENE

Weiß ich das?

HANS KARL

Man versteht sich mit Ihnen ausgezeichnet. Da muß man sehr achtgeben.

HELENE *sieht ihn an*

Da muß man achtgeben?

HANS KARL

Freilich. Sympathie ist ganz gut, aber auf ihr herumzureiten, wäre doch namenlos indiskret. Darum muß man doch gerade auf der Hut sein, wenn man das Gefühl hat, sich sehr gut zu verstehen.

HELENE

Das müssen Sie tun, natürlich. So ist Ihre Natur. Wer sich einfallen ließe, Sie fixieren zu wollen, wäre schon verloren. Aber wer glaubt, daß Sie ihm für immer adieu gesagt haben, dem könnte passieren, daß Sie ihm wieder guten Tag sagen. – Heut hat die Antoinette wieder Charme für Sie gehabt.

HANS KARL

Sie bemerken alles!

HELENE

Sie verbrauchen auf Ihre Art die armen Frauen, aber Sie haben sie gar nicht sehr lieb. Es gehört viel Contenance dazu oder ein bißl Gewöhnlichkeit, um Ihre Freundin zu bleiben.

HANS KARL

Wenn Sie mich so sehen, dann bin ich Ihnen ja direkt unsympathisch!

HELENE

Gar nicht. Sie sind charmant. Sie sind bei all dem wie ein Kind.

HANS KARL

Wie ein Kind? Und dabei bin ich nahezu ein alter Mensch.

Das ist doch ein horreur. Mit neununddreißig Jahren nicht wissen, woran man mit sich selber ist, das ist doch eine Schand.

HELENE

Ich brauche nie nachzudenken, woran ich mit mir selber bin. Bei mir ist wirklich gar nichts los, es ist nichts da als ein anständiges, ruhiges Benehmen.

HANS KARL

Sie haben so eine reizende Art!

HELENE

Ich möchte nicht sentimental sein, das langweilt mich. Ich möchte lieber terre à terre sein, wie Gott weiß wer, als sentimental. Ich möchte auch nicht spleenig sein, und ich möchte nicht kokett sein. So bleibt mir nichts übrig, als möglichst artig zu sein.

Hans Karl schweigt.

HELENE

Au fond können wir Frauen tun, was wir wollen, meinetwegen Solfèges singen oder politisieren, wir meinen immer noch was andres damit .– Solfèges singen ist indiskreter, Artigsein ist diskreter, es drückt die bestimmte Absicht aus, keine Indiskretionen zu begehen. Weder gegen sich, noch gegen einen andern.

HANS KARL

Alles an Ihnen ist besonders und schön. Ihnen kann ja gar nichts geschehn. Heiraten Sie wen immer, heiraten Sie den Neuhoff, nein, den Neuhoff, wenn sichs vermeiden läßt, lieber nicht, aber den ersten besten frischen Menschen, einen Menschen wie meinen Neffen Stani, ja wirklich, Helene, heiraten Sie den Stani, er möchte so gern, und Ihnen kann ja gar nichts passieren. Sie sind ja unzerstörbar, das steht ja deutlich in Ihrem Gesicht geschrieben. Ich bin immer fasziniert von einem wirklich schönen Gesicht – aber das Ihre –

HELENE

Ich möchte nicht, daß Sie so mit mir reden, Graf Bühl.

HANS KARL

Aber nein, an Ihnen ist ja nicht die Schönheit das Entscheidende, sondern etwas ganz anderes: in Ihnen liegt

494

das Notwendige. Sie können mich natürlich nicht verstehen, ich versteh mich selbst viel schlechter, wenn ich red, als wenn ich still bin. Ich kann gar nicht versuchen, Ihnen das zu explizieren, es ist halt etwas, was ich draußen begreifen gelernt habe: daß in den Gesichtern der Menschen etwas geschrieben steht. Sehen Sie, auch in einem Gesicht wie dem von der Antoinette kann ich lesen —

HELENE *mit einem flüchtigen Lächeln*
Aber davon bin ich überzeugt.

HANS KARL *ernst*
Ja, es ist ein charmantes, liebes Gesicht, aber es steht immer ein und derselbe stumme Vorwurf in ihm eingegraben: Warum habts ihr mich alle dem fürchterlichen Zufall überlassen? Und das gibt ihrer kleinen Maske etwas so Hilfloses, Verzweifeltes, daß man Angst um sie haben könnte.

HELENE
Aber die Antoinette ist doch da. Sie existiert doch so ganz für den Moment. So müssen doch Frauen sein, der Moment ist ja alles. Was soll denn die Welt mit einer Person anfangen, wie ich bin? Für mich ist ja der Moment gar nicht da, ich stehe da und sehe die Lampen dort brennen, und in mir sehe ich sie schon ausgelöscht. Und ich spreche mit Ihnen, wir sind ganz allein in einem Zimmer, aber in mir ist das jetzt schon vorbei: wie wenn irgendein gleichgültiger Mensch hereingekommen wäre und uns gestört hätte, die Huberta oder der Theophil Neuhoff oder wer immer, und das schon vorüber wäre, daß ich mit Ihnen allein dagesessen bin, bei dieser Musik, die zu allem auf der Welt besser paßt, als zu uns beiden — und Sie schon wieder irgendwo dort zwischen den Leuten. Und ich auch irgendwo zwischen den Leuten.

HANS KARL *leise*
Jeder muß glücklich sein, der mit Ihnen leben darf, und muß Gott danken bis an sein Lebensende, Helen, bis an sein Lebensende, seis wers sei. Nehmen Sie nicht den Neuhoff, Helen, — eher einen Menschen wie den Stani, oder auch nicht den Stani, einen ganz andern, der ein braver, nobler Mensch ist — und ein Mann: das ist alles, was ich nicht bin.
Er steht auf.

HELENE *steht auch auf, sie spürt, daß er gehen will*
Sie sagen mir ja adieu!
Hans Karl gibt keine Antwort.

HELENE
Auch das hab ich voraus gewußt. Daß einmal ein Moment kommen wird, wo Sie mir so plötzlich adieu sagen werden und ein Ende machen – wo gar nichts war. Aber denen, wo wirklich was war, denen können Sie nie adieu sagen.

HANS KARL
Helen, es sind gewisse Gründe.

HELENE
Ich glaube, ich habe alles in der Welt, was sich auf uns zwei bezieht, schon einmal gedacht. So sind wir schon einmal gestanden, so hat eine fade Musik gespielt, und so haben Sie mir adieu gesagt, einmal für allemal.

HANS KARL
Es ist nicht nur so aus diesem Augenblick heraus, Helen, daß ich Ihnen adieu sage. O nein, das dürfen Sie nicht glauben. Denn daß man jemandem adieu sagen muß, dahinter versteckt sich ja was.

HELENE
Was denn?

HANS KARL
Da muß man ja sehr zu jemandem gehören und doch nicht ganz zu ihm gehören dürfen.

HELENE *zuckt*
Was wollen Sie damit sagen?

HANS KARL
Da draußen, da war manchmal was – mein Gott, ja, wer könnte denn das erzählen!

HELENE
Ja, mir. Jetzt.

HANS KARL
Da waren solche Stunden, gegen Abend oder in der Nacht, der frühe Morgen mit dem Morgenstern – Helen,

Sie waren da sehr nahe von mir. Dann war dieses Ver-
schüttetwerden, Sie haben davon gehört –

HELENE

Ja, ich hab davon gehört –

HANS KARL

Das war nur ein Moment, dreißig Sekunden sollen es
gewesen sein, aber nach innen hat das ein anderes Maß.
Für mich wars eine ganze Lebenszeit, die ich gelebt hab,
und in diesem Stück Leben, da waren Sie meine Frau.
Ist das nicht spaßig?

HELENE

Da war ich Ihre Frau?

HANS KARL

Nicht meine zukünftige Frau. Das ist das Sonderbare. Meine Frau ganz einfach. Als ein fait accompli. Das Ganze hat
eher etwas Vergangenes gehabt als etwas Zukünftiges.
Helene schweigt.

HANS KARL

Mein Gott, ich bin eben nicht möglich, das sag ich ja der
Crescence! Jetzt sitz ich da neben Ihnen in einer Soiree
und verlier mich in Geschichten, wie der alte Millesimo,
Gott hab ihn selig, den schließlich die Leut allein sitzen
haben lassen, mit seinen Anekdoten ohne Pointe, und
der das gar nicht bemerkt hat und mutterseelenallein
weitererzählt hat.

HELENE

Aber ich laß Sie gar nicht sitzen, ich hör zu, Graf Kari.
Sie haben mir etwas sagen wollen, war es das?

HANS KARL

Nämlich: das war eine sehr subtile Lektion, die mir da
eine höhere Macht erteilt hat. Ich werd Ihnen sagen,
Helen, was die Lektion bedeutet hat.
Helene hat sich gesetzt, er setzt sich auch, die Musik hat aufgehört.

HANS KARL

Es hat mir in einem ausgewählten Augenblick ganz eingeprägt werden sollen, wie das Glück ausschaut, das ich
mir verscherzt habe. Wodurch ich mirs verscherzt habe,
das wissen Sie ja so gut wie ich.

HELENE
Das weiß ich so gut wie Sie?

HANS KARL
Indem ich halt, solange noch Zeit war, nicht erkannt
habe, worin das Einzige liegen könnte, worauf es ankäm.
Und daß ich das nicht erkannt habe, das war eben die
Schwäche meiner Natur. Und so habe ich diese Prüfung
nicht bestanden. Später im Feldspital, in den vielen
ruhigen Tagen und Nächten hab ich das alles mit einer
unbeschreiblichen Klarheit und Reinheit erkennen können.

HELENE
War es das, was Sie mir haben sagen wollen, genau das?

HANS KARL
Die Genesung ist so ein merkwürdiger Zustand. Darin
ist mir die ganze Welt wiedergekommen, wie etwas
Reines, Neues und dabei so Selbstverständliches. Ich hab
da auf einmal ausdenken können, was das ist: ein Mensch.
Und wie das sein muß: zwei Menschen, die ihr Leben
aufeinanderlegen und werden wie *ein* Mensch. Ich habe
– in der Ahnung wenigstens – mir vorstellen können –
was da dazu gehört, wie heilig das ist und wie wunderbar.
Und sonderbarerweise, es war nicht meine Ehe, die ganz
ungerufen die Mitte von diesem Denken war – obwohl
es ja leicht möglich ist, daß ich noch einmal heirat –,
sondern es war Ihre Ehe.

HELENE
Meine Ehe! Meine Ehe – mit wem denn?

HANS KARL
Das weiß ich nicht. Aber ich habe mir das in einer ganz
genauen Weise vorstellen können, wie das alles sein
wird, und wie es sich abspielen wird, mit ganz wenigen
Leuten und ganz heilig und feierlich, und wie alles so
sein wird, wie sichs gehört zu Ihren Augen und zu Ihrer
Stirn und zu Ihren Lippen, die nichts Überflüssiges reden können, und zu ihren Händen, die nichts Unwürdiges
besiegeln können – und sogar das Ja-Wort hab ich gehört, ganz klar und rein, von Ihrer klaren, reinen Stimme – ganz von weitem, denn ich war doch natürlich
nicht dabei, ich war doch nicht dabei! – Wie käm ich als

ein Außenstehender zu der Zeremonie – Aber es hat
mich gefreut, Ihnen einmal zu sagen, wie ichs Ihnen
mein. – Und das kann man natürlich nur in einem be-
sonderen Moment; wie der jetzige, sozusagen in einem
definitiven Moment –

Helene ist dem Umsinken nah, beherrscht sich aber.

HANS KARL *Tränen in den Augen*

. Mein Gott, jetzt hab ich Sie ganz bouleversiert, das liegt
an meiner unmöglichen Art, ich attendrier mich sofort,
wenn ich von was sprech oder hör, was nicht aufs Aller-
banalste hinausgeht – es sind die Nerven seit der Geschichte, aber das steckt sensible Menschen wie Sie natürlich an – ich gehör eben nicht unter Menschen – das
sag ich ja der Crescence – ich bitt Sie tausendmal um
Verzeihung, vergessen Sie alles, was ich da Konfuses
zusammengeredt hab – es kommen ja in so einem Ab-
schiedsmoment tausend Erinnerungen durcheinander –

Hastig, weil er fühlt, daß sie nicht mehr allein sind

– aber wer sich beisammen hat, der vermeidet natürlich,
sie auszukramen – Adieu, Helen, Adieu.

Der berühmte Mann ist von rechts eingetreten.

HELENE *kaum ihrer selbst mächtig*

Adieu!

Sie wollen sich die Hände geben, keine Hand findet die andere.
Hans Karl will fort nach rechts. Der berühmte Mann tritt auf ihn
zu. Hans Karl sieht sich nach links um. Crescence tritt von links ein.

DER BERÜHMTE MANN

Es war seit langem mein lebhafter Wunsch, Euer Erlaucht –

HANS KARL *eilt fort nach rechts*

Pardon, mein Herr!

An ihm vorbei. Crescence tritt zu Helene, die totenblaß dasteht. Der
berühmte Mann ist verlegen abgegangen. Hans Karl erscheint noch-
mals in der Tür rechts, sieht herein, wie unschlüssig, und verschwin-
det gleich wieder, wie er Crescence bei Helene sieht.

HELENE *zu Crescence, fast ohne Besinnung*

Du bists, Crescence? Er ist ja noch einmal hereingekommen. Hat er noch etwas gesagt?

Sie taumelt, Crescence hält sie.

CRESCENCE

Aber ich bin ja so glücklich. Deine Ergriffenheit macht mich ja so glücklich!

HELENE

Pardon, Crescence, sei mir nicht bös!
Macht sich los und läuft weg nach links.

CRESCENCE

Ihr habts euch eben beide viel lieber, als ihr wißts, der Stani und du!
Sie wischt sich die Augen.
                    Der Vorhang fällt.

DRITTER AKT

Vorsaal im Altenwylschen Haus. Rechts der Ausgang in die Einfahrt. Treppe in der Mitte. Hinaufführend zu einer Galerie, von der links und rechts je eine Flügeltür in die eigentlichen Gemächer führt. Unten neben der Treppe niedrige Divans oder Bänke.

Erste Szene

KAMMERDIENER *steht beim Ausgang rechts. Andere Diener stehen außerhalb, sind durch die Glasscheiben des Windfangs sichtbar. Kammerdiener ruft den anderen Dienern zu*
Herr Hofrat Professor Brücke!
Der berühmte Mann kommt die Treppe herunter. Diener kommt von rechts mit dem Pelz, in dem innen zwei Cachenez hängen, mit Überschuhen.

KAMMERDIENER *während dem berühmten Mann in die Überkleider geholfen wird*
Befehlen Herr Hofrat ein Auto?

DER BERÜHMTE MANN

Ich danke. Ist Seine Erlaucht, der Graf Bühl, nicht soeben vor mir gewesen?

KAMMERDIENER

Soeben im Augenblick.

DER BERÜHMTE MANN

Ist er fortgefahren?

KAMMERDIENER
Nein, Erlaucht hat sein Auto weggeschickt, er hat zwei Herren vorfahren sehen und ist hinter die Portiersloge getreten und hat sie vorbeigelassen. Jetzt muß er gerade aus dem Haus sein.

DER BERÜHMTE MANN *beeilt sich*
Ich werde ihn einholen.
Er geht, man sieht zugleich draußen Stani und Hechingen eintreten.

Zweite Szene

Stani und Hechingen treten ein, hinter jedem ein Diener, der ihm Überrock und Hut abnimmt.

STANI *grüßt im Vorbeigehen den berühmten Mann*
Guten Abend, Wenzel, meine Mutter ist da?

KAMMERDIENER
Sehr wohl, Frau Gräfin sind beim Spiel.
Tritt ab, ebenso wie die andern Diener.
Stani will hinaufgehen, Hechingen steht seitlich an einem Spiegel, sichtlich nervös. Ein anderer Altenwylscher Diener kommt die Treppe herab.

STANI *hält den Diener auf*
Sie kennen mich?

DIENER
Sehr wohl, Herr Graf.

STANI
Gehen Sie durch die Salons und suchen Sie den Grafen Bühl, bis Sie ihn finden. Dann nähern Sie sich ihm unauffällig und melden ihm, ich lasse ihn bitten auf ein Wort, entweder im Eckzimmer der Bildergalerie oder im chinesischen Rauchzimmer. Verstanden? Also was werden Sie sagen?

DIENER
Ich werde melden, Herr Graf Freudenberg wünschen mit seiner Erlaucht privat ein Wort zu sprechen, entweder im Ecksalon –

STANI

Gut.

Diener geht.

HECHINGEN

Pst, Diener!

Diener hört ihn nicht, geht oben hinein. Stani hat sich gesetzt.
Hechingen sieht ihn an.

STANI

Wenn du vielleicht ohne mich eintreten würdest? Ich
habe eine Post hinaufgeschickt, ich warte hier einen
Moment, bis er mir die Antwort bringt.

HECHINGEN

Ich leiste dir Gesellschaft.

STANI

Nein, ich bitte sehr, daß du dich durch mich nicht aufhalten läßt. Du warst ja sehr pressiert, herzukommen —

HECHINGEN

Mein lieber Stani, du siehst mich in einer ganz besonde-
ren Situation vor dir. Wenn ich jetzt die Schwelle dieses
Salons überschreite, so entscheidet sich mein Schicksal.

STANI *enerviert über Hechingens nervöses Aufundabgehen*

Möchtest du nicht vielleicht Platz nehmen? Ich wart nur
auf den Diener, wie gesagt.

HECHINGEN

Ich kann mich nicht setzen, ich bin zu agitiert.

STANI

Du hast vielleicht ein bissel schnell den Schampus hin-
untergetrunken.

HECHINGEN

Auf die Gefahr hin, dich zu langweilen, mein lieber
Stani, muß ich dir gestehen, daß für mich in dieser
Stunde außerordentlich Großes auf dem Spiel steht.

STANI *während Hechingen sich wieder nervös zerstreut von ihm ent-*
fernt

Aber es steht ja öfter irgend etwas Seriöses auf dem
Spiel. Es kommt nur darauf an, sich nichts merken zu
lassen.

HECHINGEN *wieder näher*

Dein Onkel Kari hat es in seiner freundschaftlichen Güte auf sich genommen, mit der Antoinette, mit meiner Frau, ein Gespräch zu führen, dessen Ausgang wie gesagt—

STANI

Der Onkel Kari?

HECHINGEN

Ich mußte mir sagen, daß ich mein Schicksal in die Hand keines nobleren, keines selbstloseren Freundes –

STANI

Aber natürlich. – Wenn er nur die Zeit gefunden hat?

HECHINGEN

Wie?

STANI

Er übernimmt manchmal ein bissl viel, der Onkel Kari. Wenn irgend jemand etwas von ihm will – er kann nicht nein sagen.

HECHINGEN

Es war abgemacht, daß ich im Club ein telephonisches Signal erwarte, ob ich hierherkommen soll, oder ob mein Erscheinen noch nicht opportun ist.

STANI

Ah. Da hätte ich aber an deiner Stelle auch wirklich gewartet.

HECHINGEN

Ich war nicht mehr imstande, länger zu warten. Bedenke, was für mich auf dem Spiel steht!

STANI

Über solche Entscheidungen muß man halt ein bißl erhaben sein. Aha!
Sieht den Diener, der oben heraustritt. Diener kommt die Treppe herunter. Stani ihm entgegen, läßt Hechingen stehen.

DIENER

Nein, ich glaube, Seine Erlaucht müssen fort sein.

STANI

Sie glauben? Ich habe Ihnen gesagt, Sie sollen herumgehen, bis Sie ihn finden.

DIENER

Verschiedene Herrschaften haben auch schon gefragt, Seine Erlaucht müssen rein unauffällig verschwunden sein.

STANI

Sapristi! Dann gehen Sie zu meiner Mutter und melden Sie ihr, ich lasse vielmals bitten, sie möchte auf einen Moment zu mir in den vordersten Salon herauskommen. Ich muß meinen Onkel oder sie sprechen, bevor ich eintrete.

DIENER

Sehr wohl.
Geht wieder hinauf.

HECHINGEN

Mein Instinkt sagt mir, daß der Kari in der Minute heraustreten wird, um mir das Resultat zu verkünden, und daß es ein glückliches sein wird.

STANI

So einen sicheren Instinkt hast du? Ich gratuliere.

HECHINGEN

Etwas hat ihn abgehalten zu telephonieren, aber er hat mich herbeigewünscht. Ich fühle mich ununterbrochen im Kontakt mit ihm.

STANI

Fabelhaft!

HECHINGEN

Das ist bei uns gegenseitig. Sehr oft spricht er etwas aus, was ich im gleichen Augenblick mir gedacht habe.

STANI

Du bist offenbar ein großartiges Medium.

HECHINGEN

Mein lieber Freund, wie ich ein junger Hund war wie du, hätte ich auch viel nicht für möglich gehalten, aber wenn man seine Fünfunddreißig auf dem Buckel hat, da gehen einem die Augen für so manches auf. Es ist ja, wie wenn man früher taub und blind gewesen wäre.

STANI

Was du nicht sagst!

HECHINGEN

Ich verdank ja dem Kari geradezu meine zweite Erzie-
hung. Ich lege Gewicht darauf, klarzustellen, daß ich
ohne ihn einfach aus meiner verworrenen Lebenssitua-
tion nicht herausgefunden hätte.

STANI

Das ist enorm.

HECHINGEN

Ein Wesen wie die Antoinette, mag man auch ihr
Mann gewesen sein, das sagt noch gar nichts, man hat
eben keine Ahnung von dieser inneren Feinheit. Ich
bitte nicht zu übersehen, daß ein solches Wesen ein
Schmetterling ist, dessen Blütenstaub man schonen muß.
Wenn du sie kennen würdest, ich meine näher kennen —
Stani, verbindliche Gebärde.

HECHINGEN

Ich faß mein Verhältnis zu ihr jetzt so auf, daß es einfach meine Schuldigkeit ist, ihr die Freiheit zu gewähren, deren ihre bizarre, phantasievolle Natur bedarf. Sie
hat die Natur der grande dame des achtzehnten Jahrhunderts. Nur dadurch, daß man ihr die volle Freiheit
gewährt, kann man sie an sich fesseln.

STANI

Ah.

HECHINGEN

Man muß large sein, das ist es, was ich dem Kari verdanke. Ich würde keineswegs etwas Irreparables darin
erblicken, einen Menschen, der sie verehrt, in larger
Weise heranzuziehen.

STANI

Ich begreife.

HECHINGEN

Ich würde mich bemühen, meinen Freund aus ihm zu
machen, nicht aus Politik, sondern ganz unbefangen.
Ich würde ihm herzlich entgegenkommen: das ist die

Art, wie Kari mir gezeigt hat, daß man die Menschen nehmen muß: mit einem leichten Handgelenk.

STANI

Aber es ist nicht alles au pied de la lettre zu nehmen, was der Onkel Kari sagt.

HECHINGEN

Au pied de la lettre natürlich nicht. Ich würde dich bitten, nicht zu übersehen, daß ich genau fühle, worauf es ankommt. Es kommt alles auf ein gewisses Etwas an, auf eine Grazie – ich möchte sagen, es muß alles ein beständiges Impromptu sein.
Er geht nervös auf und ab.

STANI

Man muß vor allem seine tenue zu wahren wissen. Beispielsweise, wenn der Onkel Kari eine Entscheidung über was immer zu erwarten hätte, so würde kein Mensch ihm etwas anmerken.

HECHINGEN

Aber natürlich. Dort hinter dieser Statue oder hinter der großen Azalee würde er mit der größten Nonchalance stehen und plauschen – ich mal mir das aus! Auf die Gefahr hin, dich zu langweilen, ich schwör dir, daß ich jede kleine Nuance, die in ihm vorgehen würde, nachempfinden kann.

STANI

Da wir uns aber nicht beide hinter die Azalee stellen können und dieser Idiot von Diener absolut nicht wiederkommt, so werden wir vielleicht hinaufgehen.

HECHINGEN

Ja, gehen wir beide. Es tut mir wohl, diesen Augenblick nicht allein zu verbringen. Mein lieber Stani, ich hab eine so aufrichtige Sympathie für dich!
Hängt sich in ihn ein.

STANI *indem er seinen Arm von dem Hechingens entfernt*

Aber vielleicht nicht bras dessus bras dessous wie die Komtessen, wenn sie das erste Jahr ausgehen, sondern jeder extra.

HECHINGEN
 Bitte, bitte, wie dirs genehm ist. –

STANI
 Ich würde dir vorschlagen, als erster zu starten. Ich
 komm dann sofort nach.
 Hechingen geht voraus, verschwindet oben. Stani geht ihm nach.

Dritte Szene

HELENE *tritt aus einer kleinen versteckten Tür in der linken Seitenwand. Sie wartet, bis Stani oben unsichtbar geworden ist. Dann ruft
 sie den Kammerdiener leise an*
 Wenzel, Wenzel, ich will Sie etwas fragen.

KAMMERDIENER *geht schnell zu ihr hinüber*
 Befehlen Komtesse?

HELENE *mit sehr leichtem Ton*
 Haben Sie gesehen, ob der Graf Bühl fortgegangen ist?

KAMMERDIENER
 Jawohl, sind fortgegangen, vor fünf Minuten.

HELENE
 Er hat nichts hinterlassen?

KAMMERDIENER
 Wie meinen die Komtesse?

HELENE
 Einen Brief oder eine mündliche Post.

KAMMERDIENER
 Mir nicht, ich werde gleich die andern Diener fragen.
 *Geht hinüber. Helene steht und wartet. Stani wird oben sichtbar. Er
 sucht zu sehen, mit wem Helene spricht, und verschwindet dann
 wieder.*

KAMMERDIENER *kommt zurück zu Helene*
 Nein, gar nicht. Er hat sein Auto weggeschickt, sich eine
 Zigarre angezündet und ist gegangen.
 Helene sagt nichts.

KAMMERDIENER *nach einer kleinen Pause*
 Befehlen Komtesse noch etwas?

HELENE

Ja, Wenzel, ich werd in ein paar Minuten wiederkommen, und dann werd ich aus dem Hause gehen.

KAMMERDIENER

Wegfahren, noch jetzt am Abend?

HELENE

Nein, gehen, zu Fuß.

KAMMERDIENER

Ist jemand krank geworden?

HELENE

Nein, es ist niemand krank, ich muß mit jemandem sprechen.

KAMMERDIENER

Befehlen Komtesse, daß wer begleitet außer der Miss?

HELENE

Nein, ich werde ganz allein gehen, auch die Miss Jekyll wird mich nicht begleiten. Ich werde hier herausgehen in einem Augenblick, wenn niemand von den Gästen hier fortgeht. Und ich werde Ihnen einen Brief für den Papa geben.

KAMMERDIENER

Befehlen, daß ich den dann gleich hineintrage?

HELENE

Nein, geben Sie ihn dem Papa, wenn er die letzten Gäste begleitet hat.

KAMMERDIENER

Wenn sich alle Herrschaften verabschiedet haben?

HELENE

Ja, im Moment, wo er befiehlt, das Licht auszulöschen. Aber dann bleiben Sie bei ihm. Ich möchte, daß Sie—
Sie stockt.

KAMMERDIENER

Befehlen?

HELENE

Wie alt war ich, Wenzel, wie Sie hier ins Haus gekommen sind?

KAMMERDIENER
Fünf Jahre altes Mäderl waren Komtesse.

HELENE
Es ist gut, Wenzel, ich danke Ihnen. Ich werde hier herauskommen, und Sie werden mir ein Zeichen geben, ob der Weg frei ist.
Reicht ihm ihre Hand zum Küssen.

KAMMERDIENER
Befehlen.
Küßt die Hand. Helene geht wieder ab durch die kleine Tür.

Vierte Szene

Antoinette und Neuhoff kommen rechts seitwärts der Treppe aus dem Wintergarten.

ANTOINETTE
Das war die Helen. War sie allein? Hat sie mich gesehen?

NEUHOFF
Ich glaube nicht. Aber was liegt daran? Jedenfalls haben Sie diesen Blick nicht zu fürchten.

ANTOINETTE
Ich fürcht mich vor ihr. Sooft ich an sie denk, glaub ich, daß mich wer angelogen hat. Gehen wir woanders hin, wir können nicht hier im Vestibül sitzen.

NEUHOFF
Beruhigen Sie sich. Kari Bühl ist fort. Ich habe soeben gesehen, wie er fortgegangen ist.

ANTOINETTE
Gerade jetzt im Augenblick?

NEUHOFF *versteht, woran sie denkt*
Er ist unbemerkt und unbegleitet fortgegangen.

ANTOINETTE
Wie?

NEUHOFF
Eine gewisse Person hat ihn nicht bis hierher begleitet

und hat überhaupt in der letzten halben Stunde seines Hierseins nicht mit ihm gesprochen. Ich habe es festgestellt. Seien Sie ruhig.

ANTOINETTE
Er hat mir geschworen, er wird ihr adieu sagen für immer. Ich möcht ihr Gesicht sehen, dann wüßt ich –

NEUHOFF
Dieses Gesicht ist hart wie Stein. Bleiben Sie bei mir hier.

ANTOINETTE
Ich –

NEUHOFF
Ihr Gesicht ist entzückend. Andere Gesichter verstecken alles. Das Ihrige ist ein unaufhörliches Geständnis. Man könnte diesem Gesicht alles entreißen, was je in Ihnen vorgegangen ist.

ANTOINETTE
Man könnte? Vielleicht – wenn man einen Schatten von Recht dazu hätte.

NEUHOFF
Man nimmt das Recht dazu aus dem Moment. Sie sind eine Frau, eine wirkliche, entzückende Frau. Sie gehören keinem und jedem! Nein: Sie haben noch keinem gehört, Sie warten noch immer.

ANTOINETTE *mit einem kleinen nervösen Lachen*
Nicht auf Sie!

NEUHOFF
Ja, genau auf mich, das heißt auf den Mann, den Sie noch nicht kennen, auf den wirklichen Mann, auf Ritterlichkeit, auf Güte, die in der Kraft wurzelt. Denn die Karis haben Sie nur malträtiert, betrogen vom ersten bis zum letzten Augenblick, diese Sorte von Menschen ohne Güte, ohne Kern, ohne Nerv, ohne Loyalität! Diese Schmarotzer, denen ein Wesen wie Sie immer wieder und wieder in die Schlinge fällt, ungelohnt, unbedankt, unbeglückt, erniedrigt in ihrer zartesten Weiblichkeit! *Will ihre Hand ergreifen.*

ANTOINETTE

Wie Sie sich echauffieren! Aber vor Ihnen bin ich sicher.
Ihr kalter, wollender Verstand hebt ja den Kopf aus jedem Wort, das Sie reden. Ich hab nicht einmal Angst
vor Ihnen. Ich will Sie nicht!

NEUHOFF

Mein Verstand, ich haß ihn ja! Ich will ja erlöst sein von
ihm, mich verlangt ja nichts anderes, als ihn bei Ihnen
zu verlieren, süße kleine Antoinette!
*Er will ihre Hand nehmen. Hechingen wird oben sichtbar, tritt aber
gleich wieder zurück. Neuhoff hat ihn gesehen, nimmt ihre Hand
nicht, ändert die Stellung und den Gesichtsausdruck.*

ANTOINETTE

Ah, jetzt hab ich Sie durch und durch gesehen! Wie sich
das jäh verändern kann in Ihrem Gesicht! Ich will Ihnen
sagen, was jetzt passiert ist: jetzt ist oben die Helen
vorbeigegangen, und in diesem Augenblick hab ich in
Ihnen lesen können wie in einem offenen Buch. Dépit
und Ohnmacht, Zorn, Scham und die Lust, mich zu
kriegen – faute de mieux –, das alles war zugleich darin.
Die Edine schimpft mit mir, daß ich komplizierte Bücher
nicht lesen kann. Aber das war recht kompliziert, und
ich habs doch lesen können in einem Nu. Geben Sie sich
keine Müh mit mir. Ich mag nicht!

NEUHOFF *beugt sich zu ihr*

Du sollst wollen!

ANTOINETTE *steht auf*

Oho! Ich mag nicht! Ich mag nicht! Denn das, was da
aus Ihren Augen hervorwill und mich in seine Gewalt
kriegen will, aber nur will! – kann sein, daß das sehr
männlich ist – aber ich mags nicht. Und wenn das Euer
Bestes ist, so hat jede einzelne von uns, und wäre sie die
Gewöhnlichste, etwas in sich, das besser ist als Euer
Bestes, und das gefeit ist gegen Euer Bestes durch ein
bisserl eine Angst. Aber keine solche Angst, die einen
schwindlig macht, sondern eine ganz nüchterne, ganz
prosaische.
Sie geht gegen die Treppe, bleibt noch einmal stehen
Verstehen Sie mich? Bin ich ganz deutlich? Ich fürcht

mich vor Ihnen, aber nicht genug, das ist Ihr Pech. Adieu,
Baron Neuhoff.

Neuhoff ist schnell nach dem Wintergarten abgegangen.

Fünfte Szene

Hechingen tritt oben herein, er kommt sehr schnell die Treppe herunter.
Antoinette ist betroffen und tritt zurück.

HECHINGEN
Toinette!

ANTOINETTE *unwillkürlich*
Auch das noch!

HECHINGEN
Wie sagst du?

ANTOINETTE
Ich bin überrascht – das mußt du doch begreifen.

HECHINGEN
Und ich bin glücklich. Ich danke meinem Gott, ich danke
meiner Chance, ich danke diesem Augenblick!

ANTOINETTE
Du siehst ein bißl verändert aus. Dein Ausdruck ist
anders, ich weiß nicht, woran es liegt. Bist du nicht ganz
wohl?

HECHINGEN
Liegt es nicht daran, daß diese schwarzen Augen mich
lange nicht angeschaut haben?

ANTOINETTE
Aber es ist ja nicht so lang her, daß man sich gesehen hat.

HECHINGEN
Sehen und Anschaun ist zweierlei, Toinette.
Er ist ihr näher gekommen. Antoinette tritt zurück.

HECHINGEN
Vielleicht aber ist es etwas anderes, das mich verändert
hat, wenn ich die Unbescheidenheit haben darf, von mir
zu sprechen.

ANTOINETTE

Was denn? Ist etwas passiert? Interessierst du dich für wen?

HECHINGEN

Deinen Charme, deinen Stolz im Spiel zu sehen, die ganze Frau, die man liebt, plötzlich vor sich zu sehen, sie leben zu sehen!

ANTOINETTE

Ah, von mir ist die Rede!

HECHINGEN

Ja, von dir. Ich war so glücklich, dich einmal so zu sehen wie du bist, denn da hab ich dich einmal nicht intimidiert. O meine Gedanken, wie ich da oben gestanden bin! Diese Frau begehrt von allen und allen sich versagend! Mein Schicksal, dein Schicksal, denn es ist unser beider Schicksal. Setz dich zu mir!

Er hat sich gesetzt, streckt die Hand nach ihr aus.

ANTOINETTE

Man kann so gut im Stehen miteinander reden, wenn man so alte Bekannte ist.

HECHINGEN *ist wieder aufgestanden*

Ich hab dich nicht gekannt. Ich hab erst andere Augen bekommen müssen. Der zu dir kommt, ist ein andrer, ein Verwandelter.

ANTOINETTE

Du hast so einen neuen Ton in deinen Reden. Wo hast du dir das angewöhnt?

HECHINGEN

Der zu dir redet, das ist der, den du nicht kennst, Toinette, so wie er dich nicht gekannt hat! Und der sich nichts anderes wünscht, nichts anderes träumt, als von dir gekannt zu sein und dich zu kennen.

ANTOINETTE

Ado, ich bitt dich um alles, red nicht mit mir, als wenn ich eine Speisewagenbekanntschaft aus einem Schnellzug wäre.

HECHINGEN

Mit der ich fahren möchte, fahren bis ans Ende der Welt!

Will ihre Hand küssen, sie entzieht sie ihm.

ANTOINETTE

Ich bitt dich, merk doch, daß mich das crispiert. Ein altes Ehepaar hat doch einen Ton miteinander. Den wechselt man doch nicht, das ist ja zum Schwindligwerden.

HECHINGEN

Ich weiß nichts von einem alten Ehepaar, ich weiß nichts von unserer Situation.

ANTOINETTE

Aber das ist doch die gegebene Situation.

HECHINGEN

Gegeben? Das alles gibts ja gar nicht. Hier bist du und ich, und alles fängt wieder vom Frischen an.

ANTOINETTE

Aber nein, gar nichts fängt vom Frischen an.

HECHINGEN

Das ganze Leben ist ein ewiges Wiederanfangen.

ANTOINETTE

Nein, nein, ich bitt dich um alles, bleib doch in deinem alten Genre. Ich kanns sonst nicht aushalten. Sei mir nicht bös, ich hab ein bissl Migräne, ich hab schon früher nach Haus fahren wollen, bevor ich gewußt hab, daß ich dich – ich hab doch nicht wissen können!

HECHINGEN

Du hast nicht wissen können, wer der sein wird, der vor dich hintreten wird, und daß es nicht dein Mann ist, sondern ein neuer enflammierter Verehrer, enflammiert wie ein Bub von zwanzig Jahren! Das verwirrt dich, das macht dich taumeln.
Will ihre Hand nehmen.

ANTOINETTE

Nein, es macht mich gar nicht taumeln, es macht mich ganz nüchtern. So terre à terre machts mich, alles kommt mir so armselig vor und ich mir selbst. Ich hab heut einen unglücklichen Abend, bitte, tu mir einen einzigen Gefallen, laß mich nach Haus fahren.

HECHINGEN

Oh, Antoinette!

ANTOINETTE

Das heißt, wenn du mir etwas Bestimmtes hast sagen wollen, so sags mir, ich werds sehr gerne anhören, aber ich bitt dich um eins! Sags ganz in deinem gewöhnlichen Ton, so wie immer.

Hechingen, betrübt und ernüchtert, schweigt.

ANTOINETTE

So sag doch, was du mir hast sagen wollen.

HECHINGEN

Ich bin betroffen zu sehen, daß meine Gegenwart dich einerseits zu überraschen, anderseits zu belasten scheint. Ich durfte mich der Hoffnung hingeben, daß ein lieber Freund Gelegenheit genommen haben würde, dir von mir, von meinen unwandelbaren Gefühlen für dich zu sprechen. Ich habe mir zurechtgelegt, daß auf dieser Basis eine improvisierte Aussprache zwischen uns möglicherweise eine veränderte Situation schon vorfindet oder wenigstens schaffen würde können. – Ich würde dich bitten, nicht zu übersehen, daß du mir die Gelegenheit, dir von meinem eigenen Innern zu sprechen, bisher nicht gewährt hast – ich fasse mein Verhältnis zu dir so auf, Antoinette – langweil ich dich sehr?

ANTOINETTE

Aber ich bitt dich, sprich doch weiter. Du hast mir doch was sagen wollen. Anders kann ich mir dein Herkommen nicht erklären.

HECHINGEN

Ich faß unser Verhältnis als ein solches auf, das nur mich, nur mich, Antoinette, bindet, das mir, nur mir eine Prüfungszeit auferlegt, deren Dauer du zu bestimmen hast.

ANTOINETTE

Aber wozu soll denn das sein, wohin soll denn das führen?

HECHINGEN

Wende ich mich freilich zu meinem eigenen Innern, Toinette –

ANTOINETTE

Bitte, was ist, wenn du dich da wendest?

Sie greift sich an die Schläfe.

HECHINGEN

– so bedarf es allerdings keiner langen Prüfung. Immer
und immer werde ich der Welt gegenüber versuchen,
mich auf deinen Standpunkt zu stellen, werde immer
wieder der Verteidiger deines Charme und deiner Freiheit sein. Und wenn man mir bewußt Entstellungen
entgegenwirft, so werde ich triumphierend auf das vor
wenigen Minuten hier Erlebte verweisen, auf den spre-
chenden Beweis, wie sehr es dir gegeben ist, die Männer,
die dich begehren und bedrängen, in ihren Schranken
zu halten.

ANTOINETTE *nervös*

Was denn?

HECHINGEN

Du wirst viel begehrt. Dein Typus ist die grande dame
des achtzehnten Jahrhunderts. Ich vermag in keiner
Weise etwas Beklagenswertes daran zu erblicken. Nicht
die Tatsache muß gewertet werden, sondern die Nuance.
Ich lege Gewicht darauf, klarzustellen, daß, wie immer
du handelst, deine Absichten für mich über jeden Zweifel erhaben sind.

ANTOINETTE *dem Weinen nah*

Meiner lieber Ado, du meinst es sehr gut, aber meine Migräne wird stärker mit jedem Wort, was du sagst.

HECHINGEN

Oh, das tut mir sehr leid. Um so mehr, als diese Augenblicke für mich unendlich kostbar sind.

ANTOINETTE

Bitte, hab die Güte –
Sie taumelt.

HECHINGEN

Ich versteh. Ein Auto?

ANTOINETTE

Ja. Die Edine hat mir erlaubt, ihres zu nehmen.

HECHINGEN

Sofort.
*Geht und gibt Befehl. Kommt zurück mit ihrem Mantel. Indem
er ihr hilft*

516

Ist das alles, was ich für dich tun kann?

ANTOINETTE
Ja, alles.

KAMMERDIENER *an der Glastür meldet*
Das Auto für die Frau Gräfin.
Antoinette geht sehr schnell ab. Hechingen will ihr nach, hält sich.

Sechste Szene

STANI *von rückwärts aus dem Wintergarten. Er scheint jemand zu suchen*
Ah, du bists, hast du meine Mutter nicht gesehen?

HECHINGEN
Nein, ich war nicht in den Salons. Ich hab soeben meine
Frau an ihr Auto begleitet. Es war eine Situation ohne
Beispiel.

STANI *mit seiner eigenen Sache beschäftigt*
Ich begreif nicht. Die Mamu bestellt mich zuerst in den
Wintergarten, dann läßt sie mir sagen, hier an der Stiege
auf sie zu warten –

HECHINGEN
Ich muß mich jetzt unbedingt mit dem Kari aussprechen.

STANI
Da mußt du halt fortgehen und ihn suchen.

HECHINGEN
Mein Instinkt sagt mir, er ist nur fortgegangen, um
mich im Club aufzusuchen, und wird wiederkommen.
Geht nach oben.

STANI
Ja, wenn man so einen Instinkt hat, der einem alles
sagt! Ah, da ist ja die Mamu!

Siebente Szene

CRESCENCE *kommt unten von links seitwärts der Treppe heraus*
Ich komme über die Dienerstiegen, diese Diener machen

nichts als Mißverständnisse. Zuerst sagt er mir, du bittest mich, in den Wintergarten zu kommen, dann sagt er in die Galerie –

STANI

Mamu, das ist ein Abend, wo man aus den Konfusionen überhaupt nicht herauskommt. Ich bin wirklich auf dem Punkt gestanden, wenn es nicht wegen Ihr gewesen wäre, stante pede nach Hause zu fahren, eine Dusche zu nehmen und mich ins Bett zu legen. Ich vertrag viel, aber eine schiefe Situation, das ist mir etwas so Odioses, das zerrt direkt an meinen Nerven. Ich muß vielmals bitten, mich doch jetzt au courant zu setzen.

CRESCENCE

Ja, ich begreif doch gar nicht, daß der Onkel Kari hat weggehen können, ohne mir auch nur einen Wink zu geben. Das ist eine von seinen Zerstreutheiten, ich bin ja desperat, mein guter Bub.

STANI

Bitte mir doch die Situation etwas zu erklären. Bitte mir nur in großen Linien zu sagen, was vorgefallen ist.

CRESCENCE

Aber alles ist ja genau nach dem Programm gegangen. Zuerst hat der Onkel mit der Antoinette ein sehr agitiertes Gespräch geführt –

STANI

Das war schon der erste Fehler. Das hab ich ja gewußt, das war eben zu kompliziert. Ich bitte mir also weiter zu sagen!

CRESCENCE

Was soll ich Ihm denn weiter sagen? Die Antoinette stürzt an mir vorbei, ganz bouleversiert, unmittelbar darauf setzt sich der Onkel Kari mit der Helen –

STANI

Es ist eben zu kompliziert, zwei solche Konversationen an einem Abend durchzuführen. Und der Onkel Kari –

CRESCENCE

Das Gespräch mit der Helen geht ins Endlose, ich komm

an die Tür – die Helen fällt mir in die Arme, ich bin
selig, sie lauft weg, ganz verschämt, wie sichs gehört, ich
stürz ans Telephon und zitier dich her!

STANI

Ja, ich bitte, das weiß ich ja, aber ich bitte, mir aufzuklären, was denn hier vorgegangen ist!

CRESCENCE

Ich stürz im Flug durch die Zimmer, such den Kari,
find ihn nicht. Ich muß zurück zu der Partie, du kannst
dir denken, wie ich gespielt hab. Die Mariette Stradonitz invitiert auf Herz, ich spiel Karo, dazwischen bet ich
die ganze Zeit zu die vierzehn Nothelfer. Gleich darauf
mach ich Renonce in Pik. Endlich kann ich aufstehen,
ich such den Kari wieder, ich find ihn nicht! Ich geh
durch die finstern Zimmer bis an der Helen ihre Tür,
ich hör sie drin weinen. Ich klopf an, sag meinen Namen,
sie gibt mir keine Antwort. Ich schleich mich wieder
zurück zur Partie, die Mariette fragt mich dreimal, ob
mir schlecht ist, der Louis Castaldo schaut mich an, als
ob ich ein Gespenst wär. –

STANI

Ich versteh alles.

CRESCENCE

Ja, was, ich versteh ja gar nichts.

STANI

Alles, alles. Die ganze Sache ist mir klar.

CRESCENCE

Ja, wie sieht Er denn das?

STANI

Klar wie's Einmaleins. Die Antoinette in ihrer Verzweiflung hat einen Tratsch gemacht, sie hat aus dem
Gespräch mit dem Onkel Kari entnommen, daß ich für
sie verloren bin. Eine Frau, wenn sie in Verzweiflung
ist, verliert ja total ihre tenue; sie hat sich dann an die
Helen heranfaufiliert und hat einen solchen Mords-
tratsch gemacht, daß die Helen mit ihrem fumo und
ihrer pyramidalen Empfindlichkeit beschlossen hat, auf
mich zu verzichten, und wenn ihr das Herz brechen sollte.

CRESCENCE

Und deswegen hat sie mir die Tür nicht aufgemacht!

STANI

Und der Onkel Kari, wie er gespürt hat, was er ange-
richtet hat, hat sich sofort aus dem Staub gemacht.

CRESCENCE

Ja, dann steht die Sache doch sehr fatal! Ja, mein guter
Bub, was sagst du denn da?

STANI

Meine gute Mamu, da sag ich nur eins, und das ist das
einzige, was ein Mann von Niveau sich in jeder schiefen
Situation zu sagen hat: man bleibt, was man ist, daran
kann eine gute oder eine schlechte Chance nichts ändern.

CRESCENCE

Er ist ein lieber Bub, und ich adorier Ihn für seine Haltung, aber deswegen darf man die Flinten noch nicht ins
Korn werfen!

STANI

Ich bitte um alles, mir eine schiefe Situation zu ersparen.

CRESCENCE

Für einen Menschen mit Seiner tenue gibts keine schiefe
Situation. Ich such jetzt die Helen und werd sie fragen,
was zwischen jetzt und dreiviertel zehn passiert ist.

STANI

Ich bitt inständig —

CRESCENCE

Aber mein Bub, Er ist mir tausendmal zu gut, als daß
ich Ihn wollt einer Familie oktroyieren und wenns die
vom Kaiser von China wär. Aber anderseits ist mir doch
auch die Helen zu lieb, als daß ich ihr Glück einem
Tratsch von einer eifersüchtigen Gans, wie die Antoinette ist, aufopfern wollte. Also tu Er mir den Gefallen
und bleib Er da und begleit Er mich dann nach Haus,
Er sieht doch, wie ich agitiert bin.

Sie geht die Treppe hinauf, Stani folgt ihr.

Achte Szene

Helene ist durch die unsichtbare Tür links herausgetreten, im Mantel wie zum Fortgehen. Sie wartet, bis Crescence und Stani sie nicht mehr sehen können. Gleichzeitig ist Karl durch die Glastür rechts sichtbar geworden; er legt Hut, Stock und Mantel ab und erscheint. Helene hat Karl gesehen, bevor er sie erblickt hat. Ihr Gesicht verändert sich in einem Augenblick vollständig. Sie läßt ihren Abendmantel von den Schultern fallen, und dieser bleibt hinter der Treppe liegen, dann tritt sie Karl entgegen.

HANS KARL *betroffen*
> Helen, Sie sind noch hier?

HELENE *hier und weiter in einer ganz festen, entschiedenen Haltung und in einem leichten, fast überlegenen Ton*
> Ich bin hier zu Haus.

HANS KARL
> Sie sehen anders aus als sonst. Es ist etwas geschehen!

HELENE
> Ja, es ist etwas geschehen.

HANS KARL
> Wann, so plötzlich?

HELENE
> Vor einer Stunde, glaub ich.

HANS KARL *unsicher*
> Etwas Unangenehmes?

HELENE
> Wie?

HANS KARL
> Etwas Aufregendes?

HELENE
> Ah ja, das schon.

HANS KARL
> Etwas Irreparables?

HELENE
> Das wird sich zeigen. Schauen Sie, was dort liegt.

HANS KARL

Dort? Ein Pelz. Ein Damenmantel, scheint mir.

HELENE

Ja, mein Mantel liegt da. Ich hab ausgehen wollen.

HANS KARL

Ausgehen?

HELENE

Ja, den Grund davon werd ich Ihnen auch dann sagen. Aber zuerst werden Sie mir sagen, warum Sie zurück-gekommen sind. Das ist keine ganz gewöhnliche Manier.

HANS KARL *zögernd*

Es macht mich immer ein bisserl verlegen, wenn man mich so direkt was fragt.

HELENE

Ja, ich frag Sie direkt.

HANS KARL

Ich kanns gar nicht leicht explizieren.

HELENE

Wir können uns setzen.
Sie setzen sich.

HANS KARL

Ich hab früher in unserer Konversation – da oben, in dem kleinen Salon –

HELENE

Ah, da oben in dem kleinen Salon.

HANS KARL *unsicher durch ihren Ton*

Ja, freilich, in dem kleinen Salon. Ich hab da einen gro-ßen Fehler gemacht, einen sehr großen.

HELENE

Ah?

HANS KARL

Ich hab etwas Vergangenes zitiert.

HELENE

Etwas Vergangenes?

HANS KARL

Gewisse ungereimte, rein persönliche Sachen, die in
mir vorgegangen sind, wie ich im Feld draußen war,
und später im Spital. Rein persönliche Einbildungen,
Halluzinationen, sozusagen. Lauter Dinge, die absolut
nicht dazu gehört haben.

HELENE

Ja, ich versteh Sie. Und?

HANS KARL

Da hab ich unrecht getan.

HELENE

Inwiefern?

HANS KARL

Man kann das Vergangene nicht herzitieren, wie die
Polizei einen vor das Kommissariat zitiert. Das Vergangene ist vergangen. Niemand hat das Recht, es in
eine Konversation, die sich auf die Gegenwart bezieht,
einzuflechten. Ich drück mich elend aus, aber meine
Gedanken darüber sind mir ganz klar.

HELENE

Das hoff ich.

HANS KARL

Es hat mich höchst unangenehm berührt in der Erinnerung, sobald ich allein mit mir selbst war, daß ich in
meinem Alter mich so wenig in der Hand hab – und ich
bin wiedergekommen, um Ihnen Ihre volle Freiheit,
pardon, das Wort ist mir ganz ungeschickt über die Lippen gekommen – um Ihnen Ihre volle Unbefangenheit
zurückzugeben.

HELENE

Meine Unbefangenheit – mir wiedergeben?
Hans Karl, unsicher, will aufstehen.

HELENE *bleibt sitzen*

Also das haben Sie mir sagen wollen – über Ihr Fortgehen früher?

HANS KARL

Ja, über mein Fortgehen und natürlich auch über mein
Wiederkommen. Eines motiviert ja das andere.

HELENE

Aha. Ich dank Ihnen sehr. Und jetzt werd ich Ihnen sagen, warum Sie wiedergekommen sind.

HANS KARL

Sie mir?

HELENE *mit einem vollen Blick auf ihn*

Sie sind wiedergekommen, weil – ja! es gibt das! gelobt sei Gott im Himmel!
Sie lacht
Aber es ist vielleicht schade, daß Sie wiedergekommen sind. Denn hier ist vielleicht nicht der rechte Ort, das zu sagen, was gesagt werden muß – vielleicht hätte das – aber jetzt muß es halt hier gesagt werden.

HANS KARL

O mein Gott, Sie finden mich unbegreiflich. Sagen Sie es heraus!

HELENE

Ich verstehe alles sehr gut. Ich versteh, was Sie fortgetrieben hat, und was Sie wieder zurückgebracht hat.

HANS KARL

Sie verstehen alles? Ich versteh ja selbst nicht.

HELENE

Wir können noch leiser reden, wenns Ihnen recht ist. Was Sie hier hinausgetrieben hat, das war Ihr Mißtrauen, Ihre Furcht vor Ihrem eigenen Selbst – sind Sie bös?

HANS KARL

Vor meinem Selbst?

HELENE

Vor Ihrem eigentlichen tieferen Willen. Ja, der ist unbequem, der führt einen nicht den angenehmsten Weg. Er hat Sie eben hierher zurückgeführt.

HANS KARL

Ich versteh Sie nicht, Helen!

HELENE *ohne ihn anzusehen*

Hart sind nicht solche Abschiede für Sie, aber hart ist manchmal, was dann in Ihnen vorgeht, wenn Sie mit sich allein sind.

HANS KARL

Sie wissen das alles?

HELENE

Weil ich das alles weiß, darum hätt ich ja die Kraft gehabt und hätte für Sie das Unmögliche getan.

HANS KARL

Was hätten Sie Unmögliches für mich getan?

HELENE

Ich wär Ihnen nachgegangen.

HANS KARL

Wie denn »nachgegangen«? Wie meinen Sie das?

HELENE

Hier bei der Tür auf die Gasse hinaus. Ich hab Ihnen doch meinen Mantel gezeigt, der dort hinten liegt.

HANS KARL

Sie wären mir –? Ja, wohin?

HELENE

Ins Kasino oder anderswo – was weiß ich, bis ich Sie halt gefunden hätte.

HANS KARL

Sie wären mir, Helen –? Sie hätten mich gesucht? Ohne zu denken, ob –?

HELENE

Ja, ohne an irgend etwas sonst zu denken. Ich geh dir nach – Ich will, daß du mich –

HANS KARL *mit unsicherer Stimme*

Sie, du, du willst?

Für sich

Da sind wieder diese unmöglichen Tränen!

Zu ihr

Ich hör Sie schlecht. Sie sprechen so leise.

HELENE

Sie hören mich ganz gut. Und da sind auch Tränen – aber die helfen mir sogar eher, um das zu sagen –

HANS KARL

Du – Sie haben etwas gesagt?

HELENE

Dein Wille, dein Selbst; versteh mich. Er hat dich um-
gedreht, wie du allein warst, und dich zu mir zurückgeführt. Und jetzt –

HANS KARL

Jetzt?

HELENE

Jetzt weiß ich zwar nicht, ob du jemand wahrhaft liebhaben kannst – aber ich bin in dich verliebt, und ich
will – aber das ist doch eine Enormität, daß Sie mich
das sagen lassen!

HANS KARL *zitternd*

Sie wollen von mir –

HELENE *mit keinem festeren Ton als er*

Von deinem Leben, von deiner Seele, von allem – meinen Teil!
Eine kleine Pause.

HANS KARL

Helen, alles, was Sie da sagen, perturbiert mich in der
maßlosesten Weise um Ihretwillen, Helen, natürlich
um Ihretwillen! Sie irren sich in bezug auf mich, ich
hab einen unmöglichen Charakter.

HELENE

Sie sind, wie Sie sind, und ich will kennen, wie Sie sind.

HANS KARL

Es ist so eine namenlose Gefahr für Sie.
Helene schüttelt den Kopf.

HANS KARL

Ich bin ein Mensch, der nichts als Mißverständnisse auf
dem Gewissen hat.

HELENE *lächelnd*

Ja, das scheint.

HANS KARL

Ich hab so vielen Frauen weh getan.

HELENE

Die Liebe ist nicht süßlich.

HANS KARL

Ich bin ein maßloser Egoist.

HELENE *lächelnd*

Ja? Ich glaub nicht.

HANS KARL

Ich bin so unstet, nichts kann mich fesseln.

HELENE

Ja, Sie können — wie sagt man das? — verführt werden und verführen. Alle haben Sie sie wahrhaft geliebt und alle wieder im Stich lassen. Die armen Frauen! Sie haben halt nicht die Kraft gehabt für euch beide.

HANS KARL

Wie?

HELENE

Begehren ist Ihre Natur. Aber nicht: das — oder das — sondern von einem Wesen- — alles — für immer! Es hätte eine die Kraft haben müssen, Sie zu zwingen, daß Sie von ihr immer mehr und mehr begehrt hätten. Bei der wären Sie dann geblieben.

HANS KARL

Wie du mich kennst!

HELENE

Nach einer ganz kurzen Zeit waren Sie dir alle gleichgültig, und du hast ein rasendes Mitleid gehabt, aber keine große Freundschaft für keine; das war mein Trost.

HANS KARL

Wie du alles weißt!

HELENE

Nur darin hab ich existiert. Das allein hab ich verstanden.

HANS KARL

Da muß ich mich ja vor dir schämen.

HELENE

Schäm ich mich denn vor dir? Ah nein. Die Liebe schneidet ins lebendige Fleisch.

HANS KARL

Alles hast du gewußt und ertragen —

HELENE

Ich hätt nicht den kleinen Finger gerührt, um eine solche Frau von dir wegzubringen. Es wär mir nicht dafür gestanden.

HANS KARL

Was ist das für ein Zauber, der in dir ist. Gar nicht wie die andern Frauen. Du machst einen so ruhig in einem selber.

HELENE

Du kannst freilich die Freundschaft nicht fassen, die ich für dich hab. Dazu wird eine lange Zeit nötig sein – wenn du mir die geben kannst.

HANS KARL

Wie du das sagst!

HELENE

Jetzt geh, damit dich niemand sieht. Und komm bald wieder. Komm morgen, am frühen Nachmittag. Die Leut gehts nichts an, aber der Papa solls schnell wissen. – Der Papa solls wissen, – der schon! Oder nicht, wie?

HANS KARL *verlegen*

Es ist das – mein guter Freund Poldo Altenwyl hat seit Tagen eine Angelegenheit, einen Wunsch – den er mir oktroyieren will: er wünscht, daß ich, sehr überflüssigerweise, im Herrenhaus das Wort ergreife –

HELENE

Aha –

HANS KARL

Und da geh ich ihm seit Wochen mit der größten Vorsicht aus dem Weg – vermeide, mit ihm allein zu sein – im Kasino, auf der Gasse, wo immer –

HELENE

Sei ruhig – es wird nur von der Hauptsache die Rede sein – dafür garantier ich. – Es kommt schon jemand: ich muß fort.

HANS KARL

Helen!

HELENE *schon im Gehen, bleibt nochmals stehen*

Du! Leb wohl!

Nimmt den Mantel auf und verschwindet durch die kleine Tür links.

Neunte Szene

CRESCENCE *oben auf der Treppe*

Kari!

Kommt schnell die Stiege herunter. Hans Karl steht mit dem Rücken gegen die Stiege.

CRESCENCE

Kari! Find ich Ihn endlich! Das ist ja eine Konfusion ohne Ende!

Sie sieht sein Gesicht

Kari! es ist was passiert! Sag mir, was?

HANS KARL

Es ist mir was passiert, aber wir wollen es gar nicht zergliedern.

CRESCENCE

Bitte! aber du wirst mir doch erklären –

Zehnte Szene

HECHINGEN *kommt von oben herab, bleibt stehen, ruft Hans Karl halblaut zu*

Kari, wenn ich dich auf eine Sekunde bitten dürfte!

HANS KARL

Ich steh zur Verfügung.

Zu Crescence

Entschuldig Sie mich wirklich.

Stani kommt gleichfalls von oben.

CRESCENCE *zu Hans Karl*

Aber der Bub! Was soll ich denn dem Buben sagen? Der Bub ist doch in einer schiefen Situation!

STANI *kommt herunter, zu Hechingen*

Pardon, jetzt einen Moment muß unbedingt ich den Onkel Kari sprechen!

Grüßt Hans Karl.

HANS KARL

Verzeih mir einen Moment, lieber Ado!

Läßt Hechingen stehen, tritt zu Crescence

Komm Sie daher, aber allein: ich will Ihr was sagen. Aber

wir wollen es in keiner Weise bereden.

CRESCENCE
Aber ich bin doch keine indiskrete Person!

HANS KARL
Du bist eine engelsgute Frau. Also hör zu! Die Helen
hat sich verlobt.

CRESCENCE
Sie hat sich verlobt mit'm Stani? Sie will ihn?

HANS KARL
Wart noch! So hab doch nicht gleich die Tränen in den
Augen, du weißt ja noch nicht.

CRESCENCE
Es ist Er, Kari, über den ich so gerührt bin. Der Bub
verdankt Ihm ja alles!

HANS KARL
Wart Sie, Crescence! – Nicht mit dem Stani!

CRESCENCE
Nicht mit dem Stani? Ja, mit wem denn?

HANS KARL *mit großer gêne*
Gratulier Sie mir!

CRESCENCE
Dir?

HANS KARL
Aber tret Sie dann gleich weg und misch Sies nicht in
die Konversation. Sie hat sich – ich hab mich – wir haben
uns miteinander verlobt.

CRESCENCE
Du hast dich! Ja, da bin ich selig!

HANS KARL
Ich bitte Sie, jetzt vor allem zu bedenken, daß Sie mir
versprochen hat, mir diese odiosen Konfusionen zu ersparen, denen sich ein Mensch aussetzt, der sich unter
die Leut mischt.

CRESCENCE
Ich werd gewiß nichts tun –
Blick nach Stani.

HANS KARL

Ich hab Ihr gesagt, daß ich nichts erklären werd, niemandem, und daß ich bitten muß, mir die gewissen
Mißverständnisse zu ersparen!

CRESCENCE

Werd Er mir nur nicht stutzig! Das Gesicht hat Er als
kleiner Bub gehabt, wenn man Ihn konterkariert hat.
Das hab ich schon damals nicht sehen können! Ich will
ja alles tun, wie Er will.

HANS KARL

Sie ist die beste Frau von der Welt, und jetzt entschuldig
Sie mich, der Ado hat das Bedürfnis, mit mir eine Konversation zu haben – die muß also jetzt in Gottes Namen
absolviert werden.
Küßt ihr die Hand.

CRESCENCE

Ich wart noch auf Ihn!
*Crescence, mit Stani, treten zur Seite, entfernt, aber dann und wann
sichtbar.*

Elfte Szene

HECHINGEN

Du siehst mich so streng an! Es ist ein Vorwurf in deinem Blick!

HANS KARL

Aber gar nicht: ich bitt um alles, wenigstens heute
meine Blicke nicht auf die Goldwaage zu legen.

HECHINGEN

Es ist etwas vorgefallen, was deine Meinung von mir
geändert hat? oder deine Meinung von meiner Situation?

HANS KARL *in Gedanken verloren*

Von deiner Situation?

HECHINGEN

Von meiner Situation gegenüber Antoinette natürlich!
Darf ich dich fragen, wie du über meine Frau denkst?

HANS KARL *nervös*

Ich bitt um Vergebung, aber ich möchte heute nichts

über Frauen sprechen. Man kann nicht analysieren, ohne in die odiosesten Mißverständnisse zu verfallen. Also ich bitt mirs zu erlassen!

HECHINGEN

Ich verstehe. Ich begreife vollkommen. Aus allem, was du da sagst oder vielmehr in der zartesten Weise andeutest, bleibt für mich doch nur der einzige Schluß zu ziehen: daß du meine Situation für aussichtslos ansiehst.

Zwölfte Szene

Hans Karl sagt nichts, sieht verstört nach rechts. Vinzenz ist von rechts eingetreten, im gleichen Anzug wie im ersten Akt, einen kleinen runden Hut in der Hand. Crescence ist auf Vinzenz zugetreten.

HECHINGEN *sehr betroffen durch Hans Karls Schweigen*

Das ist der kritische Moment meines Lebens, den ich habe kommen sehen. Jetzt brauche ich deinen Beistand, mein guter Kari, wenn mir nicht die ganze Welt ins Wanken kommen soll.

HANS KARL

Aber mein guter Ado –
Für sich, auf Vinzenz hinübersehend
Was ist denn das?

HECHINGEN

Ich will, wenn du es erlaubst, die Voraussetzungen rekapitulieren, die mich haben hoffen lassen –

HANS KARL

Entschuldige mich für eine Sekunde, ich sehe, da ist irgendwelche Konfusion passiert.
Er geht hinüber zu Crescence und Vinzenz. Hechingen bleibt allein stehen. Stani ist seitwärts zurückgetreten, mit einigen Zeichen von Ungeduld.

CRESCENCE *zu Hans Karl*

Jetzt sagt er mir: du reist ab, morgen in aller Früh – ja was bedeutet denn das?

HANS KARL

Was sagt er? Ich habe nicht befohlen –

CRESCENCE

Kari, mit dir kommt man nicht heraus aus dem Wiegel-Wagel. Jetzt hab ich mich doch in diese Verlobungsstimmung hineingedacht!

HANS KARL

Darf ich bitten —

CRESCENCE

Mein Gott, es ist mir ja nur so herausgerutscht!

HANS KARL *zu Vinzenz*

Wer hat Sie hergeschickt? Was soll es?

VINZENZ

Euer Erlaucht haben doch selbst Befehl gegeben, vor einer halben Stunde im Telephon.

HANS KARL

Ihnen? Ihnen hab ich gar nichts befohlen.

VINZENZ

Der Portierin haben Erlaucht befohlen, wegen Abreise morgen früh sieben Uhr aufs Jagdhaus nach Gebhardtskirchen — oder richtig gesagt, heut früh, denn jetzt haben wir viertel eins.

CRESCENCE

Aber Kari, was heißt denn das alles?

HANS KARL

Wenn man mir erlassen möchte, über jeden Atemzug, den ich tu, Auskunft zu geben.

VINZENZ *zu Crescence*

Das ist doch sehr einfach zu verstehen. Die Portierin ist nach oben gelaufen mit der Meldung, der Lukas war im Moment nicht auffindbar, also hab ich die Sache in die Hand genommen. Chauffeur habe ich avisiert, Koffer hab ich vom Boden holen lassen, Sekretär Neugebauer hab ich auf alle Fälle aufwecken lassen, falls er gebraucht wird — was braucht er zu schlafen, wenn das ganze Haus auf ist? — und jetzt bin ich hier erschienen und stelle mich zur Verfügung, weitere Befehle entgegenzunehmen.

HANS KARL

Gehen Sie sofort nach Haus, bestellen Sie das Auto ab,

lassen Sie die Koffer wieder auspacken, bitten Sie den Herrn Neugebauer sich wieder schlafenzulegen, und machen Sie, daß ich Ihr Gesicht nicht wieder sehe! Sie sind nicht mehr in meinen Diensten, der Lukas ist vom übrigen unterrichtet. Treten Sie ab!

VINZENZ

Das ist mir eine sehr große Überraschung.
Geht ab.

Dreizehnte Szene

CRESCENCE

Aber so sag mir doch nur ein Wort! So erklär mir nur —

HANS KARL

Da ist nichts zu erklären. Wie ich aus dem Kasino gegangen bin, war ich aus bestimmten Gründen vollkommen entschlossen, morgen früh abzureisen. Das war an der Ecke von der Freyung und der Herrengasse. Dort ist ein Café, in das bin ich hineingegangen und hab von dort aus nach Haus telephoniert; dann, wie ich aus dem Kaffeehaus herausgetreten bin, da bin ich, anstatt wie meine Absicht war, über die Freyung abzubiegen — bin ich die Herrengasse heruntergegangen und wieder hier hereingetreten — und da hat sich die Helen —
Er streicht sich über die Stirn.

CRESCENCE

Aber ich laß Ihn ja schon.
Sie geht zu Stani hinüber, der sich etwas im Hintergrund gesetzt hat.

HANS KARL *gibt sich einen Ruck und geht auf Hechingen zu, sehr herzlich*

Ich bitt mir alles Vergangene zu verzeihen, ich hab in allem und jedem unrecht und irrig gehandelt und bitt, mir meine Irrtümer alle zu verzeihen. Über den heutigen Abend kann ich im Detail keine Auskunft geben. Ich bitt, mir trotzdem ein gutes Andenken zu bewahren.
Reicht ihm die Hand.

HECHINGEN *bestürzt*

Du sagst mir ja adieu, mein Guter! Du hast Tränen in den Augen. Aber ich versteh dich ja, Kari. Du bist der wahre, gute Freund, unsereins ist halt nicht imstand, sich herauszuwursteln aus dem Schicksal, das die Gunst oder Nichtgunst der Frauen uns bereitet, du aber hast dich über diese ganze Atmosphäre ein für allemal hinausgehoben –

Hans Karl winkt ihn ab.

HECHINGEN

Das kannst du nicht negieren, das ist dieses gewisse Etwas von Superiorität, das dich umgibt, und wie im Leben schließlich alles nur Vor- oder Rückschritte macht, nichts stehenbleibt, so ist halt um dich von Tag zu Tag immer mehr die Einsamkeit des superioren Menschen.

HANS KARL

Das ist ja schon wieder ein kolossales Mißverständnis!

Er sieht ängstlich nach rechts, wo in der Tür zum Wintergarten Altenwyl mit einem seiner Gäste sichtbar geworden ist.

HECHINGEN

Wie denn? Wie soll ich mir diese Worte erklären?

HANS KARL.

Mein guter Ado, bitt mir im Moment diese Erklärung und jede Erklärung zu erlassen. Ich bitt dich, gehen wir da hinüber, es kommt da etwas auf mich zu, dem ich mich heute nicht mehr gewachsen fühle.

HECHINGEN

Was denn, was denn?

HANS KARL

Dort in der Tür, dort hinter mir!

HECHINGEN *sieht hin*

Es ist doch nur unser Hausherr, der Poldo Altenwyl –

HANS KARL

– der diesen letzten Moment seiner Soiree für den gegebenen Augenblick hält, um sich an mich in einer gräßlichen Absicht heranzupirschen; denn für was geht man denn auf eine Soiree, als daß einen jeder Mensch mit dem, was ihm gerade wichtig erscheint, in der erbarmungslosesten Weise über den Hals kommt!

HECHINGEN

Ich begreif nicht –

HANS KARL

Daß ich in der übermorgigen Herrenhaussitzung mein
Debüt als Redner feiern soll. Diese charmante Mission
hat er von unserm Club übernommen, und weil ich
ihnen im Kasino und überall aus dem Weg geh, so lauert
er hier in seinem Haus auf die Sekunde, wo ich unbe-
schützt dasteh! Ich bitt dich, sprich recht lebhaft mit mir,
so ein bissel agitiert, wie wenn wir etwas Wichtiges zu
erledigen hätten.

HECHINGEN

Und du willst wieder refüsieren?

HANS KARL

Ich soll aufstehen und eine Rede halten, über Völker-
versöhnung und über das Zusammenleben der Nationen
– ich, ein Mensch, der durchdrungen ist von einer Sache
auf der Welt: daß es unmöglich ist, den Mund aufzuma-
chen, ohne die heillosesten Konfusionen anzurichten!
Aber lieber leg ich doch die erbliche Mitgliedschaft nieder und verkriech mich zeitlebens in eine Uhuhütte. Ich
sollte einen Schwall von Worten in den Mund nehmen,
von denen mir jedes einzelne geradezu indezent erscheint!

HECHINGEN

Das ist ein bisserl ein starker Ausdruck.

HANS KARL *sehr heftig, ohne sehr laut zu sein*

Aber alles, was man ausspricht, ist indezent. Das simple
Faktum, daß man etwas ausspricht, ist indezent. Und
wenn man es genau nimmt, mein guter Ado, aber die
Menschen nehmen eben nichts auf der Welt genau,
liegt doch geradezu etwas Unverschämtes darin, daß
man sich heranwagt, gewisse Dinge überhaupt zu erleben! Um gewisse Dinge zu erleben und sich dabei
nicht indezent zu finden, dazu gehört ja eine so rasende
Verliebtheit in sich selbst und ein Grad von Verblendung,
den man vielleicht als erwachsener Mensch im innersten
Winkel in sich tragen, aber niemals sich eingestehen
kann!
Sieht nach rechts
Er ist weg.
Will fort. Altenwyl ist nicht mehr sichtbar.

CRESCENCE *tritt auf Kari zu*

So echappier Er doch nicht! Jetzt muß Er sich doch mit dem Stani über das Ganze aussprechen.

Hans Karl sieht sie an.

CRESCENCE

Aber Er wird doch den Buben nicht so stehen lassen! Der Bub beweist ja in der ganzen Sache eine Abnegation, eine Selbstüberwindung, über die ich geradezu starr bin. Er wird ihm doch ein Wort sagen.

Sie winkt Stani, näherzutreten. Stani tritt einen Schritt näher.

HANS KARL

Gut, auch das noch. Aber es ist die letzte Soiree, auf der Sie mich erscheinen sieht.

Zu Stani, indem er auf ihn zutritt

Es war verfehlt, mein lieber Stani, meiner Suada etwas anzuvertrauen.

Reicht ihm die Hand.

CRESCENCE

So umarm Er doch den Buben! Der Bub hat ja doch in dieser Geschichte eine tenue bewiesen, die ohnegleichen ist.

Hans Karl sieht vor sich hin, etwas abwesend.

CRESCENCE

Ja, wenn Er ihn nicht umarmt, so muß doch ich den Buben umarmen für seine tenue.

HANS KARL

Bitte das vielleicht zu tun, wenn ich fort bin.

Gewinnt schnell die Ausgangstür und ist verschwunden.

Vierzehnte Szene

CRESCENCE

Also, das ist mir ganz egal, ich muß jemanden umarmen! Es ist doch heute zuviel vorgegangen, als daß eine Person mit Herz, wie ich, so mir nix dir nix nach Haus fahren und ins Bett gehen könnt!

STANI *tritt einen Schritt zurück*

Bitte, Mamu! nach meiner Idee gibt es zwei Kategorien

von Demonstrationen. Die eine gehört ins strikteste Privatleben: dazu rechne ich alle Akte von Zärtlichkeit zwischen Blutsverwandten. Die andere hat sozusagen eine praktische und soziale Bedeutung: sie ist der pantomimische Ausdruck für eine außergewöhnliche, gewissermaßen familiengeschichtliche Situation.

CRESCENCE

Ja, in der sind wir doch!

Altenwyl mit einigen Gästen ist oben herausgetreten und ist im Begriffe, die Stiege herunterzukommen.

STANI

Und für diese gibt es seit tausend Jahren gewisse richtige und akzeptierte Formen. Was wir heute hier erlebt haben, war tant bien que mal, wenn mans Kind beim Namen nennt, eine Verlobung. Eine Verlobung kulminiert in der Umarmung des verlobten Paares. – In unserm Fall ist das verlobte Paar zu bizarr, um sich an diese Formen zu halten. Mamu, Sie ist die nächste Verwandte vom Onkel Kari, dort steht der Poldo Altenwyl, der Vater der Braut. Geh Sie sans mot dire auf ihn zu und umarm Sie ihn, und das Ganze wird sein richtiges, offizielles Gesicht bekommen.

Altenwyl ist mit einigen Gästen die Stiege heruntergekommen.

Crescence eilt auf Altenwyl zu und umarmt ihn.

Die Gäste stehen überrascht.

Vorhang.

FLORINDO UND DIE UNBEKANNTE

Ein Platz in Venedig, der im Hintergrunde an die offene Lagune stößt. Nach links vorne geht eine kleine, enge Gasse mit einem Bogen überwölbt, ebenso geht rechts eine schiefe, schmale Gasse. Im Erdgeschosse eines Eckhauses links ist ein Kaffeehaus, das erleuchtet ist und worin einige Gäste Billard spielen; vor diesem stehen kleine Tische im Freien. Der Platz ist mit Laternen beleuchtet. In einem kleinen Hause, das mit einer Seite in dem Gäßchen rechts, mit einer gegen den Platz heraussteht, ist im ersten Stock ein Zimmer erleuchtet.

An den Tischen sitzen: links Graf Prampero und seine Frau und rechts gegen die Mitte des Platzes Herr Paretti. Weiter rückwärts ein paar Schachspieler, ferner Lavache, ein Mann unbestimmten Alters in einem dürftigen, bis an den Hals zugeknöpften Mantel, der eifrig schreibt und eine große Menge beschriebenen Papieres vor sich hat. Mehrere Tische sind leer. Benedetto, der Oberkellner, steht bei den Schachspielern. Tofolo, der Kellnerbursche, bedient. Teresa sieht aus dem erleuchteten Fenster des kleinen Hauses, man sieht sie dann ein schwarzes Tuch um die Schulter schlagen.

LAVACHE
  Herr Benedetto, darf ich Sie noch um etwas Papier bitten? Sie werden Ihre Großmut nicht bereuen.

BENEDETTO *winkt Tofolo*
  Schreibpapier dem Herrn Lavache!

GRAF PRAMPERO *ein mit dürftiger Eleganz angezogener, sehr hagerer, alter Mann zu seiner Frau, nachdem er auf die Uhr gesehen*
  Wünschst du noch zu bleiben oder soll ich—
  Die Gräfin, eine sehr blasse Dame, um dreißig Jahre jünger als ihr Mann, zuckt die Achseln und sieht ins Leere.
  Der eine Schachspieler läßt eine Figur herunterfallen. Graf Prampero steht eilig auf und überreicht sie, indem er den Hut abnimmt, dem Schachspieler. Der Schachspieler nickt dankend und spielt weiter. Teresa kommt aus dem Hause, steht in der Mitte und sucht Benedettos Aufmerksamkeit auf sich zuziehen.

GRAF PRAMPERO *zu seiner Frau*
  Es ist mehr als eine Woche, daß wir Florindo hier nicht gesehen haben.
  Die Gräfin gibt keine Antwort.

GRAF PRAMPERO

Er scheint seine Gewohnheiten geändert zu haben.
Seufzt. Die Gräfin gibt keine Antwort.

GRAF PRAMPERO

Es kann sein, daß man ihm begegnen würde, wenn man länger bliebe.
Sieht nach der Uhr.

DIE GRÄFIN

Ich denke nicht daran. Warum sprichst du von ihm? Ich möchte wissen, was Herr Florindo uns angeht. Ich gehe fort.

GRAF PRAMPERO

Sofort. Darf ich dich nur um die Gnade bitten, einen Augenblick zu warten, bis ich Benedetto rufe? Benedetto, ich zahle.

BENEDETTO *zu dem Schachspieler*

Sie haben unverantwortlich gespielt, Herr. Man kann Ihnen nicht zusehen.
Geht langsam nach rechts zu Teresa.

GRAF PRAMPERO *mit erhobener, aber schwacher Stimme*
Benedetto!

BENEDETTO

Ich komme!
Tritt zu Teresa.
Tofolo bringt Lavache Schreibpapier, stößt dabei dessen Hut herunter. Graf Prampero steht auf, hebt den Hut auf, staubt ihn mit seinem Taschentuch ab und überreicht ihn dem Schreiber.

LAVACHE

Mein Herr, ich danke Ihnen sehr.
Graf Prampero grüßt höflich. Die Gräfin sitzt unbeweglich und sieht finster vor sich hin.

BENEDETTO *Tofolo zurufend*
Frisches Wasser dem Herrn Paretti!

TERESA *zu Benedetto*
Wie ists mit dem Paretti?
Benedetto zuckt die Achseln.

TERESA
Er will nichts hergeben?

BENEDETTO
Gib acht, er ist mißtrauisch wie ein Dachs.

TERESA
Also?

BENEDETTO
Ich habe getan, was ich konnte.

TERESA
Ich bin drinnen schon auf Kohlen gesessen.

BENEDETTO
Er wollte vom Anfang an nicht.

TERESA
Am Anfang macht er doch immer seine Komödien.

BENEDETTO
Ich habe den Eindruck, für jeden andern als für Florindo
wäre etwas zu machen.

TERESA
Was soll er gerade gegen Florindo haben?

BENEDETTO
Ich weiß nicht. Eine Laune, ein Mißtrauen. Mit Frauen
und mit Wucherern lernt man nicht aus.

TERESA
Wenn er vom Anfang an nicht gewollt hätte, so wäre er
nicht gekommen. Er setzt sich nicht ins Kaffeehaus, um
kein Geschäft zu machen. Du darfst ihn nicht auslassen.

GRAF PRAMPERO *aufstehend*
Benedetto!

BENEDETTO *ohne sich zu regen*
Ich komme, Herr Graf, ich bin auf dem Wege zu Ihnen!

TERESA
Wenn er kein Geld gibt, so muß er anderes geben. Ju-
welen, Möbel, Ware, was immer.

BENEDETTO
Würde Florindo Ware nehmen?

TERESA

Sehr ungern natürlich, aber man nimmt schließlich, was man bekommt. Und es eilt.

BENEDETTO

Du bist mir rätselhaft.

TERESA

Du hast mir versprochen, daß du es machen wirst.

BENEDETTO

Wenn du noch mit ihm wärest – Aber alles für seine schönen Augen?

TERESA

Das verstehst du nicht. Er wird prolongieren müssen, ich werde es vermitteln. Er wird Ware übernehmen müssen, ich werde zu tun haben, sie für ihn zu verkaufen. Er wird zu mir kommen, wäre es nur um seinen Ärger auszulassen.

BENEDETTO

Du verlangst nicht viel.

Graf Prampero macht alle Anstrengungen, Benedetto herbeizuwinken

BENEDETTO

Gewiß, Herr Graf, ich komme.

Bei Pramperos Tisch

Wir haben also die Mandelmilch der Frau Gräfin und was darf ich noch rechnen?

GRAF PRAMPERO

Sie wissen ja, Benedetto, daß ich abends nichts zu mir nehmen darf.

Gibt ihm eine Silbermünze.

BENEDETTO

Sehr wohl!

Gibt aus einem Schälchen Kupfermünzen zurück, geht dann zu Teresa hinüber.

TERESA

Das wäre was, wenn es einem Menschen wie dir nicht gelingen sollte, einen solch alten Halunken herumzukriegen. Brr, das Gesicht!

BENEDETTO

Ein sehr gutes Gesicht für sein Gewerbe. Sein Kopf ist so viel wert wie ein diskretes Aushängeschild. Er sieht aus wie der wandelnde Verfallstag.

GRAF PRAMPERO *zu seiner Frau*

Wenn es dir jetzt gefällig ist, meine Liebste –
Die Gräfin fährt aus ihrer Träumerei auf. Graf Prampero reicht ihr ihr Täschchen. Die Gräfin steht auf.

GRAF PRAMPERO

Wird dir der gewöhnliche kleine Rundgang belieben? Ich würde gerne beim Uhrmacher meine Uhr verglei-chen. Oder der direkte Weg nach Hause?

DIE GRÄFIN

Es ist mir namenlos gleichgültig.
Graf Prampero grüßt die übrigen Gäste, sie gehen über die Bühne und verschwinden in dem Gäßchen rechts.

BENEDETTO *zu Teresa*

Übrigens: Herr Barozzi spielt drinnen und du weißt, daß er es nicht gern hat, wenn er dich hier sitzen oder herum-stehen sieht.

TERESA *heftig*

Das geht ihn gar nichts an, er hat mir nichts zu ver-bieten.
Sie setzt sich an einen leeren Tisch, Tofolo bedient sie, Paretti winkt Benedetto. Benedetto schnell zu Paretti.

PARETTI

Wie kommen Sie dazu, dem Menschen das Schreibpapier zu kreditieren? Sind Sie der Wohltäter der Menschheit?

BENEDETTO

Im Ernst, Herr Paretti, es kann das früher nicht Ihr letztes Wort gewesen sein. Daß Herr Florindo –

PARETTI

Wenn Sie den Namen noch einmal aussprechen, zahle ich und gehe.

BENEDETTO

Sehr gut!
Geht zu Teresa
Ich glaube, es wird etwas zu machen sein.

TERESA

Ja, Gott sei Dank! Was hat er gesagt?

BENEDETTO

Er hat gesagt, wenn ich noch einmal den Namen ausspreche, so zahlt er und geht.

TERESA

Nun, und?

BENEDETTO

Wenn er mit dem Fortgehen droht, so will er mit sich reden lassen.
Geht zu den Spielern.

PARETTI *winkt Benedetto zu sich*

Wovon hält der Graf Prampero einen Bedienten? Die Leute haben nicht auf Brot. Was? Die Frau hat einen Liebhaber. Ja? Nein? Wieso nein?

BENEDETTO

Sie hat keinen, der erste und einzige, den sie jemals hatte, war eben der Herr, dessen Namen auszusprechen Sie mir verboten haben.

PARETTI

Der Florindo? Der Mensch ist eine öffentliche Person. Ein Faß ohne Boden, und da soll ich mein gutes Geld, das heißt meinen guten Namen, meine Verbindungen hineinwerfen?
Eine maskierte Dame, begleitet von einer alten Frau, zeigt sich rechts, mustert die Gäste und verschwindet wieder.

BENEDETTO

Die Geschichte wäre unterhaltend genug, aber ich werde mich hüten, sie Ihnen zu erzählen. Ich fürchte ohnedies, daß Sie meine Stellung in der ganzen Sache sehr falsch auffassen, Herr Paretti. Ich interessiere mich einfach für den jungen Mann, das ist alles.
Geht zu Teresa.

TERESA *ist aufgestanden*

Hast du die Maskierte gesehen?

BENEDETTO

Es wird eine Dame gewesen sein, die aus dem Theater kommt.

TERESA

Ah, es ist Florindos Geliebte.

BENEDETTO

Die Schneidersfrau?

TERESA

Kein Gedanke, wo ist die! Es ist die jetzige, ein junges Mädchen aus gutem Hause. Sie heißt Henriette. Sie ist eine Waise und hat einen einzigen Bruder, der in einem Amt ist. Ich freue mich, ich finde das unbezahlbar!

BENEDETTO

Was?

TERESA

Daß er jetzt die auch schon warten läßt.

BENEDETTO

Bestellt er sie hierher?

TERESA

Natürlich. Sie ist pünktlich wie die Uhr und läßt sich immer von derselben alten Person begleiten, die dann verschwindet. Ach Gott, das arme Geschöpf.
Lacht
Bis jetzt war er noch immer der erste und heute bleibt er schon aus. Jetzt hat sie noch vierzehn Tage vor sich, höchstens drei Wochen.
Zwei Herren kommen aus dem Kaffeehaus, gehen zwischen den Tischen durch.

DER EINE

Guten Abend!

TERESA

Guten Abend!
Die Herren gehen nach links ab.

BENEDETTO *steht bei Paretti*

Nach einigen Wochen war Florindo der Gräfin überdrüssig. Er hat ein außerordentliches Talent, rasch ein Ende zu machen. Er verschwindet von einem Tag auf den andern. Er ist einfach nicht mehr zu finden. Er hat immer zwei oder drei Wohnungen, die er jedes Vierteljahr wechselt, und in keiner ist er je zu sprechen.

PARETTI

Mit der Bekanntschaft werden Sie sich bei mir nicht beliebt machen.

Florindo ist von rückwärts aufgetreten und kommt langsam nach vorne. Anscheinend jemand suchend. Gleichzeitig treten Prampero und seine Frau aus der kleinen Gasse rechts und stoßen fast mit ihm zusammen, aber Florindo kommt geschickt an ihnen vorbei, indem er sie scheinbar übersieht.

BENEDETTO *weitersprechend*

Aber er hatte ohne die unglaubliche Anhänglichkeit gerechnet, die er dem Manne eingeflößt hatte. Der Graf kann einfach ohne Florindo nicht leben. Er hat hier im Kaffeehaus Szenen gemacht: ob er ihn beleidigt hätte? Ob die Gräfin ihn beleidigt hätte? Welche Art Genugtuung er ihm anbieten könne? Da haben Sie das Manöver. Da kommt Florindo und da die Pramperos, ach sehen Sie, er schneidet sie einfach. Gewöhnlich spricht er wenigstens ein paar Worte mit ihnen. Sehen Sie sich die kostbare Miene des Alten an und sehen Sie sich die Frau an. Schnell: wie sie dunkelrot wird. Ich glaube, es ist ihr einziges Vergnügen, sich jeden zweiten oder dritten Tag dieser Beschimpfung auszusetzen. Aber was wollen Sie, das ist wirklich die einzige einigermaßen aufregende Zerstreuung, die ihr Mann ihr bieten kann. *Florindo eilig nach vorne, sich umsehend. Prampero und seine Frau gehen quer über die Bühne rückwärts ab.*

TERESA *tritt schnell zu Florindo, flüstert*

Das Fräulein war schon da.

FLORINDO

Was?

TERESA

Dort in der Gasse ist sie auf und ab spaziert. Tummeln Sie sich nur. *Die Maskierte und die Alte treten aus dem Gäßchen rechts. Florindo zu ihnen.*

FLORINDO

Henriette!

DIE UNBEKANNTE

Ich bin nicht Henriette! *Florindo stutzt.*

Aber es ist Henriette, die mich geschickt hat, um Ihnen
etwas zu sagen.
Die Alte verschwindet lautlos.

FLORINDO
Henriette ist krank?

DIE UNBEKANNTE
Seien Sie ruhig, sie ist ganz wohl. Aber sie hat es nicht
gewagt auszugehen, weil sie fürchtet, daß ihr Bruder
heute ankommt.

FLORINDO
Ach, er sollte länger ausbleiben.

DIE UNBEKANNTE
Und Sie sind ärgerlich. Das ist sehr begreiflich. Es wäre
peinlich für Henriette, wenn Sie nicht ärgerlich wären.
Aber das erklärt Ihnen noch nicht, warum sie mich hergeschickt hat. Es handelt sich um etwas, das man schwer
schreibt und noch weniger einer alten Begleiterin an-
vertraut.

FLORINDO
Sie machen mich recht unruhig.

DIE UNBEKANNTE
Wo kann ich fünf Minuten mit Ihnen sprechen?

FLORINDO
Hier, wenn Sie es nicht vorziehen, mit mir in eine Gondel zu steigen.

DIE UNBEKANNTE
Hier.

FLORINDO
Dann setzen wir uns.
Die Unbekannte zögert.

FLORINDO
Es ist unendlich weniger auffällig, als wenn wir hier
stehen und uns unterhalten.
Sie setzen sich.
Sie wollen sich nicht demaskieren?

DIE UNBEKANNTE
Ich weiß nicht, ob ich soll!

547

FLORINDO

Ich denke, daß das, was Sie mir zu sagen haben, wichtig
ist. Bedenken Sie, um wieviel aufmerksamer ich Ihnen
zuhören werde, wenn ich Ihr Gesicht sehe, als wenn ich
mir die ganze Zeit den Kopf zerbreche, wie Sie aussehen
können.

DIE UNBEKANNTE

Gut! Sie sollen mein Gesicht sehen, aber da ich unver-
gleichlich weniger hübsch bin als Henriette, so werden
Sie so zartfühlend sein, mir kein Kompliment zu machen.
Nimmt die Maske ab.

FLORINDO

Oh, es tut mir so leid, daß Sie mir verboten haben –

DIE UNBEKANNTE

Es ist ein gewöhnliches Gesicht. Aber man hat mir gesagt, es ist eines von den Gesichtern, an die man sich mit
der Zeit attachiert.

FLORINDO

Man braucht sehr wenig Zeit dazu. Ein Augenblick genügt.
Küßt ihre Hand.

DIE UNBEKANNTE *entzieht ihm ihre Hand*

Bleiben wir bei Henriette. Ich bin Henriettes beste
Freundin. Wenn sie Ihnen nicht von mir gesprochen
hat –

FLORINDO

O doch. Ich hatte Sie mir nicht so jung gedacht. Denn
Sie müssen die verheiratete Freundin sein, von der –

DIE UNBEKANNTE

Ganz richtig!

FLORINDO

Deren Namen sie mir niemals nannte.

DIE UNBEKANNTE

Das war mein Wunsch. Lassen wir mich aus dem Spiel,
meine Rolle in eurem Stück ist nicht der Rede wert.

FLORINDO

Es ist die Sache des guten Schauspielers, aus der unbedeutendsten Rolle die erste zu machen.

DIE UNBEKANNTE

Wer sagt Ihnen, daß ich hier diesen Ehrgeiz habe? Jemals haben könnte?

FLORINDO

Ein ganz bestimmtes Gefühl, das ich viel lieber mitteilen als aussprechen möchte.

DIE UNBEKANNTE

Es gibt aber doch keine andere Möglichkeit ein Gefühl mitzuteilen als durch Worte.

FLORINDO

Ach!
Sieht sie an.

DIE UNBEKANNTE

Mein lieber Herr Florindo, ich werde mich meines Auftrages entledigen und Ihnen dann gute Nacht sagen!

FLORINDO

Ich danke Ihnen jedenfalls für dieses kleine Zugeständnis.

DIE UNBEKANNTE

Welches denn?

FLORINDO

Daß Sie mich nicht mehr für einen ganz gleichgültigen Fremden ansehen.

DIE UNBEKANNTE

Wie hätte ich das zugestanden?

FLORINDO

Indem Sie mir mit dem drohen, was vor zwei Minuten die natürlichste Sache von der Welt gewesen wäre: daß Sie fortgehen werden, sobald Sie mir nichts mehr von Henriette zu sagen haben.

DIE UNBEKANNTE

Sie sind sehr rasch bei der Hand, etwas was man Ihnen gesagt hat so aufzufassen, wie es Ihnen passen könnte.

FLORINDO

Das ist der gewöhnliche Kunstgriff, um sich durch das, was der andere spricht, möglichst viel Vergnügen zu verschaffen.

DIE UNBEKANNTE

Ja, bei einer Person, in die man verliebt ist.

FLORINDO

Ganz richtig, oder verliebt zu sein anfängt.

DIE UNBEKANNTE

Mein Gott! Sie kennen mich seit fünf Minuten, seien Sie nicht abgeschmackt.

FLORINDO

Mit dieser Sache hat die kürzere oder längere Zeit absolut nichts zu schaffen.

DIE UNBEKANNTE

Wollen Sie anhören, was ich Ihnen von Ihrer Freundin zu sagen habe?

FLORINDO

Ich warte darauf.

DIE UNBEKANNTE

Sagen Sie mir, wer ist die kleine Person, die hier herumschleicht? Sie macht Ihnen Grimassen, sie horcht auf jedes Wort, das wir sprechen.

FLORINDO

Ach das ist niemand.

DIE UNBEKANNTE

Wie, niemand?

FLORINDO

Das ist Teresa. Es ist die Nichte des Kellners hier. Die guten Leute besorgen alle möglichen Kommissionen für mich. Wollen Sie, daß ich sie Ihnen herrufe?
Winkt Benedetto
Er ist der größte Weltweise unter den Kellnern, den ich kenne.

DIE UNBEKANNTE

Der Dicke da? Es scheint, das Mädchen hat Ihnen etwas zu sagen.
Benedetto tritt an den Tisch.

FLORINDO

Benedetto, ich habe dieser Dame von Ihnen gesprochen!

DIE UNBEKANNTE

Dieser Herr hat eine sehr hohe Meinung von Ihnen.
*Florindo ist rasch aufgestanden, geht zu Teresa. Sie sprechen mit-
einander.*

BENEDETTO

Die aber noch nicht an meine Meinung von ihm heran-
reicht. Denn ich halte ihn geradezu für ein Genie. Freilich gehts ihm wie allen Genies –

DIE UNBEKANNTE

Inwiefern?

BENEDETTO

Daß er schließlich nur zu einer Sache auf der Welt gut
ist.

DIE UNBEKANNTE

Und welche Sache ist das bei ihm?

BENEDETTO

Das werde ich mich wohl hüten, mit dürren Worten vor
einer Dame auszusprechen, die alle Qualitäten hat, um
bei dieser einen Sache sehr in Frage zu kommen.

FLORINDO *zu Teresa*

Hör zu!

TERESA *zu Florindo*

Ach, wer dir zuhört, ist betrogen, aber die dich hat, der
ist wohl.

FLORINDO *nimmt seinen Platz an dem Tisch*

Wie finden Sie ihn?

DIE UNBEKANNTE

Mehr unverschämt als unterhaltend. Er macht mir kein
Verlangen nach der Nichte.

FLORINDO

Das ist ein braves gutes Mädchen. Aber darf ich jetzt
wissen, was Henriette –

DIE UNBEKANNTE

Diese Person ist Ihre Geliebte gleichzeitig mit Henriette!

FLORINDO

Sie irren sich.

DIE UNBEKANNTE

Lügen Sie nicht!

FLORINDO

Es steht Ihnen sehr gut, wenn Sie zornig sind. Ihre Art,
vor Ärger zu erröten, ist ganz persönlich.

DIE UNBEKANNTE

Sie sind unverschämt. Es ist um Henriettes willen, daß
mir das Blut ins Gesicht steigt.

FLORINDO

Ich schwöre Ihnen, es ist die unschuldigste Sache von
der Welt. Es ist heute absolut nichts zwischen mir und
ihr. Ich bin ihr Doyen.

DIE UNBEKANNTE

Was sind Sie?

FLORINDO

Ich bin der älteste ihrer näheren Bekannten.

DIE UNBEKANNTE

Und Sie finden es geschmackvoll, eine solche Bekanntschaft, wie Sie es nennen, ins Unbestimmte fortzusetzen?

FLORINDO

Ich würde es verächtlich finden, sie mutwillig abzu-
brechen. Ich habe eine reizende Erinnerung. Es ist eine
gute und liebe Person.

DIE UNBEKANNTE

Ich denke, es wird richtiger sein, ich entledige mich
meines Auftrages. Lassen wir also Ihre Freundin, die in
Pantoffeln im Kaffeehaus sitzt. Es handelt sich darum,
daß Carlo, Henriettes Bruder, wieder heute nach Venedig zurückkommt.

FLORINDO

Aber ich kenne ja Carlo!

DIE UNBEKANNTE

Sie begreifen, daß es Henriette sehr ängstlich macht, Sie
und ihn in derselben Stadt zu wissen.

FLORINDO

Wir waren doch nahezu zeitlebens in derselben Stadt. Wissen Sie denn nicht, daß ich Henriette seit Jahren kenne? In Treviso im Hause ihrer Mutter verkehrt habe?

DIE UNBEKANNTE

Sie mögen zeitlebens in derselben Stadt gewesen sein, aber Sie waren nicht zeitlebens –

FLORINDO

Der Liebhaber seiner Schwester.

DIE UNBEKANNTE

Das wollte ich ungefähr sagen.

FLORINDO

Pah! Ein Bruder ist wie ein Ehemann. Er ist immer der letzte und schließlich –

DIE UNBEKANNTE

Ich glaube, mein Lieber, daß Sie Carlo sehr wenig genau kennen.

FLORINDO

Aber ich kenne ihn wie meinen Handschuh. Es ist sehr viel Ähnlichkeit zwischen Henriette und ihm. Beide sind melancholisch und hochmütig. Beide verachten das Geld und beide leiden entsetzlich darunter, keines zu haben. Es ist übrigens sonderbar: dieselben Züge, die mich an Henriette entzücken, habe ich an Carlo immer unerträglich gefunden. Aber er wird nichts erfahren.

DIE UNBEKANNTE

Er wird es eines Tages erfahren und das wird Ihr letzter Tag sein.

FLORINDO

Er wird mich herausfordern, ich werde in die Luft schießen, er wird mich fehlen. Beruhigen Sie Henriette.

DIE UNBEKANNTE

Aber Sie haben keine Ahnung, wie Carlo ist, wenn ihm wirklich etwas nahekommt. Carlo liebt seine Schwester zärtlich. An dem Tag, wo er es erfährt, sind Sie ein toter Mann, genau wie der Marchese Papafava.

FLORINDO

Wie welcher Herr?

DIE UNBEKANNTE

Ach Gott, die alte Geschichte in Treviso.

FLORINDO

Welche Geschichte?

DIE UNBEKANNTE

Was? Sie werden mir nicht sagen, daß Sie die Geschichte
nicht kennen. Die Geschichte von Carlos Tante. Die
Geschichte von dem schwarzen Pflaster. Mit einem Wort,
die Geschichte mit dem Duell, das Carlo hatte, als er
neunzehn Jahre alt war.

FLORINDO

Vielleicht habe ich sie gehört und wieder vergessen.

DIE UNBEKANNTE

Man vergißt sie nicht, wenn man sie einmal gehört hat.
Ich habe übrigens Henriette geschworen, Sie an diese
Geschichte zu erinnern.

FLORINDO

Und was soll welche Geschichte immer für einen Ein-
fluß auf meine Beziehungen zu Henriette haben?

DIE UNBEKANNTE

Den, Sie fürs nächste sehr zurückhaltend, sehr vorsichtig
zu machen.

FLORINDO

Das müßte eine sonderbare Geschichte sein.

DIE UNBEKANNTE

Es ist eine sehr sonderbare Geschichte. Und jedenfalls
werden Sie um Henriettes willen so handeln müssen.
Florindo zuckt die Achseln.

DIE UNBEKANNTE

Hören Sie mir nur zu. Die Tante war noch jung und
sehr hübsch.

FLORINDO

Eine Tante von Carlo und Henriette? Ich müßte sie
kennen.

DIE UNBEKANNTE

Sie lebt nicht mehr. Sie hatte keine feste Gesundheit. Sie ist an den Folgen dieser Sache gestorben.

FLORINDO

Sie war Witwe?

DIE UNBEKANNTE

So gut als das. Ihr Mann lebt zwar heute noch, aber er hat niemals mitgezählt. Carlo war damals wie gesagt achtzehn Jahre alt und verliebte sich mit aller Leidenschaft einer scheuen verschlossenen Natur in die Tante.

FLORINDO

Die Tante verlangte sich nichts Besseres.

DIE UNBEKANNTE

Ganz richtig. Aber das Bessere war wie so oft der Feind des Guten. Es existierte schon jemand, der seit vier oder fünf Jahren alle Rechte innehatte.

FLORINDO

Die jetzt dem Neffen eingeräumt werden sollten.

DIE UNBEKANNTE

Erzählen Sie oder erzähle ich?

FLORINDO

Sie natürlich, ich wäre in der größten Verlegenheit.

DIE UNBEKANNTE

Der Marchese Papafava, das ist der Herr, um den es sich handelt, war nicht sehr tolerant. Gelegentlich im Hause der Dame äußerte er sich ziemlich scharf über den jungen Menschen und sagte: wäre der Respekt nicht, den er der Hausfrau schuldig sei, so hätte eine gewisse Unbescheidenheit dem Herrn Neffen unlängst eine Ohrfeige von seiner Hand eingetragen. In diesem Augenblick tritt Carlo in den Salon, und während alle sehr still sind, sagt er: Ich nehme die Ohrfeige als empfangen an, Herr Marchese.

FLORINDO

Sie gehen miteinander in den Park.

DIE UNBEKANNTE

Nicht so schnell. Sie vergessen, daß die Tante und ein

paar andere Menschen den kleinen Dialog mit angehört
hatten.

FLORINDO
Man konnte die beiden doch nicht hindern.

DIE UNBEKANNTE
Man versuchte es wenigstens, das heißt, die andern
Menschen verschwanden und die Tante blieb allein mit
den beiden Herren. Sie weint, sie bittet, sie wirft sich
glaube ich vor ihnen nieder.

FLORINDO
Die arme Frau!

DIE UNBEKANNTE
Sie schwört ihnen, daß, wenn einer von ihnen den andern tötet, sie für den Überlebenden weder Liebe noch
Freundschaft, sondern nichts als unauslöschlichen Haß
hegen werde.

FLORINDO
Wie kann sie das wissen?

DIE UNBEKANNTE
Was wollen Sie.

FLORINDO
Wie kann man wissen, ob man jemand hassen wird? Es
ist ebenso töricht, auf Jahre hinaus Haß zu versprechen
als Liebe.

DIE UNBEKANNTE
Kurz, die arme Tante fiel schließlich ohnmächtig zusammen, ohne es erreicht zu haben. Am nächsten Morgen duellierten sich die beiden. Carlo bleibt unverwundet
und läßt den Marchese mit einem Stich durch die Lunge
in den Händen der Ärzte. In der gleichen Stunde erscheint Carlo als wenn nichts geschehen wäre –

FLORINDO   .
Ihm war ja nichts geschehen.

DIE UNBEKANNTE
Im Salon der Tante, die erstaunt ist, auf seiner Wange
ein handgroßes schwarzes Pflaster zu sehen. Was bedeutet das, fragt sie, ohne zu lachen, denn es war etwas in

seiner Miene, was nicht zum Lachen stimmte. Haben
Sie Zahnschmerzen oder was sonst? Ich trage das seit
gestern abend, sagte er in einem gewissen Ton. –

FLORINDO
Sie erzählen sehr gut.

DIE UNBEKANNTE
Was machen Sie für ein zerstreutes Gesicht?

FLORINDO
Ich dachte an den Augenblick, da Sie die Tante und ich
Carlo wären, daß wir beide allein in Ihrem Zimmer
wären und was jetzt geschehen würde.

DIE UNBEKANNTE
Es geschieht gar nichts, als daß er aufsteht, in den Spiegel sieht und sagt: Ja, es kommt mir wirklich etwas groß
vor, dann vom Toilettentisch eine Schere nimmt –

FLORINDO
Ah, es war also ein Schlafzimmer, wo sie ihn empfangen
hatte, und nicht ihr Salon.

DIE UNBEKANNTE
Schweigen Sie.

FLORINDO
Ich finde das durchaus begreiflich.

DIE UNBEKANNTE
Eine Schere nimmt, das Pflaster herunternimmt, ringsum davon einen kleinen Rand abschneidet und es dann
wieder an seine Wange drückt. Wie finden Sie mich
jetzt, liebe Tante, sagte er dann. Jedenfalls um eine
Kleinigkeit weniger lächerlich als früher, sagte sie.

FLORINDO
Und?

DIE UNBEKANNTE
Der Marchese Papafava wird unverhoffterweise gesund.
Carlo fordert ihn zum zweitenmal und verwundet ihn
zum zweitenmal, dann zum dritten- und endlich zum
viertenmal. Nach jedem Duell schneidet er von seinem
Pflaster einen kleinen Rand weg. Es war schließlich
nicht mehr viel größer als eine mouche –

FLORINDO

Und die?

DIE UNBEKANNTE

Die nahm er an dem Tag herunter, da er die Nachricht bekam, daß der Marchese an einem Rückfall seines Wundfiebers gestorben war.

FLORINDO

Und die Tante?

DIE UNBEKANNTE

Ihre Gesundheit war nie sehr stark gewesen, sie konnte die Sache nicht aushalten.
Eine kleine Pause.

FLORINDO

Ich sage, daß ich diese Handlungsweise hinter einem Menschen wie Carlo nie gesucht hätte, und daß er mich jetzt mehr interessiert als früher.

DIE UNBEKANNTE

Sie werden mir Ihr Wort geben, Henriette von jetzt an nur zu den Stunden und an den Orten zu sehen, die sie selbst Ihnen vorschlägt; vor allem keinen Versuch zu machen, eine Begegnung zu erzwingen, wenn eine solche durch Tage, vielleicht durch Wochen unmöglich sein sollte.

FLORINDO

Ach, wie können Sie oder wie kann Henriette das verlangen. Sie muß mich für einen ausgemachten Feigling halten.

DIE UNBEKANNTE

Aber zum Teufel, mein guter Mann, es handelt sich nicht allein um Sie, es handelt sich vor allem um Henriette. Sie kennen Henriette ebensowenig, als Sie Carlo kennen.

FLORINDO

Ich kenne Henriette nicht? Sie überraschen mich.

DIE UNBEKANNTE

Ein Mann kennt niemanden weniger als eine Frau, die zu rasch seine Geliebte geworden ist. Henriette, daß Sie es wissen, ist genau aus dem gleichen Holz geschnitten wie Carlo. Wenn Sie und Carlo aneinandergeraten, so sind Sie ein verlorener Mensch. Aber noch vorher wirft sich Henriette aus dem Fenster.

FLORINDO
Was soll ich machen?

DIE UNBEKANNTE
Mir Ihr Wort geben, daß Sie sie, wenn es notwendig wird, in diesen nächsten Wochen sehr wenig sehen werden.

FLORINDO
Gut, ich gebe es, aber unter einer Bedingung.

DIE UNBEKANNTE
Die wäre?

FLORINDO
Daß ich dafür Sie sehr oft sehen werde.

DIE UNBEKANNTE *in unsicherem Ton*
Mich? Was soll dieser Unsinn?

FLORINDO *zwischen den Zähnen*
Es ist ernst!

DIE UNBEKANNTE *lehnt sich zurück*
Sie sind ein sonderbarer Mensch. Ich weiß wirklich nicht, was ich aus Ihnen machen soll.

FLORINDO
· Demnächst Ihren Liebhaber ganz einfach.

DIE UNBEKANNTE *steht auf*
Abgesehen davon, daß Sie sehr unverschämt sind. – Es würde Sie also nichts kosten, ein Wesen wie Henriette, das ihr Götzenbild aus Ihnen gemacht hat, zu betrügen. Mit mir, die Sie zum ersten Male sehen, mit der kleinen Person dort, mit wem immer!

FLORINDO *steht auf*
Mit wem immer natürlich nicht.

DIE UNBEKANNTE
Jetzt begreife ich allerdings, daß Sie Henriette nicht

heiraten. Ich war recht naiv, mir darüber den Kopf zu zerbrechen.

FLORINDO
Ich habe Henriette sehr lieb.

DIE UNBEKANNTE
Arme Henriette!

FLORINDO
Ich sage Ihnen, daß ich Henriette liebhabe.

DIE UNBEKANNTE
Sind Sie ernsthaft?

FLORINDO
Ich bin sehr ernsthaft und ich frage Sie sehr ernsthaft, was entziehe ich Henriette von dem Maße von Glück, das ich ihr zu schenken fähig bin, wenn ich heute, jetzt, hier, wo ich nicht *so* viel für Henriette tun kann, Sie sehr liebenswürdig finde?

DIE UNBEKANNTE
Was Sie da reden ist ja monströs!

FLORINDO *kalt*
Finden Sie? Dann haben Sie in gewissen Dingen wenig erlebt, oder über das, was Sie erlebt haben, sehr wenig nachgedacht. Sie wiederholen entweder gedankenlos eine Allerweltsheuchelei oder –

DIE UNBEKANNTE
Oder?

FLORINDO
Oder Ihre Natur wäre sehr arm, sehr dürftig.

DIE UNBEKANNTE
Und wenn sie weder arm noch dürftig ist, wenn sie es nicht ist?

FLORINDO *dicht an ihr*
Da sie es nicht ist –

BENEDETTO *hat sich Florindo genähert*
Herr Paretti, mit dem Sie zu sprechen wünschen.

FLORINDO
Später!

BENEDETTO
Er will nicht länger warten.

FLORINDO
Später!
Benedetto geht ab.

FLORINDO *fortfahrend*
Da Sie weit davon entfernt sind, eine karge und dürftige
Natur zu sein, so brauchen Sie nur den Halbschlaf ver-
schnörkelter Begriffe abzuwerfen, um mir zuzugestehen —

DIE UNBEKANNTE
Niemals werden Sie mich dazu bringen, Ihnen das zuzu-
gestehn. Wenn Sie das, was wir nun einmal Liebe
nennen, jeder Verpflichtung gegen das andere Wesen
entkleiden, so ist es eine recht gemeine kleine Pantomime, die übrigbleibt.

FLORINDO
Verpflichtung? Ich kenne nur eine: das andere Wesen
so glücklich zu machen als in meinen Kräften steht.
Aber in der kleinen Pantomime, die, wie Sie sagen, dann
übrigbleibt, verehre ich auf den Knien das einzige wahrhaft göttliche Geheimnis, den einzigen Anhauch über-
irdischer Seligkeit, den dieses Dasein in sich faßt. Liebhaben, das ist wenig? Glücklich machen, im Atem eines
geliebten Wesens die ganze Welt einsaugen, das ist die
verächtliche kleine Pantomime, vor der Sie das Kreuz
schlagen? Arme Frau! Ich möchte nicht Ihr Mann sein.

DIE UNBEKANNTE
Lassen Sie meinen Mann aus dem Spiel, wenn ich bitten
darf.

FLORINDO
Aber ist es nicht über alle Begriffe wundervoll, daß uns
diese Kraft gegeben ist, diese Zauberkraft von Geschöpf
zu Geschöpf? Gibt es etwas Zweites so Ungeheures als
den Blick des Wesens, das sich gibt! Ist denn nicht die ge-
ringste unbeträchtlichste Erinnerung an eine Gebärde
der Liebe stark genug, uns in den Tagen der Stumpfheit
und Verzweiflung durch die Adern zu fließen wie Öl und
Feuer? Wie? Hören Sie mich an! Es gibt eine Frau, die
einmal ein paar Wochen lang meine Geliebte war —

DIE UNBEKANNTE
Es muß kurzweilig sein, auf Schritt und Tritt seinen Ariadnen zu begegnen.

FLORINDO
Diese Frau —

DIE UNBEKANNTE
Und noch kurzweiliger, selber eine davon zu sein.

FLORINDO
Diese Frau —

DIE UNBEKANNTE
Unbegreiflich genug, daß sich immer wieder ein Wesen findet —

FLORINDO
Diese Frau —

DIE UNBEKANNTE
Wenn alle Frauen Sie sehen würden, wie ich diesen Augenblick Sie sehe!

FLORINDO
Diese Frau war nicht sehr schön und nicht geschaffen, ein reines dauerndes Glück weder zu geben noch zu empfangen.

DIE UNBEKANNTE
Umso besser für die Frau in diesem Falle.

FLORINDO
Sie irren sich. Man ist um so viel beneidenswerter als man fähig ist, rein und stark zu fühlen. Aber dieser Frau war eines gegeben, sie verstand zu erröten. Ihre verworrene Natur hätte nie das entscheidend süße Wort, nie den völlig hingebenden Blick gefunden. Aber das dunkelglühende Erröten ihres blassen Gesichtes, wenn sie mich ins Zimmer treten sah, werde ich niemals vergessen, und wenn die Erinnerung daran in mir aufsteigt, so liebe ich diese Frau mit einer schrankenlosen Zärtlichkeit.

DIE UNBEKANNTE
Indessen haben Sie diese Frau den Hunden vorgeworfen, und wenn Sie sie in einem Salon oder auf der Straße begegnen, kehren Sie ihr den Rücken, das wette ich.

FLORINDO

Seien Sie gut, Sie werden sehen, es ist nicht häßlich, meine Geliebte gewesen zu sein.

DIE UNBEKANNTE

Sie sind unverschämt.

FLORINDO

Es ist Ihnen übrigens seit langem bestimmt, es zu werden. Sie selbst –

DIE UNBEKANNTE

Was?

FLORINDO

Sie selbst, indem Sie nicht wollten, daß Henriette mir Ihren Namen sage... – Was war das anderes als eine versteckte Zärtlichkeit, ein leises Sichannähern im Dunkeln? Und heute dieses Herkommen, dieses verliebte Lauern in der Ecke dort drüben –

DIE UNBEKANNTE

Ich habe für heute genug von Ihnen, gute Nacht!

FLORINDO *hält sie an den Handgelenken, lachend*

Nicht so schnell! Wer gute Nacht sagt, muß auch guten Morgen sagen.

DIE UNBEKANNTE

Sie sind frech und zudem irren Sie sich sehr.
Florindo schüttelt den Kopf.

DIE UNBEKANNTE

Und wenn Sie sich nicht irrten – Was sollte denn das alles?

FLORINDO

Die Frage verdient keine Antwort.

DIE UNBEKANNTE

Im Augenblick, wo man weiß –

FLORINDO

Wollen Sie dem Geist der Natur Vorschriften machen? –

DIE UNBEKANNTE

– daß es doch so schnell endet.

FLORINDO

Der uns glühen macht und uns, wenn wir erkaltet sind, wieder zur Seite wirft? Sind sie so stumpf und kennen nicht den Unterschied zwischen erwählten und verworfenen Stunden? Wenn es endet! Wenn es *da* ist, *daß* es da ist! Darüber wollen wir uns miteinander erstaunen! Daß es uns würdigt, einander zum Werkzeug der ungeheuersten Bezauberung zu werden!

DIE UNBEKANNTE

So ist es nicht, lassen Sie mich. Es kann sein, daß Sie mir gefallen. Ich will nicht ableugnen, aber Sie sind nicht so verliebt in mich, wie Sie es sagen. Sie wollen mich haben, das ist alles. Ihnen ist nicht, als wenn Sie sterben müßten, wenn ich dort hinter der nächsten Ecke verschwinde.

FLORINDO

Das weiß ich, aber ich weiß, daß es deinesgleichen gegeben hat, und niemand sagt dir, daß sie schöner waren als du, die aus mir einen Menschen machen konnten, der sich mit geschlossenen Augen wie ein Verzückter ins Wasser oder ins Feuer geworfen hätte, wenn das der Weg in ihre Arme gewesen wäre. Einen Menschen, der über die Seligkeit eines Kusses weinen konnte wie ein kleines Kind, und wenn er in dem Schoß der Geliebten einschlief, von seinem Herzen geweckt wurde, das vor Seligkeit zu zerspringen drohte.

DIE UNBEKANNTE *eifersüchtig*

In Henriette waren Sie so verliebt? Ich glaube es nicht!

FLORINDO

Was kümmert uns jetzt, ob es Henriette war oder eine andere. Wer sagt dir, daß du nicht heute nacht hierher gekommen bist, um es mich aufs neue erleben zu machen.

DIE UNBEKANNTE

Ich fühle, daß Sie mich nicht so liebhaben, wie Sie es sagen.

FLORINDO

Ich fühle nichts, als daß eine göttliche Empfindung mir sehr nahe ist. Und da du es bist, die vor mir steht, so wird wohl nicht die leere Luft daran schuld sein. Sage, daß du jetzt mit mir gehen wirst.

DIE UNBEKANNTE *sich zusammennehmend*
Nein, du hast mich nicht lieb genug.

FLORINDO
Sie sind eine sonderbare Frau.

DIE UNBEKANNTE
Gar nicht. Worüber beklagen Sie sich? Eben war ich ja
ganz nahe daran, den Kopf zu verlieren. Kommen Sie,
gehen wir zu den Leuten. Dort hinüber. Nein, sehen Sie
nur den alten Mann! Den alten Abbate da! Sehen Sie
doch den Menschen.
Sie nimmt Florindos Arm.

FLORINDO *ärgerlich*
Was finden Sie an ihm so Besonderes?

DIE UNBEKANNTE
Sehen Sie doch nur seine Augen an. Wie er da herumgeht, wie ein Heiliger! Wie ein Mensch aus einer ganz
anderen Zeit.
*Sie bleiben stehen. Der Pfarrer ist von rückwärts aufgetreten und
steht schon seit einer Weile unschlüssig vor dem Kaffeehaus.*

TERESA *geht auf den Pfarrer zu, knixt vor ihm*
Suchen Sie etwas, Herr Abbate? Kann ich Ihnen mit etwas dienen?

DER PFARRER *grüßend*
Sie sind sehr gütig, gnädige Frau. Allerdings suche ich
jemand, an den ich mich wenden kann, um eine Auskunft zu erbitten.

TERESA
Vielleicht kann ich sie Ihnen geben.

DIE UNBEKANNTE *gleichzeitig zu Florindo*
So werden Sie nie aussehen, auch wenn Sie noch so alt
werden.

DER PFARRER *zu Teresa*
Nämlich ob das Passagierschiff, die Barke meine ich, die
nach Mestre fährt, wirklich hier an diesem Platze anlegt.

FLORINDO *zur Unbekannten*
Ich verzichte darauf.

TERESA *zum Pfarrer*

Hier, Herr Abbate, jeden Morgen pünktlich um sechs Uhr.

DER PFARRER

Ich danke sehr, und wenn ich mir noch eine Frage erlauben dürfte: die Barke befördert doch mehrere Personen?

TERESA

Vier oder fünf ganz leicht, wenn sie nicht zu viel Gepäck haben.

DIE UNBEKANNTE *zu Florindo*

Niemals werden einer Frau die Tränen in den Hals steigen über den Ausdruck Ihrer Augen!

DER PFARRER *nachdenklich*

Wenn sie nicht zu viel Gepäck haben! Es handelt sich um meine Nichte und eine dritte Person, die Magd meiner Nichte, eine sehr brave Magd. – Da kann ich also hoffen, daß alles in Ordnung gehen wird. Aber gnädige Frau, Sie stehen, während ich mich mit Ihnen unterhalte. Verzeihen Sie meine Ungeschliffenheit.
Führt sie an einen der Tische, beide setzen sich
Es ist nämlich schon fünfunddreißig Jahre her, daß ich Venedig nicht betreten habe. Ich bin der Pfarrer von Capodiponte, einem kleinen Dorf im Gebirge, und heute bin ich gekommen, um meine Nichte abzuholen, die sich hier in Venedig einige Wochen aufgehalten hat.
Teresa knixt.

DER PFARRER

Da werden Sie mir gewiß auch sagen können, gnädige Frau, ob diese Zetteln, die mir heute morgen der Barkenführer gegeben hat, Ihnen richtig ausgestellt und verläßlich scheinen.

TERESA *erstaunt*

Ah, Sie haben also schon mit dem Barkenführer gesprochen?

DER PFARRER

Ja, gewiß! Er hat mir genau die Stelle gezeigt, wo seine Barke anlegt, ganz dieselbe, die Sie so gütig waren mir zu zeigen, und hat mir die Stunde der Abfahrt aufge-

schrieben. Hier sehen Sie, sechs Uhr, und hier wieder
sechs Uhr.

Hält ihr die Scheine hin

Und er hat mir auch versichert, daß er mein Gepäck und
das meiner Nichte mühelos in seiner Barke unterbrin-
gen wird.

DIE UNBEKANNTE *gleichzeitig zu Florindo*

Er hat Augen wie ein Kind, ich finde ihn unaussprechlich rührend. Er ist auf der Reise und er ist sicherlich
sehr arm. Ich möchte ihm etwas schenken.

FLORINDO

Wo denken Sie hin?

DIE UNBEKANNTE

Ja, ich möchte ihm etwas schenken. Wenn ich nur Geld
bei mir hätte.

Der Pfarrer verabschiedet sich mit abgezogenem Hut von Teresa.

FLORINDO *zieht seine Börse*

Da nehmen Sie so viel Sie wollen, aber Sie werden ihn
beleidigen.

DIE UNBEKANNTE

Ich wette, er nimmt es, wie ein Kind es nehmen würde.

Tritt auf den Pfarrer zu

Herr Abbate —

Der Pfarrer nimmt den Hut ab.

DIE UNBEKANNTE

Dieser Herr dort und ich haben eine Wette miteinander
gemacht, und ich hoffe, Sie werden mir helfen, sie zu
gewinnen.

DER PFARRER

Ganz gewiß, gnädige Frau, wenn ich etwas dazu tun
kann.

DER PFARRER

Dann habe ich schon gewonnen, denn Ihr guter Wille
entscheidet. Nicht wahr, Sie sind auf der Reise, Herr
Abbate, und das Reisen ist eine unbequeme Sache? Es
gibt die Postillons und die Schiffsleute und die Wirte und
die Kellner und was nicht noch alles. Es schwirrt einem
der Kopf davon.

DER PFARRER

Sie haben sehr recht, gnädige Frau.

DIE UNBEKANNTE

Sehen Sie, man gibt sein Geld aus, man weiß nicht wie.

DER PFARRER

Sie sind gewiß schon sehr viel gereist, gnädige Frau.

DIE UNBEKANNTE

Es geht, aber sehen Sie, wie ich da vor Ihnen stehe, habe ich heute eine kleine Summe im Spiel gewonnen. Ein paar Goldstücke, nicht der Rede wert, aber die mir doch sehr zustatten kämen, wenn ich gerade eine Reise vor mir hätte.

DER PFARRER

Sicherlich, man verbraucht viel Geld, wenn man reist.

DIE UNBEKANNTE

Nicht wahr! Und da ist nun das Ärgerliche, ich reise nicht. Gerade die nächste Zeit werde ich kaum über Venedig hinauskommen; da habe ich mir gedacht, ob Sie nicht so liebenswürdig sein wollten, die kleine Reise, für die diese Goldstücke nun schon einmal bestimmt waren, an meiner Stelle zu tun.

DER PFARRER

Ich verstehe Sie nicht ganz. Sie wünschen mir einen Auftrag zu geben?

DIE UNBEKANNTE

Der Auftrag bestünde darin, daß Sie mir den Gefallen erweisen müßten, und da Sie ohnehin reisen, geht es ja in einem, diese paar Münzen hier unter die Leute zu bringen.

DER PFARRER

Diese Münzen?

DIE UNBEKANNTE

Indem Sie sie ausgeben, an Postillons, Schiffsleute, Wirte und Kellner, ganz nach Ihrer Bequemlichkeit.

DER PFARRER

Aber wofür?

DIE UNBEKANNTE

An Vorwänden, Ihnen Geld abzunehmen, wird es den Leuten schwerlich fehlen.

DER PFARRER

Ah, jetzt verstehe ich Sie, meine Dame. Sie sind sehr gütig, meine Dame, aber diesen Auftrag auszuführen, bin ich ein zu ungeschickter Reisender. Verzeihen Sie mir, meine Dame.
Nimmt den Hut ab, grüßt auch nochmals gegen Teresa hin und geht links vorne ab.

DIE UNBEKANNTE *zu Florindo*

Laufen Sie ihm nach, bitten Sie ihn, mir meine Unüberlegtheit zu verzeihen. Schnell, Florindo. Ich habe nicht den Mut, es zu tun.

DER PFARRER *tritt von links auf und geht auf sie zu, indem er den Hut abnimmt*

Ich komme zurück, denn ich habe Sie um Verzeihung zu bitten, meine Dame.

DIE UNBEKANNTE

Ich bin es, mein Herr, die Sie um Verzeihung bitten muß.

DER PFARRER

Das sagen Sie nur, um mir eine verdiente Verlegenheit zu ersparen, aber ich muß Sie bitten, mir die Ungeschicklichkeit eines Landbewohners zugute zu halten. Sie haben unstreitig aus der Dürftigkeit meines Auftretens darauf geschlossen, daß meine Gemeinde arm ist. Und wirklich, es gibt unter meinen Pfarrkindern sehr arme, sehr dürftige. Es war an mir, gnädige Frau, die geistreiche Form zu verstehen, um diesen Bedürftigen durch mich eine Wohltat zu erweisen, die ich mit dankbarem Herzen annehme.

DIE UNBEKANNTE

Sie beschämen mich, mein Herr.

DER PFARRER

Da sei Gott vor, gnädige Frau.

FLORINDO *leise*

Jetzt müssen Sie ihm mehr geben. Schnell, nehmen Sie, nehmen Sie alles.

DIE UNBEKANNTE *strahlend*

Wir haben unsere Wette fortgesetzt und durch Ihr Zurückkommen haben Sie mich das Vierfache gewinnen lassen.

Gibt ihm das Geld. Paretti, der von seinem Platz aus gespannt zusieht, fährt zusammen.

DER PFARRER

Wir werden Ihrer Güte in vielen Gebeten gedenken. Sie werden in vielen Familien unseres kleinen Dorfes die unbekannte Wohltäterin heißen.

DIE UNBEKANNTE

Das verdiene ich nicht.

Verneigt sich. Der Pfarrer geht ab.

DIE UNBEKANNTE

Haben Sie je etwas Ähnliches gesehen? Ich glaube, das ist der einzige Mensch, der mir je begegnet ist, der des Namens eines Christen würdig ist.

Florindo küßt ihr beide Hände.

PARETTI *indem er seinen Stock nimmt und den Stuhl, auf dem er gesessen ist, umstößt*

Das ist ein Verrückter! Das ist ein Dieb! Mit diesem Menschen will ich nichts zu tun haben.

Benedetto sucht vergeblich ihn zu beruhigen.

FLORINDO

Sie waren entzückend!

DIE UNBEKANNTE

Ich war gerührt und war vergnügt, daß ich freigebig sein durfte wie eine große Dame.

FLORINDO

Sie haben mein Herz klopfen gemacht.

DIE UNBEKANNTE

Und ich habe meinen Kopf wiedergefunden.

FLORINDO

Was soll das?

DIE UNBEKANNTE

Still, mein Lieber. Wir spielen nicht mit gleichen Einsätzen. Sie waren niemals in Gefahr, den Ihren um meinetwillen zu verlieren.

FLORINDO
Ah!

DIE UNBEKANNTE
Und ich werde Ihnen jetzt gute Nacht sagen und sehr vergnügt und glücklich nach Hause gehen.

FLORINDO
Das dürfen Sie nicht!

DIE UNBEKANNTE
Das muß ich, mein Lieber. Ich bin allzu sehr überzeugt, daß Sie ein reizender Liebhaber sein können.

FLORINDO
In welch traurigem Ton Sie das sagen.

DIE UNBEKANNTE
Es wäre unverantwortlich von mir, wenn das Beispiel der armen Henriette —

FLORINDO
Was heißt das?

DIE UNBEKANNTE
Henriette ist allzu rasch Ihre Geliebte geworden, und ich wie Henriette bin keine von denen, um derentwillen Sie sich ins Wasser oder ins Feuer stürzen.

FLORINDO
Wie können Sie das wissen?

DIE UNBEKANNTE
Pst! Alles was mir übrigbleibt ist, Sie an mich zu binden, durch das einzige, was Ihnen meinen Besitz ein wenig kostbar machen kann: die Mühe, die Sie aufwenden müssen, um ihn zu erlangen, und die kleinen Schmerzen, die hoffentlich mit dieser Mühe verbunden sein werden. Sie werden mich vielleicht einmal von einem Tag auf den andern verlassen, aber Sie sollen mich nicht von einem Tag auf den andern gehabt haben. Adieu!
Will gehen.

FLORINDO

Ich werde Sie begleiten!

Allmählich haben sich die Tische und das Kaffeehaus geleert. Benedetto und der andere Kellner verschließen mit Holzladen die Türe und die Fenster.

DIE UNBEKANNTE

Das werden Sie nicht tun. Sie werden mir Ihr Wort geben, mir weder nachzugehen, noch sich zu kümmern, wo ich in meine Gondel steige. Jetzt werden Sie mir Adieu sagen und sich dort in das Kaffeehaus setzen.

FLORINDO

Sie sehen, man hat es eben geschlossen.

DIE UNBEKANNTE

Dann werden Sie mir den Rücken kehren und nach dieser Richtung dort fortgehen.

FLORINDO

Nicht einmal Ihren Namen soll ich wissen?

DIE UNBEKANNTE

Sehen Sie, ob niemand hersieht, und dann geben Sie mir schnell einen Kuß.

FLORINDO

Niemand!

DIE UNBEKANNTE *tritt schnell zurück*

Doch! Dort im Dunkeln ist jemand. Das ist ja wieder diese Person. Was will sie noch?

FLORINDO

Sie wohnt in diesem Hause, ganz einfach.

DIE UNBEKANNTE

Das ist kein Grund, auf der Schwelle herumzulungern.

FLORINDO

Ich kann mir denken, was sie will, aber –

DIE UNBEKANNTE

Ah! Sie sind also in einem ununterbrochenen Kontakt mit ihr?

FLORINDO

Es ist weiter nichts, als daß das arme Geschöpf darüber

traurig ist, weil sie mir Geld verschaffen wollte und nichts daraus geworden ist. Aber hören Sie —

DIE UNBEKANNTE
Geld? Diese Person Ihnen?

FLORINDO
Ja, von einem alten Herrn, der dort saß. Einem Wucherer, um das Kind beim Namen zu nennen.

DIE UNBEKANNTE
Geld Ihnen?

FLORINDO
Ja, Sie hören doch. Aber es handelt sich —

DIE UNBEKANNTE
Wie? Sie sind nicht reich?

FLORINDO
Ich?

DIE UNBEKANNTE
Wie alle Welt behauptet.

FLORINDO
Ärmer als die Möglichkeit. Aber ich gewinne zuweilen oder ich verschaffe es mir auf andere Weise. Aber nicht davon —

DIE UNBEKANNTE
Und Sie haben mir eine solche Summe geschenkt, um mich eine kindische Laune befriedigen zu lassen?

FLORINDO
Ich beschwöre Sie, verderben Sie nicht alles, indem Sie davon sprechen. Es gibt nichts Widerlicheres, als über Geld zu sprechen.

DIE UNBEKANNTE
Wem sagen Sie das? Mein Mann spricht nie von etwas anderem.

FLORINDO
Sie sind entzückend.

DIE UNBEKANNTE
Ach, ich sehe schon, ich werde Sie nicht los. Bitte, rufen Sie mir die kleine Person dort her.

FLORINDO

Ich? Hierher?

DIE UNBEKANNTE

Ja, Ihre Freundin dort! Die Dame mit den Pantoffeln. Ich möchte mit ihr sprechen. Es wäre mir sehr leid, wenn Sie mir doch nachgingen und mich dadurch zwängen, anzunehmen, Sie hätten keine Diskretion – für die Zukunft. Bitte rufen Sie mir Fräulein Teresa her. Wie? Sie wollten mir wirklich diesen Gefallen nicht tun?

Florindo geht hin, Teresa ziert sich, endlich kommt sie, knixt.

DIE UNBEKANNTE *zu Teresa*

Sie sind sehr gefällig für den Herrn Florindo!

TERESA

Es ist darum, weil er so gut ist. Er ist das einzig gute Mannsbild, das ich kenne. Sie werden sehen, gnädige Frau.

Die Unbekannte lacht.

TERESA

Oder wahrscheinlich wissen Sie es schon.

Florindo geht zu Benedetto, sagt ihm etwas. Benedetto schließt noch einmal die Türe des Kaffeehauses auf, geht hinein. Florindo wartet vor der Türe auf ihn.

DIE UNBEKANNTE *schnell zu Teresa*

Wenn Sie ihn liebhaben, wie können Sie es ertragen, daß er jeden Monat eine neue Geliebte hat?

TERESA

Mein Gott! Ich kenne ihn so lange, und dann, was kann ich da machen? Nehmen Sie an, Sie haben ein Kind, das Sie recht liebhaben, und es macht sich alle Augenblicke schmutzig. Werden Sie es darum weggeben? Es bleibt doch Ihr Kind und Sie werden es ihm immer wieder verzeihen. Und wenn er dann wieder einmal zu mir kommt –

DIE UNBEKANNTE

Ah! Er kommt doch zuweilen?

Benedetto ist herausgekommen, zählt Florindo Geld auf, das dieser zu sich steckt.

TERESA

O weh! Wenn Sie wüßten, wie selten. Es ist nicht der
Rede wert.

DIE UNBEKANNTE

Armes Ding, und Sie sind wirklich sehr hübsch.

TERESA

Das sagt die gnädige Frau nur so, um schmeichelhaft zu
sein. Aber dann ist er wirklich so gut, so gut. Wenn man
ihn unter vier Augen hat, kann er einem nichts ab-
schlagen. Sie werden sehen.
Florindo tritt zu ihnen.

TERESA

Man spricht so gut mit der gnädigen Frau. Man möchte
ihr alles sagen.

FLORINDO

Das finde ich auch.
Benedetto und der Kellnerbursche sind abgegangen.

DIE UNBEKANNTE *halblaut zu Florindo*

Sie werden jetzt mit ihr da hineingehen. Da wo sie
wohnt. Das verlange ich zu meiner Sicherheit. Ich werde
nicht eher von hier fortgehen, bis Sie mit ihr im Haus
sind. Nicht wahr, Teresa, Sie haben dem Herrn Florindo
verschiedenes zu sagen?

FLORINDO

Aber —

DIE UNBEKANNTE

Gehen Sie, es handelt sich um Ihre kleinen Geschäfts-
angelegenheiten.

FLORINDO

Aber Sie —

DIE UNBEKANNTE

Gehen Sie jetzt. Was tut es Ihnen, für fünf Minuten in
dieses Haus zu gehen?
Florindo fügt sich.

DIE UNBEKANNTE

Schnell, schaffen Sie ihn fort.
*Florindo und Teresa gehen ins Haus, erscheinen gleich darauf am
Fenster.*

DIE UNBEKANNTE

Teresa, machen Sie die Fensterladen zu! Ich will nicht, daß er sieht, wohin ich gehe.

Florindo wirft der Unbekannten einen Kuß zu. Teresa drängt ihn vom Fenster weg.

DIE UNBEKANNTE *hinaufsprechend*

Ach, und was soll ich Henriette sagen?

Florindo wirft ihr über Teresa weg noch einen Kuß zu.

DIE UNBEKANNTE

Ich werde sie jedenfalls sehr beruhigen.

Teresa schließt den Fensterladen. Die Unbekannte geht nach rück-
wärts ab, indem sie ein Liedchen summt.

DER ABENTEURER UND DIE SÄNGERIN

ODER

DIE GESCHENKE DES LEBENS

In einem Aufzug (mit einer Verwandlung)

PERSONEN

EIN ABENTEURER, *unter dem Namen* BARON WEIDENSTAMM

VITTORIA

CESARINO

LORENZO VENIER

SEIN OHEIM, DER SENATOR VENIER

DIE REDEGONDA, *Sängerin*

ACHILLES, *ihr Bruder*

MARFISA CORTICELLI, *Tänzerin*

IHRE MUTTER

SALAINO, *ein junger Musiker*

DER ABBATE GAMBA

DER SOHN DES BANKIERS SASSI

LE DUC, *Kammerdiener des Barons*

EIN ALTER KOMPONIST

DESSEN DIENERIN

EIN JUWELIER

EIN FREMDER ÄLTERER MANN

DREI MUSIKER

DIENER

In Venedig, um die Mitte des achtzehnten Jahrhunderts.

I

In einem venezianischen Palast, den der Baron bewohnt: das Vorzim-
mer, vielmehr ein hoher geräumiger Vorsaal. Im Hintergrund große
Tür auf die Treppe, daneben rechts eine kleine Tür ins Dienerzimmer,
links ein Fenster in den Hof. Die rechte Wand hat ein vergittertes
Fenster auf den Kanal hinaus. An der linken Wand kleine Tür ins
Schlafzimmer und noch eine Tür. Der Saal selbst hat Stuckdekoration
im Barockgeschmack und kein Mobiliar als einige große Armstühle mit
verblichener Vergoldung.

Es treten auf: der Baron und Lorenzo. Der Baron in Lila, mit blaß-
gelber Weste, Lorenzo ganz schwarz.

Der Baron tritt zuerst ein, mit den Gebärden des Hausherrn.

BARON

Nein, nein, Ihr müßt mir diese Ehre erweisen, ich tue es
nicht anders. Ihr seid ein Edelmann, ich bin ein Edelmann. Ihr heißt Venier, ich heiße Weidenstamm. Ihr
gehört zu den Familien, die diese Stadt regieren, ich liebe
diese Stadt über alles. Wir finden uns in der Oper, ich
will den Namen einer Sängerin wissen, ich sehe mich
nach einer Person von Stand um, an die ich meine Frage
richten könnte. Eure Haltung, Eure Kleidung, Euer ge-
messener Blick, Eure wundervoll schönen adeligen Hände
ziehen meine Aufmerksamkeit auf sich, und ich finde
nichts wünschenswerter, als eine Unterhaltung fortzusetzen, die der Zufall angeknüpft hat.

VENIER

Sie sind sehr gütig, und ich bin um so beschämter als —

BARON

Wir wollen uns Du sagen, wie in der großen Welt in
Wien und Neapel. Ich will dir erklären – verzeih –
Klatscht in die Hände. Venier, stumme Bewegung. Le Duc tritt von
links auf.

BARON

Le Duc, ich komme an, niemand ist da, mir aus der Gondel zu helfen. Auf der Treppe ist kein Licht. Im Vorhaus
kann man den Hals brechen. Wo ist der Lakai, den du
aufnehmen solltest? Wo ist der Diener, den der Woh-
nungsvermieter zu schicken versprochen hat?
Zu Venier

Du mußt mich entschuldigen, ich bin noch keine vierundzwanzig Stunden hier und, wie du siehst, schlecht
bedient.

LE DUC

Euer Gnaden, es waren drei da, aber mit solchen Galgen-
gesichtern —

BARON

Genug, du wirst morgen zusehen. Jetzt Lichter, ich habe
Spiel! Tokaier, Kaffee!
Zu Venier
Darf ich dir sonst etwas anbieten?
Pause, während Le Duc serviert.

VENIER

Sie sind nicht das erste Mal in Venedig, Baron?

BARON

Wie kannst du das glauben? Aber du machst mich un-
glücklich, ich sehe, du fühlst dich nicht zu Hause.
Auf ihn zutretend
Venier, wir überlegen es uns keinen Augenblick, den
zehnten Teil unseres Vermögens hinzulegen, wenn wir
unter dem Kram eines Antiquitätenhändlers den Kopf
eines sterbenden Adonis oder eine Gemme mit beflügel-
ten Kindern finden. Wir fahren stundenweit ins Gebirge,
um die Fresken zu sehen, die eine längstvermoderte
Hand an die Wände einer halbverfallenen Kapelle gemalt hat. Wir begehen die größten Torheiten um einer
Frau willen, die wir im Vorübergehen gesehen haben;
und um die Bänder eines Mieders aufzulösen, ehe wir
wissen, was dieses Mieder verbirgt, setzen wir unser Leben ein und bedenken uns keinen Augenblick. Aber
einen Mann, der uns gefällt, anzureden, einen Menschen
zu suchen, ein Gespräch, das vielleicht Unendliches bietet, welche Schwerfälligkeit haben wir da, welche Mischung von Bauernstolz und Schüchternheit. Die Zu-
rückhaltung, deren wir uns einer Statue, einem Ge-
mälde, einer Frau gegenüber schämen würden, einem
Manne gegenüber scheint sie uns am Platz.

VENIER

Und ist es vielleicht auch ebendarum, weil wir Männer
sind.

BARON *trinkt sein Glas aus*
Du bist ein Venezianer, ich bins zehnfach!
Der Fischer hat sein Netz, und der Patrizier
das rote Kleid und einen Stuhl im Rat,
der Bettler seinen Sitz am Rand der Säule,
die Tänzerin ihr Haus, der alte Doge
den Ehering des Meeres, der Gefangne
in seiner Zelle früh den salzigen Duft
und blassen Widerschein der Purpursonne:
ich schmecke alles dies mit *einer* Zunge!

VENIER *für sich*
Wer ist der Mensch?

BARON   Hoho, ich bin vergeßlich.
Wie gehts der schönen Frau des Prokurators
Manin?

VENIER   Die lebt nicht mehr.

BARON   Die lebt nicht mehr?
Mit den meergrünen Augen!

VENIER   Die ist tot
Seit sieben Jahren.

BARON   Tot? Was du nicht sagst!

VENIER
So ist es lang, daß Sie den Aufenthalt...

BARON
Recht lang. Drum atm ichs ein mit solcher Lust.
Er geht ans Fenster rechts
Zu meiner Zeit saß auch der Alte noch
mit seiner roten Mütze auf der Treppe
der kleinen Löwen und erzählte Fabeln.

VENIER
Der Cigolotti?

BARON   Wundervolle Fabeln!
Von Serendib und von der Insel Pim-pim.
Er macht das Fenster auf
Welch eine Luft ist das! In solcher Nacht
ward diese Stadt gegründet. Ihre Augen
schwammen in Lust, er hing an ihrem Hals,
sie tranken nichts als aufgelöste Perlen.

VENIER
Wer?

BARON   Weißt dus nicht, weißt du den Anfang nicht?
Ihr seid die Letzten nur von ihrem Blut.

VENIER
Wovon den Anfang?

BARON   Von Venedig. Hier
war solch ein öder Wald am Rand des Meeres
wie bei Ravenna. Aber Fischer zogen
an Perlenschnüren und an ihrem langen
goldroten Haar Prinzessinnen ans Ufer.

VENIER
Prinzessinnen?

BARON   Von Serendib, was weiß ich!
Sie waren nackt und leuchteten wie Perlen
und lebten mit den Fischern. Andre kamen
dann nach, auf Ungeheuern durch die Luft
und durch das Meer gefahren. Tra la la –
Er sucht eine Melodie
Wie war das, was sie sang? Tra la la la . . .

VENIER *aufstehend*
Wer sang?

BARON   Die Mandane! heut in der Oper.
Oder Zenobia, wie? Sehr schön. Sehr schön.
Er fährt in seiner Erzählung fort
Doch später dann zerging die Zauberstadt –
nicht ganz! es blieb ein Etwas in der Luft,
im Blut! Mit rosenfarbnen Muschellippen küßte
das Meer und leckte mit smaragdnen Zungen
die Füße dieser Stadt! Die Kirchen stiegen
wie Häuser der verschwiegnen Lust empor –

VENIER
Sie haben die Beredsamkeit eines Dichters, mein Baron.

BARON
Oh, eines Liebhabers, höchstens eines Liebhabers.

VENIER
Eines Liebhabers, der sich gerade hier. . .?

BARON

An die glücklichsten Stunden erinnert, an die unbe-
schreiblichsten, die unvergeßlichsten...

Venier, Bewegung.

BARON

Sie war ein Kind und wurde in meinen Armen zum
Weib. Ihre ersten Küsse waren unerfahren wie aus dem
Nest gefallene junge Tauben, ihre letzten Küsse sogen
die Seele aus mir heraus! Wenn sie kam, abends oder in
der Früh, schlanker als ein Knabe! sie war in den großen
alten Mantel gewickelt, dann warf sie ihn hinter sich und
trat hervor wie ein Reh aus dem Wald.

VENIER

So hinter sich...

BARON

Den Mantel, ja.

VENIER

Den Mantel, und trat hervor.

BARON

Sie glühte unter meinen Küssen auf.
Sie hatte einen andern Mantel dann
von nacktem Glanz und ungreifbarem Gold.
Ihr Hals war angeschwollen und ihr Mund
gekrümmt vom Schluchzen grenzenloser Lust.
Beladen war ein jedes Augenlid
mit Küssen, jede Schulter, jede Hüfte!
Ich habe hundertmal im Arm von andern
der anderen vergessen, wie durch Dunst
durch ihren Leib hindurch den Perlenglanz
von jenem Leib im Dunkeln schwimmen sehn
und zu mir glühen durch den Dunst goldfarben
ein erbsengroßes Mal an ihrer Brust –

VENIER

Ein Mal! hier! hier?
Zeigt an den Hals.

BARON   Wie? Hier mich dünkt.
Denkt nach

                                        Nein, hier.

An der Brust
Was ficht dich an?

VENIER Nicht, nichts, beinahe nichts.
Geht nach rechts vorne. Baron geht zu Le Duc nach links rückwärts.

VENIER *rechts vorne stehend*
Ich bin wahnsinnig, meine ganze Angst und Erregung
ist sinnlos und ich kann sie nicht bemeistern. Er hat mich
in der Oper um ihren Namen gefragt, also kennt er sie
nicht. Zwar er könnte sie doch früher gekannt haben
und hätte nur wissen wollen, wie sie jetzt heißt. Das
Muttermal! Jede zweite Frau hat eines. Und er hat ja die
falsche Stelle bezeichnet. Warum fallen mir nur die
Punkte auf, die meinen Verdacht bestätigen, nicht die,
die ihn entkräften! Es war noch etwas,
Nachdenkend
noch etwas sehr Schlimmes! Das mit dem Mantel, das
mit dem Mantel!

BARON *zu Le Duc*
Der Brief an die Opernsängerin ist bestellt?

LE DUC
Zu Befehl, Euer Gnaden, und es ist auch schon eine alte
Frau draußen, welche die Antwort bringt.

BARON
Wo? her mit dem Brief!

LE DUC
Sie will nur Euer Gnaden selbst – sie wartet in der Kammer neben dem Vorsaal.

BARON
Ich gehe sogleich.
Laut
Zwei Spieltische! Auf jeden vier Lichter!
Zu Venier
Du entschuldigst mich für einen Augenblick.

VENIER *geht zu Le Duc*
Wer ist dein Herr?
Will ihm Geld geben.

LE DUC *zurücktretend*
Eure Exzellenz werden wissen, daß ich die Ehre habe, dem

Herrn Baron Weidenstamm aus Amsterdam zu dienen.

VENIER

Weidenstamm! Weidenstamm! es gibt keinen Holländer
auf der Welt, der ein solches Venezianisch spricht.

LE DUC

Ich habe sagen gehört, Verwandtschaften —

VENIER

Des Teufels Verwandtschaften!

LE DUC

Zumindest habe ich aus dem Mund meines gnädigen
Herrn selbst die wiederholte Versicherung, daß er sich
seit mehr als fünfzehn Jahren niemals in Venedig aufgehalten hat.

VENIER

Die hast du, braver Mensch? die wiederholte Versicherung?

LE DUC

Wiederholt und ausdrücklich.

VENIER *gibt ihm Geld*

Du bist ein sehr braver Mensch und verdienst, einem so
ausgezeichneten Kavalier, wie der Baron ist, attachiert zu
sein.

LE DUC

Ich küsse Euer Exellenz die Hände.

VENIER

Vor fünfzehn Jahren war sie ein zwölfjähriges Kind. Und
dann: er spricht nie von ihrem Singen; wie hab ich solch
ein Narr sein können, das zu übersehen. Er wäre tausendmal zu eitel, so etwas zu verschweigen.
Baron kommt zurück, Venier ihm freundlich entgegen.

VENIER

Nun aber wirklich gute Nacht, und morgen
zum Frühstück, hoff ich, tust du mir die Ehre:
Casa Venier, die jüngere, drei Schritte hinter San Zaccaria.

BARON

Wie? Gute Nacht? jetzt wär es Schlafenszeit?
Du denkst nicht dran! und ich denk nicht daran,

dich fortzulassen! Nun kommt mein Bankier,
vielmehr sein Sohn und bringt, soviel er kann,
an lustiger Gesellschaft.

VENIER   Nun, ich kann
  beinah erraten.

BARON   Wie?

VENIER   Die Redegonda,
  die Brizzi –

BARON   Eine andre nannte er.

VENIER
  Die Corticelli, wie?

BARON   Mir scheint.

VENIER   Dazu
  zwei, drei Tagdiebe, einer, der Sonette
  und einer, der Pasquille schreibt, der dümmste
  Abbate und der zudringlichste Jude –

BARON
  Und du und ich,
  dann ists die Arche Noah! Jeder Art
  ein Tier. Und daß so viele Arten sind,
  das macht die Welt so bunt. Wen möchtest du
  entbehren? Ich den tollen Neger nicht,
  der von der Riva taucht um einen Soldo
  und mit den Hunden sich ums Essen beißt,
  und nicht den goldnen Dogen, der an uns
  vorüberschwebt auf einer Purpurwolke
  und einem goldnen Schiff. In tausend Masken
  läuft er um mich und zupft mich am Gewand,
  der Dieb, der Schlüssel stahl zu meinem Glück.
  Lebhafter
  In einen Edelstein hineingebannt
  ist unsres Geistes Geist, des Schicksals Schicksal.
  Der hängt vielleicht zwischen den schönen Brüsten
  der Redegonda, und er schläft vielleicht
  bei Zwiebeln in der Tasche eines Juden,
  was weiß ich! nicht?

VENIER   Du bist sehr aufgeräumt.

BARON *tritt nahe zu ihm*

Sei nicht zu stolz darauf, daß du nicht Dreißig bist!
Was später kommt, ist auch nicht arm. Rückkehren
und nicht vergessen sein: der Mund wie Rosen,
die offnen Arme da, hineinzufliegen!
Als wär man einen Tag nur fern gewesen –
und den Ulysses grüßte kaum sein Hund!
Immer fröhlicher
Ich will hier Feste geben. Schaff mir Löwen,
Zu Le Duc
die Blumensträuße aus den Rachen werfen!
Vergoldete Delphine stell vors Tor,
die roten Wein ins grüne Wasser spein!
Nicht drei, nicht fünf, zehn Diener nimm mir auf
und schaff Livreen. An den Treppen sollen
drei Gondeln hängen voller Musikanten
in meinen Farben.

VENIER *lächelnd*   Ihr beschämt uns alle.

BARON

Wie? schon zuviel? zuviel? noch nicht genug!
Ich will den Campanile um und um
in Rosen und Narzissen wickeln. Droben
auf seiner höchsten Spitze sollen Flammen
von Sandelholz genährt mit Rosenöl
den Leib der Nacht mit Riesenarmen fassen.
Ich mach aus dem Kanal ein fließend Feuer,
streu so viel Blumen aus, daß alle Tauben
betäubt am Boden flattern, so viel Fackeln,
daß sich die Fische angstvoll in den Grund
des Meeres bohren, daß Europa sich
mit ihren nackten Nymphen aufgescheucht
in einem dunkleren Gemach versteckt
und daß ihr Stier geblendet laut aufbrüllt!
Mach Dichterträume wahr, stampf aus dem Grab
den Veronese und den Aretin,
spann Greife vor, bau eine Pyramide
aus Leibern junger Mädchen, welche singen!
Die Pferde von Sankt Markus sollen wiehern
und ihre ehrnen Nüstern blähn vor Lust!
Die oben liegen in den bleiernen Kammern
und ihre Nägel bohren in die Wand,

die sollen innehalten und schon meinen,
der Jüngste Tag ist da, und daß die Engel
mit rosenen Händen und dem wilden Duft
der Schwingen niederstürzend jetzt das Dach
von Blei hinweg, herein den Himmel reißen!
Plötzlich innehaltend
St! St! hör ich nicht singen? Kommts nicht näher?
Merk auf! Hörst du nicht eine süße Stimme?
Hierher! Noch nichts? Nein, früher war es stärker!
Du hörst gar nichts! So ists in meinem Blut.

VENIER *ist plötzlich wieder aufgestanden und hat sein Glas so heftig*
auf den kleinen Tisch gesetzt, daß es klirrend zerbricht
Hier ist ein Glas entzwei. Verzeihen Sie.
Es gibt dergleichen Tage, wo ein tolles
und widerwärtiges Geschick den Kopf,
von Schlangenhaaren wimmelnd, uns entgegen
aus jeder Türe reckt und unterm Tisch
hervorkriecht, dran wir sitzen! Flecken hat
die Sonne selbst, am Mond hängt weißer Aussatz,
und unser ganzes Innre geht in Fetzen,
darein sich Diebe wickeln.

BARON
Es ist ein Alp.

VENIER   Beinah, nur schläft man nicht!

BARON
Komm, gehn wir auf und ab, die Luft tut wohl.
O hättest du gelernt wie ich zu leben,
dir wäre wohl.
Ich achte diese Welt nach ihrem Wert,
ein Ding, auf das ich mich mit sieben Sinnen
so lange werfen soll, als Tag und Nächte
mich wie ein ächzend Fahrzeug noch ertragen.
Leben! Gefangenliegen, schon den Tritt
des Henkers schlürfen hörn im Morgengrauen
und sich zusammenziehen wie ein Igel,
gesträubt vor Angst und starrend noch von Leben!
Dann wieder frei sein! atmen! wie ein Schwamm
die Welt einsaugen, über Berge hin!
Die Städte drunten, funkelnd wie die Augen!
Die Segel draußen, vollgebläht wie Brüste!

Die weißen Arme! Die von Schluchzen dunklen
verführten Kehlen! Dann die Herzoginnen
im Spitzenbette weinen lassen und
den dumpfen Weg zur Magd, du glaubst mir nicht?

VENIER
Wie kannst du einen Blick so sehr mißdeuten?

BARON
Ich sage dir, es gibt nichts Lustigres
als hier im Zimmer auf und nieder gehn,
sich Wein einschenken, essen, schlafen, küssen
und draußen an der Tür den wilden Atem
von einem gehen hören oder einer,
die lauert und in der geballten Faust
den Tod hält, deinen oder ihren Tod!
Dein Leben, wie des kalydonischen Königs
an ein Scheit Holz, geknüpft an eine Kerze,
die wo vor einem höchst verschwiegnen Spiegel
in sich verglühend vor Erwartung flackert –
und das, worauf der Widerschein der Fackel,
indes du fährst zur Nacht, mit Lust umhertanzt,
vielleicht dein nasses Grab! Hoho, sie kommen!

*Es treten auf: Sassi, Marfisa Corticelli mit ihrer Mutter, der Abbate,
zuletzt Salaino.*

SASSI
Wie gehts, Mynheer?

BARON   Wie gehts, mein lieber Sassi?
Spielt Ihr den Hausherrn, mich laßt Diener sein
und Euren Gästen meine Dienste weihn.

SASSI *die Marfisa an der Hand vor ihn führend*
Marfisa Corticelli, die Camargo
des Augenblicks, eine, nein: *die* Tänzerin Venedigs!

BARON
Marfisa! Euren Namen auszusprechen
heißt Duft einatmen einer seltsam süßen
und wilden Frucht: erlaubt den Lippen, sie zu brechen.
Küßt sie.

DIE MUTTER
Was lobt Ihr ihre Lippen? Ihre Lippen

588

sind so wie andrer Mädchen. Mit der Spitze
der Füße trillert sie, und in den Kehlen
der Kniee hat sie hübschre Melodien
als andre, wenn sie sich den Hals ausschrein.
Baron schaut verwundert.

DIE MUTTER *knixt*
Ich bin die Mutter.

BARON *mit Verbeugung* Lamia, die Mutter
der jüngsten Grazie!

SASSI *vorstellend*   Der Abbate Gamba,
der Plinius, Cicero und Aretin
dieses Jahrhunderts.

BARON   Viel in einem, viel!
Hier noch ein Freund?
Auf Salaino.

DIE CORTICELLI   O dies ist kaum ein Mensch,
gebt auf ihn nicht mehr acht als wie auf einen Schatten!

BARON
So ist es deiner?

DIE CORTICELLI   Ja, ein Tollgewordner!
mit gräßlichen Gebärden hinter mir,
so wie der plumpe Faun die Nymphe ängstigt.

SASSI
Dies ist ein junger Musiker, Salaino,
der für das übermütige Ding zuviel
Seufzer verschwendet –

DIE MUTTER   Aber sonst auch nichts!

DIE CORTICELLI
Laß ihn doch, Mutter. Und ich bitt euch alle,
tut so wie ich und gebt auf ihn nicht acht.

BARON
Hier der Patrizier Lorenzo Venier,
seit wenig Stunden meinem Herzen nah,
doch teuer wie ein alterprobter Freund.
Venier verbeugt sich unmerklich, sieht alle durch ein Lorgnon an.
Le Duc mit Erfrischungen von links. Gamba zu Venier. Sassi, Mar-
fisa, Mutter zu Le Duc. Baron rechts rückwärts bei Salaino.

BARON *zu Salaino*

Wie, junger Mensch, du hast nichts und du willst
dies weiter tragen? Armut, dies Gefängnis,
aus dem man nicht entspringt, weils mit uns läuft.
Den Hohn und Speichel einer solchen Vettel!
Du hast nichts! dann hat jeder dicke Schuft
von Seifensieder ja dein Haus, dein Bett
und küßt deine Geliebte, spürst dus nicht so?
Vielmehr er hat ein Recht auf ein Stück Fleisch
aus deiner Brust und darf das Messer noch
an deinem Haar abputzen! spürst dus so!
Greift ihm dabei ins Haar
Wir werden spielen, wart, wir werden spielen,
und hier ist für den Anfang!
Gibt ihm Geld

               Nägel kauen,
an einem schmutzigen Kanal die Lake
von Stockfisch atmen und auf feuchtem Stroh
von weißen Knien mit goldnem Strumpfband träumen,
bis das Geheul der Katzen auf den Dächern
dem Traum ein Ende macht. Verfluchtes Leben!

SALAINO *mit erstickter Stimme, den Blick zur Seite*

Ich wäre grad so gern der alte Grabstein
am Kirchentor, auf den die Weiber treten,
die halbverfaulte Alge im Kanal,
der Hund von einem Blinden! Manchen Tag,
mein ich, mich schleift ein Pferd an seinem Schweif,
daß ich von unten mit verdrehten Augen
die ganze Welt ansehen muß, so starr
und so verhaßt ist mir des Lebens Anblick.
Ich kann den Fetzen goldgestickten Stoffs
nicht anschaun, den ein Heiliger von Stein
um seinen toten Leib hat, wie viel minder
ertrag ichs, wenn ich die Lebendigen seh,
in lauter Lust gewickelt wie ein Wurm
im Granatapfel.

BARON   Hast du keine Schwester?

Zur Kupplerin mit ihr! Was, keinen Bruder,
an den Kapellmeister, der Bubenstimmen
für Engelschöre braucht, ihn zu verkaufen?
Auch nicht? So ging’ ich und verhandelte

das Leben eines Menschen, den ich nie
gesehn, und liehe die Pistole mir
als einen Vorschuß von der Summe aus,
die ich mit ihr verdienen wollte. Was?
Genug davon. Auf später.
Geht zu den anderen hinüber.

BARON *zu der Gruppe*
  Wir spielen gleich. Seid wie zu Hause, bitt' ich.
  Führt Marfisa am Arm nach vorne
  Was kann ich tun, Marfisa, um dir nicht
  ganz zu mißfallen?

MARFISA   Viel, o eine Menge.
  Baron küßt sie auf den Arm.

MARFISA
  Nicht das. Wenn du mich gern hast –

BARON   Nun?

MARFISA   So gehst du
  und mietest Leute – oh, sie tuns um wenig –,
  wenn du mich gern hast, so mißfällt dir doch,
  wer mich mißhandelt, unterdrückt, erniedrigt –

BARON
  Mißfällt? Ich haß ihn wie den Pfahl im Fleisch.

MARFISA
  Und wen du hassest, läßt du doch nicht ungestraft?

BARON
  Des Schurken Namen sag, ich find ihn.

MARFISA *klatscht in die Hände*
  Du tust es mir?

BARON   Den Namen!

MARFISA   Costa.

BARON   Wie?

MARFISA
  Vicenzo Costa,
  der Geck, das ekelhafte Ungeheuer,
  der Pächter des Theaters, der die Brizzi
  das pas de deux, das mir versprochene,
  das große, tanzen läßt. Er geht am Abend

allein nach Haus, ich weiß. Bei San Moisé.
Zwei Männer tuns leicht. Du tusts! Du tusts!
Du bist ein großer Herr, und fremd, hast Diener —

BARON
Und wirds dich freuen?

MARFISA   Wie nichts auf der Welt!

BARON
Und glaubst dann —

MARFISA   Was?
Baron will sie küssen.

MARFISA   Vielleicht! vielleicht auch nicht!
Reißt sich los, läuft nach rückwärts.

BARON *will ihr nach, auf einmal steht die Mutter vor ihm*
Liebe Frau, Ihre Tochter ist das entzückendste kleine
Ding, das ich je berührt habe — mit der Fingerspitze. Sie
ist ein so von Leben starrendes wildes funkelndes Wesen
wie ein kleiner Turmfalke.

MUTTER
Sie haben sie nur von ihrer unbedeutendsten Seite kennengelernt.

BARON
Ganz richtig, ich brenne darauf, sie besser kennenzulernen. Ich sehe, Sie versteht mich, Sie versteht mich.

MUTTER
Ich hoffe, Euer Gnaden werden öfter das Ballett mit
Ihrem Besuch beehren.

BARON
Sie versteht mich nicht. Ich gedenke mich hier nur
wenige Tage aufzuhalten und möchte keine Gelegenheit versäumen, Ihre Tochter kennenzulernen. Ich werde
morgen bei ihr vorsprechen.

MUTTER
Oh, das ist ganz unmöglich, gnädiger Herr, unsere
Appartements sind absolut nicht präsentabel. Es ist abso-
lut unmöglich.

BARON
Was heißt unmöglich?

Gibt ihr Geld
Sie wird trachten, bis morgen die Appartements präsentabel zu gestalten.

MUTTER
Oh, es ist unmöglich, meine Tochter ist nicht im Besitz eines konvenablen Negligé, um so distinguierte Gäste zu empfangen.

BARON
Ich werde die Ehre haben, ihr durch meine Gondel ein sehr konvenables Negligé zuzuschicken.

MUTTER
Ich weiß nicht, ob Euer Gnaden auswendig die Maße —

BARON
Überlassen Sie das meinen Augen, gute Frau. Ich habe hier drinnen Maße genug, zehntausend verschiedene Frauen aus zehntausend blinden Marmorblöcken herauszumeißeln, aber ich habe nicht die Laune, mich mit totem Material abzugeben.
Redegonda tritt auf, ihr Bruder, als Lakai, hinter ihr.

REDEGONDA
Geh vor und meld mich an!

SASSI *ihr entgegen, mit einer großen Handbewegung*
                          Die Redegonda!

BARON *ihr entgegen*
So ruft, wer am Verdeck zuerst erwacht:
die Sonne! und die andern rufens nach.
Ich hört Euch diesen Abend, Mademoiselle,
und neidete den körperlosen Tönen
den Weg auf Euren Lippen. Muß ich nun
ein niedrig Band beneiden, schlechte Spitzen,
die diesen Hals berühren? Welcher Gott
war dies, der starb vor Sehnsucht nach dem Anblick
des wundervollsten Nackens? Seinen Namen
hab ich vergessen, doch ich teile, fürcht ich,
sein Schicksal, wenn Ihr geht.

REDEGONDA *sich fächelnd*   Sehr schön gesagt.

BARON *indes Le Duc Erfrischungen serviert*
Erlaubt Ihr?
Redegonda trinkt.

BARON Dieses Glas ist nun so wenig
mehr feil, da es an Euren Lippen lag,
als eine von den Kammern meines Herzens!

REDEGONDA
O solche Gläser haben wir noch viele
zu Haus! Nicht wahr, Achilles? Wenn Ihr wollt,
könnt Ihr sie alle kaufen.
Lacht.

BARON
Ihr spielt?

REDEGONDA Tut Ihrs für mich?

BARON Ich bin zu glücklich,
laßt Ihr mich nur den letzten Ruderer sein
an Eures Glückes Schiff.

REDEGONDA Was heißt das?

ACHILLES *leise* Geh!
*Baron, mit Le Duc, ist beschäftigt, Sassi, Marfisa, die Mutter, den
Abbate an den den Spieltisch links rückwärts zu bringen.*

REDEGONDA *vorne zu Venier*
Ah, Herr Venier!
Venier grüßt, legt die Hand auf den Mund.

ACHILLES *zu Redegonda*
Er winkt dir, du sollst schweigen.
REDEGONDA
Wovon?

ACHILLES Nun, wahrscheinlich von seiner Frau.

REDEGONDA
Ach so! Warum?

ACHILLES *immer hablaut*
Was weiß ich? Schweig!
*Redegonda und Achilles ungefähr in der Mitte, Venier geht nach
links vorne, Baron kommt von rückwärts zu Redegonda zurück, die
durch ihr Lorgnon die Gesellschaft mustert.*

REDEGONDA
Wie? Die ist da? Die Tänzerin! Ich bin
nur gern beim Spiel mit meinesgleichen.

BARON   Göttin
   an Schönheit, müßtet Ihr dann Euren Spieltisch
   aufschlagen lassen im Olymp.

REDEGONDA   Wo ist das?
   Baron führt sie zum Spieltisch, winkt Salaino herbei, der die ganze
   Zeit, im Hintergrund stehend, mit den Blicken der Marfisa folgte.
   Ein fremder älterer Mann tritt in die Tür, mit einer schüchternen
   Verbeugung, den Dreispitz unter dem Arm. Niemand bemerkt ihn.

VENIER *links vorne allein*
   Ich bin hier lächerlich und kann nicht fort. Und doch,
   es war keine Täuschung: als dieser Mensch sich auf den
   Platz neben meiner Loge setzte und ihr Blick, der mich
   suchte, auf ihn fiel, wurde sie unter der Schminke blaß,
   und der Ton, der schon auf ihrer Lippe schwebte, tauchte
   wieder unter wie ein erschreckter Wasservogel, und von
   dem Augenblick an sang nur mehr ihre Kunst, nicht
   mehr ihre Seele. Soll ich mich in solchen Dingen irren,
   ich, der ich aus ihren Schritten auf dem Teppich, aus
   einem Nichts, aus dem Schlagen ihrer Augenlider erraten kann, woran sie denkt? Und doch kann ich mich
   irren und diese ganze Qual kann um nichts sein! Hier
   ist niemand, den ich fragen könnte; die Redegonda ist
   zu dumm, Sassi zu boshaft. Und doch war mir, als hätte
   das ganze Haus gefühlt, daß in ihr etwas Ungeheures
   vorgegangen war. Und in ihrem Spiel war etwas wie
   Nachtwandeln, sie ging wie unter einem Schatten. Wer
   ist dieser Mensch? Mir ist, ich dürfte ihn nicht aus den
   Augen lassen, als wüßte ich, er ist auf geheimnisvolle
   Weise bestellt, in mein Leben hineinzugreifen.
   Wo hab ich das gehört: Ich seh den Dieb,
   der zur geheimsten Kammer meines Glücks
   den Schlüssel stahl: er geht um mich herum,
   doch kann ich ihn nicht fassen: hab ich das
   geträumt? und wann?

SASSI *vorkommend, zu Venier*
                           Wie, kommt Ihr nicht zum Spiel?

VENIER
   Sassi, wer ist der Mensch?

SASSI   Ich glaub, nicht viel

Nachdenkens wert. Ein Abenteurer, glaub ich,
doch lustigre Gesellschaft als die Puppen,
von denen man Großvater und Großmutter
mit Namen nennen kann.

VENIER   Wie kommst du zu ihm?

SASSI
Ich? vielmehr er zu mir: mit einem Brief,
der auf viertausend Golddublonen lautet.

VENIER
Und ausgestellt?

SASSI   Von Arnstein Söhnen, Wien.

BARON *geht rückwärts von Marfisas Seite weg, um den Tisch herum;
er ruft nach vorne*
Ihr langweilt euch!

SASSI   Im Gegenteil, Mynheer!
Baron rückwärts stehend, neben Salaino, dem er spielen zusieht.

SASSI *nach rückwärts gehend*
Ich nehm die Bank.

BARON   Ich bitte, Sassi, nehmt sie.

DER ABBATE *geht zu Venier nach vorne, sich vorstellend*
Abbate Gamba.

VENIER
Lorenzo Venier, wir sehen
uns nicht das erste Mal.

ABBATE   Ihr seid sehr gütig,
Euch zu erinnern.
*Leises Gespräch, Abbate zeigt seine Uhr; beide gehen nach rechts
vorne.*
*Der alte Mann ist unbemerkt an den Tisch gegangen, steht hinter
der Kerze und pointiert mit.*

BARON *über Salainos Schultern schauend*
Nimm Rot und bleib!
Nach einer Pause
Es wird! es wächst! es schwillt!
Schon bücken sich zwei, drei vor dir, indes du
aus deiner Gondel steigst, schon brennt ein Licht

auf einer Treppe, schon für dich bewegt sich
ein Vorhang, und ein Tisch mit schönen Speisen
steht da, für zweie aufgedeckt, die Magd
schielt nur nach deiner Hand, um zu verschwinden.

ABBATE *vorne, zu Venier*
Verlassen Sie sich drauf, ich faß ihn plötzlich
und drück ihn an die Wand.

VENIER   Wir werden sehn.

BARON *rückwärts, zu Salaino*
Nun gut und gut! Nun liegt schon mehr und mehr
gebundne Beute da, mit Zobelpelz
und goldenen Geweben halbverdeckt!
Dies ist die Larve schon, der Engerling
von einem großen Herrn! Jetzt sind schon hundert,
die um die Wette kriechen! Die Illustrissima,
die hochmütige schöne Bragadin,
dreht schon den Kopf. Nun aus dem Dunkel vor!

ABBATE *zu Venier*
Dies sind die Reden eines Taschenspielers
und eines armen Teufels, der groß prahlt.

BARON *zu ihnen vorkommend*
Ihr lacht! Den Teufel, ja, den spiel ich gern;
den meint Ihr doch, Abbate, der den großen
Goldklumpen nachts ins Netz des armen Fischers warf?
Nein, sagt mir, Freunde, wer ist dieser Mensch?
Er zeigt auf den fremden alten Mann am Spieltisch
Kennt ihr ihn nicht?

ABBATE   Ich nicht, fragt Sassi.

BARON
Der kennt ihn nicht, er hat schon mich gefragt.
*Der alte Mann ist inzwischen vom Spieltisch weggegangen und ver-
schwindet verstohlen durch die Tür im Hintergrunde*
Nun geht er fort. Bei Gott, mir tut der Mensch
bis in die Seele leid. Er suchte immer lang
und legte noch ein Goldstück, jedes schien
zu zittern, wie er selbst, auf eine Karte,
und immer gegen uns. Und jedesmal
zerschellte sein elendes Schifflein kläglich

an jenem dieses Burschen, dessen Segel
vom Wind des Glücks wild aufgeblasen waren.
Er geht ans Fenster, sieht hinab, geht dann nach links an die Tür,
winkt Le Duc zu sich.

ABBATE *zu Venier*
Es gibt dergleichen, die wie Raben Aas
die Häuser wittern, wo gespielt wird abends
und mit den Fledermäusen und Nachtfaltern
auf einmal da sind.

VENIER   Der sah traurig aus.

BARON *zu Le Duc*
Lauf diesem Menschen nach im braunen Rock,
er geht die zweite Brücke, lauf und gib ihm
soviel. Sag nicht, von wem. Steh ihm nicht Rede.
Le Duc ab.

BARON *bleibt einen Moment stehen, blickt ins Leere*
Dies war vielleicht mein Vater.
Zumindest hab ich meinen nie gesehn
und möchte keinem von dem Alter wehtun
aus Angst, es wär gerade der. Es gibt
Zufälle von der Art. Mir träumts auch öfter.
Gott weiß, der tolle Krüppel in dem Dorf,
wo ich heut durchkam und vor zwanzig Jahren
auch einmal schlief, der war vielleicht mein Sohn
und fletschte grad auf mich so wild die Zähne.
Er will zum Spieltisch zurückgehen; Abbate hält ihn auf.

ABBATE
Erlaubt, reizender Hausherr, einen Blick!
Führt ihn unter ein Licht, betrachtet ihn sehr aufmerksam
Wir sehn uns nicht das erste Mal! Allein
mich dünkt, Ihr habt Euch wunderbar verändert!
Verdeckt mit seiner Hand einen Teil vom Gesicht des andern.

BARON *betrachtet ihn ebenso aufmerksam, wie eine Statue, von rechts,*
dann von links, dann von unten
Wahrhaftig nicht das erste Mal! Wo aber
kanns nur gewesen sein?

ABBATE *triumphierend*   Das frage ich!

BARON
Doch nicht im Haag? an jenem blutigen Abend?...

Ich hielt den Kopf des sterbenden Oranien
in meinem Arm, und ringsum drängte sich
unheimliches Gesindel durch die Fackeln:
da war auch einer da, ein alter Jude,
zudringlicher als andre, aber wie,
der? soll ich meinen Augen traun, wart Ihr?
Abbate tritt zurück, beleidigt.

BARON *läßt ihn nicht los*
Nein, nein, jetzt hab ichs! In Damaskus dort,
am Hof Yussuf Alis, der Oberste,
wie sag ich schnell, der Stummen? Wieder nicht!
Abbate tritt noch einen Schritt zurück.

BARON
Und doch gesehn, bestimmt gesehn! In Rom
bei Kardinal Albani –

ABBATE   Das kann sein.

BARON
Ihr wart der Monsignore,
Fängt zu lachen an
                    dem die Damen –
Sagt ihm etwas ins Ohr
und dem der Kardinal dann durch die Diener –
*Sagt ihm noch etwas ins Ohr, faßt ihn bei beiden Händen, schüttelt
sie kräftig*
Wie !
Lacht
        Das wart Ihr! und habt mich gleich erkannt!
Ich wars, der Euch . . .
Ihm ins Ohr.

ABBATE *wütend*   Niemals und nimmermehr
war ich das, Herr, ich habe mich geirrt:
ich hab Euch nie gesehn.

BARON   Wie schade, schade!
Zu Venier
Und du verachtest ganz das kleine Spiel?

SALAINO *am Spieltisch, laut*
Ich hab die Bank, wer legt dagegen?

VENIER *nach rückwärts gehend*   Ich !

REDEGONDA *geht vom Spieltisch nach links vorne, Achilles aufwartend*
 hinter ihr
 Richt mir die Schnalle am Schuh, sie ist verschoben.
 Was willst du denn, du Garstiger, daß du
 mich in den Arm so kneifst; ich hätt beinah
 laut aufgeschrien.

ACHILLES   Was flüstert er mit dir?

REDEGONDA
 Er will, daß ich
 heut abends bei ihm bleib, wenn alle fortgehn.

ACHILLES
 Und?

REDEGONDA
   Er mißfällt mir nicht. Er ist auch artig
 mit Frauen. Du, ich glaub, er ist ein Fürst
 und reist mit falschem Namen.

ACHILLES   Hat er dir
 schon was geschenkt?

REDEGONDA   Noch nicht, allein ich seh doch,
 daß er freigebig ist.

ACHILLES   Sag ihm vor allem,
 du willst, er soll mich zum Bedienten nehmen.
 Dann mach ich alles.

REDEGONDA   Doch wie fang ichs an?

ACHILLES
 Ganz frech.

REDEGONDA Sag ich, daß du mein Bruder bist?

ACHILLES
 Nichts Dümmeres! kein Wort!

REDEGONDA   Allein, mein Graf –

ACHILLES
 Was braucht der zu erfahren?

REDEGONDA   Glaubst, es geht?
 Lacht
 O weh, die Corticelli, die ist boshaft,

600

vor ihrem Mundwerk hab ich solche Angst
die bringts heraus! merk dir, ich habs gesagt!

BARON *zu ihnen tretend*

Wie, Reizendste? ich morde diesen Burschen
vor Neid.

REDEGONDA

So nehmt ihn lieber, statt so schwere Schuld
auf Euch zu laden, schnell in Eure Dienste,
dann dient er Euch, und nichts gibts zu beneiden.

BARON

Ihr wollt mir Euren Diener überlassen?

REDEGONDA

Ihr sagtet doch, Ihr wollt die Gläser kaufen,
daraus ich trank, nun hier ist ja der Mensch,
der täglich mir die Haare lockt und brennt,
das ist ja noch viel mehr!

BARON   Beinah so viel
als eine Eurer Locken, also mehr
als Zypern und Brabant!

REDEGONDA

Er ist nicht dumm, und wär er ordentlicher,
so hätt ers leicht zu Besserm bringen können:
er hat Geschwister, die was andres sind.

ACHILLES *schnell*

Wir sind aus einer Stadt und Nachbarskinder.

BARON

Sooft sie kommt, bedienst du sie allein,
sonst wirst du ihres Dieners Diener sein.
*Bei der Tür im Hintergrund ist der Juwelier hereingekommen und
steht lauernd. Auf ein Zeichen von Achilles kommt er schnell nach
vorne; Stellung von links nach rechts: Achilles, Redegonda, Baron,
Juwelier. Juwelier hält dem Baron Perlenohrgehänge hin.*

BARON

Tut der Rialto Marmorkiefern auf
und speit den alten Tubal uns hervor?

JUWELIER

Ich seh, der Herr kennt mich. Das sind ein Paar Ohrgehänge, wie der Herr keine zweiten solche findet in Vene-

dig. Es hat eine Illustrissima sterben müssen in großer
Verlegenheit, damit ich diese Ohrringe in die Hand be-
komme und sie kann anbieten dem Herrn um einen
Preis zum Lachen.

BARON *die Ohrgehänge in der Hand*
> O Perlen, Perlen! nichts von Steinen! – Leben!
> Sie halten Leben wie ein Augenstern:
> die Sterne droben, diese goldnen Tropfen,
> sind jeder, sagt man, eine ganze Welt:
> so gleichen die, nur von weit weit gesehn,
> dem Leib von Überirdisch-Badenden.
> Vielleicht sind Kinder,
> die einst der Mond mit Meeresnymphen hatte,
> hineingedrückt, sie frieren in der Luft:
> hier ist ihr Platz, hier saugen sie sich wach!
> *Hält sie an den Hals der Redegonda.*

JUWELIER
> Ich seh, der Herr versteht sich auf Perlen.
> *Geht eilig ab.*

BARON
> Halt, und dein Preis!

JUWELIER *an der Türe* Ich seh, der Herr versteht.
> Ich kenn das Haus. Morgen ist auch ein Tag.

BARON
> Ganz recht! ich kann sie ja nicht überzahlen!
> *Mit einem Blick auf die Redegonda.*

REDEGONDA
> Wie meint Ihr das?

BARON Schlag ich für nichts dies an,
> daß du sie trägst?
> *Redegonda gibt ihm die Hand zum Küssen.*

BARON
> Die Hand! und wann den Mund? o heute, heute,
> unnützes Warten ist nichts als der Wurm
> in einer reifen Frucht. Oh, Warten ist
> die Hölle!

REDEGONDA Wenns dies boshafte Geschöpf,
> die Corticelli weiß, bin ich des Todes!

Zu Achilles
Fällt dir nichts ein?

ACHILLES
Wir gehn zum Schein mit allen andern fort
und kehren um, sobald uns eine Ecke
verdeckt —

BARON   Ein braver Bursch!

REDEGONDA   Wenn sie uns sehn,
so weißt du dann, ich habs vorausgesagt.

BARON
So willst du nicht?

REDEGONDA   O ja, nur hab ich Furcht,
die Menschen sind so neidisch, wenn man schön ist
und nicht gemein wie sie.
*Rückwärts treten alle vom Spieltisch weg, außer der Mutter, die
noch ein Glas austrinkt. Sassi, Venier, der Abbate gehen nach vorne,
Marfisa und Salaino nach rechts. Achilles nimmt sogleich eine
andere Haltung an.*

BARON   Wie? brecht ihr auf?
Salaino tritt ganz dicht zu Marfisa mit glühenden Augen.

MARFISA *kokett*
Und was?

SALAINO
Und dies: ich bin verliebt in dich, verliebt,
verliebter als Narzissus in sich selber:
er fand im Wasser sich, ich find dein Bild
bis in den flüssigen Spiegel der Musik —

MARFISA
Nichts Neues sonst?

SALAINO   Und dies: ich reiß mein Selbst
von diesem Traum, um dens wie Efeu rankt,
und müßt ich alle Nerven ihm zerreißen.

MARFISA
Wie schade!
Halb von ihm weggehend.

SALAINO   Wie?

MARFISA   Ich hörte nur »zerreißen«
und dachte an das Kleid.

SALAINO   An welches Kleid?

MARFISA
Du hättest mir doch eins gekauft –

SALAINO   Ich dir?

MARFISA
Wenn ich mit dir gegangen wäre –

SALAINO   Du?

MARFISA
Mit dir? Ich hätt es angezogen und
wär vor dem Spiegel auf und ab gegangen
und hätt auf dich gewartet, du indes –

SALAIONO
Nun, ich –

MARFISA   Du hättests nicht getan –

SALAINO   Marfisa!

MARFISA
Du hättests doch getan!

SALAINO   Was, was getan?

MARFISA
Du weißt ja doch, wer mich gekränkt hat –

SALAINO   Wie?
Dies zu versprechen ist zu häßlich.

MARFISA   Ja.
Nicht reden, mit den Augen nur versprechen!

SALAINO
Da. Aber tust dus nur deswegen?

MARFISA   Still!
Still jetzt! geh mir nur ruhig nach! gib acht!
Ganz still, ganz still! sonst macht die Mutter Lärm.
*Sie geht ganz unbefangen einige Schritte nach vorne, dann, den
Blick auf die Mutter geheftet, langsam nach rückwärts, wie in einem
Ballett, zur Tür hinaus. Salaino folgt ihr schnell. Die Mutter be-
merkt ihn, läuft den beiden nach. Sassi kehrt sich in diesem Augen-
blick um, klatscht in die Hände. Alle lachen.*

604

REDEGONDA

Was das für Menschen sind!

ABBATE   Die sind schon fort.
Wir folgen ihrem Beispiel, wenn auch nicht
so wortlos und so eilig.
Verbeugt sich.

BARON *verbeugt sich*   Abbate!

VENIER

Ich seh dich morgen, schnellerworbner Freund.

REDEGONDA *zu Achilles*
Geh vor und leuchte!

BARON   Mademoiselle!

SASSI   Ich finde
nicht Worte . . .

BARON   Sie beschämen mich!
Noch winkend

                                    Abbate!
Alle ab. Der Baron bleibt allein; tritt ans Fenster. Pause.
Le Duc tritt wieder auf mit einem Brief.

BARON

Von wem?

LE DUC   Die gleiche alte Frau,
Die schon vor einer Stunde –

BARON   Von Vittoria!
Erbricht den Brief, liest.

LE DUC

Antwort?

BARON   Ist keine.
Geht auf und ab

                    Wie! sie will hierher!
So steigt von links und rechts aus dieser Nacht
hier Gegenwart und hier Vergangenheit
empor, jedwede eine schöne Nymphe.
Und Zufall tanzt, der übermütige Gott,
wie ein betrunkner Stern in dunkler Luft
und streut Verwirrung! Doch ich nehms auf mich!
Und ficht er aus dem Dunkel – ich pariere!

REDEGONDA *tritt hastig und atemlos auf*
Versteck mich! schnell! ein Mann ist hinter mir!
Ich fürcht, es ist der Graf! wenn der mich findet,
der mordet dich und mich. Ich habs gewußt!
Ich habs vorausgesagt! ich habs gesagt!

BARON *führt sie durch die kleine Tür links vorne*
Nur Mut! nur still! hier steh ich, du bist sicher!
*Venier tritt ein, hastig und erregt. Er ist sehr blaß. Hinter ihm
Le Duc, der dem Baron Zeichen macht, daß noch eine Person draußen
im Vorzimmer ist. Baron zeigt ihm, er solle sie in das Zimmer rechts
rückwärts führen. Le Duc schließt die Tür in dieses Zimmer. Indessen schlägt es Mitternacht.*

BARON *halb für sich*
Wie! mehr Verwirrung! Folgen sie einander
wie Puppen an der Turmuhr, weil es schlägt?

VENIER *ist an der Tür einen Augenblick unschlüssig stehengeblieben,
kommt jetzt rasch auf ihn zu*
Herr Holländer! ich tue hier ein Ding, das Ihr aufneh-
men dürft, ganz wie Ihr wollt und wofür Ihr später jede
Genugtuung haben sollt. Umstände nötigen mich, Argu-
mente, die sich um meinen Hals legen wie der Strick des
Henkers.
Hält inne. Baron zuckt die Achseln.

VENIER
Wenn das der Fall ist, was ich befürchte, so steht vor
Euch ein Mensch, an dem das Schicksal einen unfaßbaren
Diebstahl begangen hat, einen Diebstahl, gegen den
alle Diebestaten zu nichts werden seit jener ersten berühmten, als die zwei in die schlafende Stadt krochen,
das Heiligtum vom Altar stahlen und den von einer langen Reise ermüdeten Fremdlingen im ersten Schlaf die
Kehlen abschnitten... ein Diebstahl, der dem Bestohle-
nen alles wegnimmt, alles was war, was ist, was sein
wird, und das Werkzeug dieses Diebstahls seid Ihr.

BARON
Messer Lorenzo Venier, ich bin um zwanzig Jahre älter
als du, und du bist mein Gast. Das macht die Musik zu
meiner Antwort. Hör auf dies:
Die Dame,

die sich bei mir befindet, ist dir nichts;
ich hab dich nicht gefragt, ob du vermählt bist,
doch ist es weder deine Frau, Geliebte,
noch sonst dir nah, ja, der Beachtung wert.

VENIER
Wie weißt du das? Ich hab mich so verstrickt
durch eine kleine Falschheit, daß ich nun,
wo Scham und Zweifel mir den Mund verschließen,
nichts andres weiß, als diesen ganzen Knoten
entzweizuhaun, bevor er mich erwürgt.

BARON
Die hier drin steht, der steht dein Ernst so fern
wie finstre Waffen einem Maskenkleid.

VENIER
Du weißt nicht, wer mir nahsteht, wenn sie dirs
nicht mehr verriet als ich, und sie hat zehnmal
mehr Grund als ich zu diesem Maskenspiel.

BARON
Wär hier ein Ding, das für mich reden könnte,
ein Zipfel ihres Mantels! Könnte dies
ihr blondes Haar, das hier am Vorhang hängt,
goldfarbige Lippen auftun, diesen Argwohn
zu scheuchen.

LORENZO   Wie, ein blondes Haar?

BARON   Der Vorhang
entriß es ihr.

LORENZO   Der Vorhang!
Er besieht es   .
                         Dunkles Gold
wie die vom Weihrauch dunklen innern Kuppeln
der Markuskirche! welchen blöden Narren
macht Phantasie aus mir —
Was soll ich sagen? Wenn du morgen kommst,
sollst du sie sehen. Kenntest du mich besser,
so wüßtest du, ich bin nicht immer so,
und nähmst es für den Krampf, der eine Kerze
zuweilen packt, daß sich ihr ganzes Licht
zusammenzieht und sie beinah erlischt.
Doch so ...

BARON   Du bist so edel von Natur,
sehr wohl vergleichst du dich mit einem Licht,
das manches Mal, bedrängt vom finstern Hauch
des Lebens, flackert. Wahrhaft edle Art
hat dies vom Feuer, daß ihrs nicht gelingt,
sich zu verstecken, wickelt sie sich auch
in Finsternis, verkriecht sich in den Klüften
des Kaukasus in eine Schäferhütte,
sie glüht hindurch. Wer hinkommt, beugt die Knie!

LORENZO
Nun laß mich gehn. So machst du mich dem Feuer
zu ähnlich. Meine Wangen brennen schon.

BARON
Noch nicht. Du hast noch etwas gutzumachen.

LORENZO
Wie kann ichs?

BARON   Daß du dieses Spielzeug annimmst
und trägst.
Gibt ihm eine kleine Dose.

LORENZO   Gold und Saphire!

BARON   Stört dich das,
so denk, es wäre Zinn, nicht darum gab ichs:
es ist mein Bild darauf, und damals war ich
so alt, vielmehr so jung, wie du jetzt bist.

LORENZO
Nimm diesen schlechten Ring, so stehn wir hier,
du Glaukos, Diomedes ich, das Bild
ungleichen Tausches.

BARON *zeigt auf das Bild auf dem Deckel der Dose*
                    Hätte dieser da
das Feur in seinem Blut so schön gebändigt
wie du, so stünde nun ein andrer hier,
ich bin ein Kartenkönig.

LORENZO   Laß ihn ansehn.

BARON
Er ist mein Vater, denn ein jedes Heut
ist seines Gestern Sohn. Ich bring dir Licht.

LORENZO *das Bild starr betrachtend*
    Dies ... ist?

BARON   Mein Bild. Ich sagte, 's ist lang her.

LORENZO
    Dein Bild?

BARON   Du wirst wachsbleich.

LORENZO *schreiend*   Ich träum, ich träum!
    Hexen und Teufel sind auf meinem Bett!
    *Schlägt ohnmächtig hin. Baron, darauf Le Duc mit Wasser, um
    den Ohnmächtigen beschäftigt.*

REDEGONDA *aus der Tür heraustretend*
    Ach, ich vergeh vor Angst! Was ist denn hier?
    Ganz sicher seid ihr alle einverstanden
    und niemand schützt mich! und wo ist mein Bruder?

BARON
    Dein Bruder?

REDEGONDA   Ja, Achilles ist mein Bruder,
    daß dus nur weißt. Es kommt doch nichts heraus
    mit der Geheimniskrämerei, und der
    Auf Lorenzo
    ist der Vittoria Mann, der Sängerin:
    ich sag dirs grad, weil er mir Zeichen machte,
    daß ichs nicht sagen sollte! Denn wenn ich
    will, daß sie was verschweigen, tut mirs keiner.
    Ich weiß zwar nicht, warum er dirs verschwieg,
    allein ich sag dirs grad! und ich geh fort!

BARON
    Dies ist der Mann?

REDEGONDA   Ja, ja, sie hat den Namen
    nur am Theater nicht, weil er von hier
    ein Adeliger ist, allein vermählt
    sind sie zusammen. Und ein andres Mal,
    wenn du so viel Geschäfte hast mit Herrn,
    lad niemand ein, in einem dunklen Zimmer
    sich totzufrieren! Das ist gar nicht höflich.

LORENZO *schlägt die Augen auf*
    Nun wird es Tag.

Er steht auf, die Redegonda läuft hinaus
                    Bei Gott, die Redegonda!
Er hält sich atmend am Tisch fest
So bin ich nicht bei mir!
Erblickt die Dose am Boden, hebt sie auf
                    Nein, dies gibt Zeugnis,
Daß ich noch bei Verstand bin. So leb wohl.
Allein hier ist ein Knoten aufzulösen
und wird es! seis zum Guten oder Bösen!
Geht schnell ab.
Baron zu Le Duc, nach einer Pause, Zeichen: Jetzt führ die andere
herein. Pause.
Vittoria von rechts rückwärts. Baron vorne am Tisch. Sie zittert vor
Erregung, kann nicht gleich sprechen.

BARON
Bist du es wirklich, Liebste!
Vittoria kann nicht sprechen, muß sich setzen. Pause

VITTORIA
Es waren Leute bei dir.
Sie redet fast gedankenlos, sieht ihn unaufhörlich an.

BARON   Ja, dein Mann.

VITTORIA
versteht dies nicht, überhört die Worte vollkommen in ihrer Erre-
gung, sie will aufstehen, ihre Knie zittern, ihre Stimme bebt; setzt
sich wieder
Es ist zu vieles von zu vielen Jahren:
eins wirft sich auf das andre; laß mich weinen.
Sie weint lautlos, er geht hin, küßt ihre Hand, sie entzieht sie ihm
sanft
So fragst du mich nun gar nichts, du hast recht:
wir sind hinaus übers Erzählen.

BARON   Liebste,
wie du mich gleich erkannt hast!

VITTORIA   Sonderbar,
jetzt seh ich dich verändert, im Theater
wars wie ein Blitz, bei dem mein Blut im Sturm
dein frühres Bild auswarf.

BARON   So wohnts in dir?

VITTORIA
Du fragst?
Pause
   Auch deinen Namen trägst du nicht mehr,
hast wie ein altes Kleid ihn abgelegt.

BARON
Was tut ein Name. Bins nicht ich?

VITTORIA *ängstlich*   Ja, bist dus?
Ich bins. Mir ist, ich hab, in dieser Stadt,
wo keine Gärten sind, nur Stein und Wasser,
nicht altern können, nicht wie andre altern,
nur viel durchsichtiger und viel gelöster
vom schweren Boden scheint mir alles: dies
sind wohl die Augen, die der Herbst uns einsetzt.
Du warst mir Frühling, Sommer, Sonn und Mond
in einem! Lieber, fühlst du, daß ichs bin?

BARON
Fühlst du, daß ichs bin?
Will sie küssen.

VITTORIA   Laß! was willst du tun?
Pause
In einem zarten, reinen Ton, mit sanften Augen
Daß dus bist, ob ichs fühle? Ja und nein.
Ich bin bei dir und doch mit mir allein.

BARON
So red von dir.

VITTORIA   Ists noch dieselbe Stimme?
Zuweilen seh ich abends auf das Wasser:
es ist verwandelt, scheint ein Element,
herabgeflutet von den Sternen. Lautlos
verschleierts und entschleiert, unaufhörlich
erzeugt es und zerstört es tausend Bilder
von Dingen, die nicht dieser Welt gehören:
so ists in mir. Dies ist nun so geworden.

BARON
Red noch von dir, noch mehr.

VITTORIA *immerfort lebhafter werdend*
       Hast du mich nicht

singen gehört? Sie sagen, daß es finstrer
und lichter wird in einer großen Kirche
von meinem Singen.
Sie sagen, meine Stimme ist ein Vogel,
der sitzt auf einem Zweig der Himmelsglorie.
Sie sagen, wenn ich singe, mischen sich
zwei Bäche freudig, der mit goldnem Wasser,
der des Vergessens, und der silberne
der seligen Erinnerung.
In meiner Stimme schwebt die höchste Wonne
auf goldnen Gipfeln, und der goldne Abgrund
der tiefsten Schmerzen schwebt in meiner Stimme.
Dies ist mein Alles, ich bin ausgehöhlt
wie der gewölbte Leib von einer Laute,
das Nichts, das eine Welt von Träumen herbergt:
und alles ist von dir, dein Ding, dein Abglanz.
Denn wie ein Element sein Tier erschafft,
so wie das Meer die Muschel, wie die Luft
den Schmetterling, schuf deine Liebe dies.
In deiner Liebe, nur aus ihr genährt,
unfähig, anderswo nur einen Tag
sich zu eratmen, einzig nur bekleidet
mit Farb, aus diesem Element gesogen,
wuchs dieses Wunder, dies Kind der Luft,
Sklavin und Herrin der Musik, Geschwister
der weißen Götter, die im Boden schlafen,
dies Ding, das ich so: *meine* Stimme nenne,
wie einer traumhaft sagt: *mein* guter Geist!

BARON

Wie hätte ich an solchen Wundern schuld?

VITTORIA

Mein Lieber, wohl. Denn dies entstand ja so:
Als du mich ließest, stand ich ganz im Finstern,
und wie ein Vogel an den dunklen Zweigen
hinflattert, suchte meine Stimme dich.
Du warst im Leben, dies war mir genug.
Ich sang, da warst du da, ich weiß nicht wie,
ich meinte manches Mal, du wärst ganz nah
und meine Töne könnten aus der Luft
dich holen, wie die Klauen eines Adlers.
Es wurden Inseln in der Luft, auf denen

612

du lagest, wenn ich sang. Und immer war mir,
als rief ich nur das eine: Er ist schuld,
an allen Wonnen er, an allen Qualen!
Merkt nicht auf mich! Er ist es, der euch rührt!
Und meine Klagen senkten sich hinab
wie tiefe Stiegen, unten schlugen Tore
wie ferner Donner zu, die ganze Welt
umspannte meine Stimme und auch dich.
Du warst in ihr.

BARON   Sei wieder mein, Vittoria.

VITTORIA
Ich kann nicht. Nein. Ich will nicht!

BARON   Wer verbietets?

VITTORIA
Wer?
Kleine Pause
        Menschen — auch.

BARON   Dein Mann?

VITTORIA   Mein ganzes Schicksal
verbietets ungeheuer. Spürst du das nicht?
Es hüllt mich wie in seinen Schatten ein.

BARON
Du lügst! Du liebst mich, aber du hast Furcht!

VITTORIA
O nein, nicht Furcht, nur Ehrfurcht.

BARON   Komm zu mir:
wir wohnen —

VITTORIA   Auf dem Grabe unsrer Jugend?
Schüttelt den Kopf
Ich hab ein Haus, ich hab —
Für sich
                            Noch nicht, noch nicht!
Die Stunde kommt, wo er auch das erfährt!

BARON *will sie an sich ziehen*
Gehör mir wieder! Denk an das, was war!

VITTORIA *zurücktretend*
Ich denk daran. In mir ist keine Faser,

die nicht dran dächte. Eben darum laß mich!
Du denk daran. Denk an das Fürchterliche,
das kam, als wir mit frevelhaftem Finger
aufjagen wollten die verglühte Flamme.
Denk an die Qual! Ich mein, ich muß vergehn
vor Scham, wenn ich dran denke. Auf dem Rand
des Bettes saßen wir wie bleiche Mörder!
Denkst dus? Die Luft der Nacht blieb stehn wie starr,
und draußen spie der Berg sein rotes Feuer
und leuchtete auf dein und meine Qual.

BARON
Was meinst du?

VITTORIA   Die drei Tage in Neapel,
wo wir als die Gespenster unsrer selbst
uns in den Armen lagen, schmählich tauschend
mit bleichen Lippen nicht mehr wahre Worte!
Und Küsse, nein, vielmehr blutrote Wunden
ein jedes auf das arme Herz des andern
über und über streute, bis ein Grauen
uns auseinandertrieb!

BARON   In Genua!
Dies war in Genua. Es war zu nah
von unsrem großen Glück, wir hatten noch
die Augenwimpern und die Fingerspitzen
versengt von zuviel Flammen. Welch ein Narr
war ich, dich so zu quälen, welch ein Narr
Und Bösewicht! um der Geschenke willen!

VITTORIA *ganz verwirrt*
Geschenke?

BARON
Die der Marchese –

VITTORIA *wiederholt*   Der Marchese... mir?

BARON
Grimaldi –

VITTORIA *tonlos*
        Wie?

BARON   Der dir das Landhaus baute –

VITTORIA
  Ein Landhaus mir?

BARON   Das mit dem Pinienhain.

VITTORIA
  Neapel war es und nicht Genua!
  Ich weiß von keinem Landhaus! niemals warens
  Geschenke, wegen derer du mich quältest!
  Nie kam der Nam Grimaldi an mein Ohr!
  Neapel wars! Neapel! Ich allein!
  Nichts von Grimaldi! ich war ganz allein
  – vielmehr nicht ganz allein, wer mit mir war,
  hab ich dir damals nicht gesagt, ich hielt
  dies einzige Geheimnis mit den Zähnen
  in mir zurück wie einen Fetzen Schleier
  für meine Seele.

BARON   Hätt ich alles denn
  verwechselt, so den Ort als die Person?

VITTORIA
  Er hats verwechselt! hats vergessen können,
  wie man den Inhalt einer schlechten Posse
  vergißt, so wie den Namen eines Gasthofs,
  wie das Gesicht von einer Tänzerin!
  Sie weint
  Und wenn er *das* vergessen konnte, was
  vergaß er nicht?
  Pause
  Er weiß's nicht mehr! Ich Närrin! Dies ist Leben.
  Nun bin ich ruhig. Siehst du, früher war ich
  so wie ein kleines Kind und hab uns ganz
  ums Plaudern und ums ruhige Erzählen
  gebracht.
  Pause
              Ich hab gehört, du warst ein Jahr
  hier in den bleiernen Kammern, hast den Weg
  Mit deinen Händen dir gebohrt, an Tüchern
  dich nachts aufs Kirchendach herabgelassen –

BARON
  Dann kam ein Sprung: doch hatt ich reichlich Kleider
  übereinander an: zu unterst meine,
  den grünen Rock –

VITTORIA   Den grünen Rock!

BARON
  Du weinst?

VITTORIA   Es war so bald
  danach –

BARON   Kein halbes Jahr. Darüber trug ich
  von einem Domherrn das Habit. Zuäußerst
  umschloß ein dicker dänischer Edelmann
  mit Orden und Perücke diesen Klumpen.
  Ich sprang und tat mir nur am Finger weh.

VITTORIA *streichelt sanft seine Hand, die am Tisch ruht; mit sanftem*
  Vorwurf
  Nun kommst du wieder!

BARON   Wer erkennt mich?

VITTORIA   Ich
  hab dich erkannt.
  Baron küßt ihr die Hand.

VITTORIA *sieht ihn lächelnd an*
                  Und Frauen, Frauen, Frauen
  wie Wellen! wie der Sand am Meer! wie Töne
  in einem Saitenspiel!
  Leicht über seine Stirne streifend
                  Dies war der Strand,
  verzeih, dies ist der Strand, auf dem die leichte Barke
  des leichten Gottes landet, jedesmal
  beladen mit der jüngsten Siegerin:
  und viele Spuren sind in diesem Strand.
  Nun aber geh ich.

BARON   Wie! wann kommst du wieder?

VITTORIA
  Ich, wieder? nimmermehr! Dies war einmal
  Und durfte *einmal* sein.

BARON   Doch ich?

VITTORIA   Wohl auch nicht.

BARON
  Du hast mich früher überhört: Dein Mann –

VITTORIA

Ich habs gehört, ich dacht, mein Ohr betrög mich.

BARON

Dein Mann ward heut mein Freund.
Vittoria schüttelt verwundert den Kopf.

BARON   Gleichviel, es kam so.
Und führt mich morgen, er, der von nichts weiß,
an seiner Hand vor dich und nennt den Namen –

VITTORIA

Den deinen?

BARON   Nein, den ich jetzt hab. Wir müssen
bedenken –

VITTORIA   Ja; bedenken, heucheln, lügen.
Ich seh, das Leben läßt von seinem Brauch
nicht ab, und wenn es ein Versprechen hält,
so mischt es einen wilden Augenblick
zusammen aus Verwirrung und Besorgnis
und wirft einem Betäubten sein Geschenk
zweideutig lachelnd vor die Fuße hin.
Dich führt mein Mann, der von nichts weiß, mir morgen
treuherzig lächelnd zu. Was dir verborgen,
dacht ich in einer reineren Begegnung
an einem stillen Strande dir zu zeigen.
Nun ists wie eine wilde Hafenstadt
voll Lärm, in dem die Nachtigallen schweigen.
Allein, muß nicht in dieser dunklen Welt
sogar das Licht gewappnet gehen? Nun:
wir wollen einen Harnisch von Musik
anlegen und dann mutig alles tun,
was uns gerecht und schön erscheint. Die Macht
ist bei den Fröhlichen. Jetzt gute Nacht.
Geht ab. Pause
Baron, dann Le Duc, der einige von den Lichtern auslöscht.

LE DUC

Befiehlt der gnädige Herr zur Nacht?

BARON   Jawohl,
jawohl, Le Duc. Der gelbe Koffer ist
gekommen? Bring ihn her.
Le Duc bringt den gelben Koffer, sperrt ihn auf.

BARON
Die Salbe für die Hände ist fast ganz
verbraucht.

LE DUC   Ich habe nach Marseille geschrieben.

BARON
Sehr gut. Der neue Diener, wie? gefällt dir.

LE DUC
Ich glaube nicht, daß Euer Gnaden wirklich
im Ernst gedenken – Stellen Ihrer Dienste
mit Komödianten zu besetzen.

BARON   Wie?
Sowas im Ernst! Du kannst ganz ruhig sein.

LE DUC
Ich war vollkommen ruhig. Andernfalls
hätt ich sofort gebeten, meinen Rücktritt
in Gnaden zu genehmigen.

BARON *mit sanftem Vorwurf*   Le Duc!
Le Duc!
Pause
          Ich habe nicht genug
Bewegung!

LE DUC   Um Verzeihung, ich vergleiche
den gnädigen Herrn, was die Gestalt betrifft,
in jeder Stadt mit andern Edelleuten
von gleichen Jahren, nein, vielmehr mit jüngern,
und werde mit vollkommenem Vergnügen
mir jedesmal des Resultats bewußt.

BARON
Die letzten Tage auf dem Schiff, ich fühl es.
Le Duc, wir fechten vor dem Schlafengehn.

LE DUC
Verzeihung, die Rapiere sind in Mestre
beim übrigen Gepäck.

BARON   So ringen wir.
Er legt Uhr, Ringe, ein Armband ab.
Le Duc zieht seinen Rock aus, stellt sich mit einer Verbeugung
bereit.

Es wird unten heftig an eine Tür geschlagen. Beide horchen; es
wird noch einmal angeschlagen.

BARON

Geh nachsehn.
Heftigere Schläge.

LE DUC *am Fenster*

Eine Gondel mit Maskierten!

BARON

Auch Frauen?

LE DUC Nein, nur Männer.

BARON

So ists der Messer Grande und mein Tod!
Blickt wild um sich, packt Le Duc an der Gurgel
Du bists, der mich verkauft hat, Schuft! nur du!
Sonst kennt mich hier kein Mensch!

LE DUC Gnädiger Herr,

Hier ist ein Messer. Wozu Ihre Hände?
Entblößt seinen Hals.

BARON *läßt das Messer fallen*

Vergib. Was ist das! Bin ich schon so schreckhaft!
Gib meine Ringe. Zieh dich an, Le Duc.
Das Haus hat keinen zweiten Ausgang. Gestern
noch sicher wie in Mutters Schoß. Verflucht
mein Leichtsinn! wie? es ist gebaut, zum Teufel,
wie eine Mausefalle.
Kramt fieberhaft im Koffer.

LE DUC

Der Koffer?

BARON Nein, das Haus...
Wirft Kleidungsstücke aus dem Koffer
 das ist der Orden
vom Goldnen Sporn –

LE DUC Was suchen Euer Gnaden?

BARON *weiterkramend*

Häng du ihn um.

LE DUC Den Orden?

BARON   Du! ich wills!
Und steht der Henker unten, soll zumindest
ein Kämmrer ihm die Türen öffnen, geh!
Nicht den, den großen Leuchter! geh! dein Herr
empfängt.
Wiederholt heftige Schläge; er verstummt, winkt Le Duc abzugehen;
dieser geht.
Allein. Er zittert heftig; er hält ein kleines Fläschchen, das er aus
dem Koffer genommen, und steckt es zu sich
Und sind sies, hilft mir dies. Warum? ich könnte
ja noch einmal entkommen. Nein, nein, nein.
Noch einmal alles dies: mit meinen Nägeln
den Mörtel bohren, auf den Atemzug
der Wächter horchen, alle Höllenqualen
erdulden, wenn der letzte Schuft dem Bett
auf zwei Schritt nahe kommt – noch einmal dies?
Ich merk, das Leben will dasselbe Stück
nicht wiederholen... Was die Seele
genossen und ertragen hat einmal,
brennt sich beim Wiederkehren in sie ein
mit glühnden Stempeln: Ekel, Scham und Qual.
Dies ist beinah der Brauch wie auf Galeeren:
und da und dort hilft *eins*, sich zu erwehren.
Le Duc kommt zurück mit einem Brief.

BARON
Was ist? Was wollen sie?

LE DUC   Fort sind sie, fort
Und warfen dies herein mir durch die Tür.

BARON *liest aufmerksam, lacht dann heftig*
Wir sind nur Arlekin und Truffaldino
in einem tollen Stück. Die Herzogin
Sanseverina tut die große Ehre
uns an und ist – errätst du? – eifersüchtig.

LE DUC
Das ist zum mindesten ein wechselnd Fieber,
es ließ lang aus.

BARON   Heufieber, alle Jahr
einmal, doch heftig. Und sie schreibt, sie wisse,
was mich veranlaßt hat, hierherzugehen.

Ich weiß es selbst nicht! außer Übermut,
der Mäuse immer wieder zu der Falle
hinlockt. Und kurz und gut, sie droht, sie droht,
wenn ich bis morgen abend nicht Venedig
im Rücken habe, ist ein Brief am Weg,
der mich verrät an die Inquisitoren.
Wir gehn. Sie ist die Frau, ihr Wort zu halten.
Doch nun zu Bett; dies ist ein buntes Zeug
von Wiedersehn und Trennung, Angst und Lust,
und macht den Kopf so wirr, als hätt man Nächte
in einem Maskenaufzug umgetrieben.
Wir gehen morgen, zwar vor Abend nicht:
Vittoria wollte mir doch etwas zeigen...
Was wird das sein? Sie ist noch fast so schön
wie damals... doch ich merk, man soll kein Ding
zweimal erleben wollen. Wie wenn Fäuste
unsichtbar uns von rückwärts hielten. Seltsam.
Ich wollt, die Redegonda wär geblieben!
Die hält kein Spuk mit Luft als wie mit einem
Gitter umschlossen. Vor zehn Jahren, glaub ich,
hätt ich dergleichen nicht gespürt. Dergleichen
sind deine unsichtbaren Boten, du,
den ich nicht nennen will, und dem die Zeit
auf leisen Sohlen dient.

Er wechselt den Ton
                    O schöne Stadt,
die nie versagt! Heut war ein hübscher Tag,
wir wollen ihn uns merken! so gelungen,
als wär er eines Dichters Kopf entsprungen!
Doch was vergeud ich Schlafenszeit mit Schwätzen?
Wir wollen auf dies Heut ein beßres Morgen setzen!
Wendet sich an der Tür zum Schlafzimmer noch einmal um
Schreib um die Salbe. Ja, du hast schon! Gut.

                    Zwischenvorhang.

II

*Großer freundlicher Saal im Hause Venier. Im Hintergrund eine große
Tür und zwei große, schön vergitterte Fenster auf den Kanal hinaus.
Links und rechts Türen. An der rechten Seitenwand in Zimmerhöhe eine
kleine offene Galerie. An der Decke und über den Fenstern Fresken im*

Geschmack des Tiepolo. Im Vordergrund links steht ein kleines Klavier,
in der Mitte des Saales ein sehr großer Tisch mit vergoldeten Füßen,
auf diesem Blumen in einer großen Vase. – Es ist heller Tag.

Es treten auf: Lorenzo und sein Oheim, der Senator Venier. Der Sena-
tor trägt über seinem Kostüm den Überwurf eines dünnen schwarzen
Maskenkleides; die schwarze Larve und den Kopfteil hält er in der
linken Hand. Mit der Rechten stützt er sich auf einen Stock.

LORENZO *er ist blaß und erregt, – spricht im Auftreten; dann bleiben*
sie in der Mitte stehen
Ich bitte, Oheim, frag mich nicht um Gründe
für etwas, das mir so natürlich ist
wie Atmen. Ja, wißt ihr denn alle nicht,
was sie mir ist? Ich bitte, geh!... So bleib!
Ich war kein frohes Kind: du mußts doch wissen,
wie leichtlich übermannt von Traurigkeit,
wie schnell zu Tod erstarrt, wenn das Gemeine
mit aufgerissenen Medusenaugen
aus dem Gebüsch des Lebens auf mich sah.
Da fand ich sie. Ich fand das eine Wesen,
aus dessen hohler Hand der Quell des Lebens sprang,
daran ich meine Lippen legen konnte
und Seligkeit des Daseins in mich schlürfen!
O hätte sie nur halb die Fröhlichkeit,
die ihr im Auge quillt, mich lehren können,
so hingest du an meinem Munde jetzt,
so wie die Welt an ihrem Munde hängt,
und dächtest an nichts andres als zu atmen!
Und das verleugnete ein Tropfen nur
von meinem Blut? Es ist das Blut Venier,
und wie der Brunnen in der Fabel wallt
es wütend auf, wenn ein unedler Atem
nur seinem reinen Spiegel nahe kommt,
und hebt sich in den Adern so voll Wut
wie ein gereizter Löw in seinem Zwinger.
Du mahnst mich recht: es *ist* das Blut Venier
und hat noch so viel edle Art in sich,
daß es bezahlt, wie Könige bezahlen
– und nicht wie Krämer –: einen Augenblick
etwa mit dem zusammengerafften Preis
von vielen Jahren, ja, dem letzten Gold,
das aufgesprengte Ahnengräber geben –

ein wenig Lächeln etwa mit sich selbst
und einen Traum etwa mit einem Leben!
*Er hat sich bei den letzten Worten, die er mehr für sich spricht, von
dem Alten abgewendet und ist einige Schritte nach vorne gegangen.
Der Alte hat kopfschüttelnd seine Maske aufgesetzt und ist durch
die große Tür im Hintergrund weggegangen.*

LORENZO *wendet sich, sieht sich allein*
    Schon fort, Gespenst? Ich will zu ihr.
                            Vielleicht,
Hält an der Tür links still
daß sie noch schläft! So will ich denn noch warten.
Kehrt um, setzt sich in der Mitte des Zimmers auf einen Lehnstuhl
Nun schon ich ihren Schlaf – und bald vielleicht
ermord ich ihr den Schlaf von vielen Nächten!
Nun ging es mir ans Herz, als einer nur
auf ihren Schatten treten wollte – bald
tret ich vielleicht mit Fingern, die gepanzert,
in ihres Herzens Wunden und in meine!
So tappen wir im Dunkeln hin und her!
*Cesarino kommt von rückwärts gegangen, legt ihm die Hände auf
die Schultern.*

LORENZO *auffahrend, ergreift eine Hand Cesarinos*
    Vittoria!
Cesarino tritt neben ihn.
          Besser wärs, wenn eure Hände
sich nicht so ähnlich sähn!

CESARINO   Warum denn besser?
Pause.

LORENZO
    Sag, du hast deine Mutter nie gekannt?

CESARINO
    Wie, unsre Mutter?

LORENZO   Deine.

CESARINO   Sie war doch
    Vittorias Mutter auch.

LORENZO   Jawohl, jawohl.
*Er versucht, Cesarino mit dem Bild auf der Dose zu vergleichen, die er
halbverdeckt in der linken Hand hält. Cesarino geht nach rückwärts.*

LORENZO

Wo gehst du hin?

CESARINO   Ich seh, ob jemand kommt.

Er geht durch die Tür rechts rückwärts ab.

LORENZO *hinter ihm her, die Dose in der Hand*

Ein Bild! *ein* Bild! ein und dasselbe Bild!

Er bleibt stehen, den Kopf zu Boden gesenkt.

Vittoria von links, geht leise auf ihn zu. Er tritt zurück, sieht sie
traurig an. Sie nimmt seinen Kopf zwischen ihre Hände. Er tritt
wiederum zurück.

Pause

VITTORIA

Du siehst nicht fröhlich aus.

LORENZO   Ich bin nicht fröhlich.

Pause

LORENZO

Vittoria, wie hast du heut geschlafen?

Ohne die Antwort abzuwarten

Weißt du, ich wachte einmal morgens auf,

indessen du noch schliefest. Über dich

war ich gebeugt und haßte deine Augen,

ich haßte deine süßen Augenlider:

denn irgendwie verstand ich, daß darunter

ein Traum war, angefüllt mit Leben, dran

ich keinen Anteil hatte, keinen Anteil,

nicht eines Schattens Anteil!

VITTORIA   Ja, mein Lieber.

Doch war dies, weil ich schlief. Nun bin ich wach.

LORENZO

Nein! dies ist, weil du wach bist! Aber dann

müßt ich die Lider nicht, ich müßte ja

die wachen Augen hassen und die Lippen

und diese süße, helle Stirn und alles!

VITTORIA

Ich weiß nicht, was das ist, wovon du redest!

Pause

LORENZO

Sag mir, was bin ich dir?

VITTORIA   Du bist mein Mann.

LORENZO

    So bist du meine Frau, und Mann und Frau,
    sagt man, sind eins. Mich dünkt, dies ist nicht so.

VITTORIA

    Du bist ein Ganzes, und auch ich bin ganz:
    und kann mich nur als Ganzes geben, nicht
    den Kranz auflösen, der mein Wesen ist.
    Was quälst du dich und mich mit solchen Worten?

LORENZO

    Nicht genug deutlich? Nun hier ist ein Bild!
    Hält ihr die Dose hin
    Und der mirs gab — so hat Natur noch nie   •
    mit lautem Mund geschrieen —, ist der Vater
    des Burschen, den du deinen Bruder nennst!
    und nicht dein Vater, dir ist er nicht ähnlich,
    o, nicht dein Vater, er ist wohl zu jung!
    Fast atemlos
    Des Burschen Hände aber wieder sind
    den deinen allzu ähnlich, als daß nicht
    ein fürchterlich verwirrender Verdacht
    sich wie ein Brand ganz durch mein Denken fräße,
    von hundert dunklen Dingen noch genährt:
    denn der mirs gab, das ist derselbe Mensch,
    des Anblick gestern in der Oper dich
    unter der Schminke so erbleichen ließ,
    als schlüg ein weißer Blitz durch deinen Leib —
    Er hält inne.

VITTORIA *den Blick auf ihn geheftet, ruhig*

    Daß ich erschrak, kann sein. Ich hab ihn lange,
    so lange nicht gesehen, daß mir war,
    als müßt nun meine Mutter hinter ihm
    aus ihrem Grabe aufgestanden kommen,
    zuhören, wie ich singe. Ich hab ihn
    als Kind sehr oft gesehn, bis zu dem Tag,
    da meine Mutter starb und mich zurückließ
    und meinen neugebornen Bruder.
    Nach einer kleinen Pause
                             Meine
    und meines Bruders Hände gleichen, glaub ich,
    den Händen unsrer Mutter. Ich war damals
    zehn Jahre, und *mein* Vater lange tot.

LORENZO

Wie, deine Mutter war zweimal vermählt?

VITTORIA

Das nicht. Ich war ein Kind, das viel verstand.
Begreifst du, was mirs war, nach siebzehn Jahren
den Menschen wiederum zu sehn? Er ist
die Schuld, daß meine Mutter starb und daß
mein Bruder lebt. Jetzt schweigen wir! Die kommen.
*Cesarino und Marfisa nähern sich. Lorenzo geht ihnen einige
Schritte entgegen. Sie entfernen sich wieder.*

VITTORIA *in der Mitte allein*

Ich lüge wie ein Grabstein, und ich bins
ja auch allein, drin wie in einem Grab
dies sonst vergeßne Abenteuer wohnt.
Lorenzo tritt wieder zu ihr.

VITTORIA *ohne sich umzuwenden*

Hast du sie wieder fortgeschickt?

LORENZO *hart bei ihr*

Vittoria, mach, daß ich dir glauben kann!

VITTORIA *sieht ihn mit offenen Augen an*

Lorenzo, was bin ich dir, wenn dus vermagst, jetzt zu
zweifeln?

LORENZO

Alles bist du mir, alles – so oder so, zum Guten oder zum
Schlimmen. Das einzige Geschenk, das mein Leben je
mir zuwarf, eines aber, das alle andern in sich schließt . . .
Vittoria, ich habe Angst, an dir zu zweifeln, und Angst,
an dich zu glauben. Was immer du redest, hab ich Angst,
daß das Leben mich überlistet.

VITTORIA

Oh, es überlistet uns alle, mein Freund!

LORENZO *dringender*

Vittoria, mach, daß ich dir glauben kann! – Bedenk, wie
du in mein Leben hineintratest, beladen mit Geheimnissen –

VITTORIA

Es gab eine Zeit, da du mich um dieser Dinge willen
mehr liebtest. Du selbst verglichest mein Wesen mit

einem festgeflochtenen Kranz. Ja, ich bin nicht dein Geschöpf, ich bin das Geschöpf des Lebens und beladen mit dem Abglanz überwundener Schmerzen; behängt mit dem Gold erstarrter Tränen, trat ich in dein Leben hinein. Denk daran, wie es anfing, Lorenzo. Hab ich gelogen? versprach ich zuviel?

LORENZO

Ich denk daran, Vittoria. Dein Reden hat niemals etwas versprochen, dein Schweigen – auch nicht, dünkt mich. Es war nur dein Wesen, das Unaussprechliches versprach – und hielt, Vittoria, ja, o mehr als hielt! – – Ich war wohl nicht der unglücklichste Mensch auf der Welt, aber vielleicht der wenigst Glückliche – da fand ich dich. Welch ein Geschenk war das! Ich, der ich an einer Welt und ihrer Sonne nicht Lust gefunden hatte, lernte ein Öllämpchen lieben, weil es dich beleuchtete! Du warst die einzige Wirklichkeit in meinem Leben, die Veste, auf der ich meine Welt aufbaute – du, beladen mit Geheimnissen, du, das Geschöpf eines Lebens, von dem ich nichts wußte! Ich lernte dich zu sehr lieben, mit einer Liebe, die mein Wesen durchschütterte und mir zuweilen Abgründe der Ermattung aufriß, wie ein ungeheurer Zorn!
Doch wenn in deinem Reden, deinem Schweigen
so wie in einem Nest und einem Abgrund,
wie Kröten, Lüge neben Lüge wohnt –
vom Anfang an, und immer – immer fort
– wie's möglich ist, entsetzlich ist! –
was bleibt uns dann, Vittoria, daß wir beide
fortleben können? sag, was bleibt, Vittoria?
Vittoria, in ihrem Gesicht scheint ein Entschluß mit Heftigkeit zu arbeiten. Sie geht zum Tisch und läutet mit einer kleinen Glocke.

LORENZO

Was willst du tun?

VITTORIA

Das einzige, was dich ruhig machen kann! Ich wollte es vermeiden, um jeden Preis vermeiden! Aber jetzt muß es sein. Wir müssen zu ihm gehn. Du mußt dabei sein, wenn ich ihn wiedersehe und wenn er mich wiedersieht.

Dann wirst du mir vielleicht glauben können. Oder er
muß hierher kommen.
Läutet nochmals.

LORENZO *erregt*
Vittoria, was du willst, das ist schon geschehn. Er wird
herkommen.

VITTORIA *tonlos*
Er wird herkommen!

LORENZO
Ich habe das getan, was du tun willst.

VITTORIA
Du hast es getan, du hast es schon getan!
Zu dem Diener, der an der Tür rechts vorne erscheint
Geh wieder, es ist nicht mehr nötig.
Diener ab.
Du hast ihn herbestellt – – um mich zu prüfen?

LORENZO *mit bebender Stimme*
Ich weiß es nicht – es kam so – es fügte sich so. Da du es
aber nun so willst, Vittoria . . . du selbst es willst – dann ist
ja alles gut, Vittoria!
Kleine Pause
Was macht dich *jetzt* traurig?

VITTORIA *sehr ernst*
An eines nur hast du gar nicht gedacht.
Wenn er jetzt kommt und sieht mich und sieht *den*,
und nimmt ihn mir? Lorenzo, nimmt ihn mir!

LORENZO
Wie, kennt er denn sein Kind?
Vittoria schüttelt den Kopf.

LORENZO   Erkennt er dich?

VITTORIA
Kann sein. Und dann? was dann? Er ist der Vater,
ich nicht die Mutter; welche Kraft hab ich,
die Schwester, wenn er sein Kind haben will?
Sie richtet ihre Augen auf ihn.

LORENZO *ganz verstört*
O weh mir, daß ich immer wehtun muß,
mir selbst und andern!

VITTORIA *indem sie ihn mit den Händen leise berührt*
Es ist besser so:
wenn du mir dann nur glauben kannst, mein Lieber,
und glauben, daß ich dein bin.

LORENZO *schmerzlich*   Mein! Doch wie?

VITTORIA
So völlig, als ich kann! Nun still, die kommen.

LORENZO
Sieh mich noch einmal an!

VITTORIA   Da!
Sie reicht ihm einen Blick wie einen Kuß.

LORENZO   Liebe! Liebe!
*Marfisa und Cesarino kommen plaudernd näher, Lorenzo geht
ihnen entgegen.*

VITTORIA *in der Mitte allein, spricht sanft vor sich hin*
Ich kann nicht sehn, wie sein Gesicht so blaß ist
und so beladen mit verhaltnen Schmerzen.
*Indem sie weiterspricht, nimmt ihr Gesicht einen völlig veränderten
Ausdruck von Aufmerksamkeit, beinahe von Strenge an*
Um seinetwillen lüg ich bis ans Ende.
Nun bin ich eine, die auf Dächern wandelt,
wo kein Vernünftiger den Fuß hinsetzt:
wer mich beim Namen anruft, bringt mich um.
Doch wenn der andre ähnlich wär mit dem,
so fiele dies Gebäude schnell zusammen!
Nun muß ich warten, ruhig, was auch kommt:
doch wenn ich Einen falsch berechnet hab,
so grub ich meinem ganzen Glück sein Grab.
Sie tritt ans Klavier und schlägt stehend ein paar Akkorde an.

CESARINO *zu ihr tretend*
Laßt mich doch nicht dabei sein, wenn ihr euch
mit diesem fürchterlichen Alten abgebt.

LORENZO
Wen meint er denn?

VITTORIA   Den alten Passionei.
Der kommt dann her. Du siehst, auch ich hab Gäste.

CESARINO

Ich wollte grad so gern mein offnes Grab
anschaun, als solch ein wandelnd Grauen. Ich denk mir
immer,
wenn ich ihn essen seh und eine Beere
abfällt, bald fällt vielleicht der Finger mit!
Verzeih mirs Gott, ich freu mich manchesmal,
daß ich die Mutter nie gesehen hab
und nun nicht zusehn muß, wie sie zerfiele!
Du bist mir statt der Mutter und bist jung!
Laßt mich mit der ins andre Zimmer gehn:
sie soll auf einem Stuhl im leeren Zimmer
verlassen sitzen wie Ariadne,
ich will der Bacchus sein, der zu ihr kommt!
Ich roll den Apfel, wie ihr Knie so rund,
dann ist sie Atalanta, ich der Freier,
der sie gewinnen will mit großer List!

MARFISA

Dies ist ein Kopf, in dem die ganze List
beisammen wohnt von Frauen und von Männern.
Er sagt aus Heuchelei das, was er meint,
und deckt es damit besser als mit Lügen.

CESARINO *auf sie zeigend*

Dies ist ein Kopf, in dem der Kopf der Circe
verborgen ist, der, wenn sie schläft, wie Phosphor
durch Elfenbein, durch diese Larve schimmert.
Ich fürcht, sie macht Glühwürmer aus uns allen
und steckt sich die mit Nadeln in ihr Haar!

VITTORIA

Nein, bleib nur da.

CESARINO   Ich bleib nicht da und will,
daß sie mit mir geht. Und willst du es wehren,
so schrei ich so, daß der dort an der Decke
vor Schrecken den gemalten Blumenkranz
aus den gemalten Händen fallen läßt!

VITTORIA

Marfisa, bitte, geh: vor meinem Spiegel
sind aufgeschlagne Noten, bring mir die.
*Marfisa geht links ab, Lorenzo in den Hintergrund. Vittoria küßt
Cesarino heftig auf die Stirn.*

CESARINO
Was hast du, Schwester? Du bist nicht wie sonst!
nein, lüg nicht, du hast eine Angst in dir!
Was ist es, Schwester, liebe Schwester, was?

VITTORIA
Geh zur Marfisa, gib nicht acht auf mich!

CESARINO
Nicht von der Stelle, eh du anders bist,
du! du!

VITTORIA
Nein, geh, mein Kind. Du bist doch da,
du und mein Mann. Wovor sollt ich mich fürchten?

CESARINO
Ich weiß nicht, was es ist, allein ich fühl,
es ist etwas. Du bist nichts als ein Schwindeln,
in einen dünnen Schleier eingewickelt.

VITTORIA
Mein Freund, das ist nur, was wir alle sind.
Merk auf, ich geh den Gästen jetzt entgegen,
und später sing ich was von der Musik,
die er geschrieben.

CESARINO   Wer?

VITTORIA   Der Passionei,
der alte Mann, vor dem es dir so graut.

CESARINO
Merk auf, er weiß nicht, daß die Melodien
von ihm sind, und schläft ein, indes du singst.
Vittoria nickt ihm zu, geht nach rückwärts.

CESARINO *steht rechts, sieht ihr nach*
Sie geht nicht so wie sonst. Ich bin nicht ruhig,
eh ich sie singen hör. Doch fürcht ich sehr,
sie singt heut nicht. O weh, was sind mir nun
die Lippen der Marfisa! Liebe Schwester,
die schwächste Angst um dich haucht auf die Welt
und macht sie trüb wie angelaufne Klingen!
*Marfisa kommt von links, legt die Noten aufs Klavier, geht zu
Cesarino nach rechts.*

631

LORENZO *tritt von links rückwärts wieder herein, winkt Vittoria zu sich und führt sie an der linken Seite der Bühne einige Schritte nach vorne*
Vittoria, noch ein Wort!
Vittoria tritt zu ihm.

LORENZO *spricht hastig*
Wenn er sein Kind nicht kennt – und dich, wie's sein
kann, –
auch nicht erkennt –, so bitt ich: sag ihm nichts!

VITTORIA *sieht ihn groß an*
Wie?

LORENZO
Denn nun hab ich Kraft, dir *so* zu glauben!

VITTORIA *sanft*
Wie du es willst, wie du es *wirklich* willst.

LORENZO *hastig*
Ich will, daß du für Cesarino nicht
zu fürchten hast – um meiner Schwäche willen!

VITTORIA *schnell*
O schmäh dich nicht!

LORENZO Sei still, die Gäste kommen.
Sie wenden sich nach rückwärts.
Rückwärts, als wie aus Gondeln und über Stufen heraufsteigend, die Folgenden, von Lorenzo und Vittoria begrüßt: der Abbate, der alte Komponist, geführt von seiner alten Dienerin und der Redegonda. Hinter diesen Salaino, der deutsche Graf und drei Musiker mit ihren Instrumenten.

DER ABBATE *indem er sich vor Vittoria auf ein Knie niederläßt*
O schönste Eurydike! die mit Orpheus
die Rollen tauscht, und sie ruft ihn zurück
und führt ihn aufwärts aus dem Reich der Schatten!
Die Dienerin nimmt dem Alten den großen Mantel von den Schultern und eine große Halsbinde vom Hals.

VITTORIA
Wen meint ihr, Gamba?

ABBATE Euch und diesen hier!

VITTORIA *sieht Passionei an*
Solch eine Kraft hat Zeit, und ist doch nichts,

schlägt nicht auf uns, gießt uns kein Gift ins Ohr
und solche Wirkung!
Der Alte flüstert mit seiner Dienerin.

VITTORIA
Ich bitt euch, Freunde, wißt ihr, was er will?

REDEGONDA
Er fürchtet sich vor jeder kühlen Luft.

VITTORIA
So führt ihn hierher, hier ist er geschützt.
Indem alle nach vorne gehen
Mit solchem Schauspiel kürzt das Leben uns
die Zeit, da wir nun einmal seine Gäste.
Lebendige läßt es wie die Sodomsäpfel
vor uns zu Staub zerfallen, schneller als
ihr blühend Bild in unserm Aug erlischt,
Verschwundne schickts zurück, erweckt die Züge
Vergessener im ahnungslosen Antlitz
von Kindern, legt es auf Verwirrung an,
schickt jedem Doppelgänger übern Weg,
und läßt die Samen aufgehn, wann es will!
Sie setzen den Alten in einen Lehnstuhl vor dem großen Tisch.
Die Dienerin bleibt neben ihm. Er flüstert mit ihr.

LORENZO
Was will er nun, ich bitt euch, Freunde, seht!

DER GRAF
Nun ängstigt ihn die Sonne.

VITTORIA   Auch die Sonne!
Auch vor der Sonne hat er Furcht! So arm –
Es wird an einem der rückwärtigen Fenster ein grüner Vorhang
herabgelassen.
Salaino setzt sich ans Klavier, die Musiker halten ihre Instrumente
bereit: Violine, Cello und Flöte. Vittoria geht, nachdem sie dem
Alten ein Polster gegeben, nach links, nimmt ihre Noten in die Hand.
Sie stimmen.

VITTORIA
Dies ist ein Mensch, von dem einst Freude ausging,
und hier, wo jetzt der öde Trübsinn brütet
und zweite Kindlichkeit, das grauenvolle

Gespenst der ersten, hier saß einst Musik,
so süß, wie in der Brust von jungen Lerchen,
die überladen mit Triumph aufsteigen
und manchmal tot vor Lust zur Erde fallen.
Er selbst sitzt nun nicht hier, nur seine Hülse:
sein beßres Teil schläft da und da und da!
Sie zeigt auf die Instrumente
Das Leben spinnt das Beste unsrer Seele
aus uns hinaus und spinnt es still hinüber
auf andere unschuldigre Geschöpfe
wie Bäume, Blumen, solche Instrumente,
in denen lebt es dann und altert nicht.
Wahrhaftig, wo wir lieben, schaffen wir
solch eine unsichtbare Zauberinsel,
die schwebt, mit selig unbeschwerten Gärten,
schwebenden Abgründen: die gleitet dann
im Traum des Abends einmal spät vielleicht
in goldner Luft hin über unserm Haupt,
und wenn die Augen sie noch matt erkennen,
die Hände heben wir umsonst empor!
So lassen wir vor diesem alten Mann
sein ihm entwandtes Reich nach oben fluten,
vielleicht, daß er noch drüber weinen kann
und schmelzen bei des eignen Feuers Gluten!
Sie fangen an zu spielen, Salaino am Klavier, Vittoria zählt die
Takte, bis die Singstimme einsetzt. Rückwärts rechts tragen Diener
verdeckte Silberschüsseln auf. Der Alte dreht sich nach ihnen um.
Die Dienerin will ihn abhalten. Der Alte schlägt nach ihr und
scheint stärker nach einer der Schüsseln zu verlangen. Vittoria legt
ihre Noten aus der Hand, geht zu dem Alten hinüber. Die Musiker
halten inne.

VITTORIA
Schaut: er will von den Speisen! Davon? nein?
doch davon? Das ist süß. So nimm von dem.
Sie haben ihm von der süßen Speise gegeben, er ißt gierig.

VITTORIA *sich von ihm abwendend*
Sieh mich nicht dankbar an, das ist zu bitter,
daß du für dieses dankst und nicht für jenes.
Geht wieder zu den Musikern hinüber
So laßt ihn denn, und spielen wirs für uns!
Denn wirklich: was einst Feuer war in ihm,

ist Feuer nun in uns und diesen Geigen:
als er noch jung war, gab ihm das ein Gott:
er horchte auf den leisen, süßen Laut,
mit dem das Blut in den entblößten Adern
des Lebens läuft und fing den Klang davon
in seinem Ohr und hauchte ihn in Flöten:
wir haben die Musik, die er erschuf,
nun ist sein Atem nimmermehr vonnöten!
Sie fangen wieder an, das gleiche Musikstück zu spielen. Indessen
führt ein Diener durch die Türe rechts vorne den Baron herein. Die-
ser winkt dem Diener, nicht zu stören, und bleibt abseits stehen.
Vittoria bemerkt ihn und senkt mit ruhigem Lächeln ihr Notenblatt.
Die Musik hält inne.

VITTORIA *sehr gelassen zu Lorenzo, der dem Eintretenden den Rücken*
kehrt
Lorenzo, du hast einen Gast gar nicht gesehn.

LORENZO *wendet sich, begrüßt den Baron*
Ah, Weidenstamm! ich freue mich von Herzen!
Leise
Nichts, wenn ich bitten darf, von heute nacht:
das ist vorbei und nicht mehr wahr, wie Träume!
Er wendet sich zu Vittoria, führt sie an der Hand einen Schritt vor
Vittoria! – Baron Weidenstamm aus Holland!

VITTORIA *zum Baron, lächelnd, kühl*
Und mir nicht völlig fremd, wenn ich nicht irre.

LORENZO *rechts zur Seite tretend, für sich*
So grüßt sie nicht, wenn der geheime Inhalt
all ihrer Träume aus dem Nichts hervor
auf einmal spränge. Ah, sie grüßt ihn so,
als wär es einer, den sie gestern abend
noch sah und sprach. O ja, nun kann ich atmen.
Vittoria scheint durch eine Bewegung den Baron auf ihre Gäste hin-
zuweisen. Der Baron tritt auf Marfisa zu, die mit dem Abbate und
Cesarino rechts steht. Cesarino und der Abbate treten zur Seite. Vit-
toria sieht unverwandt auf den Baron, dessen Blick nur einmal
flüchtig über Cesarino hinstreift. Rechts ganz vorne steht Lorenzo
und beobachtet auch die Gruppe mit Aufmerksamkeit. Plötzlich fährt
er mit der Hand wie unwillkürlich nach der Dose, die er zu sich ge-
steckt hat. Er besinnt sich sogleich, tritt zu Vittoria und spricht.

LORENZO *hastig*
> Du mußt ihm alles sagen. Cesarino
> steht dort, als atmete dasselbe Bild,
> das hier auf meiner Dose – ja, mich dünkt,
> er muß es jetzt schon wissen.

VITTORIA *leise*   Wie du willst.

LORENZO *ebenso*
> Wir müssen, Liebe, Mut!

VITTORIA   Wenn du denn willst!
Der Baron verbeugt sich lächelnd vor Marfisa und tritt wieder zu Vittoria vor.
Vittoria winkt Cesarino zu sich. Marfisa und der Abbate gehen zu den Musikern hinüber, die ihre Instrumente beiseite gelegt haben.

VITTORIA *Cesarino dem Baron vorstellend*
> Dies ist mein Bruder und zu sehr mein Stolz.
> Die Sonne von Neapel war das erste,
> zu dem er »Kuckuck« sagte, wenn sie abends
> im Meer versank, und später wollt er sie
> anrühren, weil er sie für einen Ball
> von Gold hielt, und seither ist er verliebt –
> ich glaub, seitdem – in Gold und Edelsteine
> wie eine Elster, und ich fürcht, das macht:
> er hat ein zu begierig Aug für Schönheit.
> Das Lesen und das Schreiben lehrten ihn
> die guten Väter auf dem heiligen Berg,
> der die Kartause von Siena trägt;
> ich glaube, wenn er lachte, waren sie
> so froh, als wäre ihrem Klosterschatz
> ein Stück vom Heiligen Rock zuteil geworden,
> und aus dem Holz ehrwürdiger Zypressen
> auf ihren Ruhestätten schnitzten sie
> ihm eine Armbrust und auch gleich den Vogel,
> da der von Gott geschaffne nicht so stillhielt.
> Ich schwätz zuviel. Es haben ihn fünf Städte
> und eine Schwester, die nichts kann als singen,
> so schlecht erzogen, daß er voll der Fehler
> der Jugend steckt, und leider voll des Zaubers,
> der für zu günstige Augen sie verhüllt.
> Je mehr ich von ihm rede, merk ich, kommt

nicht er, nur meine Torheit an den Tag.
Geh zu den andern, geh zu der Marfisa.
Cesarino tritt zu der Gruppe beim Klavier.

VITTORIA
Er meint, daß ihm die Welt gehört. Wenn er
zu Wagen oder Schiff in einer Stadt
ankommt, so rollt er seinen Blick umher,
ganz wie der Söldnerführer, der die Stadt
erobert hat und die Brandschatzung abhält
und mit den Augen, stärker als Magnete,
versteckte Frauen und vergrabne Schätze
aus allen Winkeln an sich ziehen will.
Während dieser Erzählung suchen Vittorias Augen den Blick des
Barons, und sie scheint mit dem Blick ihm mehr sagen zu wollen,
als ihre Worte sagen. Der Abbate steht aber nahe. Auch Lorenzo
steht rechts vorne in ihrer Nähe.

VITTORIA *fortfahrend*
Sein Reden, wenn er sah, was ihm gefällt,
ist wie Auflodern halberstickter Flammen.
Er ist noch halb ein Kind, und seine Zunge
ist wie der Speer des Halbgotts, dessen Spitze
die tiefsten Wunden schlug und wieder heilte.
Sein Blick dringt durch und durch, er sieht die nackt,
die sich verstellen, und ich fürchte, Scham
hält ihn nicht auf, doch weiß ich: Liebe kanns –

CESARINO *tritt wieder zu ihr*
Sprichst du ihm immer noch von mir, du Gute?

VITTORIA
Mein Bruder, sprich mit ihm, er stand sehr nah
zu deiner Mutter.

CESARINO   Tatet ihr das, Herr?
Ich habe meine Mutter nie gekannt.
Sie sagen, »Mutter« ist das schönste Wort
im Leben, mit dem tiefsten süßen Klang
beladen, doch für mich ist »Schwester« dies.
Und wenn ich »Mutter« sag, so denk ich eine,
die, mit dem einen Fuß im Grab, auf mich
aus fremden Augen schaut, und schaudre fast.

BARON
Da tut ihr unrecht.
Führt ihn plaudernd nach rückwärts.

VITTORIA *allein stehenbleibend, da auch Lorenzo nach rückwärts ge-*
gangen, der Abbate zu der Gruppe am Klavier zurückgetreten ist
                    Schmäht er seine Mutter,
um mir zu schmeicheln? Und mich schmerzts beinah!
So steh ich selber mir im Licht und muß
zwiesäftige Früchte essen, deren Fleisch
halb süß, halb bitter schmeckt. Wie gleicht dies
                    Träumen!

LORENZO *zu ihr zurückkommend*
Vergißt du ganz den Alten?

VITTORIA   Nein, mein Freund.
Verzeih, ich bin heut nicht die beste Hausfrau!

LORENZO
Verzeih mir du. Ich seh, du bist bewegt.

VITTORIA
Ja, ja, ich bins. Bedenk, wie viel er mir
wegnehmen könnte, dieser Augenblick:
mein Schicksal tanzt auf eines Messers Schneide –
verstehst du mich?

LORENZO   O wohl.

VITTORIA *indessen Lorenzo sich wegwendet und einem Diener etwas*
aufträgt; für sich
                    Das hoff ich nicht!
Wieder zu Lorenzo
Sei ohne Sorgen, ich vergesse nicht.
Wo ist der Alte? ich vergesse nicht.

LORENZO
Auch mich nicht ganz?

VITTORIA   Heut weniger als je:
mir ist, ich seh mein Leben durch und durch
und deine Liebe drinnen.

LORENZO   Wie die Mücke
im Bernstein?

VITTORIA   Nein. So wie den Edelstein
   im Bergkristall, der eine Heilkraft hat
   und den verstümmelten Kristall von innen
   nachwachsen macht, wie ein lebendiges Ding!
   Lorenzo geht nach rückwärts.
   Zu Vittoria tritt der Baron, Cesarino zu Marfisa, den Musikern und
   dem Abbate, der ihn bekomplimentiert.

VITTORIA *geht noch einige Schritte nach vorne, so daß niemand sie*
   hören kann; zum Baron
   So weißt du, wer das ist?
   Baron küßt ihr die Hand.

VITTORIA   Es ist Dein Kind,
   dein und mein Kind! Stell dich vor mich,
   daß mich die dort nicht weinen sehn.
   Sie weint.

MARFISA
   Such du mir eine Frucht aus, Cesarino,
   und bring sie mir!

SALAINO *leise, flehend* Marfisa!

MARFISA *halblaut zu ihm*   Das war gestern –
   und heut ist heut!
   Sie nimmt die Frucht aus Cesarinos Hand.

VITTORIA *zum Baron* So wein ich
   einmal aus meiner Seele tiefstem Kern:
   denn dies ist das Geheimnis meines Lebens
   und alles andre nur die leere Schale.

BARON
   Du liebste Zauberin, ein Spiegel ists,
   der dreißig Jahr nach rückwärts, wie ich atme,
   mich eilig blitzt! Ich küsse meine Jugend
   wehmütig auf die Stirn, wenn ich ihn küsse!

VITTORIA
   Mir macht er meiner Jahre Zählung wirr
   und mich mir selbst zur Doppelgängerin.

BARON
   Wie meinst du das?
   Die Gruppe links will Cesarino ans Klavier ziehen, Marfisa am
   schmeichelndsten. Ein Musiker bietet seine Geige. Salaino steht
   abseits.

VITTORIA *halb gegen diese gekehrt, spricht zum Baron*
Sind alle nicht von seinem wilden Feuer
bestrahlt? er ist dein Kind! Sag, bist du froh?
Indem sie sich nach links hin wendet
Sie haben recht, Abbate – Malaspina
hat unrecht: ja, mein Bruder spielt viel besser,
geläufiger und besser viel als ich,
obwohl er um zehn Jahr, vielmehr beinahe
zehn Jahre jünger ist –
Zum Baron
Siehst du, hier weiß kein Mensch
mein wahres Alter!

BARON   Weil du keines hast!

VITTORIA *lächelnd*
So schwimme ich auf einer großen Lüge
durchs Leben, wie Europa auf dem Stier:
die Schwester meines Kindes, schattenhaft,
zu einem neuen Wesen fast verdoppelt – –
*Es kommt rechts der Alte vor, von seiner Dienerin und der Rede-
gonda geführt; hinter ihm Lorenzo und der deutsche Graf. Der
Baron tritt etwas zur Seite nach rechts vorne, Lorenzo zu ihm. Die
Redegonda präsentiert den Alten und die Dienerin der Vittoria. Der
Graf nimmt Anteil. – Indessen*

LORENZO *zum Baron*
Nun weißt du, was mich in den Boden schlug,
als du mir deine Dose schenktest. Zwar
nicht jedes Blut ist so, daß es vor Staunen
und plötzlicher Verwirrung fast gefriert.
Ich müßte diese Eigenschaft in meinem
ein Weibererbteil nennen und mich schämen,
wüßt ichs dafür nicht ziemlich frei von Feigheit
und fieberfrei, wo wirkliche Gefahr.
Baron schweigt mit einer verlegenen Bewegung.

LORENZO *erklärend*
Ich weiß erst heute, daß Vittorias Bruder
von Mutter- zwar, doch nicht von Vaterseite
ihr Bruder ist –

BARON *ablenkend*   Ich kannte einen Marschall
von Frankreich, den der Anblick weißer Mäuse
in Ohnmacht warf. Es gibt dergleichen Spiele –

*Vittoria läßt sich von einem Diener die große Fruchtschüssel rei-
chen und legt Feigen und Orangen in einen Korb, den die alte
Dienerin hält. Der Alte sieht mit leuchtenden Augen zu.*

VITTORIA
Ja, deine Anne trägt sie dir nach Haus,
und sie gehören alle dir. Die Welt
ist für ihn wieder, wie für Kinderaugen,
zurückgekrochen in die runde goldne
Orange. Möglich hat er selbst einmal
den Kern, bei Gott! unwissend hingestreut,
daraus der Baum entstand, von dem sie kommt.
Er war vielleicht bei einer, die er liebte,
und wie die Nacht verging und ihnen Küsse
den Sommerdurst nicht stillten, schälten sie,
im Bette aufgestützt, solch eine Frucht
und warfen ihre Kerne durch das Fenster
nach einer Fledermaus, die draußen schwirrte.
Sie wühlten in dem kühlen Fleisch der Frucht
und teilten ihren Duft und Purpursaft
mit trunknen Fingern, die in einer Welt
von Leben, Lust und Traum zu wühlen meinten –
und ihre Lippen teilten eine Welt!
Nun die Zeit dies alles umgekehrt
wie eine Sanduhr, und die ganze Welt,
rückflutend, ließ ihm nichts als diese Frucht zurück.

DER GRAF
Ich führ in meiner Gondel ihn nach Haus:
er wohnt in einem Winkel der Giudecca,
wo morsche Leiber alter Schiffe liegen
und, langsam, faulend, auf das hohe Meer
aus blinden Augenhöhlen –

REDEGONDA   Wie! und ich?
Ich fahr nicht mit! Dort ist nichts als Gesindel,
hohläugige Kinder –

DER GRAF   Kommen Sie nicht mit,
so finden wir uns auf der Piazza später,
in einer Stunde.
*Die Redegonda tritt einen Schritt nach rückwärts, die Dienerin
führt den Alten weg.*

VITTORIA *zu dem Grafen*
　　　　　Schön ist an euch Deutschen –
daß ihr Liebende sein und doch zugleich
vom Vater und vom Bruder einen Schimmer
an euch bewahren könnt. Hier liegt ein Grund,
euch recht zu lieben, wenn man euch versteht.

REDEGONDA *flüsternd zum Baron, der zu ihr getreten ist*
So gib doch acht! Er würde mich ermorden!

DER GRAF *lächelnd*
Meint Ihrs auf den? Dann wärs von Söhnen etwas –

REDEGONDA *etwas rückwärts, zum Grafen*
Friedrich, Sie kommen nicht?

VITTORIA *zum Grafen*　　　　　Ich meins auf den
vielleicht, und auch auf *die.*

DER GRAF　　　　　　　　　Ihr seid sehr gut –
*Er küßt ihr die Hand, sie reden noch, langsam nach rückwärts
gehend. Die Gruppe am Klavier hat sich aufgelöst und mit Ausnahme
der Marfisa, die sitzenbleibt, sind alle nach rückwärts gegangen.*

BARON *rechts vorne zu Lorenzo, dem Alten nachsehend*
Das wird aus uns!

LORENZO　　　　　Ich glaub, ich hab gehört,
daß er sehr schön war und von vielen Frauen
geliebt –

BARON　　　Nicht möglich! Hast du seine Lippen
gesehn?

LORENZO　Es gibt vielleicht Gedichte drauf! Er sang
in einer seiner Opern – man verglich
die Lippen einer halbgeöffneten
Granatfrucht –

BARON　　　　　　Weißt du das?
　　Für sich
　　　　　　　　　Er ist nicht doppelt
so alt wie ich, und wär ers, wärs kein Trost!
Nur keinen Tag verlieren, keiner kommt zurück!
*Er sieht, daß Marfisa allein ist, geht mit einer verbindlichen Be-
wegung gegen Lorenzo eilig zu ihr hinüber, spricht eifrig mit ihr;
sie lacht. Lorenzo geht zu der Gruppe im Hintergrund. Von dieser*

lösen sich bald Cesarino und Vittoria und kommen wieder vor, jeder
für sich, er links, sie rechts. Cesarino betrachtet den Baron. Dann
bemerkt er Vittoria, geht lebhaft zu ihr. Beide stehen rechts im
Mittelgrund, halb den zwei andern zugewandt. Indessen

BARON *zu Marfisa*
Ich muß wahrhaftig heut vor Abend fort,
und doppelt gibt, wer gleich gibt, schöne Kleine!

MARFISA *lacht, scheint ihm etwas zu versprechen*
Vor Abend, das ist lang!

BARON   Drei kurze Stunden!
Er zieht seine Uhr heraus, beide neigen sich über die Uhr. Marfisa
streckt drei Finger in die Höhe, er küßt flüchtig ihre Fingerspitzen.
Sie deutet, er solle jetzt zu den andern gehen.

CESARINO *lebhaft zu Vittoria*
Schwester, der fremde Mensch gefällt mir sehr –

VITTORIA
Hat er denn viel mit dir geredet?

CESARINO   Nein!
Allein die Art, und daß er wieder jetzt
mit der Marfisa spricht – schau, wie sie lacht!
ich weiß nicht, was es ist – ich hab ihn gern!

VITTORIA *küßt ihn auf die Stirn*
Stellst du dir vor, du möchtest gern einmal
so sein?

CESARINO   Wie der? ganz so und nichts als das?

VITTORIA
Ja, was denn noch? berühmt?

CESARINO   Ja, auch berühmt!
Um alle auszulachen, die den Ruhm
wie eine große Staatsperücke tragen!

VITTORIA
Wie trügst denn du ihn?

CESARINO   Wie eine Schuhschnalle.

VITTORIA
Wenn er jetzt herkommt, sprich noch mehr mit ihm,
und merk auf alles gut, was er dir sagt.
Marfisa ist aufgestanden und mit einem Blick auf Vittoria langsam

und lautlos nach rückwärts gegangen, wo sie in der Tür rechts verschwindet.

BARON *tritt mit einer leisen Verlegenheit zu Vittoria und Cesarino*
Bruder und Schwester!

CESARINO Das sind wir doch wirklich!
Sie sagens so wie »Diana und Endymion«,
»Zeus und Europa«, ganz als ob es Masken wären.

VITTORIA
Er ist zu unverschämt!

BARON Es ist sein Alter.
Ich muß ihn bitten, daß er mir Du sagt,
das wird ihn älter machen und mich jünger.

CESARINO
Warum? es sagen Väter ja und Söhne
einander Du!

BARON Doch Freunde auch. Es gibt
nicht wenig Städte, wo der ganze Adel
sich so zu Brüdern macht.

VITTORIA *zu Cesarino* Laß dir von ihm
erzählen! Er ist viel gereist: die Welt
ist ihm ein offnes Buch.
*Sie geht nach rückwärts, wo sich indessen alle empfohlen haben und
Lorenzo allein zurückgeblieben ist.*

CESARINO *eifrig zum Baron* Die halbe Lust
am Reisen, denk ich, nein, mehr als die halbe
muß in der Schnelligkeit – ich kann mich schlecht
ausdrücken –

BARON Aber was du meinst, hat Sinn:
Europa wird dein Haus, die Welt dein Garten,
der Wunsch erschafft dir Vaterländer,
die Hast ist schönste Trunkenheit!

CESARINO *nachdenkend*
Ja, das – und viel – Doch irgendwie
muß dann das Leben *immer* so –
Er hält inne.

BARON Das kommt von selbst.
Der umgegrabne Baum geht schnell zugrund,

uns gibt ein fremder Boden Riesenkräfte.
Die Märchen werden wahr, der Vogel Rokh
trägt dich in seinem Turban, Ariadne
hebst du in deinen Wagen, die Verlaßne:
Städte versinken hinter dir, und neue
tauchen empor: weil du der Fremde bist,
bist du schon reizender als alle andern:
die Schönsten sind an Felsen festgekettet,
doch du hast Flügel an den Fuß gebunden,
und wo du auftrittst, haben sich im Flug
Perseus und Andromeda schon gefunden!

CESARINO *der jedes Wort von seinen Lippen trinkt; atemlos*
Warst du an einem Hof? und wie ists dort?

BARON
Dort lernst dus, jeden kurzen Augenblick
so leerzusaugen, wie ein Bettelkind,
das Trauben stahl, die letzte Beere aussaugt.
Und das ist gut, denn keiner kommt zweimal!
Geh jung an einen Hof, und wenn du dort
herauskommst, bist du wie der Salamander,
der auch im Feuer atmet. Dort nur lernst du,
die Flatternde von vorne wild zu packen
an ihrem einzigen Büschel Haar, die Göttin
Gelegenheit! Dort lernst du, Dolche reden
und Gift aus deinen Blicken werfen, aber
du lernst auch, Augenblicke, die die Kraft
von Blitzen haben, deinem Willen vor-
zuspannen, mehr in einem Blick zu schlürfen
als Perlen, die drei Königreiche wert sind,
und eines Atemzuges Frist zu stehen
auf einem Rad, des Speichen Schicksal sind!

CESARINO
Mir schwindelt!

BARON   Nein, es ist nichts als Spiel,
darin der stärkste Wille aus Medusen,
die ihn erwürgen, wenn er sie nicht bändigt,
tanzende Grazien machen kann, ein Spiel —
*Er legt die Hand auf Cesarinos Schulter und geht plaudernd mit
ihm nach rückwärts.*

Vittoria, hinter ihr Lorenzo, kommen stumm aus dem Hintergrund
und bleiben links vorne stehen. Vittoria zeigt auf die beiden.
Kleine Pause.

LORENZO
Er denkt nicht daran, ihn uns wegzunehmen,
nicht wahr?

VITTORIA *den Blick zu Boden*
      Er denkt nicht daran.

LORENZO   So bist du froh?
Vittoria nickt, aber mit traurigem Gesicht.
Lorenzo tritt von ihr weg nach links. Sie steht, ans Klavier gelehnt.

LORENZO *für sich*
Warum ist sie nun traurig? Wieder Träume,
daran ich keines Schattens Anteil habe?
Ich werd nicht fröhlich, eh nicht der verschwunden:
so hängt noch immer Unheil in der Luft.
Fang ich aufs neue mich zu quälen an?
Nun ist nicht Nacht und morgen folgt nichts Beßres.
Der Baron und Cesarino kommen wieder nach vorne.

BARON
Auch Kleider sind kein Ding, ganz zu verachten,
nichts ist bloß äußerlich: was wären Blumen?
In diesen Dingen steckt ein Teil von uns:
die Römer ließen Sklaven hinter sich
hergehen, deren Köpfe schwer beladen
mit dem Gedächtnis wundervoller Verse
aus großen Dichtern waren: unsre Kleider
sind solche Diener, und sie atmen Träume,
die unsre eigne Phantasie erschuf.

VITTORIA *zu ihnen tretend*
Ich seh, daß ihr euch nur zu sehr versteht.

BARON
So sehr, daß Euer Bruder mir erlaubt hat,
ihm so, als wär ich ein Verwandter, dies
engmaschige Netz zu schenken, das ein Ring
mit eingegrabenen arabischen Worten
verschließt, doch eines Edelmannes Hand,
großmütiger als dieser Heidenring,

aufschließen wird, bis kein Gefangner mehr
im Innern wohnt.
Er reicht ihm eine schöne gefüllte Börse.

CESARINO
Die Hülse gern, doch tu dies Gold heraus!

BARON
Wie, hätt ich dir einen Granatapfel
geschenkt, behieltest du die Schale nur
und würfest mir die Kerne vor die Füße
wie dieses Gold?

CESARINO   Nein, dies wär Nahrung
für einen Augenblick.

BARON   Laß deine Laune
den Mund weit auftun und dies Gold wird mehr
nicht sein als Nahrung eines Augenblicks!

CESARINO
Ich kann nicht –

BARON   Also weißt du nicht zu schenken,
da du so gar nicht anzunehmen weißt!

CESARINO *nimmt die Börse*
So muß ich wohl –
Baron scheint mit dem Blick jemanden zu suchen.

VITTORIA   Die sind schon fort. Sie suchen?

BARON *schnell*
O niemand, niemand!

VITTORIA *zu Cesarino, der mit der Börse in der Hand unschlüssig dasteht*
            Und was denkst du nach?

CESARINO
Wir sind im Feenland: hier drinnen halt ich
ein seidnes Zelt, groß wie die Markuskirche,
Gewänder für zweihundert Sklavinnen –
und eines aus durchsichtigem Gewebe,
mit goldnen Schmetterlingen eingestickt,
mit einem Unterkleid mattgelber Seide,
liegt drauf und –

VITTORIA   Heißt –

CESARINO   Ich wollte sagen »glänzt« –
    doch heißt? nun: heißt?

VITTORIA   Marfisa Corticelli!

CESARINO
    Ja, liebe Schwester. O mach keine Falten
    in deine schöne, liebe, helle Stirn!
    Steht nicht so da und seht euch an und denkt:
    er ist verliebt, das ist wie eine Krankheit,
    man muß ihn hüten, er ist viel zu jung!
    O laßt die Worte weg, sie sind Harpyen,
    die Ekel auf des Lebens Blüten streun!
    Bin ich so jung? Die Göttin Helena
    war sieben Jahr, als Könige um sie
    zu Felde lagen, und der Dichter Dante
    neun Jahr, als ihm der Liebesgott im Traum
    erschien und in Sonetten zu ihm sprach!
    Die Seele hat kein Alter: dein und meine
    sind Zwillinge, die deine nur die sanftre!
    Wenn ich Musik gehört hab, ist mein Ohr
    so voller Nachklang, daß ich Harmonien
    der Sphären spüre, wenn ein Ruder leise
    durchs Wasser gleitet: so verzaubert sie
    mir meine Augen, wie Musik mein Ohr.
    Seht den an, der meint alles, wie ichs meine!

VITTORIA
    So geh und kauf!

CESARINO   Zwei Schiffe sind gekommen,
    eins von Brabant und eins aus der Levante:
    da find ich, was ich such: denn ihre Maße
    hab ich im Kopf, so wie die vielen Stimmen
    der Palestrinamesse, die ich neulich
    aus dem Gedächtnis aufschrieb in der Nacht.

VITTORIA *leise*
    Er macht Musik aus allem, was er anrührt!

LORENZO *ebenso*
    Wie wundervoll, daß solch ein wildes Wasser
    zugleich die Gabe hat, so rein zu spiegeln!

BARON *küßt ihn auf die Stirn*
    Geh, geh, mein Sohn, o wie ich dich erkenne!

CESARINO
    Für was?

VITTORIA *schnell*
        Für einen frechen kleinen Burschen –
den hoffentlich die Leute auf dem Schiff
einfangen, ihn in einem andern Land
als Affen zu verkaufen.
Baron und Lorenzo reden indessen miteinander.

CESARINO   Gut, dann spräng ich
ins Wasser und es käme ein Delphin
und trüge mich auf seinem Rücken fort!

VITTORIA
    So geh nur, geh!

LORENZO *zu Cesarino*
            Nimmst du mich mit?
CESARINO   Wie gern!
*Er läutet, ein Diener kommt, bringt zwei schwarze Maskenanzüge.
Der Baron tritt zu Cesarino, flüstert ihm etwas ins Ohr, Cesarino
hängt sich ausgelassen an seinen Arm. Lorenzo legt den Arm um
Vittorias Taille, führt sie ein paar Schritte nach vorne.*

LORENZO *sehr heiter*
    Weißt du, daß der Baron mir eben sagt,
    daß er Venedig heute schon verläßt?

VITTORIA
    Wie, heute schon?

LORENZO   Ja, heut, und läßt sein Kind
    mit heiterm Lächeln stehen, wo ers fand.
    Wie rätselhaft verschieden Menschen sind...
    Auch deine Mutter glich wohl dir nicht sehr!
    Wie töricht war ich nur mit meiner Angst:
    das weiß ich: diesen hast du nie geliebt,
    auch nicht im Traum, auch nicht im bunten Traum!
    Er wendet sich wieder zu den andern
    Leb wohl, Vittoria. Cesarino, komm!
    Zum Baron
    Du aber, bitte, leistest meiner Frau
    noch eine kurze Zeit Gesellschaft, ja?
    Ihr müßt euch vieles zu erzählen haben,
    wenn ich nicht irre. Sind die Masken da?

Lorenzo und Cesarino werfen die Masken über und gehen ab.
Vittoria geht nach vorne links, lädt den Baron mit einer Handbe-
wegung zum Setzen ein, er bleibt stehen, scheint befangen.

VITTORIA
Nun geht dein Sohn mit meinem Mann und kaufen
ein Kleid für eine Tänzerin. Kein Märchen
geht lustiger aus. Die alten Tränen wurden
Goldflitter für ein buntes Maskenkleid,
du bist der Tänzer, ich die Tänzerin,
wir drehn uns einmal, dann gehst du hinaus,
ich hier hinein, und alles hat ein Ende.

BARON *küßt ihre Hand*
Du Liebe, Schöne, Gute!
Er wendet sich, nimmt seinen Hut von einem Lehnstuhl, wie um
wegzugehen.

VITTORIA *sieht ihn nachdenklich an*
                    Viel, viel leichter
sind manche Dinge hier, wo sie geschehn,
als hier, wo wir sie träumen. Sonderbar!
Nun lassen sie uns eine halbe Stunde
allein, damit wir, wie auf dem Theater,
du mir, ich dir, in hundert Worten sage,
was zu erleben grad ein halbes Leben
hinreichte – und dann willst du wirklich fort?

BARON *den Hut in der Hand, rasch*
Noch heute, Liebe.

VITTORIA   Heute! an dem Tag,
der dir dein Kind gegeben. – Dies ist wahr,
daß Frauen Mütter sind, und Männer – Männer.

BARON
So kränkt es dich?

VITTORIA *achselzuckend*
                    Du mußt –
BARON   Ich muß Geliebte!
Sie sind mir auf der Spur. Aus Eifersucht
hat eine Frau –

VITTORIA *lächelnd*   Ist eine Frau im Spiel?
So mußt du wirklich, Frauen sind gefährlich!

Man sagts zumindestens. Ich war es nicht:
dir nicht, dem alten Mann nicht, nicht dem Dritten.
Vielleicht bin auch ich keine rechte Frau.
Sie tritt ihm einen Schritt näher
Weißt du denn noch, wie über alle Maßen
achtlos, wie über Nacht du mich verließest?

BARON
Nach den drei Tagen?

VITTORIA   O nein, der drei Tage
gedenk ich nicht, der *guten* Zeit gedenk ich,
und ihres doch für dich so leichten Endes!

BARON *verlegen*
Du weißt nicht, wie das war.

VITTORIA   Ich weiß es nicht
und hab es nie gewußt. Doch nun, mein Lieber,
erzähl mirs nicht, denn nun ist nicht die Zeit.
Tritt ein wenig zurück
Nun ist die Zeit, von unserm Kind zu reden.
– – Der alte Mann, bei dem ich lang gelebt –

BARON
Der Fürst von Pallagonia?

VITTORIA   Diesen Namen,
der dich und mich nicht kümmert, der auf Erden
nichts als den Deckel einer Gruft bezeichnet,
den wußtest du, doch daß ein Kind, dein Kind
aufwächst, ein lebend Kind von dir und mir,
das hast du nie gewußt! so leben wir!
Nach einer kleinen Pause
Der alte Mann war gut. Mit wenig Kunst
konnt ich aus ihm mir einen Vater machen.

BARON *mit affektiertem Interesse*
Er?

VITTORIA
Hat dies Kind gekannt und recht geliebt.
Ich hab ihn sterben sehn. Die Güter kamen
an seine Neffen.
*Sie tritt an die Wand links, schlägt einen Gobelin zurück und läßt
ein tiefes geheimes Fach aufspringen*
                    Diese Edelsteine,

die er mich anzunehmen sterbend bat,
sind das Korallenriff im Meer gewesen,
daran sich mit der Zeit ein kleines Erbgut
für mein – für unser Kind von selber hing.

BARON
Von selber?

VITTORIA   Ja, denn ich tat nichts dazu,
als daß ich sang. Wofür sie mich bezahlten,
der Schatten wars, den meine Seele warf,
wenn sie die Flügel schwang, um dich zu suchen.
Ich warf mein Netz nach Liebe, und ich zogs
mit einem Klumpen Gold empor. Allmählich
fand ich das Leben freundlich. Wie sie alle,
die Menschen, wie ein langer Maskenzug,
fast wie die Könige aus Morgenland,
die Gaben brachten für ein schlafend Kind,
an mir vorüberkamen und von allen
mir nichts zurückblieb als dies viele Gold –

BARON
So ist er reich?

VITTORIA *lächelnd*
                    Wohl reicher als mein Mann.

BARON
Der – ist der Dritte?

VITTORIA *läßt das Fach wieder zuspringen*
                          Ja, der Dritte. Du
der Erste, warst mein einziger Geliebter:
doch weil das Leben Vater mir und Bruder
versagte, als ich hiflos war und klein,
so mußt ich sie im Leben suchen gehn
und fand zuerst den einen, dann den andern.
Sie zieht die Tapete wieder vor, tritt von der Wand weg
Nun weißt du alles.

BARON *zieht einen Ring vom Finger*
                        Wenn dein Sohn so reich ist,
so wird ihn dieser Ring des Steines nicht
und auch – des Gebers wegen nicht erfreun:
so gib ihn du, von der er alles hat,
dem Kind an seines armen Vaters Statt!

VITTORIA
Du nennst dich selber arm! Antonio, hör mich.
Nimmt ihn bei der Hand
Er, ich, dies alles ist doch dein! dein Ding!
Du bist sein Vater, ich gehör zu ihm,
und er muß dir –

BARON *schnell*   Vittoria! still, Vittoria!
Wir müssen still vorüber aneinander,
still wie die beiden Eimer in dem Brunnen,
der eine geht nach oben, der ist voll,
der leere geht nach unten in das Dunkel.

VITTORIA
Antonio!

BARON   Ich bin heut nicht arm und morgen –

VITTORIA *ängstlich*
Lieber!

BARON
Gib ihm den Ring und sag ihm dies dazu:
er kommt von einem, der mit tausend Armen
nach allen Freuden griff und wie ein Kind
mit allem wild zum Mund fuhr; der mit Lust
am Schein von Seifenblasen hing; der achtlos
ein wundervolles Herz hinfallen ließ,
um eine liederlich geschminkte Maske
zu haschen; der des Lebens Sklave hieß,
nicht altern konnte, und – dein Vater war!
Gib ihm den Ring, und sag ihm nichts davon.
Er wendet sich zum Gehen.

VITTORIA
Wie, du willst gehn und ihn auch nicht erwarten?
Es ist noch früh am Nachmittag!

BARON *sieht auf die Uhr, verlegen*   Verzeih,
ich hab Verschiedenes zu ordnen, auch –
es wär ein Augenblick, was macht der aus?

VITTORIA
So geh und ordne.
Sie läutet; an der Tür rechts vorne erscheint ein Diener.
                    Angelo, die Gondel

für den Baron.
Diener ab.

Wie du sie verstehst,
die Kunst, die ich im Leben nie erlernt,
die Kunst, zu enden! Wer das kann, kann alles.
Ich fing was an, da war ich sechzehn Jahr,
und heute hats kein Ende —

BARON   Tuts dir leid?

VITTORIA
Ich weiß nicht ; geh.

BARON   Leb wohl!

VITTORIA   Leb wohl!
*Sie wendet sich noch einmal um, geht an ihn heran; mit veränderter
Stimme*
Antonio, weißt du, wie ich gestern nacht
zu dir kam? Nimm dirs als Erinnrung mit:
ich kam, so sehr die Sklavin eines Zaubers,
der von dir ausging — und doch nicht von dir —,
daß ich kaum mehr die Mutter deines Kindes,
kaum mehr ich selber war, die Sängerin,
vielmehr dein Ding, dein törichtes Geschöpf,
die kleine längst begrabene Vittoria.
Ich bin sehr froh, daß du das nicht gespürt
und mich mir selbst zurückgegeben hast.
Ich könnt auch dafür danken, daß du schuld warst,
daß ichs noch einmal spürte —

BARON *näher tretend*   O Vittoria!

VITTORIA *indem sie ihn mit einer leisen Gebärde abwehrt, leise*
Vorüber.
Von rückwärts kommt der Diener.

VITTORIA *dem Diener zunickend, lächelnd, laut*
                    Ihre Gondel wird gemeldet,
Baron!
*Sie verneigt sich, der Baron verbeugt sich tief. Beide gehen ab. Der
Baron verschwindet mit dem Diener im Hintergrund. Vittoria bleibt
an der Tür links stehen, sieht ihm nach, bis er verschwindet.*

VITTORIA
Wie, geht er wirklich? Kann ers? ja, er geht!

Er geht. Was will ich weinen? Alles führt
ein gütiges Geschick zu sanftem Ende,
und mir bleibt alles, denn der eine geht,
aus dessen Mund der Blitz hätt fallen können:
denn ihn hält eine Tänzerin am Faden,
und den Magnetberg, dran sein morsches Schiff
einmal die Nägel läßt und elend scheitert,
birgt jedes Haus, aus dessen offnen Fenstern
geschminkte Lippen auf die Straße lächeln.
Sie setzt sich in einen Stuhl, schlägt die Hände vors Gesicht, weint.
Nach einer Weile steht sie auf, geht auf und ab
Er geht und dreht den Kopf nicht noch einmal,
das Haus zu sehn, in dem sein Kind zurückbleibt.
Mich dünkt, das wollt ich doch, was jetzt geschah!
Wie, oder log ich auch mich selber an?
Wie leicht und lustig ging dies alles aus!
Hätt ich ihn gestern abend nicht gesehn,
gelang mir heute niemals die Verstellung:
und wiederum, wär etwas von dem Erz,
das in dem Namen »Vater« dröhnt und klingt,
in seines Wesens weichen Lehm gemischt,
so ging er heut nicht so von dieser Schwelle!
An welchem Spinnweb oder welcher Kette
von Eisen hängst du unser Schicksal auf,
Du droben?
Sie stößt mit dem Fuß an eine Orange, die aus dem Korb des Alten
gefallen ist, hebt sie auf und legt sie, ohne darauf zu achten, aufs
Klavier
      Wohl, ich seh, dies ist nun so.
Des Lebens Wasser rinnen einen Weg,
und der Musik erschuf – dann kommt ein Tag,
wo er sie nicht erkennt, und sich von ihr
wegwendet: also auch geschah es hier.
Bin ich nicht die Musik, die er erschuf,
ich und mein Kind? ist Feuer nicht in uns,
was Feuer einst in seiner Seele war?
Was gilt das Scheit, daran es sich entzündet:
die Flamme ist dem höchsten Gott verbündet!
Sie geht mit leichtem Schritte zur Tür rechts vorne hinaus, erscheint
gleich wieder auf der Galerie, öffnet dort eine kleine Tür und ver-
schwindet. Die Bühne bleibt eine Weile leer. Dann kommt von rück-
wärts Cesarino, verlarvt. Er ruft.

CESARINO

Vittoria! Vittoria!

Steht horchend in der Mitte der Bühne still, reißt die Larve vom
Gesicht, horcht gespannter. Läuft durch die Türe rechts, erscheint
gleich wieder auf der Galerie; beugt sich weit über und ruft herunter
mit bebender Stimme

Lorenzo, schnell! sie singt so wundervoll,
mir bleibt das Blut in allen Adern stehn!
Sie singt das große Lied der Ariadne,
das sie seit Jahren hat nicht singen wolln!
die große Arie, wie sie auf dem Wagen
des Bacchus steht! o komm, Lorenzo, komm!

Vorhang.

ARIADNE AUF NAXOS

Oper in einem Aufzuge nebst einem Vorspiel

PERSONEN DES VORSPIELS

DER HAUSHOFMEISTER

EIN MUSIKLEHRER

DER KOMPONIST

DER TENOR (BACCHUS)

EIN OFFIZIER

EIN TANZMEISTER

EIN PERÜCKENMACHER

EIN LAKAI

ZERBINETTA

PRIMADONNA (ARIADNE)

HARLEKIN

SCARAMUCCIO

TRUFFALDIN

BRIGHELLA

PERSONEN DER OPER

ARIADNE

BACCHUS

NAJADE

DRYADE

ECHO

ZERBINETTA

HARLEKIN

SCARAMUCCIO

TRUFFALDIN

BRIGHELLA

*Ein tiefer, kaum möblierter und dürftig erleuchteter Raum im Hause
eines großen Herrn. Links und rechts je zwei Türen. In der Mitte ein
runder Tisch. Im Hintergrund sieht man Zurichtungen zu einem Haus-
theater. Tapezierer und Arbeiter haben einen Prospekt aufgerichtet, dessen Rückseite sichtbar ist. Zwischen diesem Teil der Bühne und dem
vorderen Raum läuft ein offener Gang querüber.*

Haushofmeister tritt auf.

MUSIKLEHRER *ihm entgegen*
Mein Herr Haushofmeister! Sie suche ich im ganzen
Hause –

HAUSHOFMEISTER
Womit kann ich dienen? Muß allerdings bemerken, daß
ich pressiert bin. Die Vorbereitungen zur heutigen großen Assemblée im Hause des reichsten Mannes von Wien
– wie ich meinen gnädigen Herrn wohl betiteln darf –

MUSIKLEHRER
Ein Wort nur! Ich höre soeben, was ich allerdings nicht
begreifen kann –

HAUSHOFMEISTER
Und das wäre?

MUSIKLEHRER
– und was mich in erklärliche Aufregung versetzt –

HAUSHOFMEISTER
In Kürze, wenn ich bitten darf!

MUSIKLEHRER
– daß bei der heutigen festlichen Veranstaltung hier im
Palais – nach der Opera seria meines Schülers – kaum
traue ich meinen Ohren – noch eine weitere, und zwar
gleichfalls sozusagen musikalische Darbietung in Aus-
sicht genommen ist – eine Art von Singspiel oder niedrige Posse in der italienischen Buffo-Manier! Das kann
nicht geschehen!

HAUSHOFMEISTER
Kann nicht! Wieso?

MUSIKLEHRER
Darf nicht!

HAUSHOFMEISTER
Wie beliebt?

MUSIKLEHRER
Das wird der Komponist nie und nimmer gestatten!

HAUSHOFMEISTER
Wer wird? Ich höre: gestatten. Ich wüßte nicht, wer außer meinem gnädigen Herrn, in dessen Palais Sie sich befinden und Ihre Kunstfertigkeiten heute zu produzieren haben, etwas zu gestatten – geschweige denn anzuordnen hätte!

MUSIKLEHRER
Es ist wider die Verabredung. Die Opera seria »Ariadne« wurde eigens für diese festliche Veranstaltung komponiert.

HAUSHOFMEISTER
Und das ausbedungene Honorar wird nebst einer munifizenten Gratifikation durch meine Hand in die Ihrige gelangen.

MUSIKLEHRER
Ich zweifle nicht an der Zahlungsfähigkeit eines steinreichen Mannes.

HAUSHOFMEISTER
Für den Sie samt Ihrem Eleven Ihre Notenarbeit zu liefern die Auszeichnung hatten. – Was dann steht noch zu Diensten?

MUSIKLEHRER
Diese Notenarbeit ist ein ernstes, bedeutendes Werk. Es kann uns nicht gleichgültig sein, in welchem Rahmen dieses dargestellt wird!

HAUSHOFMEISTER
Jedennoch bleibt es meinem gnädigen Herrn summo et unico loco überlassen, welche Arten von Spektakel er seinen hochansehnlichen Gästen nach Vorsetzung einer feierlichen Kollation zu bieten gesonnen ist.

MUSIKLEHRER
Zu diesen die Verdauung fördernden Genüssen rechnen Sie demnach die heroische Oper »Ariadne«?

HAUSHOFMEISTER
Zuvörderst diese, danach das für punkt neun Uhr an-
befohlene Feuerwerk und zwischen beiden die einge-
schobene Opera buffa. Womit ich die Ehre habe, mich
zu empfehlen.
Geht ab.

MUSIKLEHRER
Wie soll ich das meinem Schüler beibringen?
Ab nach der anderen Seite.
Ein junger Lakai führt einen Offizier herein, dem er voranleuchtet.

DER LAKAI
Hier finden Euer Gnaden die Mamsell Zerbinetta. Sie ist
bei der Toilette. Ich werde anklopfen.
Horcht und klopft an die Tür rechts vorne.

DER OFFIZIER
Laß Er das sein und geh Er zum Teufel.
Stößt den Lakai heftig weg und tritt ein.

DER LAKAI *taumelt, rettet den Leuchter auf einen Wandtisch rechts
zwischen den beiden Türen und klaubt sich zusammen*
Das ist die Sprache der Leidenschaft, verbunden mit
einem unrichtigen Objekt.

KOMPONIST *kommt eilig von rückwärts*
Lieber Freund! Verschaffen Sie mir die Geigen. Richten
Sie ihnen aus, daß sie sich hier versammeln sollen zu
einer letzten kurzen Verständigungsprobe.

DER LAKAI
Die Geigen werden schwerlich kommen, erstens weils
keine Füß nicht haben, und zweitens, weils in der Hand
sind!

KOMPONIST *naiv, belehrend, ohne sich verspottet zu glauben*
Wenn ich sage: die Geigen, so meine ich die Spieler.

DER LAKAI *gemein, von oben herab*
Ach so! Die sind aber jetzt dort, wo ich auch hin sollt!
und wo ich gleich sein werd – anstatt mich da mit Ihnen
aufzuhalten.

KOMPONIST *ganz naiv, zart*
Wo ist das?

DER LAKAI *gemein, plump*
Bei der Tafel!

KOMPONIST *aufgeregt*
Jetzt? Eine Viertelstunde vor Anfang meiner Oper beim
Essen?

DER LAKAI
Wenn ich sag: bei der Tafel, so mein ich natürlich bei
der herrschaftlichen Tafel, nicht beim Musikantentisch.

KOMPONIST
Was soll das heißen?

DER LAKAI
Aufspielen tun sie. Capito? Sind also für Sie derzeit nicht
zu sprechen.

KOMPONIST *aufgeregt, unruhig*
So werde ich mit der Demoiselle die Arie der »Ariadne«
repetieren –
Will an die vordere Tür rechts

DER LAKAI *hält ihn ab*
Hier ist nicht die Demoiselle darin, die Sie suchen, die-
jenige Demoiselle aber, die hier drin ist, ist derzeitig für
Sie ebenfalls nicht zu sprechen.

KOMPONIST *naiv, stolz*
Weiß Er, wer ich bin? Wer in meiner Oper singt, ist für
mich jederzeit zu sprechen!

DER LAKAI *lacht spöttisch*
Hehehe!
Winkt ihm herablassend, geht ab.

KOMPONIST *klopft an die Tür rechts, bekommt keine Antwort; dann,
plötzlich zornrot, dem Lakai nach*
Eselsgesicht! sehr unverschämter frecher Esel!
Der Eselskerl läßt mich allein hier vor der Tür –
Hier vor der Tür mich stehn und geht.
Oh, ich möcht vieles ändern noch
In zwölfter Stund – und heut wird meine Oper –
O der Esel! Die Freud! Du allmächtiger Gott!
O mein zitterndes Herz! Du allmächtiger Gott!
Sinnt der Melodie nach, sucht in seinen Rocktaschen nach einem

*Stück Notenpapier, findet eines, zerknitterts, schlägt sich an den
Kopf*
Dem Bacchus eintrichtern, daß er ein Gott ist! Ein seliger
Knabe! Kein selbstgefälliger Hanswurst mit einem
Pantherfell!
Mir scheint, das ist seine Tür.
*Läuft an die zweite Tür links, klopft; hält indessen mit voller Stim-
me die gefundene Melodie fest*
O du Knabe! Du Kind! Du allmächtiger Gott!
*Die Tür geht auf, Perückenmacher taumelt heraus, empfängt soeben
eine Ohrfeige vom Tenor, der als Bacchus, aber mit kahlem Kopf,
die Lockenperücke in der Hand, nach ihm zornig heraustritt.*

DER TENOR
Das! Für einen Bacchus! Das mir aufzusetzen mutet Er
zu. Da hat Er, Lump, für Seinen Bacchuskopf!
Gibt ihm einen Fußtritt.

KOMPONIST *ist zurückgesprungen*
Mein Wertester! Sie allerdringendst muß ich sprechen!

PERÜCKENMACHER *zum Tenor*
Dero mißhelliges Betragen kann ich belächelnd nur einer
angenommenen Gemütsaufwallung zurechnen!

KOMPONIST *der zurückgetreten war, nun wieder näherkommend*
Mein Wertester!
Tenor schlägt die Tür zu.

PERÜCKENMACHER *schreiend gegen die geschlossene Tür*
Habe meinerseits keine Ursache, wegen meiner Leistun-
gen vor Ihnen zu erröten!

KOMPONIST *sich ihm nähernd, naiv-bescheiden*
Hat der Herr leicht ein Stückerl Schreibpapier?
Hätt mir gern was aufnotiert!
Ich vergeß nämlich gar so leicht.

PERÜCKENMACHER
Kann nicht dienen!
Läuft ab.

ZERBINETTA *noch sehr im Negligé, mit dem Offizier aus dem Zimmer
rechts*
Erst nach der Oper kommen wir daran. Es wird keine
kleine Mühe kosten, die Herrschaften wieder lachen zu

machen, wenn sie sich erst eine Stunde gelangweilt
haben.
Kokett
Oder meinen Sie, es wird mir gelingen?
Der Offizier küßt ihr stumm die Hand. Sie gehen nach rückwärts,
sprechen weiter.
Die Primadonna mit dem Musiklehrer treten aus der vorderen Tür
links. Sie trägt über dem Ariadne-Kostüm den Frisiermantel. Bleibt
in der Tür stehen. Der Musiklehrer will sich verabschieden.

PRIMADONNA
Schnell, lieber Freund! Einen Lakai zu mir!
Ich muß unbedingt sofort den Grafen sprechen.
Schließt ihre Tür. Komponist hat sie gesehen, will hin.

MUSIKLEHRER *hält ihn auf*
Du kannst jetzt nicht eintreten — sie ist beim Frisieren.
Tanzmeister kommt von rückwärts, tritt rückwärts zu Zerbinetta und
dem Offizier.

KOMPONIST *gewahrt erst jetzt Zerbinetta; zum Musiklehrer*
Wer ist dieses Mädchen?
Musiklehrer, verlegen, nimmt ihn beiseite.

TANZMEISTER *zu Zerbinetta*
Sie werden leichtes Spiel haben, Mademoiselle. Die Oper
ist langweilig über die Begriffe, und was die Einfälle anlangt, so steckt in meinem linken Schuhabsatz mehr
Melodie als in dieser ganzen »Ariadne auf Naxos«.

MUSIKLEHRER *mit dem Komponisten ganz vorne*
Sei sie wer immer!

KOMPONIST *dringender*
Wer ist dieses entzückende Mädchen?

MUSIKLEHRER
Um so besser, wenn sie dir gefällt. Es ist die Zerbinetta.
Sie singt und tanzt mit vier Partnern das lustige Nach-
spiel, das man nach deiner Oper gibt.

KOMPONIST *zurückprallend*
Nach meiner Oper? Ein lustiges Nachspiel? Tänze und
Triller, freche Gebärden und zweideutige Worte nach
»Ariadne«! Sag mirs!

MUSIKLEHRER *zaghaft*
Ich bitte dich um alles. —

KOMPONIST *tritt von ihm weg; edel*
Das Geheimnis des Lebens tritt an sie heran, nimmt sie
bei der Hand —
Heftig
und sie bestellen sich eine Affenkomödie, um das Nach-
gefühl der Ewigkeit aus ihrem unsagbar leichtfertigen
Schädel fortzuspülen!
Lacht krampfhaft
O ich Esel!

MUSIKLEHRER
Beruhige dich!

KOMPONIST *wütend*
Ich will mich nicht beruhigen! Ein heiteres Nachspiel!
Ein Übergang zu ihrer Gemeinheit! Dieses maßlos ordi-
näre Volk will sich Brücken bauen aus meiner Welt
hinüber in die seinige! O Mäzene! Das erlebt zu haben,
vergiftet mir die Seele für immer. Es ist undenkbar, daß
mir je wieder eine Melodie einfällt! In dieser Welt kann
keine Melodie die Schwingen regen!
Pause, dann mit verändertem Ton, ganz gemütlich
Und gerade früher ist mir eine recht schöne eingefallen!
Ich habe mich über einen frechen Lakaien erzürnt, da
ist sie mir aufgeblitzt — dann hat der Tenor dem Perük-
kenmacher eine Ohrfeige gegeben — da hab ich sie gehabt! Ein Liebesgefühl, ein süß bescheidenes, ein Vertrauen, wie diese Welt es nicht wert ist — da: —
Den Text improvisierend
      Du, Venus' Sohn — gibst süßen Lohn
      Für unser Sehnen und Schmachten!
      Lalalala — mein junges Herz
      Und all mein Sinnen und Trachten:
      O du Knabe, du Kind, du allmächtiger Gott!
Eilig gemütlich
Hast ein Stückerl Notenpapier?

*Musiklehrer gibt ihm welches. Komponist notiert. Zerbinetta im
Gespräch, lacht auf. Harlekin, Scaramuccio, Brighella, Truffaldin
sind im Gänsemarsch aus Zerbinettas Zimmer herausgekommen.*

664

ZERBINETTA *vorstellend*

Meine Partner! Meine erprobten Freunde! Jetzt mir meinen Spiegel, mein Rot! Meinen Crayon!

Die vier laufen ins Zimmer, kommen bald wieder, bringen ein Strohstühlchen, Spiegel, Dosen, Puderquasten.

KOMPONIST *mit einem Blick auf Zerbinetta, besinnt sich plötzlich; fast tragisch*

Und du hast es gewußt! Du hast es gewußt!

MUSIKLEHRER

Mein Freund, ich bin halt dreißig Jahrln älter als wie du und hab halt gelernt, mich in die Welt zu schicken!

KOMPONIST

Wer so an mir handelt, der ist mein Freund gewesen, gewesen, gewesen, gewesen!

Zerreißt wütend das Notierte. Primadonna öffnet ihre Türe. Komponist wirft die Fetzen Papier auf den Boden, beißt wütend seine Nägel, läuft auf und nieder, dann nach hinten.

PRIMADONNA *winkt dem Musiklehrer*

Haben Sie nach dem Grafen geschickt?

Tritt ein wenig vor, bemerkt Zerbinetta und die übrigen

Pfui! Was gibts denn da für Erscheinungen!

Zerbinetta hat auf dem Strohstühlchen rechts im Vordergrund Platz genommen, schminkt sich zu Ende, von ihren Partnern bedient; Harlekin hält das Licht, Brighella den Spiegel.

PRIMADONNA *zum Musiklehrer, nicht gerade leise*

Uns mit dieser Sorte von Leuten in einen Topf! Weiß man hier nicht, wer ich bin? Wie konnte der Graf —

ZERBINETTA *mit einem frechen Blick auf die Sängerin und absichtlich laut*

Wenn das Zeug so langweilig wird, dann hätte man doch uns zuerst auftreten lassen sollen, bevor sie übellaunig werden. Haben sie sich eine Stunde lang gelangweilt, so ist es doppelt schwer, sie lachen zu machen.

TANZMEISTER *zu Zerbinetta*

Im Gegenteil. Man kommt vom Tisch, man ist beschwert und wenig aufgelegt, man macht unbemerkt ein Schläfchen, klatscht dann aus Höflichkeit und um sich wach zu machen. Indessen ist man ganz munter geworden: »Was kommt jetzt?« sagt man sich. »Die ungetreue Zerbinetta und ihre vier Liebhaber«, ein heiteres Nachspiel mit Tänzen, leichte, gefällige Melodien, ja! eine Handlung, klar wie der Tag, da weiß man, woran man ist, das ist unser Fall, sagt man sich, da wacht man auf, da ist man bei der Sache! – Und wenn sie in ihren Karossen sitzen, wissen sie überhaupt nichts mehr, als daß sie die unvergleichliche Zerbinetta haben tanzen sehen.

MUSIKLEHRER *zur Primadonna*
Erzürnen Sie sich nicht um nichts und wieder nichts. Ariadne ist das Ereignis des Abends, um Ariadne zu hören, versammeln sich Kenner und vornehme Personen im Hause eines großen Mäzens, Ariadne ist das Losungswort, Sie sind Ariadne, morgen wird überhaupt niemand mehr wissen, daß es außer Ariadne noch etwas gegeben hat.

DER JUNGE LAKAI *läuft rückwärts vorüber*
Die Herrschaften stehen vom Tisch auf! Man sollte sich hier beeilen.

MUSIKLEHRER
Meine Damen und Herren, an Ihre Plätze.
Alles kommt in Bewegung, die Arbeiter rückwärts sind fertig. Der Tenor, als Bacchus, sowie Nymphe, Najade, Dryade, Echo sind aus der zweiten Tür links hervorgetreten.

DER HAUSHOFMEISTER *kommt eilfertig von links rückwärts, tritt auf den Musiklehrer zu; mit Wichtigkeit*
Ihnen allen habe ich eine plötzliche Anordnung meines gnädigen Herrn auszurichten.

MUSIKLEHRER
Ist schon geschehen, wir sind bereit, in drei Minuten mit der Oper »Ariadne«« anzufangen.

HAUSHOFMEISTER *mit Grandezza*
Der gnädige Herr haben sich nunmehr wiederum anders besonnen.

MUSIKLEHRER
Es soll also nicht mit der Oper begonnen werden?

666

PRIMADONNA
Was ist das!

HAUSHOFMEISTER *mit Grandezza*
Um Vergebung. Wo ist der Herr Tanzmeister? Ich habe
einen Auftrag meines gnädigen Herrn an Sie beide.

TANZMEISTER *tritt herzu*
Was wünscht man von mir?

HAUSHOFMEISTER
Mein gnädiger Herr belieben das von ihm selbst geneh-
migte Programm umzustoßen.

MUSIKLEHRER
Jetzt im letzten Moment! Ah, das ist doch ein starkes
Stückl!

HAUSHOFMEISTER
– umzustoßen und folgendermaßen abzuändern.

TANZMEISTER
Das Nachspiel wird Vorspiel, wir geben zuerst »Die ungetreue Zerbinetta«, dann »Ariadne«. Sehr vernünftig.

HAUSHOFMEISTER
Um Vergebung. Die Tanzmaskerade wird weder als
Nachspiel noch als Vorspiel aufgeführt, sondern mit dem
Trauerstück »Ariadne« gleichzeitig.

TENOR
Ha, ist dieser reiche Herr besessen?

MUSIKLEHRER
Will man sich über uns lustig machen?

PRIMADONNA
Sind die Leute wahnsinnig? Ich muß augenblicklich den
Grafen sprechen!
Komponist nähert sich erschrocken. Zerbinetta horcht von rechts.

HAUSHOFMEISTER *mit hochmütiger Ironie*
Es ist genau so, wie ich es sage. Wie Sie es machen werden, das ist natürlich Ihre Sache.

MUSIKLEHRER *dumpf*
Unsere Sache!

667

HAUSHOFMEISTER

Mein gnädiger Herr ist der für Sie schmeichelhaften
Meinung, daß Sie beide Ihr Handwerk genug verstehen,
um eine solche kleine Abänderung auf eins, zwei durchzuführen; und es ist nun einmal der Wille meines gnädigen Herrn, die beiden Stücke, das lustige und das traurige, mit allen Personen und der richtigen Musik, so wie
er sie bestellt und bezahlt hat, gleichzeitig auf seiner
Bühne serviert zu bekommen.

MUSIKLEHRER

Warum gleichzeitig?

ZERBINETTA *leichtfertig*

Da muß ich mich ja beeilen!
Läuft in ihr Zimmer.

HAUSHOFMEISTER

Und zwar so, daß die ganze Vorstellung deswegen auch
nicht einen Moment länger dauert. Denn für Punkt
neun Uhr ist ein Feuerwerk im Garten anbefohlen.

MUSIKLEHRER

Ja, wie um aller Götter willen stellt sich denn Seine
Gnaden das vor?

KOMPONIST *vor sich, ganz für sich, leise*

Eine innere Stimme hat mir von der Wiege an etwas
Derartiges vorausgesagt.

HAUSHOFMEISTER

Es ist wohl nicht die Sache meines gnädigen Herrn,
wenn er ein Spektakel bezahlt, sich auch noch damit abzugeben, wie es ausgeführt werden soll. Seine Gnaden ist
gewohnt, anzuordnen und seine Anordnungen befolgt
zu sehen.
Nach einer Pause nochmals umkehrend, herablassend
Zudem ist mein gnädiger Herr schon seit drei Tagen ungehalten darüber, daß in einem so wohlausgestatteten
Hause wie das seinige ein so jämmerlicher Schauplatz
wie eine wüste Insel ihm vorgestellt werden soll, und ist
eben, um dem abzuhelfen, auf den Gedanken gekommen, diese wüste Insel durch das Personal aus dem anderen Stück einigermaßen anständig staffieren zu lassen.

668

TANZMEISTER

Das finde ich sehr richtig. Es gibt nichts Geschmackloseres als eine wüste Insel.

KOMPONIST

Ariadne auf Naxos, Herr. Sie ist das Sinnbild der menschlichen Einsamkeit.

TANZMEISTER

Ebendarum braucht sie Gesellschaft.

KOMPONIST

Nichts um sich als das Meer, die Steine, die Bäume, das fühllose Echo. Sieht sie ein menschliches Gesicht, wird meine Musik sinnlos.

TANZMEISTER

Aber der Zuhörer unterhält sich. So wie es jetzt ist, ist es, um stehend einzuschlafen.
Pirouette.

HAUSHOFMEISTER

Um Vergebung, aber ich bitte, sich höchlich zu beeilen, die Herrschaften werden sogleich eintreten.
Ab.

MUSIKLEHRER

Ich weiß nicht, wo mir der Kopf steht. Wenn man zwei Stunden Zeit hätte, über die Lösung nachzudenken.

KOMPONIST

Darüber willst du nachdenken? Wo menschliche Gemeinheit, stier wie die Meduse, einem entgegengrinst. Fort, was haben wir hier verloren?

MUSIKLEHRER

Was wir hier verloren haben? Die fünfzig Dukaten unter anderm, von denen du das nächste halbe Jahr zu leben gedachtest!

KOMPONIST *vor sich*

Ich habe nichts mit dieser Welt gemein! Wozu leben in ihr?!

TANZMEISTER *nimmt den Musiklehrer beiseite*

Ich weiß wirklich nicht, warum Sie beide einem so vernünftigen Vorschlag solch übertriebene Schwierigkeiten entgegensetzen!

669

MUSIKLEHRER

Meinen Sie denn im Ernst, es ließe sich machen?

TANZMEISTER

Nichts leichter als das. Es sind Längen in der Oper –
Leiser
gefährliche Längen. Man läßt sie weg. Diese Leute wissen
zu improvisieren, finden sich in jede Situation.

MUSIKLEHRER

Still, wenn er uns hört, begeht er Selbstmord.

TANZMEISTER

Fragen Sie ihn, ob er seine Oper lieber heute ein wenig
verstümmelt hören will, oder ob er sie niemals hören
will. Schaffen Sie ihm Tinte, Feder, einen Rotstift, was
immer!
Zum Komponisten
Es handelt sich darum, Ihr Werk zu retten!

KOMPONIST *drückt die ihm von allen Seiten gereichten Noten leidenschaftlich an die Brust*
Lieber ins Feuer!
*Man bringt Tinte, Feder, ein Licht dazu; schiebt den Tisch nach
vorne.*

TANZMEISTER

Hundert große Meister, die wir auf den Knien bewundern, haben sich ihre erste Aufführung mit noch ganz
anderen Opfern erkauft.

KOMPONIST *rührend, hilflos*
Meinen Sie? Hat er recht, du? Darf ich denn? Muß ich
denn?

TANZMEISTER *drückt ihn sanft an den Tisch, wo man die Noten aus-
breitet und das Licht daneben stellt; zum Musiklehrer*
Sehen Sie zu, daß er genug streicht. Ich rufe indessen
Zerbinetta her, wir erklären ihr in zwei Worten die
Handlung! Sie ist eine Meisterin im Improvisieren; da
sie immer nur sich selber spielt, findet sie sich in jeder
Situation zurecht, die anderen sind auf sie eingespielt, es
geht alles wie am Schnürchen.
*Er holt sich Zerbinetta aus dem Zimmer, spricht zu ihr. Komponist
fängt an, beim Schein der Kerze zu streichen.*

PRIMADONNA *zum Musiklehrer, leise*
Sehen Sie zu, daß er dem Bacchus einiges wegnimmt;
man erträgt es nicht, diesen Mann so viel singen zu
hören.

TENOR *tritt verstohlen zum Komponisten, beugt sich zu ihm*
Der Ariadne müssen Sie streichen. Niemand hält es aus,
wenn diese Frau unaufhörlich auf der Bühne steht.

MUSIKLEHRER *flüsternd, nimmt den Tenor beiseite*
Er nimmt ihr zwei Arien weg, Ihnen keine Note. Ver-
raten Sie mich nicht.
Tritt ebenso zur Primadonna hinüber, nimmt sie beiseite
Sie behalten alles. Er nimmt dem Bacchus die halbe
Rolle, lassen Sie sich nichts merken.

TANZMEISTER *zu Zerbinetta, lustig geistreich*
Diese Ariadne ist eine Königstochter. Sie ist mit einem
gewissen Theseus entflohen, dem sie vorher das Leben
gerettet hat.

ZERBINETTA *zwischen Tür und Angel*
So etwas geht selten gut aus.

TANZMEISTER
Theseus wird ihrer überdrüssig und läßt sie bei Nacht
auf einer wüsten Insel zurück!

MUSIKLEHRER *links leise gleichzeitig zum Komponisten*
Noch das, es muß sein!

ZERBINETTA *verständnisvoll*
Kleiner Schuft!

TANZMEISTER
Sie verzehrt sich in Sehnsucht und wünscht den Tod
herbei.

ZERBINETTA
Den Tod! Das sagt man so. Natürlich meint sie einen anderen Verehrer.

TANZMEISTER
Natürlich, so kommts ja auch!

KOMPONIST *hat aufgehorcht, kommt näher*
Nein, Herr, so kommt es nicht! Denn, Herr! sie ist eine

von den Frauen, die nur einem im Leben gehören und danach keinem mehr.

ZERBINETTA
Ha!

KOMPONIST *verwirrt, starrt sie an*
— keinem mehr als dem Tod.

ZERBINETTA *tritt heraus*
Der Tod kommt aber nicht. Wetten wir. Sondern ganz das Gegenteil. Vielleicht auch ein blasser, dunkeläugiger Bursche, wie du einer bist.

MUSIKLEHRER
Sie vermuten ganz recht. Es ist der jugendliche Gott Bacchus, der zu ihr kommt!

ZERBINETTA *fröhlich, spöttisch*
Als ob man das nicht wüßte! Nun hat sie ja fürs nächste, was sie braucht.

KOMPONIST *sehr feierlich*
Sie hält ihn für den Todesgott. In ihren Augen, in ihrer Seele ist er es, und darum, einzig nur darum —

ZERBINETTA *aus der Tür*
Das will sie dir weismachen.

KOMPONIST
Einzig nur darum geht sie mit ihm — auf sein Schiff! Sie meint zu sterben! Nein, sie stirbt wirklich.

ZERBINETTA *indem sie was überwirft*
Tata. Du wirst mich meinesgleichen kennen lehren!

KOMPONIST
Sie ist nicht Ihresgleichen!
Schreiend
Ich weiß es, daß sie stirbt.
Leise
Ariadne ist die eine unter Millionen, sie ist die Frau, die nicht vergißt.

ZERBINETTA *tritt heraus*
Kindskopf.
Sie kehrt ihm den Rücken; zu ihren vier Partnern, die herangetreten sind

Merkt auf, wir spielen mit in dem Stück »Ariadne auf Naxos«. Das Stück geht so: eine Prinzessin ist von ihrem Bräutigam sitzengelassen, und ihr nächster Verehrer ist vorerst noch nicht angekommen. Die Bühne stellt eine wüste Insel dar. Wir sind eine muntere Gesellschaft, die sich zufällig auf dieser Insel befindet. Die Kulissen sind Felsen, und wir plazieren uns dazwischen. Ihr richtet euch nach mir, und sobald sich eine Gelegenheit bietet, treten wir auf und mischen uns in die Handlung!

KOMPONIST *während sie spricht, vor sich*
Sie gibt sich dem Tod hin – ist nicht mehr da – weggewischt – stürzt sich hinein ins Geheimnis der Verwandlung – wird neu geboren – entsteht wieder in seinen Armen! – Daran wird er zum Gott. Worüber in der Welt könnte eins zum Gott werden als über diesem Erlebnis?
Springt auf.

ZERBINETTA *tritt zu ihm, sieht ihm in die Augen*
Courage! Jetzt kommt Vernunft in die Verstiegenheit!

KOMPONIST
Lebendig wars! Stand da – so!
Malts mit den Händen in die Luft.

ZERBINETTA
Und wenn ich hineinkomme, wirds schlechter?

KOMPONIST *vor sich*
Ich überlebe diese Stunde nicht!

ZERBINETTA
Du wirst noch ganz andere überleben.

KOMPONIST *verloren*
Was wollen Sie damit – in diesem Augenblick – sagen?

ZERBINETTA *mit äußerster Koketterie, scheinbar ganz schlicht*
Ein Augenblick ist wenig – ein Blick ist viel. Viele meinen, daß sie mich kennen, aber ihr Auge ist stumpf. Auf dem Theater spiele ich die Kokette, wer sagt, daß mein Herz dabei im Spiele ist? Ich scheine munter und bin doch traurig, gelte für gesellig und bin doch so einsam.

KOMPONIST *naiv entzückt*
Süßes, unbegreifliches Mädchen!

ZERBINETTA
Törichtes Mädchen, mußt du sagen, das sich manchmal
zu sehnen verstünde nach dem einen, dem sie treu sein
könnte, treu bis ans Ende. —

KOMPONIST
Wer es sein dürfte, den du ersehnest! Du bist wie ich —
das Irdische unvorhanden deiner Seele.

ZERBINETTA *schnell, zart*
Du sprichst, was ich fühle. — Ich muß fort. Vergißt du
gleich wieder diesen einen Augenblick?

KOMPONIST
Vergißt sich in Äonen ein einziger Augenblick?
*Zerbinetta macht sich los, läuft schnell in ihr Zimmer nach rechts.
Während dieses Dialoges: Der Musiklehrer, als Regisseur der Oper,
hat die übrigen Figuren, den Tenor, dann die drei Nymphen nach
rückwärts, wo die Bühne angenommen ist, dirigiert, und kommt jetzt
eilfertig nach vorne, die Primadonna abzuholen, die noch einmal in
ihr Garderobezimmer verschwunden war.*

MUSIKLEHRER
An Ihre Plätze, meine Damen und Herren! Ariadne!
Zerbinetta! Scaramuccio, Harlekin! Auf die Szene, wenn
ich bitten darf!

PRIMADONNA *mit einem Blick auf Zerbinetta, die eben aus ihrem Zimmer tritt, dem Komponisten einen Kuß zuwirft, dann nach rückwärts läuft*
Ich soll mit dieser Person auf einer Szene stehen! Woran
denken Sie!

MUSIKLEHRER
Seien Sie barmherzig! Bin ich nicht Ihr alter Lehrer?

PRIMADONNA
Jagen Sie mir die Kreatur von der **Bühne** — oder ich weiß
nicht, was ich tue!

MUSIKLEHRER
Wo hätten Sie eine schönere Gelegenheit als auf der

Bühne, ihr zu zeigen, welch unermeßlicher Abstand zwischen Ihnen befestigt ist!

PRIMADONNA

Abstand! Ha! Eine Welt, hoffe ich.

MUSIKLEHRER

Legen Sie diese Welt in jede Gebärde und – man wird Ihnen anbetend zu Füßen sinken.

Küßt ihr die Hand, führt sie ein paar Schritte nach rückwärts, kommt dann sogleich wieder, den Komponisten zu holen.

KOMPONIST *umarmt den Musiklehrer stürmisch*

Seien wir wieder gut! Ich sehe jetzt alles mit anderen Augen! Die Tiefen des Daseins sind unermeßlich! – Mein lieber Freund, es gibt manches auf der Welt, das läßt sich nicht sagen. Die Dichter unterlegen ja recht gute Worte, recht gute –

Jubel in der Stimme

jedoch, jedoch, jedoch, jedoch, jedoch! – Mut ist in mir, Freund. – Die Welt ist lieblich und nicht fürchterlich dem Mutigen – und was ist denn Musik?

Mit fast trunkener Feierlichkeit

Musik ist heilige Kunst, zu versammeln alle Arten von Mut wie Cherubim um einen strahlenden Thron! Das ist Musik, und darum ist sie die heilige unter den Künsten!

Zerbinetta erscheint rückwärts, mit einem frechen Pfiff ihre Partner auf die Bühne zu rufen.

Harlekin kommt eilfertig aus dem Zimmer rechts, läuft, seinen Gurt schnallend, auf die Bühne.

KOMPONIST

Was ist das? Wohin?

Scaramuccio, wie Harlekin, gleichfalls seine Toilette im Laufen beendend.

KOMPONIST

Diese Kreaturen! –

Truffaldin, Brighella, den gleichen Weg wie die vorigen.

KOMPONIST

– in mein Heiligtum hinein ihre Bocksprünge! Ah!

MUSIKLEHRER

Du hast es erlaubt!

KOMPONIST *rasend*

Ich durfte es nicht erlauben! Du durftest mir nicht erlauben, es zu erlauben! Wer hieß dich mich zerren, mich
in diese Welt hinein? Laß mich erfrieren, verhungern,
versteinen in der meinigen!

*Läuft vorne ab, verzweifelt. Musiklehrer sieht ihm nach, schüttelt
den Kopf.*

Vorhang fällt schnell.

ARIADNE AUF NAXOS

OPER

Ariadne vor der Höhle auf dem Boden, regungslos. Najade links.
Dryade rechts. Echo rückwärts an der Wand der Grotte.

NAJADE
Schläft sie?

DRYADE
Schläft sie?

NAJADE
Nein! sie weinet!

DRYADE
Weint im Schlafe! horch! sie stöhnet.

ZU ZWEIEN
Ach! so sind wir sie gewöhnet.

NAJADE
Tag um Tag in starrer Trauer.

DRYADE
Ewig neue bittre Klagen.

NAJADE
Neuen Krampf und Fieberschauer.

DRYADE
Wundes Herz auf ewig, ewig –

ECHO
Ewig! Ewig!

DRYADE
Unversöhnet!

ZU DREIEN
Ach, wir sind es eingewöhnet.
Wie der Blätter leichtes Schaukeln,
Wie der Wellen sanftes Gaukeln
Gleitets über uns dahin. –
Ihre Tränen, ihre Klagen,
Ach, seit wieviel, wieviel Tagen,
Sie beschweren kaum den Sinn!

ARIADNE *an der Erde*

Wo war ich? tot? und lebe, lebe wieder
Und lebe noch?
Und ist ja doch kein Leben, das ich lebe!
Zerstückelt Herz, willst ewig weiter schlagen?
Richtet sich halb auf
Was hab ich denn geträumt? Weh! schon vergessen!
Mein Kopf behält nichts mehr;
Nur Schatten streichen
Durch einen Schatten hin.
Und dennoch, etwas zuckt dann auf und tut so weh!
Ach!

ECHO

Ach!

In der Kulisse

HARLEKIN

Wie jung und schön und maßlos traurig!

ZERBINETTA

Von vorne wie ein Kind, doch unterm Aug wie dunkel!

BRIGHELLA, TRUFFALDIN

Und schwer, sehr schwer zu trösten, fürchte ich!

ARIADNE *ohne ihrer irgendwie zu achten; vor sich, monologisch*

Ein Schönes war, hieß Theseus-Ariadne
Und ging im Licht und freute sich des Lebens!
Warum weiß ich davon? ich will vergessen!
Dies muß ich nur noch finden: es ist Schmach,
Zerrüttet sein, wie ich!
Man muß sich schütteln: ja dies muß ich finden:
Das Mädchen, das ich war!
Jetzt hab ichs – Götter! daß ichs nur behalte!
Den Namen nicht – der Name ist verwachsen
Mit einem anderen Namen, ein Ding wächst
So leicht ins andere, wehe!

NAJADE, DRYADE, ECHO *als wollten sie erinnern, wachrufen*

Ariadne!

ARIADNE *abwinkend*

Nicht noch einmal! Sie lebt hier ganz allein,
Sie atmet leicht, sie geht so leicht,

678

Kein Halm bewegt sich, wo sie geht,
Ihr Schlaf ist rein, ihr Sinn ist klar,
Ihr Herz ist lauter wie der Quell:
Sie hält sich gut, drum kommt auch bald der Tag,
Da darf sie sich in ihren Mantel wickeln,
Darf ihr Gesicht mit einem Tuch bedecken
Und darf da drinnen liegen
Und eine Tote sein!
Sie träumt vor sich hin.

In der Kulisse

HARLEKIN
Ich fürchte, großer Schmerz hat ihren Sinn verwirrt.

ZERBINETTA
Versucht es mit Musik!

BRIGHELLA, TRUFFALDIN
Ganz sicher, sie ist toll!

ARIADNE *ohne den Kopf zu wenden, vor sich; als hätte sie die letzten*
Worte in ihren Traum hinein gehört
Toll, aber weise, ja! – Ich weiß, was gut ist,
Wenn man es fernhält von dem armen Herzen.

ZERBINETTA *in der Kulisse*
Ach, so versuchet doch ein kleines Lied!

HARLEKIN *in der Kulisse, singt*
   Lieben, Hassen, Hoffen, Zagen,
   Alle Lust und alle Qual,
   Alles kann ein Herz ertragen
   Einmal um das andere Mal.

   Aber weder Lust noch Schmerzen,
   Abgestorben auch der Pein,
   Das ist tödlich deinem Herzen,
   Und so darfst du mir nicht sein!

   Mußt dich aus dem Dunkel heben,
   Wär es auch um neue Qual,
   Leben mußt du, liebes Leben,
   Leben noch dies eine Mal!

Echo wiederholt seelenlos wie ein Vogel die Melodie von Harlekins
Lied.

Ariadne unbewegt, träumt vor sich hin.

ZERBINETTA *halblaut, parlando*
Sie hebt auch nicht einmal den Kopf.

HARLEKIN *ebenso*
Es ist alles vergebens. Ich fühlte es während des Singens.
Echo wiederholt nochmals die Melodie.

ZERBINETTA
Du bist ja ganz aus der Fassung.

HARLEKIN
Nie hat ein menschliches Wesen mich so gerührt.

ZERBINETTA
So geht es dir mit jeder Frau.

HARLEKIN
Und dir vielleicht nicht mit jedem Mann?

ARIADNE *vor sich*
Es gibt ein Reich, wo alles rein ist:
Es hat auch einen Namen: Totenreich.
Hebt sich im Sprechen vom Boden
Hier ist nichts rein!
Hier kam alles zu allem!
Sie zieht ihr Gewand eng um sich
Bald aber nahet ein Bote,
Hermes heißen sie ihn.
Mit seinem Stab
Regiert er die Seelen:
Wie leichte Vögel,
Wie welke Blätter
Treibt er sie hin.
Du schöner, stiller Gott! sieh! Ariadne wartet!

Ach, von allen wilden Schmerzen
Muß das Herz gereinigt sein,
Dann wird dein Gesicht mir nicken,
Wird dein Schritt vor meiner Höhle,
Dunkel wird auf meinen Augen,
Deine Hand auf meinem Herzen sein.
In den schönen Feierkleidern,
Die mir meine Mutter gab,
Diese Glieder werden bleiben,

Schön geschmückt und ganz allein,
Stille Höhle wird mein Grab.
Aber lautlos meine Seele
Folget ihrem neuen Herrn,
Wie ein leichtes Blatt im Winde,
Folgt hinunter, folgt so gern.

Du wirst mich befreien,
Mir selber mich geben,
Dies lastende Leben,
Du nimmst es von mir.
An dich werd ich mich ganz verlieren,
Bei dir wird Ariadne sein.

Harlekin, verwegen; Brighella, jung, tölpelhaft; Scaramuccio,
Gauner, fünfzigjährig; Truffaldin, alberner Alter; hinter ihnen
Zerbinetta. Kommen von vorne auf die Bühne, schicken sich an,
Ariadne durch einen Tanz zu erheitern. Zerbinetta bleibt seitwärts
an der Kulisse. Echo, Najade, Dryade sind während Ariadnes Mono-
log verschwunden.

DIE VIER

Die Dame gibt mit trübem Sinn
Sich allzusehr der Trauer hin.
Was immer Böses widerfuhr,
Die Zeit geht hin und tilgt die Spur.

Wir wissen zu achten
Der Liebe Leiden,
Doch trübes Schmachten,
Das wollen wir meiden.

Sie aufzuheitern,
Naht sich bescheiden
Mit den Begleitern
Dies hübsche Kind.

Sie tanzen

Es gilt, ob Tanzen,
Ob Singen tauge,
Von Tränen zu trocknen
Ein schönes Auge.
Es trocknet Tränen
Die schmeichelnde Sonne.
Es trocknet Tränen

Der lose Wind:
Sie aufzuheitern,
Befahl den Begleitern,
O traurige Dame,
Dies hübsche Kind.

ZERBINETTA *indes die vier weitertanzen*
Wie sie sich schwingen,
Tanzen und singen,
Gefiele der eine
Oder der andere
Gefiele mir schon.

Doch die Prinzessin
Verschließt ihre Augen,
Sie mag nicht die Weise,
Sie liebt nicht den Ton.
Indem sie zwischen die vier Tänzer tritt
Geht doch! Laßts doch! Ihr fallet zur Last!

DIE VIER *indem sie weitertanzen*
Sie aufzuheitern,
Befahl den Begleitern,
O traurige Dame,
Das hübsche Kind!

Doch wie wir tanzen,
Doch wie wir singen,
Was wir auch bringen,
Wir haben kein Glück.

ZERBINETTA *indem sie sie mit Gewalt fortdrängt*
Drum lasset das Tanzen,
Lasset das Singen,
Zieht euch zurück!
Zurück! Versteht ihr nicht! Ihr seid nur lästig!
Sie schafft sie weg. Die vier ab, zwei nach rechts,
zwei nach links.

ZERBINETTA *beginnt mit einer tiefen Verneigung vor Ariadne*
Großmächtige Prinzessin, wer verstünde nicht,
Daß so erlauchter und erhabener Personen Traurigkeit
Mit einem anderen Maß gemessen werden muß
Als der gemeinen Sterblichen. – Jedoch

Einen Schritt nähertretend, doch Ariadne achtet in keiner Weise auf sie
Sind wir nicht Frauen unter uns, und schlägt denn nicht
In jeder Brust ein unbegreiflich, unbegreiflich Herz?
Abermals näher, mit einem Knicks. Ariadne, ihrer nicht zu achten,
verhüllt ihr Gesicht
Von unserer Schwachheit sprechen,
Sie uns selber eingestehen,
Ist es nicht schmerzlich süß?
Und zuckt uns nicht der Sinn danach?
Sie wollen mich nicht hören –
Schön und stolz und regungslos,
Als wären Sie die Statue auf Ihrer eigenen Gruft –
Sie wollen keine andere Vertraute
Als diesen Fels und diese Wellen haben?
Ariadne tritt an den Eingang ihrer Höhle zurück
Prinzessin, hören Sie mich an – nicht Sie allein,
Wir alle – ach, wir alle – was Ihr Herz erstarrt,
Wer ist die Frau, die es nicht durchgelitten hätte?
Verlassen! in Verzweiflung! ausgesetzt!
Ach, solcher wüsten Inseln sind unzählige
Auch mitten unter Menschen, ich – ich selber,
Ich habe ihrer mehrere bewohnt –
Und habe nicht gelernt, die Männer zu verfluchen!
Ariadne tritt vollends in die Höhle zurück, Zerbinetta richtet ihre
weiteren Tröstungen an die unsichtbar Gewordene
Treulos – sie sinds!
Ungeheuer, ohne Grenzen!
Eine kurze Nacht,
Ein hastiger Tag,
Ein Wehen der Luft,
Ein fließender Blick
Verwandelt ihr Herz!
Aber sind denn wir gefeit
Gegen die grausamen – entzückenden,
Die unbegreiflichen Verwandlungen?

Noch glaub ich dem einen ganz mich gehörend,
Noch mein ich mir selber so sicher zu sein,
Da mischt sich im Herzen leise betörend
Schon einer nie gekosteten Freiheit,
Schon einer neuen verstohlenen Liebe
Schweifendes, freches Gefühle sich ein!

Noch bin ich wahr, und doch ist es gelogen,
Ich halte mich treu und bin schon schlecht,
Mit falschen Gewichten wird alles gewogen –
Und halb mich wissend und halb im Taumel
Betrüg ich ihn endlich und lieb ihn noch recht!
Ja, halb mich wissend und halb im Taumel
Betrüge ich endlich und liebe noch recht!

So war es mit Pagliazzo
Und mit Mezzetin!
Dann war es Cavicchio,
Dann Burattin,
Dann Pasquariello!
Ach, und zuweilen,
Will es mir scheinen,
Waren es zwei!
Doch niemals Launen,
Immer ein Müssen!
Immer ein neues
Beklommenes Staunen.
Daß ein Herz so gar sich selber,
Gar sich selber nicht versteht!

Als ein Gott kam jeder gegangen,
Und sein Schritt schon machte mich stumm,
Küßte er mir Stirn und Wangen,
War ich von dem Gott gefangen
Und gewandelt um und um!
Als ein Gott kam jeder gegangen,
Jeder wandelte mich um,
Küßte er mir Mund und Wangen,
Hingegeben war ich stumm!
Hingegeben war ich stumm!
Hingegeben war ich stumm!
Kam der neue Gott gegangen,
Hingegeben war ich stumm!
Echo unsichtbar, wiederholt das Rondo, aber ohne Text, ad libitum.

HARLEKIN *springt aus der Kulisse*
Hübsch gepredigt! Aber tauben Ohren!

ZERBINETTA
Ja, es scheint, die Dame und ich sprechen verschiedene
Sprachen.

HARLEKIN
Es scheint so.

ZERBINETTA
Es ist die Frage, ob sie nicht schließlich lernt, sich in der meinigen auszudrücken.

HARLEKIN
Wir wollens abwarten. Was wir aber nicht abwarten wollen –
Er ist mit einem Sprung dicht bei ihr, sucht sie zu umarmen.

ZERBINETTA *macht sich los*
Wofür hältst du mich?

HARLEKIN
Für ein entzückendes Mädchen, dessen Beziehungen zu mir dringend einer Belebung bedürfen –

ZERBINETTA
Unverschämter! und außerdem: hier!
Zwei Schritte von der Wohnung der Prinzessin!

HARLEKIN
Pah! Wohnung, es ist eine Höhle.

ZERBINETTA
Was ändert das?

HARLEKIN
Sehr viel, sie hat keine Fenster.
Versucht abermals, sie zu küssen.

ZERBINETTA *macht sich energisch los*
Ich glaube, du wärest wirklich fähig!

HARLEKIN
Zweifle nicht, zu allem!

ZERBINETTA *mißt ihn mit dem Blick, halb für sich*
Zu denken, daß es Frauen gibt, denen er ebendarum gefiele –

HARLEKIN
Und zu denken, daß du von oben bis unten eine solche Frau bist!
Zerbinetta mißt ihn mit dem Blick. Brighella, Scaramuccio, Truffaldin stecken links und rechts ihre Köpfe aus der Kulisse.

BRIGHELLA, SCARAMUCCIO, TRUFFALDIN
Pst! Pst! Zerbinetta!

ZERBINETTA *hat sich Harlekin entzogen, läuft nach vorn, vor sich,*
beinahe ad spectatores
Männer! Lieber Gott, wenn du wirklich wolltest, daß wir
ihnen widerstehen sollten, warum hast du sie so ver-
schieden geschaffen?
Sie endet, mitten aus der Prosa, mit einer Roulade.

DIE VIER
Eine Störrische zu trösten,
Laß das peinliche Geschäft!
Will sie sich nicht trösten lassen,
Laß sie weinen, sie hat recht!
Zerbinetta tanzt von einem zum anderen, weiß jedem zu schmeicheln.

BRIGHELLA *mit albernem Ton*
Doch ich bin störrisch nicht,
Gibst du ein gut Gesicht.
Ach, ich verlang nicht mehr,
Freu mich so sehr.

SCARAMUCCIO *mit schlauem Ausdruck*
Auf dieser Insel
Gibts hübsche Plätze.
Komm, laß dich führen,
Ich weiß Bescheid!

TRUFFALDIN *täppisch lüstern*
Wär nur ein Wagen,
Ein Pferdchen nur mein,
Hätt ich die Kleine
Bald wo allein!

HARLEKIN *diskret im Hintergrund*
Wie sie vergeudet
Augen und Hände,
Laur ich im stillen
Hier auf das Ende!

ZERBINETTA *von einem zum anderen tanzend*
Immer ein Müssen,
Niemals Launen,
Immer ein neues
Unsägliches Staunen!

Die vier, mit Zerbinetta, in beliebiger Verschränkung.

BRIGHELLA
Ich bin nicht störrisch.

HARLEKIN
Ich laure im stillen.

ZERBINETTA *im Tanzen*
So wars mit Pasquariello
Und so mit Mezzetin!

SCARAMUCCIO
Hätt ich das Mädchen –

TRUFFALDIN
Ich wüßte Bescheid!

ZERBINETTA *im Tanzen*
Dann mit Cavicchio
Und mit Burattin!

ZWEI
Komm, laß dich führen,
Ich laure im stillen!

ZERBINETTA *im Tanzen*
Ach, und zuweilen
Waren es zwei!

ZWEI
Es gibt hübsche Plätze:
Ich weiß Bescheid!

ZERBINETTA
Ach, und zuweilen
Waren es zwei!

Unterm Tanzen scheint sie einen Schuh zu verlieren. Scaramuccio, flink, erfaßt den Schuh und küßt ihn. Sie läßt sich ihn von ihm anziehen, wobei sie sich auf Truffaldin stützt, der ihr von der anderen Seite zu Füßen gefallen ist.

ZERBINETTA *auf Truffaldin*
Wie er feurig sich erniedert!
Auf Scaramuccio, dem sie das Innere der Hand zum Kusse reicht
Wie der Druck den Druck erwidert!

ZERBINETTA UND SCARAMUCCIO
Hand und Lippe, Mund und Hand,
Welch ein zuckend Zauberband!

Scaramuccio und Truffaldin treten rechts und links zurück. Brighella springt täppisch hin, Zerbinetta zu umfassen, sie entschlüpft ihm geschickt.

ZERBINETTA *aufs neue tanzend*
Mach ich ihn auf diese neidig,
Wird der steife — wie geschmeidig
Wird der steife Bursch sich drehn!

BRIGHELLA *steif tanzend und singend*
Macht sie mich auf diese neidig,
Ach, wie will ich mich geschmeidig
Um die hübsche Puppe drehn!

SCARAMUCCIO *gleichfalls tanzend*
Macht sie uns auf diesen neidig,
Hei, wie alle sich geschmeidig,
Hui, um ihre Gunst sich drehn!

TRUFFALDIN *ebenso*
Wie sie jeden sich geschmeidig,
Einen auf den anderen neidig,
Ohne Pause weiß zu drehn!

Während die drei sich drehen, wirft sich Zerbinetta rückwärts Harlekin in die Arme und eilt mit ihm zu verschwinden.

SCARAMUCCIO, BRIGHELLA, TRUFFALDIN *finden sich allein*
Mir der Schuh!
Mir der Blick!
Mir die Hand,
Das war das Zeichen,
Schlau aus dem Kreise muß ich mich schleichen!
Mich erwartet das himmlische Wesen,
Mich zum Freunde hat sie erlesen!

Alle drei schleichen verstohlen in die Kulisse, gleich darauf erscheint zuerst Scaramuccio, von rechts kommend, vor der Bühne, verlarvt.

SCARAMUCCIO *für sich*
Pst, wo ist sie? Wo mag sie sein?

Späht herum, geht rechts um die Bühne herum.

BRIGHELLA *verlarvt, von links kommend, leise dummschlau*
Pst, wo ist sie? Wo mag sie sein?

Wendet sich nach rechts, stößt mit dem zurückkehrenden Scaramuccio zusammen.

> TRUFFALDIN *verlarvt, von links, an der linken Ecke in eben dem Augenblick hervorkommend, als Brighella nach rechts den ersten Schritt tut*
> Pst, wo ist sie? Wo mag sie sein?

Stößt mit den beiden Zusammenstoßenden auch noch zusammen; alle drei taumeln sie in die Mitte.

> ALLE DREI *jeder für sich*
> Verdammter Zufall!
> Aber man erkennt mich nicht!

Zerbinetta und Harlekin sind links vorne wieder erschienen.

> ZERBINETTA
> Daß ein Herz so gar sich selber,
> Gar sich selber nicht versteht!

Brighella, Scaramuccio, Truffaldin sehen einander an.

> HARLEKIN
> Ach, wie reizend, fein gegliedert!

> ZERBINETTA
> Hand und Lippe, Mund und Hand!

> DIE DREI GESELLEN
> Ai! Ai!

> HARLEKIN UND ZERBINETTA *zusammen*
> Hand und Lippe, Mund und Hand,
> Welch ein zuckend Zauberband.

> DIE DREI GESELLEN *indem sie zornig und betrübt tanzend abgehen*
> Ai! ai! ai! ai! Der Dieb! Der Dieb!
> Der nieder-, niederträchtige Dieb!
> Ai! ai! ai! ai!

Die Bühne bleibt nach Abgang der fünf Masken (Zerbinetta, Harlekin usw.) leer.

Zwischenspiel des Orchesters, auf Bacchus bezüglich, durchaus fremdartig, geheimnisvoll;
sodann: Najade, Dryade, Echo treten, fast zugleich, hastig auf von rechts, links und rückwärts.

> DRYADE *aufgeregt*
> Ein schönes Wunder!

NAJADE
Ein reizender Knabe!

DRYADE
Ein junger Gott!

ECHO
Ein junger Gott, ein junger Gott!

DRYADE
So wißt ihr –?

NAJADE
Den Namen?

DRYADE
Bacchus!

NAJADE
Mich höret!

ECHO
Mich höret doch an!

DRYADE
Die Mutter starb bei der Geburt.

NAJADE
Eine Königstochter.

DRYADE
Eines Gottes Liebste, eines Gottes Liebste!

NAJADE
Was für eines Gottes?

ECHO *enthusiastisch*
Eines Gottes Liebste, eines Gottes Liebste!

NAJADE *eifrig*
Was für eines Gottes?

DRYADE
Aber den Kleinen – hört doch! – Nymphen,
Nymphen zogen ihn auf!

ECHO *begeistert*
Nymphen zogen ihn auf!
Nymphen zogen ihn auf!

NAJADE, DRYADE
  Nymphen! das zarte, göttliche Kind!

ZU DREIEN
  Ach, daß nicht wir es gewesen sind.

ECHO *vogelhaft*
  Ach, daß nicht wir es gewesen sind.

DRYADE
  Es wächst wie die Flamme unter dem Wind.

NAJADE
  Ist schon kein Kind mehr – Knabe und Mann!

DRYADE
  Schnell zu Schiffe mit wilden Gefährten!

NAJADE
  Nächtig im Wind die Segel gestellt!

DRYADE
  Er am Steuer, er am Steuer.

NAJADE
  Kühn! der Knabe!

ECHO *vogelhaft*
  Er am Steuer.

DRYADE, NAJADE
  Heil dem ersten Abenteuer!

ECHO
  Er am Steuer, er am Steuer!

DRYADE
  Das erste! Ihr wißt, was es war?

NAJADE
  Circe! Circe! an ihrer Insel
  Landet das Schiff, zu ihrem Palast
  Schweift der Fuß, nächtlich mit Fackeln –

DRYADE *reißt ihrs Wort vom Munde*
  An der Schwelle empfängt sie ihn,
  An den Tisch zieht sie ihn hin,
  Reicht die Speise, reicht den Trank –

NAJADE *eifrigst*
> Den Zaubertrank! die Zauberlippen
> Allzu süße Liebesgabe!

ECHO
> Allzu süße Liebesgabe!

DRYADE *Triumph im Ton*
> · Doch der Knabe – doch der Knabe ! –
> Wie sie frech und überheblich
> Ihn zu ihren Füßen winkt –
> Ihre Künste sind vergeblich,
> Weil kein Tier zur Erde sinkt!

ZU DREIEN
> Alle Künste sind vergeblich,
> Weil kein Tier zur Erde sinkt!

DRYADE
> Aus den Armen ihr entwunden,
> Blaß und staunend, ohne Spott –
> Nicht verwandelt, nicht gebunden
> Steht vor ihr ein junger Gott!

ZU DREIEN
> Nicht verwandelt, nicht gebunden
> Steht vor ihr ein junger Gott!

ECHO *vogelhaft entzückt*
> Nicht verwandelt!

NAJADE, DRYADE *am Eingang der Höhle*
> Ariadne!

NAJADE
> Schläft sie?

DRYADE
> Schläft sie?

NAJADE
> Nein! sie hört uns!

ECHO
> Nicht verwandelt!

DRYADE *der Ariadne meldend*
> Ein schönes Wunder!

NAJADE
Ein Knabe! Ein Gott!

DRYADE *immer gegen die Höhle hin*
Gestern noch der Gast der Circe,
Mit ihr liegend bei dem Mahle,
Nippend von dem Zaubertrunk –

ECHO
Nicht verwandelt! Nicht verwandelt!

NAJADE
Heute ist er hier bei uns!

DRYADE
Hörst du?

NAJADE
Hörst du?

ZU ZWEIEN *leise*
Ariadne!

*Bacchus' Stimme wird hörbar. Im gleichen Augenblick, wie von
Magie hervorgezogen, tritt Ariadne lauschend aus der Höhle. Die
drei Nymphen, lauschend, treten seit- und rückwärts.*

BACCHUS *erscheint auf einem Felsen, Ariadne und den Nym-
phen unsichtbar*
Circe, kannst du mich hören?
Du hast mir fast nichts getan –
Doch die dir ganz gehören,
Was tust du denen an?

Circe, ich konnte fliehen,
Sieh, ich kann lächeln und ruhn –
Circe, was war dein Wille,
An mir zu tun?

ARIADNE *in sein Singen hinein, vor sich, leisest*
Es greift durch alle Schmerzen,
Auflösend alte Qual: ans Herz im Herzen greifts.

NAJADE, DRYADE, ECHO *leise, zaghaft*
Töne, töne, süße Stimme,
Fremder Vogel, singe wieder,
Deine Klagen, sie beleben,
Uns entzücken solche Lieder!

BACCHUS *schwermütig, lieblich*
Doch da ich unverwandelt
Von dir gegangen bin,
Was haften die schwülen Gefühle
An dem benommenen Sinn?

Als wär ich von schläfernden Kräutern
Betäubt, ein Waldestier! —
Circe — was du nicht durftest,
Geschieht es doch an mir?

ARIADNE *wie oben*
O Todesbote! süß ist deine Stimme!
Balsam ins Blut, und Schlummer in die Seele!

NAJADE, DRYADE, ECHO *nachdem die Stimme zu verstummen*
scheint, leise
Töne, töne, süße Stimme,
Süße Stimme, töne wieder!
Deine Klagen, sie beleben!
Uns entzücken deine Lieder!

BACCHUS *fröhlich, mit etwas wie graziösem Spott*
Circe, ich konnte fliehen!
Circe, ich konnte fliehen!
Sieh, ich kann lächeln und ruhn!
Circe — was war dein Wille,
An mir zu tun?

ARIADNE *zugleich mit ihm, die Augen geschlossen, die Hände*
gehoben nach der Richtung, von der die Stimme tönt, leise
Belade nicht zu üppig
Mit nächtlichem Entzücken
Voraus den schwachen Sinn!
Die deiner lange harret,
Nimm sie dahin!
Bacchus tritt hervor, steht vor Ariadne

ARIADNE *in jähem Schreck, schlägt die Hände vors Gesicht*
Theseus!
Dann schnell sich neigend
Nein! nein! es ist der schöne stille Gott!
Ich grüße dich, du Bote aller Boten!
Najade, Dryade, Echo haben sich unter tiefer Verneigung nach
allen Seiten zurückgezogen.

BACCHUS *ganz jung, zartest im Ton*
Du schönes Wesen? Bist du die Göttin dieser Insel?
Ist diese Höhle dein Palast? sind diese deine Dienerinnen?
Singst du an deinem Webstuhl Zauberlieder?
Nimmst du den Fremdling da hinein
Und liegst mit ihm beim Mahl,
Und tränkest du ihn da mit einem Zaubertrank?
Und ach, wer dir sich gibt, verwandelst du ihn auch?
Weh! Bist du auch solch eine Zauberin?

ARIADNE
Ich weiß nicht, was du redest.
Ist es, Herr, daß du mich prüfen willst?
Mein Sinn ist wirr von vielem Liegen ohne Trost!
Ich lebe hier und harre deiner, deiner harre ich
Seit Nächten, Tagen, seit wie vielen, ach, ich weiß es
                                            nicht mehr!

BACCHUS
Wie? kennest du mich denn?
Hast du vordem von mir gewußt?
Du hast mit einem Namen mich gegrüßt.

ARIADNE
Nein! nein! Der bist du nicht,
Mein Sinn ist leicht verwirrt!

BACCHUS
Wer bin ich denn?

ARIADNE *neigt sich*
Du bist der Herr über ein dunkles Schiff,
Das fährt den dunklen Pfad.

BACCHUS *nickt*
Ich bin der Herr – über ein Schiff.

ARIADNE *jäh*
Nimm mich! Hinüber!·
Fort von hier mit diesem Herzen!
Es ist zu nichts mehr nütze auf der Welt.

BACCHUS *sanft*
So willst du mit mir gehen auf mein Schiff?

ARIADNE

Ich bin bereit. Du fragst?
Ist es, daß du mich prüfen willst?
Bacchus schüttelt den Kopf.

ARIADNE *mit unterdrückter Angst*

Wie schaffst du die Verwandlung? mit den Händen?
Mit deinem Stab? Wie, oder ists ein Trank,
Den du zu trinken gibst? Du sprachst von einem Trank!

BACCHUS *verträumt in ihrem Anblick*

Sprach ich von einem Trank,
Ich weiß nichts mehr.

ARIADNE *nickt*

Ich weiß, so ist es dort, wohin du mich führest!
Wer dort verweilet, der vergißt gar schnell!
Das Wort, der Atemzug ist gleich dahin!
Man ruht und ruht vom Ruhen wieder aus;
Denn dort ist keiner matt vom Weinen. –
Er hat vergessen, was ihn schmerzen sollte:
Nichts gilt, was hier gegolten hat, ich weiß –
Schließt die Augen.

BACCHUS *tief erregt, unbewußt feierlich*

Bin ich ein Gott, schuf mich ein Gott,
Starb meine Mutter in Flammen dahin,
Als sich in Flammen mein Vater ihr zeigte,
Versagte der Circe Zauber an mir,
Weil ich gefeit bin, Balsam und Äther
Für sterbliches Blut in den Adern mir fließt.
Hör mich, Wesen, das vor mir steht,
Hör mich, du, die sterben will:
Dann sterben eher die ewigen Sterne,
Als daß du stürbest aus meinen Armen!

ARIADNE *ängstlich zurückweichend vor der Gewalt seines Tones*

Das waren Zauberworte! Weh! So schnell!
Nun gibt es kein Zurück. Gibst du Vergessenheit
So zwischen Blick und Blick?
Entfernt sich alles,
Alles von mir?
Die Sonne? Die Sterne!
Ich mir selber?

Sind meine Schmerzen mir auf immer, immer
Genommen? Ach!
Verhauchend
Bleibt nichts von Ariadne als ein Hauch?
Sie sinkt, er hält sie.
Alles versinkt, ein Sternenhimmel spannt sich über den zweien.

BACCHUS *mehr ergriffen als laut*
Ich sage dir, nun hebt sich erst das Leben an
Für dich und mich!
Er küßt sie.

ARIADNE *entwindet sich ihm, unbewußt, sieht mit bangem Staunen
um sich*
Lag nicht die Welt auf meiner Brust? hast du,
Hast du sie fortgeblasen?
Da innen lag die arme Hündin
An' Boden gedrückt, auf kalten Nesseln
Mit Wurm und Assel, und ärmer als sie –

BACCHUS
Nun steigt deiner Schmerzen innerste Lust
In dein und meinem Herzen auf!

ARIADNE
Du Zauberer, du! Verwandler, du!
Blickt nicht aus dem Schatten deines Mantels
Der Mutter Auge auf mich her?
Ist so dein Schattenland! also gesegnet!
So unbedürftig der irdischen Welt?

BACCHUS
Du selber! du bist unbedürftig,
Du meine Zauberin!

ARIADNE
Gibts kein Hinüber?
Sind wir schon drüben?
Sind wir schon da?
Wie konnt es geschehen?
Auch meine Höhle, schön! gewölbt
Über ein seliges Lager,
Einen heiligen Altar!
Wie wunder-, wunderbar verwandelst du!

BACCHUS

Du! Alles du!
Ich bin ein anderer als ich war!
Der Sinn des Gottes ist wach in mir,
Dein herrlich Wesen ganz zu fassen!
Die Glieder reg ich in göttlicher Lust!
Die Höhle da! Laß mich, die Höhle deiner Schmerzen
Zieh ich zur tiefsten Lust um dich und mich!
Ein Baldachin senkt sich von oben langsam über beide, sie einschließend.

ARIADNE *an seinem Arm hängend*
Was hängt von mir
In deinem Arm?
Oh, was von mir,
Die ich vergehe,
Fingest du Geheimes
Mit deines Mundes Hauch?
Was bleibt, was bleibt von Ariadne?
Laß meine Schmerzen nicht verloren sein!

ARIADNES STIMME
Laß meine Schmerzen nicht verloren,
Bei dir laß Ariadne sein!

ZERBINETTA *tritt aus der Kulisse, weist mit dem Fächer über die Schulter auf Bacchus und Ariadne zurück und wiederholt mit spöttischem Triumph ihr Rondo*
Kommt der neue Gott gegangen,
Hingegeben sind wir stumm!

BACCHUS' STIMME
Deiner hab ich um alles bedurft!
Nun bin ich ein anderer, als ich war,
Durch meine Schmerzen bin ich reich,
Nun reg ich die Glieder in göttlicher Lust!
Und eher sterben die ewigen Sterne,
Eh denn du stürbest aus meinen Armen!

Der Baldachin hat sich geschlossen.

DIE ÄGYPTISCHE HELENA

Oper in zwei Aufzügen

Personen

HELENA

MENELAS

HERMIONE, *beider Kind*

AÏTHRA, *eine ägyptische Königstochter und Zauberin*

ALTAÏR

DA-UD, *sein Sohn*

DIE ERSTE ⎱
⎰ DIENERIN *der Aïthra*
DIE ZWEITE

ERSTER ⎫
⎪
ZWEITER ⎬ ELF
⎪
DRITTER ⎭

DIE ALLES-WISSENDE MUSCHEL

Elfen, männliche und weibliche, Krieger, Sklaven, Eunuchen

Erster Aufzug

Gemach in Aïthras Palast.
Zur Linken ein Tisch, schön gedeckt für zwei. In der Mitte auf einem
Dreifuß die alleswissende Muschel. An der rechten Seitenwand ein
Thronsessel, auf dem Aïthra sitzt – vor ihr auf einem niedrigen sche-
melartigen Stuhl die Dienerin, eine Harfe in der Hand, auf der zu
spielen sie eben aufgehört hat. Draußen ist Nacht. Das Gemach ist
schön erleuchtet.

AÏTHRA

Und dafür eine Zauberin – und die Geliebte des Poseidon, um auf dieser Insel meine Jugend zu vertrauern!
Mit keiner anderen Kurzweil, als daß ich, sooft es mir gefällt, die Wogen des Meeres ringsum durch einen Sturm

hintereinanderjagen und ein paar armselige Fischerbar-
ken zum Scheitern bringen darf – und keiner andern Ge-
sellschaft als der einer Muschel, die sich für allwissend
ausgibt, aber gerade das eine, das zu wissen der Mühe
wert wäre, entweder nicht weiß oder nicht sagt.
Denn wenn ich jetzt frage: Wo ist Poseidon? –, so wird
sie sich entweder taub stellen oder eine Antwort geben,
die keine ist und meiner spottet. *Sie steht auf*
Das Mahl ist gerichtet,
Die Nacht schwebt nieder.
Wo ist mein Geliebter?
Er läßt mich allein!
Ich laure: er kommt nicht –
Ich traure: wo bist du?
O laß nicht so lange
die junge, die bange
Geliebte allein!
Gesprochen Wo bist du? Wo bist du? Wo ist er denn?
Die Muschel gurrt, wie wenn Meereswellen zu sprechen anfangen
wollten.

DIENERIN *hat indessen die Harfe beiseite gelegt*
Es scheint, daß sie sich zu einer Antwort herbeiläßt.

DIE MUSCHEL *singt*
Drei Tauben schweben
glänzend wie Perlen
fern überm Meer.
Sie grüßen dich
von Poseidon
und versichern
mit sanftem Girren
seine Liebe
immer aufs neue,
seine Sehnsucht,
seine Treue!

AÏTHRA
O du Lügnerin! Einmal sind es Reisende, einmal Delphine, einmal Tauben!

DIE MUSCHEL
Seine Liebe, seine Treue
immer aufs neue!

AÏTHRA

Antworte mir ohne Umschweife: Wo ist Poseidon?
Die Muschel präludiert feierlich.

AÏTHRA

Ich fühle im voraus, wie sie mich anlügen wird!

DIE MUSCHEL *sehr feierlich*

Bei den Äthiopen!

DIENERIN *ehrfürchtig*

Bei den Äthiopen!

AÏTHRA

Wie sie lügt! elender Papagei, abgerichtete Betrügerin!
Ich hätte Lust, dich in Stücke zu zerschlagen! – Ich will
diesen Tisch nicht sehen! Ich will nicht Abend für Abend
allein zu Nacht essen, wie ein Gespenst! *Gesungen* Ich will
nicht!

DIENERIN

Ich laufe um das Fläschchen mit dem Lotossaft, das deine
Mutter so sorglich uns mitgegeben hat.

AÏTHRA

Ach, meine Mutter! Meine guten Eltern! Die liebliche
Oase! Meine sorglosen kindischen Gedanken! Das Käst-
chen, in das ich meine Zikade gesperrt hatte! Sie war
doch *mein*! Und mein Geliebter – –?
Ach! eine Zauberin sein und so ohnmächtig gegen den
stärkeren Zauberer!

DIENERIN

Ich laufe und hole das Fläschchen!

AÏTHRA

Ich will nicht!

DIENERIN

Du brauchst es!

AÏTHRA

Ich will nicht!

DIENERIN

Es wird dich beruhigen!

AÏTHRA
    Ich will nicht –
    Ich will nicht!

DIENERIN   Dann wühlet
    kein Schmerz durch die Adern.

AÏTHRA
    Ich will nicht!

DIENERIN   Dann stillet
    sich innen das Hadern!
    Ein halbes Vergessen
    wird sanftes Erinnern;
    du fühlest im Innern
    dir wiedergegeben
    deinen Freund, deinen Mann.
    Frisch fühlst du dich leben,
    und wie man sich fühlet,
    so ist man auch dran!

AÏTHRA
    Nein, ich will nicht betäubt sein! Ich will mich zerstreu-
    en! Ich will Gesellschaft haben!
    Für was ist mir denn die Gewalt gegeben, jedes Schiff an
    diese Klippen zu reißen! – Frage das unnütze Geschöpf
    dort, ob sie rings auf dem weiten Meer kein Wesen er-
    blickt, das kennen zu lernen der Mühe wert wäre.
    Sie geht und setzt sich zu Tisch. Kindhafte junge Mädchen schwe-
    ben auf den Fußspitzen heran und bedienen sie.

DIE MUSCHEL *nach einem gurrenden Präludium*
    Der Mann steht auf. Er ist der einzige an Bord, der nicht
    schläft.

DIENERIN *wiederholt kopfschüttelnd*
    Der Mann steht auf. – Sie sieht ein Schiff mit schlafen-
    den Leuten.

DIE MUSCHEL
    Er weckt einen von den Schläfern auf und gibt dem das
    Steuer in die Hand. Er selber steigt hinunter in den
    Schiffsraum.

DIENERIN *wiederholt*
    Er steigt hinunter in den Schiffsraum.

702

AÏTHRA *hält im Essen inne*
Von wem erzählt sie?

DIENERIN
Sie sieht ein Schiff mit schlafenden Leuten.

DIE MUSCHEL
Jetzt ist er unten; die Schlafende regt sich. Die Schlafende ist von allen Frauen der Welt die Schönste.

DIENERIN
Die Schlafende ist von allen Frauen der Welt die Schönste.

AÏTHRA *bei Tisch*
Warum gleich die Schönste! Wer kann das entscheiden?
Ein schöne Frau, gut! –

DIE MUSCHEL
Er beugt sich zu ihr. Er will sie küssen.

DIENERIN
Der Mann auf dem Schiff will die Schlafende, die seine
Frau ist, küssen.

AÏTHRA
Und das ist alles?

DIE MUSCHEL
Nein! Jetzt holt er –

AÏTHRA *nicht sehr gespannt*
Was holt er?

DIE MUSCHEL
Er greift mit der Linken ein Tuch. Das will er über ihr
Gesicht werfen – denn in der Rechten hält er einen
Dolch. – Er will sie töten!

DIENERIN
Er zückt einen Dolch. Er will sie töten!

DIE MUSCHEL
Aïthra! Hilf doch! Der Mann ermordet die Frau!

DIENERIN
Aïthra! Hilf doch! Der Mann auf dem Schiff ermordet
seine Frau!

AÏTHRA *springt auf*

Wie denn? Was soll ich? Wer sind denn die Leute?

DIE MUSCHEL

Helena ist sie! Helena von Troja! Und er ist Menelas!
Schnell, er schleicht sich näher! Verdeckt er ihr mit dem
Tuch das Gesicht, so ist sie verloren!

DIENERIN

Schnell, er schleicht sich näher! Gleich ist sie verloren!

AÏTHRA

Sause hin, Sturm! Flieg hin wie der Blitz! Wirf dich auf
das Schiff!
Jäher Sturm
Rede! Was siehst du!

DIE MUSCHEL

Der Sturm hat das Schiff. Er hat es, er hat es! Die Masten
splittern! Die Schlafenden taumeln drunter und drüber!
O weh, sie scheitern!

AÏTHRA

Und die Frau? Und der Mann? Hat er sie ermordet, der
Teufel?

DIE MUSCHEL

Sie schwimmen! Da – er trägt sie! Befiehl doch Ruhe,
daß alle sich retten!

AÏTHRA

Wer trägt wen? Legt euch, Wellen!

DIE MUSCHEL

Menelas trägt Helena hoch in den Armen. Die branden-
den Wellen machen ihm Platz, und er schwingt sich ans
Land.

AÏTHRA

Leg dich Sturm, zu meinen Füßen! Hier ganz still! –
Eine Fackel! Ihnen den Weg zu zeigen!
Die Dienerin packt eine Fackel, läuft hinaus. Der Sturm legt sich.

AÏTHRA

Ist es wirklich Helena? die berühmte? So ist denn Troja
gefallen! Und ich soll hier sie empfangen! In meinem
Haus! Mit ihr reden. Mit Helena von Troja! Mit der

berühmtesten, der gefährlichsten, der herrlichsten Frau der Erde? *Mit lebhafter Freude*
Was wir sahen, da wir sehnten
träumend uns aus uns hinaus –,
einmal kommt es nächtig, prächtig
unversehen uns ins Haus!
Gesprochen Ich empfange sie an der Tür! Nein, ich lasse sie allein – o welche Lust, eine Frau zu sein, die ein wohleingerichtetes Haus und ein wenig Gewalt über Wind und Wellen hat! *Geht ab in ein Seitengemach rechts, wo sie aber dem Zuschauer sichtbar bleibt.*

Das Gemach bleibt einen Augenblick leer, dann kommt die Dienerin gelaufen, voranleuchtend, hinter ihr ein leichtgewappneter schöner Mann, der einen gekrümmten Dolch im Munde trägt und an der Hand eine sehr schöne Frau mehr hinter sich dreinreißt als führt, deren üppiges goldfarbenes Haar aufgegangen ist. Die Dienerin verschwindet.

Helena erblickt einen Spiegel, geht hin und steckt unbefangen ihr Haar auf.

MENELAS *sieht sich um, befangen wie ein Mensch, der aus Finsternis ans Licht und aus Todesgefahr in ein schön erleuchtetes Zimmer kommt, dann legt er den Dolch, der schon nicht mehr zwischen den Zähnen, sondern in seiner Hand ist – auf den Dreifuß nächst der Muschel hin*
Wo bin ich, was ist das für ein Haus?

HELENA *sofort Herrin der Lage*
Ein Feuer brennt. Ein Tisch ist gedeckt.
Will nicht mein Gemahl mit mir sitzen und essen?

MENELAS *leise und beklommen*
Was haben die Götter mir zubereitet?

HELENA
Schön glänzt der Saal. Zwei Throne stehen:
Ein König und eine Königin
sind hier erwartet. Setzen wir uns!

MENELAS *vor sich*
Nie werden wir beide zusammen essen.

AÏTHRA *von ihrer Stelle aus ins Hauptgemach spähend*
Ein greulicher Mann!
Wie er sich bitten läßt
zu etwas Schönem!

HELENA

Der Mann und die Frau – so ward ich gelehrt –
teilen den Tisch und teilen das Lager.

MENELAS

Dein Lager war
zu unterst im Schiff,
meines droben – unter den Sternen –
zehn Nächte lang.

AÏTHRA *wie oben*

Es ist nicht zu begreifen!

HELENA *lächelnd*

Doch heute nacht war das dir zur Last,
du kamst herab mit leisen Tritten –

MENELAS *erstaunt*

Du schliefest nicht?

HELENA

War ichs nicht, die *dich* nicht schlafen ließ?

MENELAS

Du warst es.
Beiseite

Ahnt sie,
was ich ihr antat
ohne den Sturm!
Oder ist sie ganz arglos? *Er tritt von ihr weg.*

HELENA

Wohin trittst du?
Willst du noch einmal
von mir weggehn?
Lieber, das fruchtet doch nichts!
Dir ist auferlegt,
mich nicht zu verlassen,
und mir ist verhängt,
zurückzukehren
in deine Arme.
Und so ist es geschehen.
Sag doch, ob je
in all diesen Jahren
dein Wünschen gelassen hat von mir
nur für eine Stunde!

Menelas sieht zu Boden.
Du schweigest. Siehst Du!

MENELAS *mit qualvollem Ausdruck*
Helena!

HELENA *mit voller Liebe*
Menelas!
Sie tritt ihm entgegen. Er weicht fast schaudernd zurück. Eine Pause.
Helena ist dem Tisch näher getreten. Eine zarte kindhafte Mädchen-
gestalt schwebt auf Fußspitzen hinter dem Tisch hervor — füllt aus
einem Mischkrug eine flache Trinkschale und bietet sie Helena dar.

HELENA *ergreift die Schale, tritt mit ihr auf Menelas zu*
Bei jener Nacht, der keuschen, einzig einen,
die einmal kam, auf ewig uns zu einen,
bei jenen fürchterlichen Nächten,
da du im Zelte dich nach mir verzehrtest,
bei jener Flammennacht, da du mich zu dir rissest
und mich zu küssen doch dir hart verwehrtest,
und bei der heutigen endlich, da du kamest,
mich jäh und zart aus aller Schrecknis nahmest,
bei ihr, die mich aufs neu dir schenkt,
trink hier, wo meine Lippe sich getränkt!
Sie berührt mit den Lippen den Rand der Schale, reicht diese dann
Menelas.

MENELAS *zurücktretend*
Ein Becher war
süßer als dieser,
herrlich gebildet,
aus dem trank Paris,
und nach seinem Tod
seiner Brüder viele.
Du warst eine Schwägerin ohnegleichen!

HELENA
Aber du bist der Beglückte,
denn sie alle sind tot — und du bist mein Herr!
So nimm die Feige,
darein ich drücke
die Spur meiner Lippen,
und freue dich!
Das kleine tanzende Wesen hat ihr die Feige gereicht und ist auf die
Melodie ihres Gesanges abgetanzt.

MENELAS
Zu viele, Helena, haben gekostet
von der herrlichen Frucht,
die du anbietest!

HELENA
Hast du aber von einem gehört,
der ihrer satt ward?

AÏTHRA *für sich*
Wie mutig sie ist!

MENELAS *zurückweichend, dann sich ermannend*
Heute nacht –

AÏTHRA *für sich*
Um so weit sich zu wagen,
muß man schön sein wie sie!

MENELAS
– trat ich zu dir,
dort wo du schliefest,
um dich zu töten!

HELENA *lächelnd und bezaubernd*
Weil du nur so
und nicht anders glaubst zu empfangen
mein letztes Geheimnis:
darum meine Züge
willst du gewahren
zauberisch zärtlich im Tode verzerrt.
O Liebender du ohne Maß und Grenzen!

MENELAS *ergreift den gekrümmten Dolch und bringt ihn ihr vor Augen*
Kennst du die gekrümmte Waffe?

HELENA
Als Paris vor dir lag
und fleht' um sein Leben,
entrissest du ihm
den krummen Dolch – ich kenne ihn recht wohl!
Und mit der eigenen Waffe
durchschnittest du ihm
die lebendige Kehle. –
Mit einem Schauder
Furchtbar sind Männer

708

und gründlich im Töten . . .
Ich müßte dich fürchten –
Mit einem undefinierbaren Ausdruck
aber ich bin nun einmal deine Frau!

MENELAS
Wenn du sie kennst,
die Waffe da –

AÏTHRA
Ich lock ihn hinweg
mit Zaubereien –

MENELAS
– dann wirst du wissen,
was es bedeutet –

AÏTHRA
– von ihrer Seite,
sonst ist sie verloren!

MENELAS
– daß ich heute nacht,
eh der Sturm anhub,
vor deinem Bette stand!

HELENA *mit ungeheurer Beherrschung*
Wie keine Umarmung ·
dem Liebsten die Liebste je gibt,
so verschränkt in dich,
wie zweier Kehlen
verschränkter Gesang,
so willst du mich haben!
Und sinnest immer darauf,
wie das du erreichest.

AÏTHRA
Sie spielt zu frech
um ihren Tod!
Ich muß mich beeilen,
sonst ist es zu spät!

HELENA
Das verstehe ich – und ich verstehe auch
den seltsamen Umweg,
den deine Seele dabei einschlägt!

MENELAS

Was für ein Umweg?

HELENA *dämonisch*

Als du lagest im Zelt
und nach mir zücktest
die leeren Arme –
das waren furchtbare Jahre.
Denn ich im Arme des Andern
zerdrückte in meinen Händen dein Herz,
und du konntest mir nichts tun!
Aber dann kam ein Tag,
da fühltest du dich nicht ohnmächtig,
mir deine Liebe zu bezeigen,
wenn auch aus der Ferne,
doch wirksam! Das war:
Leise
als Paris starb unter deinem Stahl!
Den Tag wußtest du wieder,
daß du mir gehörtest
und ich Dir!

MENELAS *wirklich erschrocken*

Wer hat dich gelehrt,
solches zu wissen?

HELENA

Es scheint, ich weiß, was in Männern vorgeht.

MENELAS *nun fest entschlossen zur Tat*

Du hast zu viele Männer durchschaut,
und es ist Zeit, daß einer
dir das Handwerk legt!

HELENA *mit dämonischem Mut, aber unendlich sanft und lieblich*

Gut! aber mach es ohne Tuch!
Ich will dich dabei ansehen!

MENELAS

Helena! Merke zuletzt meine Rede!
Merke: Einem gehört ein Weib,
und ich will meine Tochter so aufziehn –

HELENA *unerschüttert*

Deine? Ich denke: sie ist auch die meine!

MENELAS *ohne sich von ihr beirren zu lassen*
So aufziehen will ich meine Tochter,
daß sie sich der Mutter
nicht braucht zu schämen!
Denn für eine Tote errötet man nicht.

HELENA *mit unbesiegbarer Kraft*
Menelas: Merke zuletzt meine Rede!
Merke : Einem gehört ein Weib,
und so bin ich deine!
Dich hab ich gewählt
aus dreißig Freiern,
mutigen, schönen!
Sieh mir ins Gesicht –
und laß alles, was war,
außer diesem,
daß ich dein bin!

MENELAS
Ich war nicht der erste der Helden
und nicht der zweite.
Warum hast du mich gewählt
zu solchen Leiden?

HELENA
Vergiß den bösen Traum!
Wach auf bei mir, deiner Frau!

MENELAS
Hab ich im Traum Troja verbrannt?

HELENA
Laß was war, und küsse mich wieder!

MENELAS *für sich*
Nimmer darf das Kind sie sehen!

HELENA
In deinen Armen bringe mich heim!

MENELAS
Bewahret mich rein, ihr oberen Götter!

HELENA
Helfet dem Weibe, ihr unteren dunklen!

MENELAS
Helfet, was sein muß, mir zu vollenden!

HELENA

Mond und Meer,
Erde und Nacht,
helfet mir jetzt!

Die Lichter verdunkeln sich, nur der Mond fällt von draußen her-
ein. Ein Strahl trifft Helenas Antlitz. Menelas – den Dolch erhoben,
sie in die Kehle zu treffen – steht wie gebannt vor ihrer Schönheit.
Sein Arm mit der Waffe sinkt.

AÏTHRA *beschwörend*

Ihr, grüne Augen
im weißen Gesicht,
Mondelfen ihr!
Die ihr im Schilf liegt,
lauernd, listig, –
euch pappelnd vermummt,
lüstern, Lebendiges
zu euch zu ziehen:
ich hab hier im Haus
einen heißen Kerl,
einen rechten Raufbold –
den schafft mir vom Leib!
Mit Lärm einer Schlacht
bestürmt ihm den Kopf!
Narret ihn fest!
Laßt ihn anlaufen,
sein Schwert in der Hand,
an zwanzig Bäume!
Dreht ihn! Drillt ihn!
Zwinkert und zwitschert,
belfert und balzt,
schnattert und schnaubt,
drommetet und trommelt!
Hudelt ihn! Hetzt ihn! Flitz!

HELENA

Ohne Zaudern
töte mich denn!

MENELAS

Wie liebliches Weh
noch in dieser Gebärde!
die süße Kehle,

gedehnt wie dürstend
dem Eisen entgegen!
Abermals anspringend, hält er abermals inne.

HELENA
Nimm mich ins Messer!
Nimm mich Liebster!

DIE ELFEN *draußen, gruppenweise einander zurufend*
Mit Lärm einer Schlacht
bestürmt seinen Kopf!
Drommetet und trommelt,
narret ihn fest!

MENELAS
Wie ist mir? Was hör ich?
Wer ruft? Was für Waffen?

DIE ELFEN *bald näher, bald ferner*
Paris hier! Hier steht Paris!

HELENA *dringender*
Was dein Herz begehrt,
das tu endlich mit mir!

MENELAS *verwirrt*
Auch ins Messer fällst du noch so?
Auch der Stich in den Hals
wird zärtlich sein? –
Er horcht auf den Ruf der Elfen draußen und wiederholt ihn
Paris! Paris!
Hier steht Paris!
Den Feldruf hör ich! Paris! Paris!
Gehen die Toten hier um und rufen
und wollen noch einmal erschlagen sein?

DIE ELFEN
Helena will ich
wieder gewinnen!
Paris hier!
und sein Schwert!

MENELAS
Hier ist Menelas!
und dein Tod!

Steh mir, Gespenst!

Er stürzt ab ins Freie. Helena wankt nun todmüde auf den Thron der Aïthra zu und fällt dort mehr zusammen, als daß sie sich setzt. Aïthra tritt hervor. Helena will bei ihrem Anblick aufstehen.

AÏTHRA

Bleib sitzen! Schone dich! Kein überflüssiges Wort!
Sie setzt sich auf den niedrigen Sessel.

HELENA

Wer bist du? Wem ist dies Haus? – Bist du eine Frau oder ein Mädchen?

AÏTHRA

Das zu beantworten, ist für den Augenblick zu weitläufig. – Du bist in meinem Haus, Helena, und ich werde dich retten. Ich bin deine Freundin.

HELENA

Freundin! ein reizendes Wort. Ich habe nie eine Freundin gehabt.

AÏTHRA

Laß mich vom Nötigsten reden! Meine Anstalten reichen nur für eine kurze Weile: dann kommt er wieder, der Fürchterliche. O wie ich ihn hasse!

HELENA *sanft*

O wie ich ihn liebe!

AÏTHRA *betroffen*

Ist das möglich?

HELENA

Troja ist dahin! und jetzt gehöre ich ihm.

AÏTHRA

Aber Paris? und Hektor? und Deiphobos? – und die andern? –

HELENA *leise*

Du bist ein Kind. Laß die Namen der Toten unausgesprochen! *Sie steht auf, späht hinaus.*

AÏTHRA

Ich bin eine Frau! Aber vielleicht erst so wenig, daß ich vieles noch nicht verstehe. –

HELENA *wieder ihr zugewandt*
Einem gehören!
Einem! Einem!
Und will er uns töten,
ihm ins Messer
noch zärtlich fallen!

AÏTHRA
Einem? Und doch –?. . . Ich sehe, bis ich das begreife,
müßtest du mir vieles erklären! – Jetzt aber ist dazu
nicht Zeit. Ich muß dich verbergen – aber – dies Haus
hat keinen Schlupfwinkel. *Leise* Ich könnte auf meinem
Mantel mit dir durch die Luft fahren – aber jeden Aus-
flug hat mir Poseidon strenge verboten, und durch die
Geschwätzigkeit dieser infamen Muschel, die er mir zur
Wächterin gegeben hat –
Die Muschel lacht.

AÏTHRA
Muschel, über wen lachst du so boshaft?

DIE MUSCHEL
Ich lache über Menelas! Jetzt läuft er wie ein Toller
einem Nebelschwaden nach, den er für Helena hält!

DIE ELFEN *lachen*
Hahahahaha!
Hetzt ihn aufs neu!
Narret ihn fest!
Jagt ihn im Kreis
um sich selber herum!
Helena hier! Paris da!
Hahaha hahaha ha!

HELENA
Vergeblich! *Sie wankt.*

AÏTHRA
Stärke dich! Trink! Nimm von der Speise!

HELENA *hält sich*
Geh fort. – Er kommt. Wahre dein Auge vor einem bösen Anblick und laß uns allein!

AÏTHRA *nimmt die Schale*
Einen Tropfen! es nützt dir!

HELENA *schüttelt den Kopf*
Kein Mensch entgeht seinem Schicksal. – Selbst wenn du
zaubern könntest – du würdest mich schwerlich retten.

AÏTHRA
Du bist durchnäßt:
meinst du, zu trocknen
bedarf es des Feuers?
Ich trockne dich
mit meinen Augen!

HELENA
Wie sanfte Wärme
mich durchdringt!

AÏTHRA
Die lieblichen Wangen
so entstellt
vom Salz des Meeres!
Sie streicht ihr sanft die Wange.

HELENA
Wie du mich anrührst!

AÏTHRA
Ohne Glanz die Haare!
Meinst du, ich brauche
Salben und Öl,
damit sie dir leuchten?
Sie streift leicht über Helenas Haar.

HELENA *vor dem Spiegel, den auf Aïthras Wink die Mädchen heran-
gebracht haben*
Wie ich erglänze!

AÏTHRA *entzückt*
Allerschönste!

HELENA
Beste! was hast du aus mir gemacht?

AÏTHRA
Dein herrliches Wesen zurück dir gebracht!

HELENA *nachdem sie sich abermals an dem eigenen Spiegelbild geweidet*
Was machst du aus mir? So sah die aus, die Menelas in
seine Brautkammer trug! –
Bin ich so jung und soll sterben?

716

AÏTHRA *mit der Trinkschale*
  Nicht sterben! Leben! Schnell, trinke!

HELENA *nimmt die Schale*
  Wer bist du?
  Sie trinkt.

DIE DIENERIN *ganz leise*
  Ein halbes Vergessen
  bringt sanftes Erinnern.

HELENA
  Was ist das für ein Trank?

DIE DIENERIN *leise*
  Du fühlest im Innern
  dir wiedergegeben
  dein unschuldig Leben.

HELENA
  Wie ist mir auf einmal!

DIE DIENERIN
  Und wie du dich fühlest,
  so *bist* du fortan!

AÏTHRA
  Wie die Nacht aus deinen Augen schwindet!

HELENA
  Wer bist du?

AÏTHRA
  Deine unbedeutende Freundin Aïthra!

HELENA
  Zauberin!

AÏTHRA
  Schönste!
  Sie fassen einander bei den Händen
  Reicher als Könige, stärker als Krieger
  sind zwei Frauen, die sich vertrauen!

HELENA *tritt noch einmal vor den Spiegel, dann wendet sie sich beseligt*
  Wer tötet die Helena, wenn er sie ansieht!
  Aïthra betrachtet sie voll Bewunderung.

HELENA

Wie leicht wird alles!

AÏTHRA

Recht so! trinke, und vergiß deine Angst!
Sie reicht ihr abermals die Schale.

HELENA *nachdem sie getrunken, fröhlich wie ein Kind*

Menelas! Warum denn mich töten? Schlafen... mich
schläfert. Schläfst du neben mir, Liebster?
*Sie schwankt wie schlaftrunken, die kleinen Mädchen drücken sich
an sie und stützen sie.*

AÏTHRA *leise*

Was stelle ich an, sie zu retten? Muschel, wo ist er?

DIE MUSCHEL

Ganz nahe!

HELENA *hats gehört, schon in halben Schlaf hinein , singt leicht wie
ein Schlummerliedchen noch dies*

Ganz nahe
schon schwebt mir
ein reizendes Glück.
Gebt acht: ich entschwinde!
Nein lasset: ich finde
schon wieder zurück!
Sie schließt, auf die Kleinen gestützt, die Augen.

DIE DIENERIN *an der Tür hinausspähend*

Der Nebelstreif flattert vor ihm!
Hierher zu! auf das Haus!
Er mit dem Schwert hinterdrein!
Er kommt!

AÏTHRA

Leget sie auf mein Bett! Und kleidet sie im Schlaf in
mein schönstes Kleid, in das meerfarbene! Fort! Alle
fort!
Die Kinder schweben mit Helena ab ins linke Gemach.

MENELAS *den Dolch in der Faust, kommt von außen hereingestürzt
als ein Verfolger*

Steh mir – und stirb!

AÏTHRA *springt ihm aus dem Weg, birgt sich in den Vorhängen und*
schreit auf
Ai!

MELENAS *verstört, vom Licht geblendet*
Weh! Ihr Blut
auf meinem Dolch!
Er berührt die Waffe, auf welcher keine Spur von Blut ist, schau-
dernd mit seinen Fingern. Die Elfen lachen.

MENELAS
Ich Verfluchter!
Nie mehr eine gute Stunde!
Auch mein Kind seh ich nicht wieder –
O Waise ohne Vater und Mutter!
Aïthra tritt hervor.
Menelas völlig verstört, sucht eilig, den, wie er meint, blutigen
Dolch unter einem Vorhang zu verbergen.

AÏTHRA
Fürst von Sparta! Du bist mein Gast!
Indem sie sich auf den Thron setzt.

MENELAS *dumpf und verstört vor sich hin*
Fremdes Weib – mörderisch Haus!
Herein an der Hand – führte ich sie
draußen dann – im weißen Gewand –
zerrüttet das Haar – und doch schöner als je –
flüchtete sie in Angst – und warf
zwei herrliche Arme – um eine verfluchte Gestalt,
die im Mondlicht – aussah wie Paris.
Mit einem Streich doch – traf ich die beiden!

AÏTHRA *leise zu den Dienerinnen*
Das Lotosfläschchen! Er hat es nötig!
Schnelles Vergessen gräßlichen Übels.
Die Dienerinnen bringen den Becher und den Mischkrug, gießen ein,
träufeln aus dem Fläschchen in den Trank.
Aïthra winkt Menelas, den niedrigen Sitz einzunehmen.

MENELAS
Hier sitzen bei dir als ein friedlicher Gast!
So weißt du nicht –, wer deine Schwelle betrat?
noch, was dort die Waffe für Arbeit getan?
Sie winkt ihm nochmals, er setzt sich.

AÏTHRA

Leise! Nicht störe den lieblichen Schlummer
der schönsten Frau;
sie schläft da innen,
ermüdet von einer langen Reise!

MENELAS

Wer?

AÏTHRA

Deine Frau.

MENELAS   Du redest von wem?

AÏTHRA

Von Helena doch! Von wem denn sonst?

MENELAS

Die schliefe –
Er springt auf.

AÏTHRA   Da innen auf meinem Lager.

MENELAS *vor sich*

Zerspalten das Herz,
zerrüttet der Sinn!
Weh, in den Adern,
weh, eurer Pfeile
lernäisches Gift!
O nur für Stunden,
für Augenblicke
ziehet die Spitzen
der Pfeile zurück!
Gebt mir mich selber
mein einig Wesen,
der unzerspaltenen
Mannheit Glück,
o gebet mir Armen
mich selber zurück!

AÏTHRA

Menelas – gedenkst du des Tages –
vor dreimal drei Jahren und einem Jahre –
da du *sie* verließest – und zogest zur Jagd?

MENELAS *sie völlig verstehend, mit zornig verfinsterter Miene*

Du, sprich nicht von Paris und jenem Tage!

AÏTHRA

Höre! seit jenem verwunschenen Tage
hast du deine Frau mit Augen nicht wiedergesehen!
Menelas hebt jäh seine Hände über seinen Kopf.

AÏTHRA *steht auch auf, tritt dicht zu ihm*

Merke! als jener frech und verwegen
ausreckte die Hand nach deinem Weibe,
heimlich da sorgten die Götter um dich!

MENELAS

Hüte dich, Weib, daß ich dich nicht strafe!

AÏTHRA

Furchtbar, Fürst, sind deine Blicke!
Trinke hier aus diesem Becher.
Trinke mit mir, auf daß wir uns stärken!
Sie trinken beide, Aïthra nur zum Schein.

AÏTHRA

Heimlich da sorgten die Götter für dich!
In die Arme legten sie ihm
ein Luftgebild, ein duftig Gespenst,
womit sie narren die sterblichen Männer –

DIE ELFEN

Womit Götter narren
die sterblichen Männer
ja! ja! ja! ja!

AÏTHRA

Dein Weib indessen, die schuldlose Schöne –

MENELAS *starrt sie an*

Achte die Worte, bevor du sie redest!

AÏTHRA *unerschrocken*

– verbargen sie am entlegenen Ort
vor dir und der Welt –

MENELAS *an ihrem Munde hängend*

An welcher Stätte? Achte die Worte!

AÏTHRA *frei und sicher*

Am Hang des Atlas steht eine Burg,
mein Vater sitzt dort, ein gewaltiger Herr
und gefürchteter König!

Drei Töchter wuchsen im Hause auf.
Zauberkundig alle drei:
Salome die Stolze,
die schöne Morgana
und Aïthra die Junge.
Zu uns ins Haus
brachten sie schwebend
deine Frau!
Schuldlos schlummernd,
wähnend, sie liege in deinen Armen,
lag sie bei uns
die Jahre im Haus.
Dieweilen thronte
das Luftgespenst
zu oberst unter Priamus' Töchtern
und buhlte mit seinen herrlichen Söhnen
und freute sich am Brande der Welt
und am Tode der Helden Tag für Tag!
Die Wespe die!

DIE ELFEN
Ja ja ja ja!
die Wespe die,
das Luftgespenst!

MENELAS *nach einer Pause fassungslosen Staunens*
Die – welche hier
meinem Drohen trotzte?

AÏTHRA *zutraulich*
Ein Luftgespenst!
Wie hätte denn je
deine wirkliche Frau
so frech dich zu reizen gewagt?

MENELAS
Die – welche ich trug?

AÏTHRA *achselzuckend*
Vielleicht eine feuchte
Schlange des Meeres
in Weibesgestalt
wand sich dir um den Nacken!

MENELAS
Dort in der Nacht,
da ohne Fackeln
alles hell war –
ich riß sie zu mir
aus stürzendem Haus,
die goldne Gestalt!

AÏTHRA *leichthin*
Ja, das Gespenst
das sich Helena nannte!

MENELAS
Es sahen sie alle!
die Fürsten! die Krieger!

AÏTHRA
Wenn sie den eigenen Gatten betrog,
wie nicht die Welt?
Wo bliebe die Welt,
ohne Betrug!

DIE ELFEN
Hihihihi!
Wo bliebe die Welt
hahahaha!
ohne Betrug!

MENELAS *tief erschüttert*
Hier noch stand sie –
unsagbar lieblich
und sank mir ins Messer –

AÏTHRA *spöttisch*
Hier noch stand sie –
dir so nah?
Die himmlische Frau –
hast du sie geküßt?

MENELAS *furchtbar ernst*
Im Zelte nicht
noch auf dem Schiffe
berührte ich sie;
so hab ich geliebt!

AÏTHRA

Wohl dir, wie ein Pilz
mit Asche gefüllt,
sie wär dir zerstoben,
so wie sie nun
zerflog mit Kichern,
ein Streifchen Nebel!

DIE ELFEN *kichern*
Chichichichichi!

MENELAS *sieht sie mit einem Schaudern seitlich an*
Furchtbares Weib!
Deine Worte sind furchtbar
und stärker als alle trojanischen Waffen!
Du raubst mir sie völlig
mit zaubernder Rede
aus lächelndem Mund.
Mit tiefstem Schmerz leise
Weh, nun erblick ich sie nimmer wieder,
ich ganz unseliger Mann!
Er ergreift Aïthras dunklen Mantel, der auf den Stufen ihres Thrones liegt, verhüllt sich darin und läßt sich auf die Erde hin.

AÏTHRA *betrachtet ihn und spricht mit geheimnisvollem Ton*
Wenn ich sie nun in die Arme dir lege,
die du verloren
vor dreimal drei Jahren und einem Jahre —
die Herrliche, Reine,
die Unberührte!

MENELAS *auf den Knieen, indem er sein Gesicht unterm Mantel zu ihr hebt in Angst und Schuld*
Ich werde sie sehen?

AÏTHRA
Du wirst sie sehen
mit diesen Augen!

MENELAS *dumpf vor sich zur Erde blickend*
So ist es wahr: es wohnen in Höhlen
auf einsamer Insel Zauberinnen,
die zeigen dem, der zu ihnen dringt,
die Bilder der Toten!
Er verhüllt sich wieder völlig und senkt den Kopf zu Boden.

AÏTHRA
Du wirst sie sehen!
Bereite dich!
Was ficht dich an?

MENELAS
Was werde ich sehen?
Unseliger Mann!

AÏTHRA *etwas stärker*
Bereite dich!

MENELAS
O furchtbare Stunde –

AÏTHRA *stärker*
Bereite dich!

MENELAS
– vom Reich der Toten –

AÏTHRA *stärker*
Bereite dich!

MENELAS
– gräßliche Kunde.

AÏTHRA *sehr stark*
Bereite dich!

MENELAS
Ich höre Becken
dumpf geschlagen,
Nachtgeister bringen
die Tote getragen.

AÏTHRA
Was horchst du hinunter?
Zärtlich verzaubert dich was denn aufs neue?

MENELAS *immer nach abwärts lauschend*
Pauken und Fackeln
kommen geschritten
nach deinem Gebote,
die Bahre inmitten:
auf ihr meine Tote.

AÏTHRA *fröhlich, fast lachend*
Sind Meereswellen:

im höhlichten Grunde,
nach jedem Sturm
wie gehorsame Hunde
murren sie so!
Legt euch! schmiegt euch
zu Füßen der Herrin –
Und du, sieh hin, was dir die Götter bereiten!

*Sie winkt. Das Hauptgemach verfinstert sich, und nur aus dem Gemach
zur Linken dringt eine Helle hervor. Die Vorhänge heben sich, und
auf einem breiten Lager wird Helena sichtbar, lieblich entschlummert,
in einem strahlend blauen Gewand.*
Menelas blickt hin wie auf ein Traumbild.

DIE ELFEN *draußen, nicht stark genug, um mit ihrer Neckerei den Strom
der Freude, der das Gemach durchflutet, zu stören*
O Engel, für Elfen,
arglistig arme,
die zwinkern im Zwielicht,
allzu herrlich!

AÏTHRA *leise*
Ihr Nachtgesindel,
schweigt nun schon!
*Helena öffnet die Augen und hebt sich vom Lager, vom Schlaf er-
quickt, in strahlender Schönheit.*

MENELAS *der kaum wagt, hinzusehen*
Die ich zurückließ auf meinem Berge,
die ich zu denken nie gewagt!
Die Jungfrau, die Fürstin, die Gattin, die Freundin!
O Tag aus dem Jenseits, der nächtlich mir tagt!
*Helena steigt vom Lager herab, mit reizendem Staunen blickt sie um
sich.*

AÏTHRA *die neben Menelas stand, gleitet lautlos zu Helena hinüber;
was sie sagt, ist zum Schein zu Menelas gesprochen, in der Tat flüstert
sie es Helena ein*
Am Hang des Atlas
hoch steht die Burg:
da lag sie und schlief
– dieweilen thronte
das Luftgespenst,
ihr gleichgebildet,
die Wespe die!

auf Priamus' Burg
und saß zu oberst
unter den Töchtern!
Wir dreie hüteten Helenas Schlaf.
Ein demütig Kind,
bracht ich ihr oft
schöne Früchte:
aus halbem Schlummer
mich anlächelnd,
letzte sie sich!
Helena ist währenddem vollends herabgestiegen. Es scheint, als
ginge sie auf Menelas zu, aber scheu, mit gesenktem Blick und wie
mit gefesselten Füßen.

AÏTHRA *zwischen beiden*
Nie Erahntes
bereiten die Götter
ihren erwählten herrlichen Kindern!

MENELAS *bebend*
Die zu denken ich mir verwehrte!

HELENA *leise, mit gesenkten Augen*
Bin ich noch immer die einstens Begehrte?

AÏTHRA *triumphierend und halblaut zu Menelas*
Sieh doch den Blick, zur Erde gesenkt!
Wo ist nun das brennende Auge
jener, die vom Manne gekostet?
Wage es endlich, bezaubert zu sein!

DIE ELFEN
O Schönste der Schönen,
Ganz hoch, höhnend
so billig willst du
die Götter versöhnen?

MENELAS
Was tun? Sie reißen
das Herz mir in Stücken!
Mit ihrem Entrücken,
mit ihrem Beglücken,
was tun! Sie reißen
das Herz mir entzwei!

727

AÏTHRA *ihm Helena zuführend*
  Die Reine!

MENELAS   Was tun?

HELENA *innig, scheu*   Die Deine!

MENELAS *leidvoll*   Was tun?

AÏTHRA *dringender*
  Empfange!

MENELAS *beklommen*
                Was tun?

HELENA *zurückweichend*   Wie darf ich?

MENELAS *qualvoll gesteigert*   Was tun?
  Zugleich mit beiden Frauen
  Was sagen? Sie reißen
  das Herz mir entzwei!
  Es wagen? Sie reißen
  das Herz mir entzwei!

AÏTHRA *zugleich mit Helena*
  Nicht zage! Wir reißen
  das Herz nicht entzwei.
  Frei wage nur einmal
  bezaubert zu sein!

HELENA *zugleich mit Aïthra angstvoll*
  Was sagen! Wir reißen
  das Herz ihm entzwei!
  Wie wagen? Wir reißen
  das Herz ihm entzwei!

HELENA *zur Seite tretend, sich von Aïthra, die ihre Hand ergriffen
  hat, lösend*
  Laß ihn. Er will mich nicht.

MENELAS
  Wer bist du, Wesen, das einer ewig
  jungen Göttin gleicht – und meiner Frau?
  Aïthra ergreift Menelas' Hand.

HELENA
  Laß ab, er verschmäht mich.
  Mit verhohlenem Triumph
  Er liebt jene Andre.

MENELAS *die Augen zu Helena hebend, mit tiefster Innigkeit*
Wie gewänne ich Gunst in deinen Augen –
da ich um jener willen – dich verließ!
Helena wirft ihm einen Blick zu und schweigt.

AÏTHRA
Antworte ihm, der so dich liebt!

HELENA *sehr innig*
Ich weiß von keinem, der mich verließ,
nur von einem,
der liebend bei mir war
in meinen Träumen,
indessen ich schlief!

MENELAS *zu ihr: beide Stimmen verschränken sich*
So weißt du von keinem,
der dich verließ –
nur von einem,
der liebend bei dir war,
weil er dich erwählte?

HELENA *drückt ihren Kopf an seine Schulter*
Weil er mich erwählte!

AÏTHRA
Schnell nun rüst ich das Schiff
und schicke euch heim!

DIE ELFEN *spottend*
Nun rüstet das Schiff
und schicket sie heim!
Hahahahaha!
Das Spiel ist aus!
*Helena, nachdem sie sich von Menelas gelöst, tritt wie erschrocken
über Aïthras Wort auf diese zu.*

AÏTHRA *ihr ins Gesicht sehend*
Wie – oder nicht?

DIE ELFEN *sehr gedehnt fragend*
Wie – oder nicht?

HELENA *bei Aïthra, halblaut*
Mir bangt vor dem Haus
verzaubert im Neuen,
mir bangt vor dem Alten!

Laß mich mich freuen,
laß mich ihn halten!

DIE ELFEN *wiederholen spöttisch ihr:*
Wie – oder nicht?

HELENA *dringend*
Wo niemand uns kennt,
wo Helenas Name
ein leerer Hauch
wie Vogellaut,
von Troja nie
kein Ohr vernahm,
dort birg uns der Welt
für kurze Frist!
vermagst du das?

AÏTHRA *schnell, halblaut*
Zu Füßen des Atlas
liegt eine Oase,
ein zauberisch Zelt
bau ich euch dort –

HELENA *ebenso*
Und wie die Fahrt?

AÏTHRA
Auf meinem Bette!
Ihr legt euch liebend
und schlummert ein.
Den Mantel werf ich
über euch!

MENELAS *für sich*
Mit ihrem Entrücken,
Zwischen Jubel und Beklommenheit
mit ihrem Beglücken,
sie wenden mit Händen
das Herz in der Brust!

AÏTHRA
Der Mantel trägt euch,
und ihr erwacht
am leuchtenden Ort
zu zweien allein.

HELENA
    Zauberin! liebste,
    zu zweien allein!

MENELAS *mit den Augen an Helena hängend*
    Ihr jähen Götter,
    nun gebt mir mich selber,
    nun gebt mir die Jugend,
    schnell gebt sie zurück!
    Damit ohne Zagen
    ich wage zu tragen
    dies völlige Glück!

AÏTHRA *zu Helena*
    Das Nötigste nur
    in einer Truhe,
    ich schicke es mit!
    Langsam leise
    Das Fläschchen vor allem,
    Lotos, der liebliche
    Trank des Vergessens,
    dem alles wir danken!
    Vielleicht bedarf es
    etlicher Tropfen
    von Zeit zu Zeit
    Bedeutungsvoll
    in seinen Trank –
    oder in deinen –

MENELAS
    Wie lieblich sie flüstern,
    die reizenden Frauen,
    wie klug sie blicken.

AÏTHRA
    – damit das Böse
    vergessen bleibe
    und ruhe unter
    der lichten Schwelle
    auf ewige Zeit!

HELENA *mit ihr, wie ein Gebet*
    Damit das Böse
    darunter bleibe,

vergraben unter
der lichten Schwelle
auf ewige Zeit!

MENELAS *für sich, aber zugleich mit ihnen beiden*
O meine Tochter,
glückliches Kind!
Welch eine Mutter,
welch eine Schwester
bring ich dir heim!
*Helena tritt auf die Schwelle zum Schlafgemach und blickt von dort
nach Menelas um.*
*Menelas ist bei ihr, kniet vor ihr, drückt den Kopf an ihre Knie. Sie
zieht ihn zu sich empor — der Vorhang zum Schlafgemach entzieht
sie den Blicken.*
*Im Hauptgemach ist lautlos die Dienerin eingetreten. Aïthra winkt
ihr, die Lichter zu löschen; sie selber ergreift den schwarzen Zauber-
mantel, der vor ihrem Thron liegt.*
*Im Hauptgemach erlöschen die Lichter, so auch im Schlafgemach.
Aïthra, den Mantel haltend, scheint noch zu zögern. Sie ist vom
Mondlicht unsicher erleuchtet.*
*Im Nebengemach rechts wird bei schwachem Licht die Dienerin
sichtbar. Sie legt Gewänder in eine Truhe, zuoberst Kostbarkeiten, darunter das Fläschchen, das sie in einen goldenen Behälter verschließt.*

DIE ELFEN *leise, aber boshaft*
Auf ewige Zeit! `
die teuren Seelen!
Auf ewige Zeit
das Beste verhehlen,
hahahaha!
Das darf nicht sein!

AÏTHRA *stampft auf*
Wollt ihr schweigen?
*Sie wartet noch eine Weile, bis alles still wird; auch die Dienerin
hat die Truhe verschlossen und ist auf ihren Armen eingeschlafen.
Aïthra wendet sich jetzt, den Mantel schwingend, dem Schlafge-
mach zu.*

Vorhang.

Ein Gezelt ganz aus Goldstoff, weit geöffnet auf einen Palmenhain,
hinter dem das Atlasgebirge sichtbar wird. Zur Linken Eingang in den
inneren Raum des Gezelts. Hier steht eine Truhe mit reichen, vergol-
deten Beschlägen. Helena entnimmt dieser einen goldenen Spiegel und
flicht Perlenschnüre in ihr Haar. Menelas schläft zu ihren Füßen auf
einem Pfühl.

HELENA *indem sie ihr Haar aufsteckt*
  Zweite Brautnacht!
  Zaubernacht
  überlange!
  Dort begonnen.
  hier beendet:
  Götterhände
  hielten das Frühlicht
  nieder in Klüften,
  spät erst jäh
  aufflog die Sonne
  dort überm Berg!

  Perlen des Meeres,
  Sterne der Nacht
  salbten mit Licht
  diesen Leib:
  überblendet
  von der Gewalt
  wie eines Kindes
  bebte das männliche
  schlachterzogene Herz.
  Knabenblicke
  aus Heldenaugen
  zauberten mich
  zum Mädchen um:
  Zum Wunder ward ich mir selbst,
  zum Wunder, der mich umschlang.

  Aber im Nahkampf
  der liebenden Schwäne
  des göttlichen Schwanen Kind
  siegte über den sterblichen Mann!
  Unter dem Fittich

schlief er mir ein.
Als meinen Schatz
hüte ich ihn
funkelnd im goldnen Gezelt
über der leuchtenden Welt.

MENELAS *schlägt die Augen auf und blickt mit Staunen um sich*
Wo ist das Haus? Die Zauberin wo?
Er besinnt sich jäh des Erlebten
Wer bist du! ah! wie wüßt ich das nicht!
Sie wusch mich rein von Helenas Blut,
her führte sie dich und gab dich mir — — —
Mit einem Beiklang des erstaunten Nachsinnens
Doch welch ein Trank ward mir gegeben?
Wie sänftigt' jäh er meine Wut?
Wie fand ich die Kraft, mich neu zu heben?
Dich zu umfangen, wie den Mut?

HELENA
Aufs neu von ihm muß ich dich tränken,
er sänftigt wunderbar dein Blut —
nie darfst du sie als Fremde kränken,
die dir auf deinem Lager ruht!
Sie geht gegen die Truhe.

MENELAS *immer in der gleichen fragenden Befangenheit*
Wie kamest du, dich mir zu neigen,
dem einsamen, verwaisten Mann?
Von wo sah ich empor dich steigen?
Wie zog ich dich zu mir heran?

HELENA *sich abermals ihm voll zuwendend*
Erkenne doch die Ewig Deine!
Tritt dir nicht unser Brauttag nah?
Erkenn in seinem sanften Scheine,
erkenne: dies ist Helena!

MENELAS
Der Brauttag rühret
mich geisterhaft an:
die Nymphe erküret
den sterblichen Mann.
Fast angstvoll gequält fragend
Aus welchen Reichen

steigt sie hervor,
ein herrliches Gleichen
dem Aug und dem Ohr?

HELENA

O laß zu dir dringen
das köstliche Hier,
der Gattin Umschlingen
im Zauberrevier!
Den Becher zur Hand –
ich bring ihn gleich,
der selig dich bannt
ins Freudenbereich!

*Sie wendet sich der Truhe zu, entnimmt ihr ein schönes Gewebe,
worin der Becher eingehüllt, indem sie dies emporhebt, gleitet auch
Menelas' krummes Schwert aus der Hülle und fällt ihr vor die Füße.*

MENELAS *jäh, mit dem Blick auf das Schwert hinstoßend*
Was starret am Boden
von Edelgestein?

HELENA *indem sie davortritt, mit ihren Füßen das Schwert zu verdecken*
Das ist der Becher,
er gibt solchen Schein!

MENELAS *springt hin und faßt das Schwert, sie wegdrängend*
Dahin der Becher! Dies ist das Schwert!
Dies ist das Schwert, mit dem ich sie schlug!
Von allen unseligen Wesen der Welt
kam keines ihr nah – wie dies Schwert und ich!
Er wendet den Blick fast mit Grauen auf Helena
Reizende du,
Spiegelbild,
flötende Stimme,
fliehe vor mir,
daß der Erwachte dich nicht jage!
Denn die Unglücklichen sind gefährlich,
wenn man sie reizet!

HELENA

Von dir jage die Helena denn,
du Ungeheurer unter der Sonne!

MENELAS

O süßes Gebild,

735

zu trüglicher Wonne
gesponnen aus
der flirrenden Sonne –

Luftsirene!
nicht nahe dich!
den Arm nicht dehne!
nicht fahe mich!

Wem ungeheuer
Grausen tagt,
dem Abenteuer
bleibt er versagt!

Er wendet sich, das Schwert an die Brust gedrückt, als wollte er vor ihr ins Ungewisse fliehen.

HELENA *indem sie das goldene Gehäuse, worin das Fläschchen, zusamt dem Becher in die Truhe zurückwirft*
Ohnmächtiger Trank, fahre dahin!
Dem Falschen die Falsche hast du vermählt –
der mich gesucht durch Flammen und Tod
er flieht vor mir in die Wüste hinaus!
Aus flirrender Stelle schlage der Blitz!
Dunkle Gewalt breche herein!
Was schein-versöhnt, entzweie sich neu!
Wir ducken uns nicht unter dem Streich,
entgegen recken wir unser Haupt!

Das Annahen einer Reiterschar, jäh wie ein Sturmwind, wird hörbar.

MENELAS
Aus flirrender Stille
was naht heran?
Durch rötlichen Staub
funkeln die Lanzen!

HELENA
Menelas! her!
Schütze, was dein ist!

Krieger der Wüste in Kettenpanzern, mit hohen Lanzen, eilen heran und nehmen im Hain, außerhalb des Zeltes, Stellung.
Läufer stürmen herein, werfen sich vor Helena nieder.
Altaïr, der Fürst der Berge, ein königlicher Mann mit rabenschwarzem Haar, tritt heran, Bannerträger ihm zur Seite.
Altaïr läßt sich auf einem Knie vor Helena nieder, indem er mit der

Hand die Erde, dann die Stirn berührt.

Die Läufer erheben sich und stellen sich im Hintergrund vor die Lanzenträger.

Altaïr erhebt sich auf ein gnädiges Zeichen von Helena und winkt seinem Gefolge. Die Läufer treten auseinander. Zwei schwarze Sklaven laufen hervor und breiten vor Helenas Füße einen golddurchwirkten Teppich.

Helena lächelt und setzt sich auf die Truhe, die mit ihren goldenen Beschlägen einem Thronsitz gleicht.

Menelas, das bloße Schwert in der Hand, tritt hinter Helena.

Altaïr steht außerhalb des Teppichs. Helena winkt ihm mit anmutiger Herablassung, den Teppich zu betreten.

Altaïr tut es, indem er am Rande des Teppichs noch einmal die Knie zur Erde beugt.

Helena sieht sich nach Menelas um und winkt ihm, sich neben sie zu setzen. Dann bedeutet sie Altaïr, indem sie ihr Kinn gegen ihn hebt, zu sprechen.

ALTAÏR *mit gesenktem Antlitz*
Mir ist befohlen,
ich breite dies Land
und seiner Söhne
feuriges Volk,
o Ungenannte,
vor deinen Fuß!

HELENA *lächelt*
Wer gab so schönen Befehl?

ALTAÏR *in gleicher Stellung*
So will es Aïthra,
so will es Morgana,
und Salome gebietet es so!
Der ich dies Land
zu Lehen trage,
von ihnen dreien
Königinnen –
Er hebt den Kopf und erblickt Helena
Du Göttin, die schön ist
wie steigende Sonne,
gewaltig, gleich
einem Heer, das funkelnd
in heiligen Kampf zieht,
ich neige mich dir in den Staub!

HELENA

Fürst der Berge, wir grüßen und danken!

Sie steht auf und tritt auf Altaïr zu.
Menelas ist gleichfalls aufgestanden.
Das Gefolge tritt auseinander und gibt dem Blick eine Gasse frei.
Hinten werden von Schwarzen große Truhen vorbeigetragen, so als
nähmen sie die Richtung auf den rückwärtigen Zelteingang. Indem
Helena sich wendet, stürzen drei bis auf die Augen verhüllte Mäd-
chen zu ihren Füßen, in goldenen Schalen Ambra und Myrrhen
darbietend. Die Mädchen sind schnell aufgesprungen, und ihre
Stelle hat eine kleine Schar von schlanken Jünglingen eingenommen,
fast noch Knaben – unter ihnen Da-ud –, die sich vor Helena mit
gesenkten Häuptern auf die Knie werfen.

ALTAÏR *dies alles mit gebietender Gebärde beherrschend, aber den Blick*
leidenschaftlich auf Helena geheftet

Eilig zusammengeraffte Gaben,
unwert des Hauches
deiner furchtbaren Lippen!
Befiehl, und im spielenden Kampfe
fließet das Blut dieser Knaben.
Jauchzend vergossen
für einen einzigen Blick
aus deinen goldenen Wimpern!

Er wirft sich nun auch vor ihr nieder und drückt den Saum ihres Ge-
wandes an die Lippen.

MENELAS *auf dies alles hinblickend, leidvoll entrückt*

O Spiegelbild!
So stand meine Frau
auf den Zinnen von Troja!
Lodernd so brannten
die Könige auf,
ach, und die Greise
bei ihrem Anblick,
und alle riefen:

Die Jünglinge – und Altaïr – springen auf, und indem sie ihre Schwer-
ter aus der Scheide reißen und gegen den Himmel stoßen, rufen sie
wild

Heiße uns sterben im Sande
für einen einzigen Hauch
von deinen verschlossenen Lippen!

DA-UD *mit höchstgesteigerter Ergriffenheit eines jungen Herzens einen*
Schritt hervortretend
Denn es ist recht, daß wir kämpfen
und daß wir sterben im Blachfeld
um dieser willen –
denn sie ist die Schönste auf Erden!

MENELAS *wiederholts, leise, wie entgeistert auf einen anderen, hier nur*
gespielten Vorgang hinstarrend
– – denn es ist recht, daß wir kämpfen
und daß wir sterben im Blachfeld
um dieser willen –
denn sie ist die Schönste auf Erden!
Dann verhüllt er sich und tritt hinweg.
Altaïr winkt und die Jünglinge, ihre blanken Schwerter gehoben,
treten nach rückwärts und sind verschwunden.

HELENA *sucht mit dem Blick Menelas und tritt zu ihm*
Liebster, was ist dir? Bleib mir zur Seite!
Mich ängstigt dein Blick!

MENELAS
Mich ängstigt der deine, schöne Göttin!
Er ist mir zu jung, und zu wenig umnachtet!

HELENA
Du willst mir fliehen! Du willst mich lassen?

MENELAS
Was bedarfst du des armen Begleiters!
Der Namenlosen, der Fremdlingin, die über Nacht
                    kam –
Knieen sie hin und zücken die Schwerter und rufen:

DIE STIMMEN DER JÜNGLINGE
Heiße in spielendem Kampfe
fließen das Blut unsrer Adern
für einen funkelnden Blitz
aus deinen furchtbaren Augen!

MENELAS
Bleibe bei ihnen, und mögen die Tage dir herrlich ver-
                    streichen!
Aber dies Schwert dort und ich, wir müssen uns leise
                    verziehen –
anderswo müssen wir hin!

HELENA
  Ich lasse dich nicht von der Seite!
  Menelas löst sich von ihr, er will zu dem Schwert hinüber. Sie um-
  schlingt ihn fester.

ALTAÏR *für sich*
  Vermessene Gunst dem schönen Begleiter!

MENELAS *mit einem fast irren Ausdruck*
  Anderswo, anderswo müssen wir hin!

HELENA
  Umschling ich dich nicht mit wirklichen Gliedern?

MENELAS
  Stille wir müssen uns beide verziehen!
  Anderswo, anderswo müssen wir hin!

HELENA
  Kann nicht die Lippe der Lippe erwidern?
  Sagt dir mein Kuß nicht, wer ich dir bin?

MENELAS
  Anderwo, anderswo müssen wir hin!

ALTAÏR *für sich, zornig*
  Unerträgliches Spiel! – Worüber zürnet dein
                                    Günstling?
  Auch für ihn sind Geschenke im Zelt!
  Er klatscht in die Hände, zu Menelas
  Schöne Waffen! vielleicht gefällt dirs,
  Liebling der Göttin, aus ihnen zu wählen!
  Schwarze, Jagd- und Kriegswaffen tragend, treten hervor.

MENELAS *mißt Altaïr mit einem hoheitsvollen Blick, nun völlig seiner*
  selbst bewußt, stolz und ernst
  Herrliche Waffen hab ich geführt –
  auf blachem Feld und in flammenden Gassen!

ALTAÏR *mit kaum verhohlener Geringschätzung*
  Auch die Jagd kann Tapfre ergetzen.
  Dir zu Ehren stell ich ein Jagen jetzt an,
  Mit einem wilden Blick auf Helena
  und das Wild wird, ich hoff es, der Jäger wert sein!
  Da-ud tritt auf den Wink Altaïrs hinter einer Palme hervor und
  neigt sich vor Menelas, die Hand aufs Herz gelegt.

MENELAS *die beiden nicht beachtend, blickt sein Schwert an, das bei der Zeltstange hängt*
Das Wild wird, ich hoff es, der Jäger wert sein!

ALTAÏR *zu Menelas, mit zweideutiger Zudringlichkeit*
Gazellen spüren die Hunde dir auf,
der Jagd zum Begleiter geb ich Da-ud,
von meinen Söhnen den Kühnsten!
Menelas steht seinen Gedanken hingegeben.

ALTAÏR
Ein junger Held
und Hirt über Herden,
von Hüften trocken,
von Händen kühn!

MENELAS *aus seinen Gedanken auffahrend, wie Teile des Gehörten in ihn eindringen*
Ein junger Hirt?
ein Königssohn?
Paris ist da!
Paris aufs neu!

ALTAÏR
Seines Schwertes Blitzen
ist Schreck den Räubern,
aber sein Auge
scheut noch Frauen,
fürstliche, fremde,
wie er zuvor nie gesehen!

MENELAS
Frech und verwegen
reckt er die Arme
nach meiner Frau!
Wo ist mein Schwert?
Da-ud steht mit gesenktem Haupt, in Bescheidenheit eines Befehls gewärtig.
Altaïr wirft Menelas einen Blick der Verachtung zu, gebietet Da-ud durch einen Wink, zu bleiben, und geht.

MENELAS *dreht sich jäh um und gewahrt den Jüngling*
Was ficht mich an?
Ein fremder Knabe –
Jagdhörner tönen lebhaft.

Ein fremdes Weib! ein fremdes Land!
Ein Abenteuer! ein bunter Traum!
Und Hörner laden zur Jagd!
Die drei Schwarzen treten heran, Jagdspeere und ein Hifthorn, auch
einen leichten, silbernen Helm darbietend.

MENELAS *indem er gegen das Zeltinnere tritt, wo andere Schwarze*
bereit stehen und sich anschicken, ihm statt des langen Oberkleides
ein kurzes zu reichen
Gerne, du Schöne,
folg ich dem Rat!
Wie du gebietest,
fremde Nymphe,
so stell ich mich an.
Er tritt hin und wird für eine kurze Zeit unsichtbar.
Helena betrachtet Da-ud.

DA-UD *schmilzt unter ihrem Blick und wagt nicht, die Augen zu heben,*
dann, mit plötzlicher Kühnheit
Ich werde neben dir reiten!
Ich allein! jener nicht!
dein Begleiter – er darf nicht!

HELENA *lacht*
Knabe, hüte dich vor dem Feuer,
oder du schmilzest wie Wachs.

DA-UD *den brennenden Blick zu ihr hebend*
In den Armen des landlosen Königs,
des Abendländers mit falbem Haar,
hast du das Feuer nicht fürchten gelernt!
Er kennt es selber nicht!
Er kommt aus dem Mondscheinland –
Du aber bist geboren zur Herrin
über die Länder der Sonne –
und ich bin geboren
zu deinem Knechte
bis in den Tod!
So seh ichs geschrieben,
und so wird es geschehen.
Er sinkt vor sie hin, die Stirn auf ihrem Fuß, dann erhebt er sich
blitzschnell und verschwindet.
Helena wendet sich lachend von ihm.

Menelas zur Jagd gekleidet, aber noch nicht gewaffnet, tritt aus dem Zelt.

Helena nimmt dem Sklaven den Helm ab und reicht ihn Menelas.

MENELAS

So schön bedient,
du reizende Nymphe,
zog ich schon einmal
hinaus zur Jagd!
Am nächsten Morgen
dann kam ich nach Haus –
leer das Nest!
Fort war das Weibchen –
und kam nicht wieder!
Das ist ein Lied von einer Toten.
Wie ist dein Name, schönes Wesen?
Gestern zur Nacht
war ich verwirrt!
Ich hab ihn nicht richtig gehört!

HELENA

Meinen Namen?
O du Verstörter!
Deiner Seele Seele
hauchst du von dir,
wenn du ihn rufest!

MENELAS *mit zerstreutem Blick*

Was du redest, ist lieblich,
schöne Sirene!
Gerne stünd ich und lauschte
bis an den Abend
der silbernen Stimme!
Aber dies Schwert
will fort auf die Jagd,
und Hörner rufen nach mir!
Er nimmt das Schwert und drückt es an sich.

HELENA

Zur Jagd auf Gazellen
die furchtbare Waffe!
Sie will ihm das Schwert aus der Hand nehmen
Fort mit ihr! ins Zelt hinein.

MENELAS *entzieht ihrs*
Vergiß nicht, Göttin: dies Schwert und ich,
wir beide gehören zusammen.
Dein ist dies Zelt
und viele Schätze.
Schiffbrüchig irr ich,
ein gramvoller König,
in fremdem Bereich.
Dies Schwert ist alles,
das mir geblieben;
nicht rühre dran!
Die Jagdhörner rufen stark.
Menelas küßt das Schwert und steckt es in den Gürtel.

HELENA
Mit einem Blick
der sehenden Augen
erkenne mich wieder!

MENELAS
Solche Blicke
kosten zu viel
dem armen Herzen!
Und sie fruchten zu wenig.
Denn wer wegging zur Jagd
und kehret heim zu seinem Weibe –
er kann nie wissen,
ob er die gleiche wiederfindet!
Die Hörner rufen mit Entschiedenheit. Er eilt weg, nachdem er das
Schwert in seinen Gurt gesteckt hat. Die ihm nacheilenden Sklaven
bieten ihm Jagdwaffen dar: der eine Bogen und Köcher, der andere
leichte Spieße – von diesen ergreift er zwei und verschwindet.

HELENA
Menelas! Steh! – er ist dahin!
Und kehrt er zurück – wie ihn entzaubern?
Zu kindlich ist ihm die Miene der Nymphe,
zu jung und zu arglos des Auges Blick
und zu fremd seinem Herzen!
Drei Sklavinnen, die Gesichter hinter Goldschmuck verborgen wie
hinter einem Visier, kommen spähend aus dem Zeltinnern hervor.

HELENA *ohne ihrer zu achten*
Zaubergerät zieht uns hinüber –

zurückzukehren – das ist die Kunst!
Aïthras Becher war zu stark –
und nicht stark genug – für Menelas' Herz!
*Die drei Frauen haben in Helenas Rücken die andere Seite der
Bühne gewonnen. Auf einen Wink der Mittelsten eilen die beiden
andern zur Truhe hin, öffnen sie und suchen nach etwas. Die Mittel-
ste, Aïthra, schiebt das goldene Visier auseinander und enthüllt sich.*

HELENA *freudig*
Aïthra! Liebe! Herrliche!
O Zauberin! schnellhörende!

AÏTHRA
Schweig! Dich zu retten flog ich her!
*Sie blickt mit Spannung auf die beiden, welche die Truhe durch-
wühlen.*

DIE EINE VON AÏTHRAS DIENERINNEN *das goldene Gehäuse empor-
hebend.*
Die Fläschchen beide unberührt!

AÏTHRA *freudig*
O, unberührt! Nun küß ich dich
vor Freude – du Gerettete!
O hör, was mich in wilder Hast
herjagt zu dir –

HELENA *dunklen Tones*
                                        Nicht um den Trank
bedarf es, daß du fliegend eilst!
Ich will ihn nicht! Ich brauch ihn nicht!

AÏTHRA
Versteh mich doch, du Liebliche!
Die Dirne dort, die lässige,
ihr schläferte, so legte sie
das Goldgehäuse in die Truh –
zwei Fläschchen hält es: siehe die –
wie leicht du die verwechseltest!

HELENA
Und was enthält das andre dann?

AÏTHRA
Erinnerung! die gräßliche,

vor der mit meinem letzten Hauch
ich deine Lippen wahren will!

HELENA
Erinnerung!

AÏTHRA *ohne ihren Ton zu achten*
Der Höllentrank,
vor dem wie Gift des Tartarus
die Götter fliehn, die Seligen!

HELENA *greift nach dem Fläschchen*
Dies ist –

AÏTHRA *entzieht ihrs, hebts hoch empor*
O nicht den Duft davon,
solang ich dir es wehren kann!

HELENA *sehr bestimmt*
Dies ist der Trank, den ich bedarf!
Erinnerung!

AÏTHRA
Du rufst das Wort,
du Ahnungslose, silbern hin –
und schaffst, wenn dirs die Lippe netzt,
dich zur Lebendig-Toten um!

HELENA
Zur Tot-Lebendigen hat dein Trank
mich umgeschaffen diese Nacht.

AÏTHRA
Gerettet, Liebste, hat er dich
vor nahem Tode durch sein Schwert!
Besänftigt herrlich schlief er ein
und kannte dich für Helena
und küßte dich für unberührt.

HELENA
Er kennt mich für ein fremdes Weib
das du zur Nacht ihm zugeführt,
und wähnt, daß er mit mir betrog
die Helena, die tot er wähnt –

AÏTHRA
Du Selige, so bist doch dus,
die immer wieder siegt und siegt!

HELENA

Die eitle Freude laß dahin!
Ich siege heute oder nie
und hier durch diesen Trank allein!

Sie ergreift das Fläschchen, ungeachtet Aïthras Widerstand.

Auf Helenas Wink haben die beiden Dienerinnen aus dem Zeltinnern einen Dreifuß gebracht, darin ein Mischkrug, sowie zwei andere Krüge, worin Wein.

Unter dem folgenden geschieht das Mischen des Trankes und das Einträufeln des Balsams aus dem Fläschchen von ihnen und Helena zusammen.

AÏTHRA

O dreifache Törin!
den einzigen Balsam,
den Trank, du Göttin,
verschmähst du mir!

HELENA

Gehorchet und mischet,
was einzig mir frommt,
wenn heiß mein Jäger
zum Zelte mir kommt!

AÏTHRA *schmerzvoll*

O dreifache Törin!

HELENA *zu den Mischenden und Umgießenden*

Und noch und noch!
und nicht genung
vom dunklen Trank
Erinnerung!

AÏTHRA

Den einzigen Balsam!

HELENA

Aufzuckt die Flamme
alter Qual:
vor ihr das Hier
wird öd und fahl.

AÏTHRA

Das süße Vergessen!

HELENA

Doch was dahin,
das tritt hervor
geistmächtig aus
dem dunklen Tor.

AÏTHRA

Verschmähest du mir!

HELENA

Und was von drunten
wieder kommt,
ist einzig, was
dem Helden frommt!

ZU DREIEN, HELENA UND DIE DIENERINNEN

Und noch und noch
und nicht genug
vom Zaubertrank
Erinnerung!

AÏTHRA *indem sie schnell das goldene Schmuckvisier vor ihr Gesicht
fallen läßt*

Habet acht!

Altaïr nähert sich dem Zelt, zwischen den Palmen hervortretend.

HELENA

Wer kommt?

*Sie winkt den Dienerinnen, schnell mit den Geräten ins Zeltinnere
zu verschwinden.*

ALTAÏR *stehen bleibend*

Der begnadete Vogelsteller,
dem der herrlichste Vogel der Welt
mit rauschendem Fittich flog in sein Netz!

HELENA

O Wirt ohnegleichen! welche Rede!

ALTAÏR *einen Schritt auf sie zu*

Diese, die dem Liebenden ziemet!

HELENA

Mit was für Schritten wagst du zu nahen?

ALTAÏR

Mit denen des Jägers naht er der Hindin.

HELENA

Was für ein Blick?

ALTAÏR   Bald dir der vertraute!
Hörst du die Pauken?
Dir zu Ehren geb ich ein Fest,
ein nächtliches Gastmahl ohnegleichen!
Dicht bei ihr
Meine Gastmähler sind gefährlich
für landlose wandernde Fürsten –
aber die Schönheit weiß ich zu ehren!
Das wirst du erkennen,
du Ahnungslose,
du pilgernde Unschuld!
Helena lacht.

ALTAÏR

Lache nicht, Herrin!
Du hast wenig erlebt, und dürftiges Land nur betreten
als eines fahrenden Mannes scheue, geduldige Sklavin,
Aber ein Ohne-Land, solch ein Herr ohne Knechte,
darf nicht die Fackel der Welt in seinem Bettelsack tragen:
denn sie ist starker als er und zündet ihm nachts das
                    Gezelt an.

DIE DIENERINNEN *sind unterdessen ohne die Geräte wieder heraus-
    getreten, und folgen mit den Augen der Jagd*
Hei! die Gazelle!
Der Falke hat sie!
Sie bricht zusammen,
beide zugleich,
die kühnen Reiter
stürmen dahin!
Herrliche Jagd!

ALTAÏR

Du bist die Schönste auf Erden:
um einen Blick deiner Augen
schmachtend im Sande verderben,
das überlaß ich den Knaben!
Denn ich weiß anders zu werben!

HELENA

Hüte dich, Fürst,
du Schnellentflammter!

Über den Gast
wachen die Götter,
und einen jeden
gleich einer Wolke
hüllen sie ein
in sein Geschick!

AÏTHRA *zwischen den Zeltvorhängen halbverborgen Helena zurufend*
Helena, ich lache!
deine Bedrängnisse alle,
ach, deine Schmerzen
sind die Kinder
deiner Schönheit –
und sie gleichen
immer doch wieder
ihrer goldenen Mutter!
Ja, sie glänzen wie Purpur und Gold!

ALTAÏR *Helena Schritt für Schritt folgend, indessen sie vor ihm zu-
rückweicht*
Flammen und Waffen
statt Blumenketten,
dich zu erraffen!
Aus stürzenden Städten
über dem Brande
hoch der Altan –
des Herrschers Zelt
und die Schönste
dem Stärksten gesellt!
Und stürben darüber
Zehntausende hin,
verwehe ihr Seufzen
der nächtliche Wind,
verwehe ihr sterbendes Stöhnen!

DIE STIMMEN DER JÜNGLINGE
Im Sande verschmacht ich als ein Verfluchter,
der dich gesehen und nicht besessen!

DIE DIENERINNEN *lachen hell auf*
Beide zugleich
werfen den Spieß!
Beide treffen!
Herrliche Jagd!

DIE ERSTE
Aber was jetzt?
Helena, sieh!

DIE ZWEITE *voll Staunen*
Sie heben die Waffen!

DIE ERSTE
Der das Schwert!
Menelas, ha!

DIE ZWEITE
Der den Spieß!
sich zu wehren!

BEIDE
Gegeneinander!
Gellend
Elelelei!

ALTAÏR *nur seiner Leidenschaft hingegeben*
Hörst du die Pauken?
Heute zur Nacht
dir und mir –
und keinem Dritten
bereit ich ein Fest!
Aïthra wendet sich nach rückwärts zu den Dienerinnen.

DIE ERSTE
Den Rappen herum
reißt Da-ud!
Vor Menelas flieht er.

DIE ZWEITE
Menelas jagt
hinter ihm her!

AÏTHRA
Der Rappe ist schneller –
den Hügel hinan!

DIE ERSTE
Er fliegt ihm nach!

DIE ZWEITE
Er holt ihn ein!

AÏTHRA
   Ha, der Abgrund
   hinterm Hügel!
   Achte dein Leben!

DIE ZWEITE *schreit*
   Elelelei!

ALLE DREI
   Ah! er stürzt!
   Weh, Da-ud!
   Weh, Da-ud!
   Die Hörner blasen heftig die Jagd ab.

ALTAÏR *den trunkenen Blick auf Helena*
   Der Knabe stürzt!
   Stürze er hin!
   Pfeile im Köcher,
   Söhne im Zelt
   hab ich genug!
   Aïthra und die Dienerinnen laufen zu Helena, umgeben sie schützend

AÏTHRA
   Was immer dir nahe,
   ich bin bei dir!
   *Schwarze bringen von rückwärts auf einem Teppich den toten Da-ud
   getragen und legen ihn in der Mitte nieder.*
   *Altaïr ist Schritt für Schritt zurückgewichen und tritt jetzt hinter
   den äußeren Vorhang des Zeltes.*
   Aïthra und die Dienerinnen nähern sich dem Toten.
   Die Sklaven sind sogleich verschwunden.
   *Helena steht rechts von den sich um Da-ud mühenden Frauen. Indem
   tritt Menelas, das bloße Krummschwert in der Hand, rechts hervor.
   Sein Auge ist starr und furchtbar, als verfolge er einen Schritt für
   Schritt vor ihm zurückweichenden Feind. So dringt er mit schweren
   Schritten bis gegen die Mitte vor, wie angezogen von Da-uds Ge-
   genwart, aber ohne ihn eigentlich zu sehen.*
   *Aïthra und die Dienerinnen werden den Herannahenden gewahr
   und springen erschrocken auf, ihm die Hände in Abwehr entgegen-
   streckend.*

ALTAÏR *links hinter dem Zeltvorhang hervorspähend*
   Sein Schwert wird schwingen
   der Mann der Schönsten –
   so steht es geschrieben!

bis ihn erreichet
das stärkere Schwert!
Menelas wie ein Mondsüchtiger, bleibt vor dem Toten stehen.

HELENA *ihm entgegentretend, ihn sanft anrufend*
Mein Geliebter! Menelas!

MENELAS *wird mit einem Schlag wach und lächelt sie unbefangen an*
Helena, du?
Wie kamest du her?
O Traumgebild!

HELENA
Die Waffe da,
die furchtbare, gib!
Sie windet ihm sanft das Schwert aus der Hand.

MENELAS *lächelnd*
Die Waffe hier –
was sollte sie mir?
Er läßt ihr das Schwert.

HELENA
Gegen den Knaben,
den arglosen, sieh!
gegen den Gastfreund,
der mit dir jagte,
hobest du sie zu tödlichem Streich!
Sprech ich die Wahrheit? Menelas! Rede!

MENELAS
Gegen ihn erhob ich die Waffe? Warum nur?
Er sinnt nach
Ja, er reckte frech und verwegen
seine Arme –

AÏTHRA *schnell einfallend*
                    Nach der Gazelle!

DIE BEIDEN DIENERINNEN UND AÏTHRA
Nach dem Wilde! Hahahaha!
Schien dir das Wild deine Frau?
Menelas steht betreten, sein Gesicht verdunkelt sich.

HELENA *geht nach vorne und winkt Menelas, ihr zu folgen*
Menelas, merke jetzt meine Rede!

Du wähltest wissend die tödliche Waffe –
Menelas hebt erschrocken die Hände übern Kopf.

HELENA
Du wolltest, daß in diesem Knaben
Paris von Troja noch einmal stürbe!

MENELAS
Wer spricht das? Furchtbares Wort!

HELENA
Helena spricht.

MENELAS
Sie spricht zu mir –
Vor sich
und ich höre die andre!
Mein Leib ist hier,
die Seele drunten –
gedoppelt leb ich
am zwiefachen Ort!
Das darf nicht sein!
Sich Helena zuwendend
Wo berg ich mich,
in welcher Höhle,
daß dich mein Schicksal
nicht beflecke,
o Reine du!

HELENA
Uns birgt keine Höhle
vor unserm Geschick,
sondern wir müssen ihm stehn. –
Freventlich hassest du Paris
über sein Grab
und verfolgst in der Welt
noch sein schuldloses Bildnis
in einem wehenden Baum
oder einem Knaben –
aber nicht um der Rache willen,
sondern dies ist der einzige Weg,
nahe zu kommen – Menelas, sage mir, wem?

MENELAS
Ihr, die tot ist, und allen Toten,

die um mich starben, unbedankt!

HELENA

Ihr, die lebt und bei der zu bleiben
einzig trachtet dein Herz,
mich verschmähend.
Denn sie und nicht ich –
sie ist deine Frau!

MENELAS *zurücktretend*

Wer hat dich gelehrt,
das zu wissen,
was selber zu ahnen
ich mir verbiete?
Er birgt das Gesicht in die Hände.

HELENA

Die Waffe da hat michs gelehrt!
*Sie winkt einer der Dienerinnen und gibt ihr das Schwert, es weg-
zutragen.*
Zu Menelas
Du aber bedarfst
einen heiligen Trank,
einen gewaltig starken!
Dank sei den Göttern,
sie sind weise,
den hab ich im Zelt!
*Sie winkt den Dienerinnen, die mit dem Mischkrug und den kleine-
ren Krügen herantreten und mit feierlichem Ernst unter streng vor-
geschriebenen Gebärden und Handreichungen das unterbrochene
Werk der Bereitung des Trankes fortsetzen. Indem sie Helena in
rhythmisch wiederkehrenden Abschnitten den Mischkrug reichen,
träufelt diese aus dem Fläschchen den Zaubersaft hinein.*

MENELAS *indessen, zu dem toten Da-ud hintretend, den sodann
Schwarze von der Erde heben und nun, ihn haltend, regungslos da-
stehen*
Unter geschlossenem Lid
straft mich dein brechendes Auge.
Aber, mein Freund, dahin er dich sandte –
den gleichen Weg gehet nun Menelas auch.
*Die zum Fest ladende Pauke scheint sich indessen zu nähern. Das
Annahen von Menschen, die Einholung zum Feste wird fühlbar.*

DIE ERSTE DIENERIN *von der Arbeit aufsehend, nach hinten horchend*
Wahre dich, Herrin!
Hörst du die Pauke?
Altaïrs Feste
sind gefährlich.

AÏTHRA *hinzutretend, nachdem sie auf das Herankommende gehorcht hat*
Gefahr umgibt dich!
Nicht jetzt den Trank,
es ist nicht die Stunde:
ich warne dich!

DIE ZWEITE DIENERIN
Seine verschnittenen Knechte
unter dem weibischen Kleid
tragen sie Panzer
und schmeidige Klingen!

AÏTHRA
Ich warne dich.

HELENA *ist mit dem Mischen des Trankes fertig*
Aïthra! Schweige!
Jetzt und hier
beginnet Helenas Fest.
*Während des Obigen und im gleichen feierlichen Rhythmus wie links
die Zeremonie des Mischens vor sich geht, haben rechts Schwarze
Menelas umgeben, ihm den Panzer abgeschnallt, den Helm vom
Kopf genommen, setzen ihm eine funkelnde Tiara auf.*
*Es ist indessen im Bereich des Zeltes dunkel geworden, von draußen
her naht Halbhelle vor Mondaufgang. Links leuchten Sklavinnen,
rechts schwarze Sklaven zu den beiden Zeremonien.*
*Nun wird draußen die Spitze des Zuges sichtbar: Gestalten in präch-
tigen Gewändern, mann-weibisch, die Hälfte des Gesichtes verhüllt,
Schwarze und Weiße vermischt. Etliche tragen Lampen in den
Händen. Hinten im Zug werden Banner sichtbar, sowie die dröh-
nende Pauke.*

DIE SKLAVEN ALTAÏRS *vor dem Zelt auf den Knien*
Die wir zum Feste dich laden,
empfange die Boten in Gnaden!
Liebessklaven –
o rasende Schickung,
qualgeschieden

vom Reich der Entzückung!
Ah hu! Ah hu! Ah hu!

AÏTHRA *zu Helena*
Gefahr ist nah:
wir müssen uns wahren.
Laß den Trank!
All unsrer Sinne
bedürfen wir jetzt.

DIE SKLAVEN
Wächter der seligen Stunde
wir unausdenklich Betrübten!
Aus unserem weibischen Munde
höre den Schrei des Verliebten:
im Sande verschmacht ich als ein Verfluchter,
der dich gesehen und nicht besessen!
Helena tritt hin.
Die Sklaven werfen sich nieder, die Stirnen in den Staub.

HELENA
Zurück und harret
an der Erde,
bis man euch ruft.
Auf einen Wink Helenas ziehen die Dienerinnen den Zeltvorhang zu.

HELENA *zu einer der Dienerinnen*
Des Königs Schwert!
Eine der stummen Sklavinnen geht ins Zeltinnere.

AÏTHRA *zur ersten Dienerin*
Das Ohr an den Boden! Was erhorchst du?
Poseidon, höre! Aïthra ruft!

DIE SKLAVEN *außen*
Weh dem Unterliegenden,
den die Träne näßte!
Weh dem Ausgeschlossenen
vom Lebensfeste!
Ah hu! Ah hu! Ah hu!
*Die Sklavin bringt das Schwert. Helena winkt ihr, es über sich zu
halten, wobei die Sklavin ihr Haupt verhüllt.*

HELENA *der eine andere der Sklavinnen den Becher gereicht hat, indem
sie diesen enthüllt*
Menelas, siehe dein Schwert!

MENELAS

Den Becher seh ich, den du mir bringst!

DIE ERSTE DIENERIN *zu Aïthra*

Ein Rollen hör ich
von Meereswogen,
als stürze Springflut
ins innere Land.

AÏTHRA

Das sind die Meinen.
Helena, hörst du?
Rosse und Reiter
aus der Kraft des Meeres:
Poseidon schickt mir
die herrliche Schar!

HELENA *indem sie den Becher hinhält und ihn aus dem kleinen Kruge*
füllen läßt

Störe mich nicht!

AÏTHRA

Gefahr ist nahe!
Rettung auch!
Wahre dein Leben!
Du wagst zu viel!

HELENA

Alles wage ich jetzt!

AÏTHRA

Vom lieblichen Lotos
einen Becher,
und lebet selig
heute wie gestern
immer aufs neu!

MENELAS *vortretend*

Weib, tritt hinweg!
Unnahbare Stunde
hebt jetzt an.

Aïthra und ihre Dienerinnen kauern rechts hin, verhüllen sich.

MENELAS *vor Helena hintretend*

Helena – oder wie ich sonst dich nenne –

Zaubergebild, mir zum letztesten Gruß auf Erden
gesendet,
mich zu trösten, bist du dort auf die Insel gekommen,
um den verlorenen Mann, der mit der furchtbaren
Waffe
rechtmäßig grausam seines Schicksals Gefährtin
ermordet,
schlangest du sanft deinen Arm – für eine Nacht ihm
gegeben,
Reinigerin! und nun stehst du vor mir und reichst
mir den Becher,
Und wenn der Trank mir die Adern durchfließen wird,
bin ich ein Toter.

HELENA
Warum macht dich dies lächeln? Du lächelst jetzt wie
ein Knabe!

MENELAS
Weil ich gedenke, daß Ehegatten der Tod nicht
scheidet, o Herrin!

Darum lächle ich jetzt.

HELENA   So völlig gehörtest du jener?

MENELAS
Warum zitterst du da?

HELENA   Soll ich dich auf immer verlieren!

MENELAS
Hast du mich jemals besessen? Laß mich der Toten
und lebe!

Helena führt den Becher an ihre Lippen.

MENELAS
Nicht netze die Lippen,
mir ist er bestimmt!

HELENA
Du trinkst es der andern –,
ich trinke mit dir!

Sie trinkt und hält den Becher dann empor.

MENELAS *in düsterer Ungeduld*
Gefährten warten
tausend dort!
Um Menelas' willen

und seines Weibes,
der untreuen Schönen,
zogen sie hin.
Sie heben die Hände,
sie rufen kläglich –

DIE SKLAVEN *draußen schauerlich kläglich*
Weh dem Unterliegenden,
den die Träne näßt!
Weh dem Ausgeschlossenen
vom Lebensfest!
Ah hu! Ah hu! Ah hu!

MENELAS
Gräßlicher Laut!
Wer rief so gräßlich!
Sind es die Meinen?
Um ein Gespenst
starben sie hin? –
Man hört das Lachen der Elfen, jäh und stark
Gespenster nun selber –
entmannte Schatten!
Wer narrt mich?
Den Todestrank mir!
oder ich sterbe
durch dieses Schwert.

HELENA *ihm feierlich den Trank darbietend*
Bei jener Nacht, der keuschen, einzig einen –
die einmal kam, auf ewig uns zu einen –
bei jenen fürchterlichen Nächten,
da du im Zelte dich nach mir verzehrtest –

MENELAS *vor sich*
Welche Worte –
aus diesem Mund?
unverrückt
ihr ewigen Götter
laßt meinen Sinn!

HELENA
Bei jener Flammennacht, da du mich zu dir rissest,
und mich zu küssen strenge dir verwehrtest,
und bei der heutigen endlich, da du kamest

aus meiner Hand den Trank des Wissens nahmest:
In großer Erhebung
Bei ihr, die mich aufs neu dir schenkt,
trink hier, wo meine Lippe sich getränkt!

MENELAS *nachdem er den Becher geleert, in einem jähen Aufschrei*
Wer steht vor mir?
Er greift nach dem Schwert.

HELENA *lächelnd*
Aïthra! er wird mich töten!

AÏTHRA *springt auf die Füße*
Helena! Lebe! sie bringen dein Kind!

MENELAS *läßt das Schwert sinken und starrt Helena an*
Tot-Lebendige!
Lebendig-Tote!
Dich seh ich, wie nie
ein sterblicher Mann
sein Weib noch sah!
Er wirft das Schwert weg und streckt die Arme nach ihr, wie nach
einem Schatten.
Helena blickt ihn voll an.

MENELAS
Ewig erwählt
von diesem Blick!
Vollvermählt! –
O großes Geschick!

O wie du nahe,
Unnahbare, scheinest,
beide zu einer
nun dich vereinest!

Einzige du,
Ungetreue,
Ewig-Eine,
Ewig-Neue!

Ewig geliebte
einzige Nähe!
Wie ich dich fasse,
in dich vergehe!

AÏTHRA

Ohne die Leiden,
was wärst du gewesen,
ohne die beiden
herrlichen Wesen!
Ohne die deine
Ungetreue,
Ewig-Eine,
Ewig-Neue!

HELENA

Deine, deine
Ungetreue,
schwebend überm
Gefilde der Reue!

ALTAÏR *mit einem Sklaven, welche die Dolche schwingen, durch die seitlichen Zeltvorhänge jäh hereindringend*

Zu mir das Weib!
In Ketten den Mann!
Er brach das Gastrecht,
raffet ihn hin!

Die Sklaven bemächtigen sich Helenas und Menelas' und reißen sie auseinander.

Hinter dem Zelt erhebt sich ein dumpfes Klirren, immer gewaltiger, als schüttle ein Sturm einen Wald von Eisen.

AÏTHRA *jubelnd*

Das sind die Meinen!
Helena, Heil!

Sie reißt den Zeltvorhang zurück. Draußen im vollen Mond steht wie eine Mauer eine Schar Gepanzerter in blauem Stahl, die Gesichter vom Visier verhüllt, die Arme über dem Heft des bloßen Schwertes gekreuzt, die Schwerter auf den Boden gestützt. Im Halbkreis, den sie bilden, mittelst auf einem weißen Rosse das Kind Hermione, völlig in Goldstoff gekleidet.

DIE GEPANZERTEN *höchst gewaltig, ohne sich zu regen*

Nieder in Staub!
Zitternd entfleuch!
Oder wir stürzen
wie Blitze auf euch!

AÏTHRA *in der Mitte, ihr Antlitz enthüllend*

Aïthra ist da!

Böser Knecht!
Unbotmäßiger
wilder Vasall!

ALTAÏR *mit den Seinen sich in den Staub werfend*
Aïthra! wehe!
Weh Altaïr!

AÏTHRA
Helena! siehe! sie bringen das Kind!
Das Kind Hermione wird von zwei Gewappneten vom Pferde ge-
hoben und tritt heran.
In der Mitte, auf einen Wink Aïthras, bleibt sie stehen. Das volle
Licht fällt auf sie: in ihrem goldenen Gewand und goldenem Haar
gleicht sie einer kleinen Göttin.

HERMIONE
Vater, wo ist meine schöne Mutter?

MENELAS *den Blick trunken auf Helena geheftet*
Wie du aufs neue
die Nacht durchglänzest,
wie junger Mond
dich schwebend ergänzest!
Er wendet sich gegen das Kind
O meine Tochter,
glückliches Kind!
Welch eine Mutter
bring ich dir heim!
Zwei der Gepanzerten heben Hermione wieder in den Sattel. Zugleich
werden die für Menelas und Helena bestimmten beiden herrlich ge-
zäumten Pferde vorgeführt.

HELENA UND MENELAS *zusammen*
Gewogene Lüfte, führt uns zurück!
Heiliger Sterne salbende Schar!
Hohen Palastes dauerndes Tor,
öffne dich tönend dem ewigen Paar!

Indem sie sich anschicken, die Pferde zu besteigen,
fällt der Vorhang.

INHALT

GEDICHTE

DRAMEN